W9-BMN-805

DAISY SISTERS

Libros de Henning Mankell en Tusquets Editores

SERIE WALLANDER
(por orden cronológico)

Asesinos sin rostro (Andanzas 431 y Maxi Serie Wallander 1)
Los perros de Riga (Andanzas 493 y Maxi Serie Wallander 2)
La leona blanca (Andanzas 507 y Maxi Serie Wallander 3)
El hombre sonriente (Andanzas 523 y Maxi Serie Wallander 4)
La falsa pista (Andanzas 456 y Maxi Serie Wallander 5)
La quinta mujer (Andanzas 408 y Maxi Serie Wallander 6)
Pisando los talones (Andanzas 537 y Maxi Serie Wallander 7)
Cortafuegos (Andanzas 556 y Maxi Serie Wallander 8)
La pirámide (Andanzas 572 y Maxi Serie Wallander 9)
El hombre inquieto (Andanzas 702 y Maxi Serie Wallander 10)

*

El retorno del profesor de baile (Andanzas 586 y Maxi 004/1)

*

SERIE LINDA WALLANDER

Antes de que hiele (Andanzas 598 y Maxi 004/2)

* *

El cerebro de Kennedy (Andanzas 614 y Fábula 293)
Profundidades (Andanzas 631 y Fábula 288)
Zapatos italianos (Andanzas 643 y Fábula 290)
El chino (Andanzas 674 y Maxi 004/3)
Daisy Sisters (Andanzas 764)

*

SERIE AFRICANA

Comedia infantil (Andanzas 475)
El hijo del viento (Andanzas 687 y Maxi 004/4)
El ojo del leopardo (Andanzas 717 y Maxi 004/5)
Tea-Bag (Andanzas 737)

ENSAYO

Moriré, pero mi memoria sobrevivirá

HENNING MANKELL

DAISY SISTERS

Traducción del sueco de Francisca Jiménez Pozuelo

Título original: *Daisy Sisters*

1.ª edición: septiembre de 2011
2.ª edición: septiembre de 2011
3.ª edición: noviembre de 2011

© Henning Mankell, 1982
Publicado por acuerdo con Leopard Förlag AB, Estocolmo, y Leonhardt & Høier Literary Agency A/S, Copenhague.

© de la traducción: Francisca Jiménez Pozuelo, 2011
Diseño de la colección: Guillemot-Navares
Reservados todos los derechos de esta edición para
Tusquets Editores, S.A. - Cesare Cantù, 8 - 08023 Barcelona
www.tusquetseditores.com
ISBN: 978-84-8383-346-9
Depósito legal: B. 39.261-2011
Fotocomposición: Pacmer, S.A. - Alcolea, 106-108, 1.º - 08014 Barcelona
Impresión y encuadernación: Romanyà-Valls
Impreso en España

Queda rigurosamente prohibida cualquier forma de reproducción, distribución, comunicación pública o transformación total o parcial de esta obra sin el permiso escrito de los titulares de los derechos de explotación.

Índice

Prólogo

Sin más rodeos: ¡Aquí está! Eivor Maria Skoglund, treinta y ocho años, trabaja como operaria de puente grúa desde hace tres, desde octubre de 1977, para ser más exactos.

La encontramos en el preciso momento en que sale tras concluir su turno de trabajo. Está de pie ante la puerta oeste de Domnarvet, en Borlänge, temblando en el frío atardecer de noviembre. Despacio, casi con desgana, se inclina para soltar la cadena que rodea la rueda delantera de su vieja y destartalada bicicleta. Parece que el cielo otoñal fuera un reflejo de su muda amargura porque esta tarde le ha venido la condenada menstruación, porque este mes tampoco se ha quedado embarazada a pesar de tomarse la temperatura para controlar la ovulación, de las almohadas bajo el trasero y, sobre todo, de llevar una vida sexual terca e insistente. Esto va a tratar de ella, de ella y de nadie más.

De Eivor Maria Skoglund, en la mitad de su vida, que ella sólo percibe como sufrimiento.

Pero, como es natural, al fondo hay también un hombre, el tercero para ser más exactos, el vigilante nocturno Peo, que en este momento se encuentra en la casa que comparten tumbado en el sofá marrón oscuro, de imitación de piel, como un boxeador noqueado, intentando, resignado, dormir. Necesita de su descanso y de sus sueños para aguantar durante las interminables noches que pasa en almacenes abandonados y oficinas públicas. Reposa acurrucado, con las manos sudorosas enlazadas en la entrepierna, intentando, sin conseguirlo, no pensar. Todos los intentos son en vano, sigue despierto hora tras hora, hasta que llega Eivor a casa.

Al fondo también está el resultado de un matrimonio anterior. Los hijos de ella, felices, engañados, amargados, adolescentes, todos desorientados. Pero por el momento ocupan un segundo plano, como debe ser para que el relato no se descontrole.

Pues bien, existen muchos puntos de partida imaginables para esta historia sobre Eivor.

Pero entre ellos destaca uno en especial.

Elna, la madre de ella, la de pelo oscuro.

Sin avisar, sólo con una especie de asombro que le surge de repente, podía exclamar mientras cenaban en el triste y ruidoso bloque de apartamentos en Hallsberg:

–Si no hubiera sido tan imbécil y no hubiera ido en bicicleta hasta la frontera con Noruega de Dalarna, no me habría tropezado con tu padre, ni tampoco existirías tú, pequeña. *¡No lo olvides! ¡No lo olvides nunca!*

Transcurre el año 1952 o 1953, Eivor no lo recuerda muy bien. ¿Pero es tal vez su madre una mala persona? ¿Es insensible o simplemente tonta? ¡En absoluto, todo lo contrario! Elna, la madre de Eivor, posee una mente lúcida, es sincera y además comulga con una religión especial: la honestidad. Y la hija se le parece, no sólo en el aspecto físico, todos lo dicen. Es cierto que no blasfema tanto ni de forma tan grosera como la madre, pero cada dos por tres desearía hacerlo.

¿Y Hallsberg?

Sí, ya lo sé, es demasiado pronto. La historia acaba de empezar.

Así que subimos por los valles del río hacia la sierra noruega, retrocediendo en el tiempo hasta el año 1941.

1941

1941. El tercer año de guerra, un verano interminable, seco y caluroso sucede en todo el país al infernal invierno.

Y entonces llegan ellas en bicicleta. Vivi y Elna, en un país que por ahora se encuentra fuera de la guerra. Se llaman a sí mismas Daisy Sisters, siguiendo el modelo americano. Dos muchachas a las que les gusta cantar deben tener un nombre, aunque el repertorio lo compongan canciones escolares suecas o absurdas melodías de moda. Primero pensaron en llamarse Ziegler Sisters por Lulu, y cuando salió en la conversación Rosita, consideraron si Serrano Sisters sonaría mejor. A Elna le gustaba más, pero no insistió. Cedió cuando apenas habían salido de Älvdalen, donde se apearon del tren. Vivi era una persona obstinada.

Es verano, de eso no cabe duda, y Elna va a ser violada, o casi violada.

Casi violada, según aclara ella. Porque, por mucho que duela, se obliga a ser sincera hasta el límite de su propia humillación. ¿Pataleó, mordió y se retorció todo lo que pudo? ¿Realmente no había nada a mano cerca de allí, una piedra, lo que fuera, que le sirviera de arma mientras él resoplaba y lo hacía? ¿Algo con lo que poder golpearlo y quitárselo de encima? Además, en realidad no tuvo miedo mientras estaba tumbada debajo de él. ¿Cómo iba a tenerlo? ¡Él no era más que un recluta pálido y con espinillas que estaba tan asustado como ella!

Dos bicicletas grises de mujer, marca Monarch, y el mundo preparado para ser conquistado. En el portaequipajes llevan exactamente lo mismo. Primero una pequeña maleta, encima el saco de dormir y luego el chubasquero como envoltura, atado con una cuerda. Es todo, no se necesita más. Lo único que las diferencia es que Vivi lleva a un lado una pequeña alforja gris que se balancea sobre la rueda trasera.

Pero tienen la misma edad, y ambas son del signo Acuario. Nacidas en 1924, el 22 de enero y el 2 de febrero, cada una por su lado. Porque sólo son hermanas en el nombre Daisy, pero no entre sí. Vivi reside en Landskrona, Elna en Sandviken. Un día, cuando Elna cursaba el último año de la escuela, llegó la maestra con un sobre gris en la mano preguntando si había alguien que quisiera tener una amiga con la que mantener correspondencia. Elna dijo que sí sin saber por qué. Hasta entonces apenas había escrito una carta completa en su vida. Y en aquella ocasión estuvo a punto de que no sucediera tampoco, porque cuando se adelantó hasta el estrado y se inclinó para recoger la carta, la profesora aprovechó para decirle que esperaba que su caligrafía superara el nivel del garabato. Entonces Elna a punto estuvo de tirar la carta delante de la vieja y de escupir. Pero sus calificaciones ya iban a ser bastante malas, por lo que se esforzó en contenerse.

Lee la carta en casa, en la cocina, desde donde se ve alzarse el edificio de la fábrica al otro lado de la ventana. Dagmar, su madre, que está preparando la comida, le pregunta. Pero ella no contesta, sabe que tiene que leerla ahora, deprisa y detalladamente, antes de que su padre y sus dos hermanos mayores regresen de la fábrica, porque si la carta estuviera tirada por ahí habría un interrogatorio inacabable.

–Tú nunca recibes cartas –dice la madre.

Le parece un comentario tonto, así que no contesta y sigue leyendo. Una y otra vez lee esa carta tan asombrosa.

«Me llamo Vivi Karlsson. Dejé caer un alfiler en el mapa de Suecia. Primero la cabeza fue a parar en el mar, en alguna parte de Kvarken. Pero allí no vive nadie, ¿verdad? Lo dejé caer de nuevo, entonces la cabeza aterrizó encima de Skillingaryd, pero me sonaba muy aburrido. La tercera vez le tocó a Sandviken, de la que sé, al menos, que tiene un equipo de fútbol. Han jugado aquí contra BOIS y no acabó del todo bien. Mi padre trabaja en el astillero, es grandote, y era luchador antes de tener problemas con el vientre, se llaman hemorroides. Mi madre está en casa. Vivimos en una habitación con cocina, tengo dos hermanos, Per-Erik y Martin. Martin se ha hecho a la mar como grumete y Per-Erik va a ser albañil. Somos comunistas, al menos mi padre lo es. Si tú, a quien no conozco, tienes ganas de escribirme, mi dirección es...»

Vuelve a leer la carta, trata de imaginarse a Vivi Karlsson. Pero la madre empieza a trajinar con platos y fuentes, se oyen fuertes golpes en la escalera y ella guarda la carta de inmediato.

¡No consigue estar en paz!

Las patatas están a medio pelar. Acaba de llegar hasta su nariz el olor a sudor de los calcetines del padre y de los hermanos cuando la madre empieza a cotillear.

–Elna ha venido hoy de la escuela con una carta.

Rune, el padre, agita el tenedor en el aire.

–¿Qué demonios has hecho ahora? –gruñe irritado.

Elna prefiere no contestar.

Su hermano Nils tiene sólo dieciséis años, la cara llena de granos y, casi siempre, una sombra amarilla debajo de la nariz. Se pelean a menudo, pero aun así a ella le gusta, quizá sea precisamente porque se entromete, se preocupa por ella, aunque la mayoría de las veces le hace rabiar.

–Tiene novio, está claro –dice mientras engulle enrojecido la comida.

Y así continúa la comida. Una carta que nadie ha visto se convierte en un tema de conversación repetitivo, mientras arenques y patatas desaparecen de la fuente.

Pero Elna está enfadada, la carta le pertenece y no dice nada.

Después de la cena, Arne, el hermano mayor, baja al sótano a lavarse. Es miércoles y va a ir en tren a Gävle para bailar en la Casa del Pueblo. Tiene veinte años, está en esa edad en la que se puede con todo, un trabajo pesado y noches de vigilia ininterrumpida.

Nils eructa, se tumba en el sofá de la cocina y se niega a quitarse los calcetines que apestan. El padre se echa sobre la cama de la habitación y se duerme enseguida. Elna y su madre friegan los platos, luego todos tomarán café.

Como nadie menciona la carta cuando están alrededor de la mesa de la cocina tomando café, ella aprovecha para hacer una pregunta sobre algo que no ha entendido. Deja que la pregunta pase inadvertida, como si se tratara de algo de la escuela.

–Padre –dice–, ¿qué son las hemorroides?

Él la mira boquiabierto, con la taza a mitad de camino hacia la boca. Pero, a diferencia del resto de adultos que ella conoce, él va directo al tema.

–Están en el culo –aclara con objetividad–. Salen si se cagan piedras durante un par de años.

–Ahora no, estamos tomando café –dice la madre. Nisse sonríe burlón, siente curiosidad y avidez por todo lo relacionado con los misterios del cuerpo.

–¿Cómo que están? –dice Elna.

El padre deja la taza de café y se pellizca la nariz.

–¿Sabes quién es Einar? El que vive en el piso de arriba de la panadería, el que trabaja conmigo. Él las tiene. Dice que parece como si le crecieran uvas en el culo y que desearía dejar de comer sólo por la satisfacción de no tener que cagar, de tanto como le duelen.

–¿Tenéis que seguir hablando de esas cochinadas? –pregunta la madre levantándose de la mesa.

–Si la muchacha pregunta debe recibir una respuesta –contesta el padre con decisión–. Además, a las mujeres les salen si tienen que hacer mucha fuerza para que nazcan los niños.

Entonces, la madre entra en la habitación y cierra la puerta de un portazo. Pero nadie se preocupa por ello.

–O sea, una enfermedad –dice Elna.

El padre asiente y alarga la taza pidiendo más café.

–¿No pueden tener eso también los maricones? –pregunta Nisse de repente, ruborizándose con todos sus granos.

–Cierra ahora mismo la boca –contesta el padre tajantemente. Él también pone sus límites, y de los maricones no se habla.

Elna tiene cierta idea de lo que son. Las conversaciones durante los recreos en la escuela le han proporcionado al menos tanta formación de utilidad pública como las largas y oscuras horas del aula.

Los maricones lo hacen entre sí.

Y habría que pegarles un tiro, como a todos esos malditos nazis, cabrones hitlerianos, comunistas... Vivi Karlsson cuenta que su padre es comunista, tal vez lo sea toda la familia, esto último no se deduce de la carta. Elna mira a su padre cuando éste se introduce rapé bajo el labio superior, donde pronto no le va a quedar ningún diente sano. Lo observa. Él es socialdemócrata, la madre también, igual que Arne. Lo que es Nisse nadie lo sabe, pero en ningún caso comunista. Nunca se hubiera tolerado. Rune, el padre, es un adversario que no razona. Por lo tanto, el padre de Vivi no puede tener su aspecto ni comportarse como él.

–Pueden meterse la revolución en el culo –dice–. Para nosotros va más despacio, pero así se cortarán bien todas y cada una de las briznas de hierba.

Suele hablar así. Aunque en realidad en casa nunca hablan mucho de política. Si es que no se consideran políticas las continuas conversaciones sobre los malos tiempos, el miedo constante al despido, las limitaciones, reducciones de salario; en pocas palabras, el pan de cada día. Sólo cuando el padre ha bebido en exceso, todos los que se encuentran a su alrededor se transforman en una especie de fantasmas que para él son sólo enervantes hombres de derechas que conviven con achacosas amas de casa. Entonces puede enfurecerse tanto en su ardor profético que llega a perder su sensatez habitual, su pálida característica cotidiana, y sube la contraventana de la cocina y lanza una cacerola que resuena como un enorme mazazo al caer al patio, y luego mantiene un furibundo discurso hasta entrada la noche. Si la madre intenta cerrar la ventana, se arriesga a recibir inmediatamente una bofetada, así que se mete en la habitación y cierra la puerta. Es su única y eterna protesta, cerrar la puerta de un portazo y hacerse invisible. No conoce otro modo de expresar su enfado, nunca lo ha aprendido.

Pero Rune no se emborracha con frecuencia, ni siquiera con regularidad durante las fiestas. Se ocupa de su trabajo en la fábrica, acude obediente a las reuniones del sindicato y de la comunidad de trabajadores, se sienta siempre al fondo, donde el aire es mejor, según afirma él, y nunca se ha pronunciado, nunca ha pedido la palabra. (Sí, puede que lo hiciera en un brumoso pasado, cuando formaba parte de las juventudes socialistas, pero de eso hace ya tanto tiempo...)

Ahora tiene cuarenta y dos años y empieza a hacerse viejo. Los constantes cambios entre el calor abrasador y el frío cortante le han provocado reumatismo y angina de pecho. Tiene que levantarse cada noche a patalear y mover las piernas para obligar a la sangre a que siga circulando. Pero aún no le ha afectado al humor, no hay que hacer mucho para que se ría. Una historia impúdica o unos cotilleos acerca de un capataz son más que suficientes para provocarle la sonrisa. Y no le importa que le falten dientes en la mandíbula superior. Cuando uno va haciéndose mayor...

Elna se parece a su padre, tiene el mismo pelo oscuro que apunta hacia todos lados, ojos azul claro y una boca que se tuerce hacia la izquierda cuando sonríe. Su rostro refleja mucha vehemencia. Puede que no sea muy guapa, pero posee una gran vivacidad.

Se pregunta cómo reaccionaría su padre si le dijera que se ha buscado a una comunista para mantener correspondencia.

¿Y en qué parte del mundo estará Landskrona? No puede sentarse a contestar la carta hasta que lo sepa.

Por la tarde baja corriendo las escaleras hasta la casa de Ester y su familia. Tienen algún parentesco aunque ella no sabe cuál. Pero Ester tiene un mapa encima del banco de la cocina y busca en él con gran esfuerzo la ciudad llamada Landskrona. Escania, ¿qué es eso? Una provincia, pero ¿qué más? Elna fija la mirada en el mapa intentando ver algo más, personas moviéndose entre los nombres, apenas legibles, de los sitios, las líneas férreas, las carreteras, los castillos.

«Nils Holgerson se montó en un ganso / que vociferó y gritó / y en una gaviota se cagó», recita mentalmente. Así que ella vive allí abajo...

Elna y Nisse duermen en la cocina. En realidad Arne también, pero pasa poco por casa, y siempre que puede se escapa de la estrecha cocina. Él quiere que crean que diversas mujeres lo invitan amablemente a sus camas, pero Elna sabe que a menudo se hace un ovillo sobre el frío suelo en la habitación de algún compañero que vive en las viviendas para solteros de la fábrica. Si tuviera tantas mujeres como dice, ¿por qué iba a andarse entonces con ese trajín bajo la manta, las pocas veces que duerme en la cocina y cree que es el único que está despierto? Elna le ha oído e intenta no escuchar el jadeo...

Cuando Nisse empieza a respirar de forma dura y regular, Elna se levanta en silencio del sofá de la cocina, enciende una vela y se sienta junto a la mesa abatible para contestar a Vivi. La llama de la vela va y viene debido a la corriente de aire de la habitación, Elna piensa que es como si la luz quisiera alejarse, huir de la oscura cocina. Sube las piernas y las flexiona debajo del cuerpo sentada en la silla, los tablones del suelo están fríos. Así, arranca con cuidado una hoja de su cuaderno azul, y afila su lápiz con la uña del pulgar.

Pero ¿qué va a escribir?

Saca la carta y la lee una vez más. La letra se expande y refleja impaciencia, no recuerda en nada las redondas y fluidas letras que Elna ha tenido que repetir una y otra vez. Eso también, que las letras tengan una vida propia y anárquica cree que transmite algo de la desconocida Vivi.

Al final empieza a copiar la carta, la única diferencia es que ella habla de sí misma, y que las letras, en contra de su voluntad, salen redondas como cochinillos bien alimentados...

Desde ese día intercambian cartas. No sólo se confían palabras y pensamientos cada vez más confidenciales, sino que también se mandan cromos, flores secas, postales, recortes de periódico. Pero pasan los años sin fotografiarse. Se describen a sí mismas con palabras y frases, pero nunca se hacen fotos y las envían. ¿Por qué? Ambas se hacen la misma pregunta...

Poco después de empezar a cartearse terminan la escuela. Vivi escribe que ha empezado a trabajar como camarera de habitaciones en el Stadshotellet de Landskrona la misma tarde en que acabó el curso. Tiene que apresurarse al salir de la iglesia para no llegar tarde. Su paso de la escuela a la vida laboral dura poco más de diez minutos. Elna lo tiene algo mejor, a los dos días de finalizar la escuela está haciendo reverencias ante la puerta del chalet donde vive Ask, el ingeniero de la fábrica. Trabaja allí como criada. Y no transcurren muchas semanas antes de que las cartas de ellas cambien de carácter. Reemplazan las flores secas por un intercambio de sueños de futuro cada vez más intenso y empiezan a planear un encuentro en serio.

Pero en 1939 llega la guerra, el maldito Hitler, al que deberían haber fusilado hace más de cinco años (o al menos haberlo capado), grita en la radio de tal modo que a Elna casi le produce miedo en la oscuridad. Y en los momentos de agitación nadie se atreve a dejar el trabajo y, menos aún, a viajar hasta donde se encuentra una amiga con la que te carteas. Ni pensarlo. Además está bastante bien con el ingeniero Ask, a pesar de que el sueldo es pésimo y que casi nunca le dan permiso.

«Tenemos que esperar», se escriben una a la otra. La guerra no puede ser eterna, la libertad y el respiro tienen que llegar antes o después. La guerra no puede durar toda la vida, igual que no se puede ser toda la vida camarera de habitación de hotel o criada en casa de un ingeniero. Los días son demasiado cortos y escasos para ello...

«Nos veremos pronto», escriben. «Por el momento continuaremos intercambiándonos sueños.»

Pero de repente se produce un cambio. Las tropas de Hitler parecen invencibles y las cartas de Vivi se vuelven distintas, más cortas, casi evasivas. Es algo relacionado con su padre.

«En este momento no resulta fácil ser comunista», escribe por fin, directamente. Y Elna se lo imagina. Ya ha visto y oído bastante, incluso en casa de la familia Ask, donde la señora de la casa siente una admiración grande y abierta por Hitler y el denominado *Nuevo Orden.*

Por el contrario, el ingeniero, de baja estatura, grueso y siempre preocupado, se mantiene escéptico y vacilante, a pesar de que la guerra sólo ha favorecido la producción de acero de la fábrica.

Elna le oye murmurar «muchachos raros, muchachos peligrosos», cuando va a servirle el café de la noche en el salón de fumar, donde suenan como crujidos las últimas noticias del ejército de ese Atila alemán contra un entorno que carece de voluntad.

Excepto Suecia, que por ahora se mantiene neutral y todavía no es objetivo de los cañones.

Un día, Elna presencia el momento en el que sacan un busto de escayola de Hitler envuelto en papel de seda y lo colocan en el ala negra del salón que tiene vistas a toda la zona de la fábrica. Detrás de la puerta oye que el hombre pregunta a su mujer si es realmente necesario, al fin y al cabo el pueblo es pequeño, y las criadas tienen oídos y ojos también...

Pero la esposa bufa como un gato escaldado y el ingeniero Ask deja de refunfuñar inmediatamente y Elna continúa colocando el *Dagens Eko,* publicado por la dudosa comunidad Manhem, junto al té vespertino de la señora.

La guerra está lejos y muy cerca a la vez. Pero en casa el padre lo tiene todo claro, como es natural. ¿No ha hecho un pacto esa maldita carroña con el gorila del Kremlin? ¿Qué significa eso? Stalin y Hitler, el padre Pequeño y el padre Grande, subiéndose cada uno a las barbas del otro. ¡Y los comunistas los apoyan llamándolo estrategia! ¡Eso es alta traición a la patria! ¡Que me muera si no es lo que digo!

Elna intenta verlo todo de un modo práctico.

Hay una mujer mayor de apellido Ekblom al cuidado de la lechería que se encuentra al bajar la cuesta de la estación. Cojea y lleva una bota negra con una suela de diez centímetros de grosor, tiene el pelo blanco y es amable, no se niega nunca a vender a crédito. Y es comunista, lo reconoce abiertamente.

¿Es traidora a la patria?

Elna trata de escuchar y preguntar, pero las respuestas son demasiado elevadas para ella. Un hombre, llamado Hess, que vuela hacia Escocia e inmediatamente, en opinión de la señora Ask, es un espía loco; y en boca del padre un «desertor sorprendente y sensato para ser alemán». Himmler, Múnich, la Reichskanzlei, el Obersturmbannführer, Messerschmitt, nunca algo coherente. Y la madre, que aprieta nerviosa sus cupones de racionamiento y teje calcetines de lana de modo impulsivo, en silencio, con furia, como si el día del juicio final estuviera anunciado ya en la puerta.

¿Y ella qué hace?

Pues sí, al final escribe a su amiga Vivi y le cuenta las cosas exactamente como son, que está confusa. Una carta larga.

¿Las circunstancias, los motivos?

¿Puede explicárselo Vivi? ¿Lo entiende?

Intercambian cartas, tratan de interpretar recíprocamente sus pensamientos, adquirir la claridad y la visión de conjunto que, por desgracia, parecen ser tan necesarias para poder vivir, esclarecer lo complicado de la vida.

Llega la primavera. Vivi y Elna han cumplido diecisiete años, y este verano van a encontrarse, con guerra o sin ella. Los tiempos de incertidumbre parece que van a continuar, la impaciencia se acentúa. La cuestión es sólo cómo podrán hacerlo. Ninguna de las dos tiene algo a lo que pueda llamarse vacaciones. (Vivi se arriesga incluso a ser despedida si se pone enferma un solo día, según le ha escrito a su amiga de Sandviken en una airada carta, después de unas anginas que han hecho sus días laborables el doble de dolorosos.) El camino entre Sandviken y Landskrona es largo. Pero sin duda podrán ahorrar unas pocas coronas, pueden alquilar bicicletas, y siempre hay alguien que tiene un viejo saco de dormir...

Una casualidad las ayuda. Ocurre un día de principios de mayo de 1941, cuando el invierno ha empezado a retirarse por fin dejando paso a una primavera que calienta con titubeos a las personas heladas de frío. Un día en el que, a pesar de todo, parece que es posible volver a creer en el verdor y en los pájaros estivales, sucede el acontecimiento inaudito. Rune sube la escalera con paso pesado, abre la puerta y dice que han llegado noticias de su hermano, el que vive en Skallskog, al sur del lago Siljan. El hermano dice que si los hijos de Rune tienen ganas de ir a verlo y a ayudar con la siega, son bienvenidos.

–Ése nunca ha sido muy familiar –dice irritado–. Pero ahora parece que es importante. La guerra une. Sí, claro, pero es un tacaño de mierda, así que me parece que está buscando ayuda barata. Quizás han llamado a filas a los braceros, así que se encuentra ante la terrible posibilidad de tener que sujetar él la horca del heno.

Nunca se ha hablado mucho del tío, el próspero granjero de Skallskog. Elna sospecha que el velado motivo es la turbia envidia al tío que tiene propiedades, al que siempre se han referido como Pelle «el Gallinas». Con apelativos cariñosos y malintencionados siempre se logra quitar importancia a parientes demasiado distinguidos o a prósperos nuevos ricos...

–Ni hablar de que viajen todos –decide Rune con contundencia, y no soporta que le contradigan–. Pero tú, Elna, tal vez quieras ir. ¡Además, al viejo le fastidiará que vaya una chica en vez de un par de mozos llenos de energía!

Claro que quiere. Y Rune no ve ningún inconveniente en que Vivi la acompañe. Más bien todo lo contrario.

–Seguro que no cuenta con que le lleguen dos chicas flacas –dice riendo satisfecho ante la posibilidad de poder fastidiar a su impúdico y adinerado pariente.

Elna mira a su madre. Está sentada en silencio, aunque parece que también quisiera viajar. Pero ¿quién le pregunta? ¿Acaso alguien se imagina que también ella puede albergar el deseo de alejarse de todo durante unas semanas?

Elna ha aprendido que no basta con tener fe y esperanza. Al contrario, se obliga a considerar con gran escepticismo todo lo que le gustaría llevar a cabo. Ahora hace lo mismo. Pero, aunque resulte raro, en este caso todo se arregla. En una carta que hierve de alegría incontenida, Vivi escribe y cuenta que el odioso director del Stadshotellet en el que trabaja, en un momento de remordimiento después de una tremenda borrachera, le ha concedido por carta dos semanas libres. Sin retribución, como es natural, pero, de todos modos, Vivi no había contado con eso. Piensa con agradecimiento en los dos viajantes de comercio que han emborrachado al director del hotel hasta tal punto que le concede el permiso. Y Elna tampoco tiene que dejar de trabajar en casa del ingeniero Ask, quien le expide con indulgencia vacaciones no retribuidas por el periodo solicitado, pues de todos modos durante algunas semanas estivales la familia acudirá al archipiélago de Estocolmo a bañarse con lo mejorcito de la sociedad.

Y así un día, una tarde poco después del solsticio de verano de 1941, Elna está en el andén de Borlänge esperando a que entre resoplando en la estación el tren que va hacia el norte. Ahí, en algún vagón, estará Vivi, con la bicicleta facturada en un vagón de mercancías, haciendo señales con un pañuelo rojo desde una ventanilla. Han mantenido correspondencia durante tres años, Elna ha contado más de cien cartas, y ahora por fin van a encontrarse, van a ir en tren hasta Älvdalen, subir en bicicleta hacia la lejana frontera noruega, la sierra, y luego, poco a poco, van a buscar de nuevo el camino hacia el sur, en dirección al lago Ejen, para ir a Skallskog a ayudar en la recolección del heno a Pelle el Gallinas. La eternidad, por fin, es perceptible. Catorce días en los que cada mañana descubrirán de nuevo la libertad.

Elna es guapa, está de pie en el andén con la maleta entre las piernas. Lleva una cinta blanca en la cabeza sujetándole su pelo oscuro y rebelde, calcetines blancos, vestido amarillo, sandalias. Tiene diecisiete años y respira con vehemencia, como si la visión de lo que se le ofrece a los ojos la dejara sin aliento. Pero, como es natural, ella también está nerviosa. Se imagina que Vivi, que viene del extremo sur del país, será mucho más bonita y mucho más fuerte que ella, que ha nacido con toda modestia en una población insignificante, un montón de casuchas alrededor de una fábrica, donde ni siquiera se ve el mar por más que te subas a la torre de la iglesia.

Espera inquieta e ilusionada, con la contradicción precisa que exige la situación. (Pero si hubiera sabido que, como resultado de este viaje, iba a tener una hija que en un futuro lejano se pasearía y sería infeliz precisamente en esta ciudad, sin duda habría dado media vuelta y se habría alejado corriendo por las polvorientas carreteras hasta verse de nuevo en su casa de Sandviken. Pero la vida no es así. Es probable que la casualidad pueda guiarse, dominarse, pero nunca prepararse, calcularse. El futuro sólo se muestra como la fastidiosa punta de una nariz que sobresale tras el telón...)

Ahí está Vivi. Primero los silbidos y quejidos de la humeante y chirriante locomotora, luego de repente un pañuelo rojo que centellea al pasar desde la ventanilla de un compartimento de tercera clase, apenas visible entre las chispas y el vapor. Y en medio de todo eso resuena el estridente grito en un dialecto raro.

–Debes de ser tú, ¡Elna!

Es Vivi, Vivi Karlsson. Hija de un obrero de los astilleros de Landskrona. Éste es su aspecto: pelo casi tan blanco como la tiza, innumerables pecas, nariz respingona, un diente ennegrecido en la mandíbula superior a causa de una caída en la escalera del retrete. Baja, muy delgada. Y directa.

Elna sube al tren y se deja caer sobre el banco de madera enfrente de Vivi, suelta la maleta y el saco de dormir en el suelo. Se miran la una a la otra sin hablar hasta que el tren arranca bruscamente.

Están viajando, por fin se han encontrado.

–Hola –dice Elna.

–Hola –responde Vivi.

Luego se ríen. Ya saben mucho la una de la otra, aunque no se hayan visto antes. El aspecto sólo tiene sentido cuando no se sabe nada. Ahora constatan con rapidez que ninguna de ellas es como habían imaginado; dejando a un lado todas las expectativas, ahora lo que vale es la realidad.

Lagos, Leksand, el lago Siljan resplandeciente, Mora, y al atardecer, ese luminoso atardecer de verano, saltan del tren en Älvdalen y desatan las bicicletas que llevan como equipaje. Las recibe una lluvia suave y tranquila, casi susurrante. Abren con cuidado la puerta de un aislado vagón de mercancías que está amarrado y se disponen a pasar allí la primera noche. En el furgón huele a estiércol, pero Vivi se desplaza de un lado a otro olisqueando como un terrier hasta que encuentra unos periódicos en la estación, que extiende bajo los sacos de dormir. Cuando empieza a oscurecer se tumban a hablar, a veces guardan silencio y escuchan las gotas de la lluvia contra el techo arqueado.

Hablan toda la noche, dormir pertenece a otro mundo, viejo y abandonado. Cada vez se juntan más la una a la otra, de repente pueden percibir sus alientos. ¿Se puede estar más cerca?

Hacia las dos de la mañana, Vivi pregunta de repente a Elna si es virgen aún. Ni siquiera se ríe, sólo formula la pregunta tal cual.

Elna no sabe bien ni qué contestar ni cómo expresarse. Nunca había imaginado que alguna vez le harían una pregunta así.

¿Pero lo es o no lo es? Sí, claro que lo es. El tiempo que le ha quedado para salir con chicos ha sido insignificante. Y Rune, su padre, la ha vigilado siempre, siguiéndola con los ojos a todos lados. Ha sido también él y no la madre quien le ha dado información, una información sorprendente y desordenada a la vez. Lo único que ha entendido en realidad es la necesidad de mantenerse alejada de los chicos. Alguno que otro se ha atrevido a palpar bajo su falda, pero nunca ha habido nada más. Aunque una vez, cuando un bruto de Hofors la pilló desprevenida, no le dio tiempo a parar y sintió que le metía un dedo. Se llamaba Birger, había empezado a trabajar en la fábrica y, aunque Elna apenas recuerda cómo fue, se encontraron y empezaron a salir juntos de modo inocente. Opina que Birger es bueno, ríe a menudo y con fuerza, es alto y siempre va muy limpio. Pero entonces un sábado por la noche va y se quita la máscara y no es más que un joven ávido que utiliza la fuerza para tratar de destrozarla.

Y después de notar la presión del nervioso y ansioso dedo del adolescente, sin duda se siente distinta. Ella misma, ávida y avergonzada a la vez, ha intentado encontrar sensaciones en sus genitales, con la pálida luz de la farola reflejada sobre la manta, teniendo cuidado de no despertar a Nisse. Y ha encontrado sensaciones, estimulantes, pavorosas, tentadoras. Pero se controla cuando sale con chicos, brutos o no. Quedarse embarazada sería la muerte, como poner la cabeza bajo un hacha...

Pero hasta esa noche nunca había hablado con nadie como con Vivi. Se ruboriza y se ríe tontamente, apenas puede pronunciar ciertas palabras, y a cada momento le parece que la puerta del furgón va a abrirse de un tirón y que su padre Rune aparecerá allí y le preguntará entre gritos de qué diablos están hablando. Pero no viene, como es natural, y ellas cuchichean y les da hipo de tanto reír. Cuando empieza a amanecer son capaces de hablar de cualquier cosa, de lo divino y de lo humano, y de prejuicios, pensamientos prohibidos, ideas peligrosas.

–Hitler –dice Vivi–. ¡Imagínate que estuviera aquí! ¿Y si estuviera tumbado aquí, en medio de nosotras?

Se dejan llevar por la imaginación.

Lo bautizan con el peor nombre que se les ocurre, y le dan la forma más repugnante que pueden imaginarse.

Víbora, un cadáver podrido, una rata marrón con manchas asquerosas y garrapatas en el rabo...

Comienza a amanecer, no son más de las cuatro cuando salen a escondidas del vagón de mercancías, cargan sus bicicletas y se marchan. Ya no llueve, pero hay nubes bajas y pesadas, están destempladas y pedalean en las primeras cuestas para entrar en calor y sudar. Se ponen a cantar en medio de la carretera llena de baches, y después de unos kilómetros deciden hacerse llamar Daisy Sisters. Pedalean una al lado de la otra con el sol en la espalda.

«Dios», piensa Elna. «Si existes, si existes...»

Paran a la salida de Rot, preparan café (Vivi es la que lleva el café y cuenta, complacida, que es lo último que cogió cuando la señora se dio la vuelta en la gran despensa del Stadshotellet), comparten lo que llevan para los bocadillos, viven su primera mañana juntas. De repente, Vivi empieza a corretear de un lado al otro por la colina en la que están sentadas, sólo por el gusto de poder subir y bajar corriendo.

–En Escania sólo hay escaleras –dice a gritos–. Si te caes aquí, no te rompes los dientes.

Da volteretas en la hierba y empieza a nadar en seco. Cuando se levanta tiene la cara marrón y pegajosa, ha caído en medio de una boñiga de vaca. Pero, sin parar de reír, va a lavarse a una acequia.

Siguen su camino, directas hacia el verano.

Pero, después de unos días, de repente no pueden avanzar más. Al norte de Gröveldalsvallen, donde ya intuyen Långfjället al noroeste, son detenidas junto al puente del río Grövlan. El centinela es gordo y está sudoroso, el fusil le cuelga del hombro como un yugo. Ellas se bajan de las bicicletas y quedan cara a cara con el vigilante sueco. Pero perciben la gravedad, a pesar de que el centinela se parece a Sigurd Wallén, a un *desdichado* Sigurd Wallén. Al otro lado de la frontera invisible, no muy lejos de allí, tiene lugar la guerra. El centinela pregunta tranquilo hacia dónde se dirigen y les dice que pueden continuar un poco más. Pero no pueden ir más allá de Lövåsen, a los pies de Långfjället. Y desde allí todavía hay algunos kilómetros hasta la frontera. Dejan atrás al centinela y siguen en bicicleta, pero ya no cantan.

Un granero casi derruido se convierte en su hogar, y un arroyo pasa a ser su particular mar. Pueden comprar en una granja lo poco que necesitan para comer, sin presentar los cupones de racionamiento. Intentan dar con la guerra durante los cálidos días de verano. Pero todo está curiosamente tranquilo, los dispersos granjeros se mueven inexpresivos en medio de sus quehaceres, por la carretera llegan de vez en cuando coches negros envueltos en una nube de polvo. Por lo demás, reina la quietud. Tal vez haya tantas caras de la guerra como estruendo de cañones y aviones de guerra, piensan ellas. Quietud, un cielo despejado y el sol que se mueve lentamente de este a oeste. Se abren paso en la quietud, deambulan, toman el sol, se bañan. Dentro de poco más de diez años cumplirán treinta, ¿qué harán entonces? ¿Habrá acabado la guerra? ¿Qué aspecto tendrán en 1954? ¿Y en 1964, diez años después? ¿A quién se escuchará entonces en el programa de radio de los sábados por la tarde? Y, más lejos aún en el tiempo, ¿cuándo morirán? ¿Estarán vivas aún en el año 2000? Deambulan por la ladera de la montaña del mismo modo que hacen excursiones en sus mentes por diversas ideas y sueños. Dejan que pies y pensamientos sigan el mismo camino.

Vivi alberga el vago sueño de viajar por el mundo. No sabe adónde, y menos aún cómo. Los sueños de Elna son más sencillos, le bastaría con irse a vivir a Estocolmo. Y poder trabajar en una oficina... «Dios mío, si existes, no pido nada más.» Pero Vivi refunfuña. Están sentadas junto al arroyo y ella escarba con las manos en la tierra húmeda, intentando explicar que es así como ve su vida. Debajo de todo siempre hay algo más, algo inesperado. Eso es lo que quiere descubrir. Cree que se llama arqueología, pero no está segura. Elna no puede ayudarla, nunca había oído esa palabra.

Un día, Vivi habla de su padre. Él hizo un largo viaje en una ocasión a una ciudad del sur de Francia. Allí fue detenido y deportado. Iba de camino hacia España, a otra guerra. Elna ha oído hablar de ella, pero en unos términos que le inquietan. Rune, su padre, ha hablado en varias ocasiones de mártires, que es como llama de forma despectiva a quienes participaron voluntariamente en la guerra civil. Mientras Elna está contándoselo, Vivi hace muecas y agita los pies en el agua del arroyo. Por un momento, Elna cree que Vivi está empezando a enfadarse, pero luego se le pasa. Vivi sólo se encoge de hombros.

–En el futuro se verá quién tenía razón –dice. Son palabras de su padre, su consuelo en los peores momentos.

Elna hubiera querido preguntar más, pero se contiene, ha percibido que Vivi se vuelve reservada y misteriosa cuando se trata de su familia y, sobre todo, de las ideas políticas de su padre. Cuando habla sobre el viaje de su padre a España, dice poco o casi nada acerca de los motivos. El viaje se convierte en un simple viaje, emocionante porque se trata de países apartados y porque además es interrumpido bruscamente. Pero el contenido del viaje no lo desvela, todo lo que dice es que iba a incorporarse a las brigadas internacionales.

«Brigada», ¿qué es eso? De la boca de Vivi brotan palabras y conceptos, muestras de una experiencia de la que carece Elna. Con frecuencia tiene que preguntar, pero con la misma frecuencia no lo hace. No sabe de qué depende, es algo que se siente sin más. No obstante, está segura de que lo mejor es no preguntar ni expresar lo que piensa.

Un día entran con las bicicletas en una zona prohibida. Lo hacen conscientemente, habían tomado ya la decisión la noche anterior en la granja. Y, como de costumbre, Vivi es la impulsora. De repente, cuando Elna está casi dormida, abre su saco de dormir y le propone en voz baja que hagan una expedición prohibida.

–Lo más que nos puede pasar es que nos paren –dice con determinación–. ¿Y qué pueden hacer aparte de decirnos que nos volvamos? Nosotras sólo diremos que nos hemos equivocado de camino.

Elna no necesita preguntarle a Vivi por qué quiere entrar en una zona prohibida, lo sabe muy bien. Es la tentación de la frontera, ese punto del paisaje que es definitivo: alejado, un país distinto, guerra. Tienen una idea vaga de cómo es una frontera. ¿Una valla? ¿Una empalizada? ¿Atalayas encadenadas? ¿Un paisaje que de pronto cambia de características?

Poco después de las cuatro de la mañana parten con sus bicicletas en busca de respuestas. La noche ha sido húmeda y tiritan de frío en el amanecer. La zona está desierta, las envuelve una niebla blanca que se extiende quieta limitándoles la visión. El camino es duro y la gravilla cruje bajo las ruedas de goma. Vivi pedalea delante, es la que dirige la expedición, Elna la sigue unos metros más atrás.

Van en dirección a la frontera, fuera de la tranquilidad, hacia la guerra.

Pero no llegan demasiado lejos, la frontera sigue burlándose de ellas. De repente surgen de la niebla dos centinelas jóvenes y, a diferencia del grueso vigilante del puente, estos dos son decididos, espabilados, y están preparados a pesar de la temprana hora de la madrugada. Sus rostros bronceados brillan de un modo irreal en la niebla. Están de pie en la carretera empuñando sus fusiles. Vivi lleva a cabo la interpretación que ambas han acordado, se adelanta unos metros en bicicleta y, con su aguda y ruidosa voz con acento de Escania, pregunta dónde están, tienen que haberse equivocado de sentido a causa de la niebla.

Uno de los centinelas (del que sabrán después que se llama Olle, y al que apodan «Dedos») le sonríe socarrón.

–Aquí sólo hay un camino –dice–. Aquí no es posible equivocarse.

Elna desearía dar media vuelta y alejarse de allí lo antes posible, pero Vivi no es de las que dudan en atacar inmediatamente en las situaciones difíciles. Haciendo caso omiso de la respuesta que le han dado, pregunta dónde están. El soldado de frontera entorna los ojos. Sabe, por su acento, que ella procede de Escania, él es de Växjö y tiene parientes en Tomelilla. Da un paso hacia ella y comienza la sarta de preguntas que tiene que formular cuando descubren a personas no autorizadas en la parte prohibida de la zona fronteriza. Vivi contesta, hablándole del granero y del Stadshotellet de Landskrona y, sin darle mayor importancia al hecho de que está infringiendo la regla que dice que el civil tiene que atenerse a las órdenes de los militares, le pregunta si a pesar de todo es posible ver la frontera.

Olle sonríe de repente, alguna idea está tomando forma en su cabeza.

–Claro que sí –dice–. Vuelve esta tarde. A las siete en punto.

Y Vivi promete volver, tanto ella como Elna.

Olle les hace señales con el fusil y ellas se dan la vuelta, dirigiendo sus bicicletas hasta el camino por el que han llegado, y se detienen después de unos cien metros. A Vivi le excita la idea de que por fin vayan a poder acercarse a la frontera. Pero Elna duda, casi tiene miedo.

–¿Qué se puede ver a esa hora de la tarde? –dice.

–Tal vez haya reflectores –contesta Vivi.

–Quizá no vengan –insiste Elna.

–Entonces iremos nosotras –responde Vivi–. Nos han dado permiso, ¿no es así? Podríamos ver la frontera si volvemos a las siete.

Sí, a las siete. ¿Cómo van a saberlo si ninguna de ellas lleva reloj? Pero Vivi descarta la idea con un gesto, quedan por lo menos doce horas, tiempo más que suficiente para solucionar también ese problema.

–Ni siquiera sabemos cómo se llaman –dice Elna débilmente.

Vivi la mira asombrada.

–¿Qué importancia tiene? –pregunta.

Es cierto, ¿qué significan un par de nombres? Elna se encoge de hombros al darse cuenta de repente de lo estúpido de su objeción.

La niebla se disipa, se montan en sus bicicletas en un sendero casi cubierto de maleza y empiezan a subir por una pendiente escarpada. Buscan un lago. Aún es de madrugada, el terreno se vuelve cada vez más inaccesible y ha vuelto la niebla. Cuando llegan a la ladera de la colina, la pendiente las lleva hacia abajo por una estrecha depresión del terreno. Las bicicletas saltan por encima del escarpado sendero lleno de raíces, ellas frenan con los pedales y Vivi le grita algo a Elna, que, como de costumbre, va unos metros más atrás. Le grita que tiene hambre. Si pudiera beberse esta blancura a su alrededor...

En la parte más baja del valle acaba el sendero junto a una pequeña granja devastada por el clima, una casita gris de paredes de madera astillada que recuerdan las descuidadas barbas de un vagabundo, un pequeño establo y un retrete exterior. Una vaca blanca y negra está pastando en una ladera. Sale humo de la chimenea. La granja emerge como una nave fantasma en la niebla, a la que sólo la vaca y la delgada columna de humo parecen infundir vida. La dos dejan las bicicletas y van a comprar un litro de leche –llevan bocadillos en una fiambrera que Elna ha pedido prestada a Arne, su hermano mayor–. Elna es la que llama a la agrietada puerta exterior, porque se han dado cuenta de que el acento de Escania de Vivi es incomprensible para los habitantes de regiones limítrofes.

No abren y Elna, extrañada, indica con el dedo hacia las ventanas, que están cerradas. Las cortinas están echadas. Se preguntan si los granjeros dormirán aún, pero comprenden que no puede ser. La chimenea suelta humo y la gente que tiene vacas suele madrugar. Elna vuelve a llamar a la puerta, esta vez con más fuerza, no sólo con los nudillos sino con el puño derecho. Como respuesta al ruido aparece un hombre al otro lado de la puerta. La saluda con una inclinación de cabeza, mirándola interrogante. Elna responde a su saludo y le pregunta si puede venderle un poco de leche. Él tarda en contestar, parece meditar, hasta que finalmente se hace a un lado y les pide que entren. En la oscura cocina hay cuatro personas sentadas. Dos mujeres y un niño y una niña. La mujer más joven, de unos treinta años, mira recelosa a Vivi y a Elna, que se han quedado junto a la puerta. La otra mujer, algo mayor, está sentada despiojando a la niña. El niño, que no tiene más de cinco o seis años, se ha sentado en el suelo y sujeta entre sus manos un trozo de leña.

–Sólo quieren comprar leche –dice el hombre–. Siempre tenemos un litro para vender.

La mujer que despioja a la niña mira alternativamente al cuero cabelludo de la niña y a las dos mujeres que están en la puerta. Saluda con amabilidad, asintiendo.

–Sí, pero no más de un litro –dice–. No nos da para más.

El hombre las conduce a la parte trasera de la casa, donde hay una fosa cavada en el suelo. Les pregunta con cautela quiénes son, cómo han llegado a esta parte tan alejada del mundo. Sonríe al oír el acento de Vivi, seguramente no entiende nada de lo que dice. Vierte un litro generoso en la lechera gris que Elna le tiende. Elna le da una moneda de veinticinco céntimos y el hombre la deposita en su gastado monedero.

–Me llamo Isak Fjällberg –dice el hombre en voz baja, como si tuviera miedo de que algún extraño pudiera oírlos–. Los que habéis visto en la cocina eran mi mujer y unos fugitivos noruegos. No hay nada ilegal en ello, pero no vayáis diciéndolo por ahí.

En ese momento aparece la niña a la que le estaban quitando los piojos. Tiene once o tal vez doce años. Se sitúa unos metros detrás de Vivi y le mira fijamente la cabeza.

Vivi lleva una peineta pequeña para sujetarse el cabello cuando va en bicicleta. Además está de moda, la ha robado en una tienda de Landskrona.

La niña mira la peineta con ojos de asombro.

–Llegaron anoche –dice Isak Fjällberg–. Están cansados, van a continuar hoy más tarde. Han estado caminando a través de los bosques durante una semana antes de conseguir llegar hasta aquí.

Vivi es impulsiva, *detesta* dudar. Se quita la peineta y se la da a la niña noruega, que la acepta vacilante. Le hace una reverencia y vuelve a entrar en la casa corriendo. ¿Alguien haciéndole reverencias a Vivi? Santo cielo, lo que tienen que haber aguantado..., porque no se hacen reverencias a una persona de la misma edad, y menos aún a la hija de un obrero de los astilleros, ¿verdad? Si hubiera sido de sangre real o de la nobleza podría entenderse, pero ¿a una chica joven de Landskrona?

Isak Fjällberg sonríe y masculla algo inaudible.

Vivi y Elna se miran. Aquí, en medio de la niebla, han podido ver finalmente la guerra. Elna se da cuenta de repente de que se trata de un acontecimiento que va a recordar siempre, mientras viva. Al menos ella *desea* que así sea.

Les permiten sentarse en la escalera para desayunar. Isak Fjällberg se queda en el patio sin hacer nada, parece que estuviera escuchando. Pero sólo está cansado. Controla la frontera, forma parte del último y decisivo eslabón en la cadena que, en esa zona, al sur de Röros y al norte de Trysil, cruza la frontera con Noruega por la noche y pone a salvo a fugitivos noruegos, fuera del alcance de los nazis y de las temidas bandas de delatores.

Vivi y Elna se quedan en ese apartado patio de montaña. Cuando desaparece la niebla, descartan ir en busca de un lago. No parece que nadie tenga nada en contra de su presencia allí, tal vez Isak Fjällberg piense también que es más seguro que se queden hasta que, después del mediodía, haya conducido a los tres fugitivos valle abajo hasta la estación de refugiados. La niña a la que Vivi le ha dado su peineta se llama Toril. Va en busca de Vivi y Elna mientras su madre y su hermano pequeño duermen dentro de la casa, exhaustos después de huir atemorizados todo el día. Ya se le ha pasado la timidez, necesita hablar, quitarse la ansiedad. Mientras, Isak Fjällberg pasea de un lado a otro esperando a que la madre y el niño se despierten y tengan fuerzas para continuar. Ida, su mujer, apenas se deja ver. Vela por los dos que duermen en la habitación, uno pegado al otro, en la cama que es suya y de Isak. Cuando Noruega fue atacada en abril de 1940 y empezó el flujo de refugiados, no lo dudaron, era obvio que había que ayudar. Y ambos tienen buenos contactos con sus vecinos del otro lado de la frontera. Isak es muy conocido en la zona de la frontera, se puede confiar en él, no tiene miedo y siempre está dispuesto a ir cuando es requerido. Hay periodos en los que no duerme ni una sola noche, y por el día tiene que realizar su trabajo de talador de troncos. Sólo hoy se ve obligado a llevar a los prófugos hasta el campamento de refugiados, ya que quien lo hace habitualmente se ha puesto enfermo. Ida se encarga de los refugiados cuando ya han pasado la frontera. Entonces se produce a menudo la reacción, gritos y abatimiento, apatía y un hambre devoradora. Nadie sabe cómo logra dar de comer a todas esas personas, vestir a las que lo necesitan. Isak y ella son humildes agricultores de montaña y apenas tienen recursos. Pero como quiera que sea, todo marcha como tiene que ir... Y despiojar a los niños es algo incuestionable, ¿por qué tienen que sufrir por unos bichos? Ya han sufrido bastante...

Toril ha visto alemanes vivos. Para Vivi y Elna ésa es la gran sensación. No han transcurrido más de veinte horas. Ella habla en su noruego cantarín (que tanto Vivi como Elna se sorprenden de que sea tan fácil de entender) de la última y crítica parte de la huida, justo antes de que entraran en el bosque para ser confiados al guía sueco que resultó ser Isak. En la oscuridad tuvieron que pasar un camino que estaba vigilado por soldados alemanes. Al hermano, que se llama Aage, le han dado vino tinto para que se durmiera, vino tinto al que habían añadido algo. El guía lleva al niño en brazos. Pero, de repente, cuando iban a atravesar la carretera, aparece una patrulla alemana de transporte y se ven obligados a lanzarse a la cuneta. Los alemanes habían variado la hora de su cambio de guardia y los guías de frontera suecos no podían saberlo. Abajo en la cuneta, Aage empieza a despertar de su sueño, la madre se ve obligada a apretarle la cabeza con fuerza contra su pecho. Durante un corto y terrible instante, Toril ve que dos soldados alemanes se paran a menos de dos metros de la cuneta donde están ellos apretujados. Ve los cascos de acero, los uniformes verdes, oye algunas palabras estridentes en el temido idioma alemán. Pero se libran de ser descubiertos y pueden continuar. Toril los ha visto, los ha oído. Y no le faltan motivos para temerles. Por lo que sabe, han tenido que abandonar precipitadamente Hamar, donde viven, ya que su padre está en alguna parte de la sierra, con el movimiento de resistencia sueco, y han tenido conocimiento de que en cualquier momento pueden utilizarlos como rehenes contra él. Disponían de media hora para salir, abandonándolo todo. A su hermano ni siquiera le han permitido llevarse su osito de peluche.

Vivi y Elna miran a la pálida niña que ha venido desde el otro lado de la frontera. Así es la guerra, o al menos una pequeña parte de ella.

Llega Isak y le dice que vaya a acostarse y que duerma ella también. Van a tener que andar cinco kilómetros por la tarde, sólo puede conseguir que los lleven a caballo el último tramo. El coche que utilizan normalmente se ha estropeado. Y no pueden esperar hasta que lo arreglen, la casa no basta, pueden llegar nuevos refugiados. A través del enlace que tiene al otro lado de la frontera ha sabido que la Gestapo ha desarticulado varias células de la oposición, así que los refugiados siempre vienen en grandes grupos.

Toril obedece y entra en la casa.

–Precisamente éstos corren más peligro que los demás –dice en tono grave–. El padre no sólo está a favor del movimiento opositor, sino que también es miembro del partido comunista...

¡Otra vez eso! Elna escucha con atención, igual que Vivi. De nuevo el tema ese de ser comunista.

Por la tarde, Isak lleva a la madre noruega y a los dos niños en dirección este, valle abajo. Ida les dice adiós con la mano, Toril sujeta su peineta con fuerza, ahora es lo único que posee en el mundo, y luego desaparecen. Vivi y Elna se despiden de Ida y llevan sus bicicletas al mismo camino por el que han llegado. Descansan en lo alto de la ladera de la colina, están sudorosas y se dejan caer en la fina hierba. Se ha levantado viento, pero el aire es suave. En el noroeste se amontonan bancos de nubes oscuras como un extraño telón de fondo. Elna se ha acordado de preguntarle la hora a Isak justo antes de despedirse de él. Después de una ojeada al cielo calcula que serán las cuatro de la tarde. Así que aún les quedan unas horas antes de volver a encontrarse con los vigilantes y de que las escolten hasta la frontera.

–Es sábado –dice Vivi.

¿Sábado?

Elna se sobresalta. El tiempo ha pasado volando, ya han transcurrido cinco días desde que estaba esperando a su amiga en la estación de Borlänge. Enseguida tendrán que reemprender su viaje hacia Skallskog, a los rastrillos y la recogida del heno.

De repente, los breves segundos se vuelven infinitamente valiosos, tienen que aprovecharlos al máximo. Los días han pasado en una especie de juego atemporal, pero ahora que ya se conocen tras haber dormido tantas noches juntas puede seguir transcurriendo el tiempo. Se han bañado desnudas en arroyos y lagunas, no hay ni una mancha en sus cuerpos que la otra no haya visto.

Parece que ahora debe ponerse a prueba la solidez de la amistad que han forjado.

Están sentadas en lo alto de la colina mirando el paisaje. Al ser una zona limítrofe geográficamente, montaña, bosque y pradera pueden abarcarse de una ojeada. Un trozo de Suecia distinto y similar a la vez de los que ya conocían: los monótonos bosques de pinos rodeando Sandviken, y los llanos e interminables campos de cultivo alrededor de Landskrona (excepto El Estrecho, como es natural).

Vivi, pensativa y ausente, se rasca una picadura de mosquito. Es una persona sin términos medios, presa de cambios bruscos, descarada y provocadora en un momento, y a los pocos segundos metida en el fondo de su mundo propio, rodeada de puertas cerradas, ausente de todo excepto de ese pensamiento o visión que atrapa su atención. Y luego, sin avisar, regresa de nuevo.

Como ahora. Se retira el pelo de la cara (ya se ha olvidado de la peineta, como si no hubiera existido...) y mira a Elna con atención.

–¿Lo entiendes ahora? –le pregunta–. ¿Entiendes la situación de papá? Ya has oído lo que decía aquel hombre. ¡Ya lo has oído!

Elna tiene fama de ser buena y dócil. Lo último, ser apacible y fácil de contentar, es un rasgo que la honra. La que se contenta con poco no levanta casi nunca la vista del suelo, evitando con ello infectarse y sentir la incomodidad que produce ver que el mundo ha sido creado de un modo extrañamente injusto. Resultado: mirada baja, espalda encorvada, carencia de rebeldía.

Pero ¿es en verdad así? No, claro que no lo es. Pero su fuego arde dentro de un globo de cristal negro, es invisible, no llama la atención. Pero ella nota que estos cinco días que ha compartido con Vivi han significado algo importante. Le han dado valor. Una sensación que está eliminando el color negro del globo, que va a hacer que se vea la luz. Ahora ha adquirido coraje y percibe que están surgiendo los primeros fragmentos de una imagen de aspecto distinto al habitual. Vivi mastica una brizna de hierba y le pregunta si entiende. ¿Qué tiene que entender? Siempre ha entendido bien la diferencia entre comunistas y socialdemócratas, no es más notable que las diferencias entre unas gentes y otras. Pero que la diferencia implique algo real, que haya personas que elijan libremente el peligro y la desprotección, que la convicción tenga un precio, eso ha empezado a descubrirlo ahora.

Vivi ha dicho que ella es igual a su padre, y Elna sabe que casi es una copia de Rune, no totalmente, gracias a Dios, pero en gran parte. Ella y Vivi son distintas. ¿Qué significa? Las une el hecho de que ambas son mujeres que forman parte de la clase trabajadora, pero la cuestión es si eso no las separa en la misma medida.

–Rune es socialdemócrata –dice Elna apoyando la cabeza sobre las rodillas.

–Se te ven las bragas cuando te sientas así –contesta Vivi con sonrisa burlona. No lo dice con mala intención, sino con ambigüedad. Elna se tira del vestido y nota que se pone colorada.

Piensa que la respuesta es rara. ¡Ni siquiera es una respuesta!

–Mi padre dice que los socialdemócratas son lo peor que hay –añade Vivi–. Pero no habla en serio, la mayoría de sus compañeros de trabajo son socialistas. Pero lo dice. Le pasa lo que a mí, es un bocazas.

Vivi se estira en la hierba cerrando los ojos por el reflejo del sol. Elna se pregunta qué puede contestarle.

–Con Rune pasa lo mismo, pero al revés –dice finalmente–. Pero los que menos le gustan son los de derechas. Igual que a mí. ¿No te ocurre a ti lo mismo?

Vivi alza la cabeza, la apoya en una mano y mira hacia ella entornando los ojos.

–Por supuesto –dice–. Pero ¿cómo vamos a ir a por ellos si no podemos ponernos de acuerdo?

«¿Quiénes no pueden ponerse de acuerdo? Nosotras sí podemos», piensa Elna. «¿O sólo es así si lo hacemos por carta o compartiendo unos cortos paseos en bicicleta durante el verano?»

Realmente empieza a dudar.

Pero no pasa nada más, el sol calienta demasiado, la incipiente discusión se apaga. Elna tendrá que reflexionar luego sobre el hecho de que el modo de ser de Vivi, directo y franco, está dejando huella en ella. El sol empieza ahora su descenso en el cielo, pronto visitarán la frontera. Pero antes de eso, sólo un comentario más acerca del momento en que están reposando en la ladera de la colina.

Es Vivi.

–Eran guapos –dice.

–¿Quiénes?

–Los vigilantes, naturalmente. ¿Quiénes iban a ser?

Pero cuando los ven en el camino, uno de ellos no es el mismo que el de por la mañana, sólo reconocen a Olle.

Vivi y Elna estaban esperando de pie en la carretera y entonces aparecieron los dos por detrás de la maleza. Elna tiene la clara sensación de que las han estado espiando allí tumbados.

–Mi nombre es Olle, pero todos me llaman Dedos –dice el que ya habían visto–. Esta tarde estamos de permiso.

Vivi ha dejado su bici en la cuneta y exige con audacia una explicación, a la vez que dice que ellas se llaman Vivi y Elna. Sin apelativos cariñosos. Daisy Sisters es otra cosa, un juego infantil, algo que no se le dice a un extraño cuando se tienen diecisiete años.

–Me llaman Dedos porque nadie me gana echando un pulso con los dedos –contesta. Se ha puesto en pie con las piernas abiertas y las manos en los bolsillos. El otro está pálido, es alto como un pino y permanece callado. Sólo dice su nombre, Nils.

Se quedan todos de pie en la gravilla, como piezas en la fase final de un juego. En medio, Vivi y Olle –o Dedos, como le gusta que le llamen–, bastante cerca el uno del otro, casi al alcance de la mano. A un lado y algo más atrás de Vivi está Elna; detrás de Olle, Nils.

Dedos los lleva por un sendero del bosque.

–¿Está permitido esto? –pregunta Vivi.

–Está terminantemente prohibido –contesta él–. Corremos el riesgo de que nos condenen a muerte. O por lo menos de que nos quiten el permiso. Pero, qué demonios...

Vivi se ha deslizado hasta ponerse a su lado, Elna y el pálido van cabizbajos y silenciosos unos pasos más atrás.

Elna lo mira a hurtadillas. No es guapo, además tiene granos, aunque son leves, más bien puntos rojos, no abscesos. Es tímido y vergonzoso, «parece que vaya a tropezar con sus propios pies», piensa sin poder contener la risa.

–¿Qué pasa? –masculla él.

–Nada –responde Elna–. ¿Qué iba a pasar?

Antes de conocer a Vivi no habría dicho nunca esto, es su modo de ser, de no poner punto final a nada, sino responder una pregunta con otra. Siguen andando y Dedos va hablando. Les dice que no les permiten revelar nada.

–Si aparece algún ofi, decidle que no tenéis la menor idea de nuestros nombres. Sólo que somos el número 34 y el 72. Nada más.

–Se refiere a un oficial –aclara Nils. Pero no era necesario, ambas conocen algunas expresiones del argot militar.

Según Dedos, la vigilancia de frontera que hacen ellos es la más importante y la más expuesta de todo el país. Se regodea de no contar nada, de dejar entrever grandes secretos. Y todo el tiempo con los puños en los bolsillos...

Llegan a lo alto de un cerro, junto a un gran lago que se pierde en el bosque a lo lejos.

La frontera. En alguna parte en medio del lago. Invisible, pero no obstante una frontera real.

Un bote de remos cruje sobre el lago, el agua refuerza el ruido de la fricción de los toletes.

Nada más, sólo tranquilidad.

Elna se pregunta dónde está y qué ve en realidad, cuando de repente ocurre algo más importante. Nils se ha puesto a su lado. Además, Olle ha tomado a Vivi de la mano, sacando del bolsillo por primera vez una de las manos.

–Sentémonos –dice Dedos, y entonces empieza a sentir ya el sudor en la palma de la mano.

Elna se acurruca para que Nils no tenga ninguna posibilidad de agarrarle la mano.

Pero no hay nada peligroso. Sólo están sentados mirando el sol en la tarde de verano, mirando cómo brilla por encima de los árboles del bosque, y luego llega el momento de regresar. Por la tarde los mosquitos se ponen pesados y tienen que apresurarse. La despedida en el camino es breve, pero Dedos quiere que le pague *en especie* por la escolta y los riesgos corridos, y Vivi deja que la bese, pero se retira con rapidez cuando la lengua se vuelve insistente. Nils y Elna no hacen nada.

Deciden encontrarse al día siguiente por la tarde. Cuando Nils y Olle podrán escaparse unas horas también. Vivi les dice dónde está el granero y luego no pasa nada más.

Pedalean a toda velocidad en sus bicicletas para mantenerse en calor, sin intercambiar una sola palabra, oyendo sólo el crujir de las cubiertas de goma sobre la gravilla. Una vez en el granero, se meten rápidamente en los sacos de dormir y respiran hondo después de la intensa marcha en bicicleta.

–Los dos eran agradables –dice Vivi. Luego distorsiona la voz hasta el tono más grave que puede–. Unos muchachos magníficos, una honra para la defensa de Suecia –refunfuña. Y luego, en tono normal, pregunta a Elna si lo ha reconocido. ¿A quién imitaba?

Elna no lo sabe.

–¿Tan mal lo he hecho? –pregunta Vivi enfadada–. Se supone que a Per-Albin. ¿No oyes la radio? Además es socialista. ¿No está tu padre siempre pegado a la radio?

–Dice que es mejor leer las noticias en los periódicos –contesta Elna, percibiendo que empieza a enfadarse. No le gusta que se describa a Rune como alguien «que está pegado a algo». Sabe que es un exceso de sensibilidad, pero aun así...

–¿Entonces? –dice Vivi desde el fondo de su saco de dormir.

¿Que qué piensa ella?

Pues claro que le han gustado.

Mañana van a encontrarse de nuevo.

Es domingo. El lunes como mucho han de partir hacia el sur con sus bicicletas. Apenas les queda tiempo, la libertad se reduce. Pero han visto la frontera, aunque sólo se trate de un lago con un bote de remos que cruje sobre las aguas.

Desaparecen dentro de los sacos de dormir y los cierran para que no entren los mosquitos, luego se duermen.

Son las siete de la tarde. Es domingo, y los dos reclutas se han introducido en el granero, con armónica y aguardiente; la armónica es un préstamo de Ekström, uno de los compañeros, el número 42, y el aguardiente lo han conseguido clandestinamente con una cartilla para adquirir bebidas alcohólicas del panadero Lundström en Särna, es un licor asqueroso que sabe a sudor de calcetín, pero que produce una tremenda borrachera. Lundström es una ganga para los que vigilan la frontera en esa zona, aborrece a los alemanes y, ya que lo han descartado por su obesidad y por tener los pies planos, refuerza la defensa sueca con su aguardiente de panadero. Así hace su aportación, con el propósito de resistir hasta la última gota, hasta el día en que las autoridades ya no se conformen con refunfuñar por las colosales cantidades de licor que parecen destinarse a la panadería en aquel rincón perdido y endurezcan el control o, aún peor, supriman la ración.

Llevan dos botellas, una de ellas se la han bebido hasta la mitad mientras se dirigían al granero en bicicleta. Se iban preparando contándose chistes obscenos por la carretera. Y la repartición ya la hicieron la tarde anterior, cuando estaban tumbados mirando en la maleza mientras las chicas les esperaban con sus bicicletas. El heno de la granja huele a moho, pero los mosquitos son menos molestos que en el exterior. El zancudo llamado Nils es el que toca la armónica pasablemente, y, aunque chirría y desentona cada dos por tres, funciona de maravilla como exhortación al canto. Un verso aquí, otro allí, todos los estadios. Primero se intenta cantar al unísono y demostrar que se tiene voz, entonces aparecen enseguida en su ayuda las canciones de Dan Andersson y Luossa. Luego unos momentos de puro mariconeo, bosques de arándanos y vellón, arañas aleladas y la niña que viene a la tierra. Y al final un swing incomprensible.

La intención es que Vivi y Elna beban. Vivi no lo duda, traga y hace muecas, y Elna agarra la botella cuando se la ponen delante. Nunca había bebido antes, su experiencia se reduce a alguna ocasión en que ha podido mojar la punta de la lengua en la copa de Rune. Pero a Vivi no parece resultarle extraño ponerse una botella de aguardiente en la boca, hasta a Dedos se le ve desconcertado. Ella bebe con coraje y a la vez segura de sí misma. Dedos casi pierde un poco de su estudiada virilidad. Sin duda, porque es más fácil vencer a campesinas más o menos reacias si se las puede engañar con algo fuerte, pero ésta bebe como si no hubiera hecho otra cosa en su vida. ¿Qué significa eso?

Elna enseguida se pone a tono. El licor le pica y arde, calienta y enrojece. Le entran unas ganas irresistibles de reír y está totalmente segura de que ya domina el arte de tocar la armónica. Cae de bruces al inclinarse para coger la armónica, pero no importa, los sacos de dormir y el heno están blandos. Nota un calor agradable en la cabeza, aunque le resulta difícil controlar sus movimientos y sus pensamientos. Hasta la lengua se comporta de un modo extraño cuando intenta decir algo. Al contrario que Vivi, que siente que ha llegado al límite y se niega con firmeza a sobrepasarlo, Elna no ha experimentado aún esa barrera. Bebe cada vez que le pasan la botella, no le gusta nada como sabe, le produce náuseas, pero debe bebérselo, y no lo echa afuera.

Vivi y Dedos se han ido al rincón más oscuro del granero, y cuando Elna siente de repente que tiene que marcharse, salir en medio de la noche a respirar, el pálido Nils no tiene ningún inconveniente en escoltarla. Pero ¿por qué se llevará consigo uno de los sacos de dormir? Guapo no es, ¡pero sí que pueden ocurrírsele ideas ingeniosas! Y sin duda es posible dormir un rato al aire libre en la noche de verano. Es agradable, la humedad refresca, y las tenues estrellas dan vueltas en el cielo como avispas brillantes. ¿O son destellos de luz que hay en su cabeza, dentro de los párpados? No puede saberlo...

Y cuando se empeña en arrastrarse sobre ella le deja que lo haga, tendrá que ser así, ella sabe bien cuándo hay que decir basta. Pero él no se conforma con manos y cara, rostro y cuello, y se pone a hurgar y a moverse de forma excesiva. Cuando mete la mano por debajo del vestido y empieza a apretarle uno de los pechos, ella ya tiene suficiente y se da la vuelta poniéndose boca abajo. Y cuando parece que va a dejarla en paz, oye que empieza a trajinar junto a ella, pero ¿qué más da? La hierba está húmeda y fresca al contacto con la cara, en realidad ahora debería dormir, siente que los sueños pueden estar plenos de contenido... Pero de nuevo lo tiene a él encima, sin que le haya dado tiempo a reaccionar le ha subido el vestido hasta la espalda y le ha bajado las bragas hasta las rodillas. Ahora sí que se enfada, esto no es lo que quería, pero él ha sacado fuerzas de su excitación y ella tiene que golpear y forcejear antes de conseguir darse la vuelta. Entonces ve que él se ha quitado los pantalones, bajo los faldones de la camisa sobresale el miembro, y no es pálido como su cara, es de un color rojo azulado y está hinchado. Él le arranca las bragas y se coloca por la fuerza entre las piernas de ella. Cuando Elna le tira del pelo recibe una bofetada estruendosa y luego le inmoviliza los brazos. Él empuja y empuja, pero no acierta, mientras ella se arrastra y se retuerce todo lo que puede. Consigue oprimirle el escroto, por lo que él se estremece, pero es como si el dolor le incrementara las fuerzas y ahora sí que acierta y se introduce con un gruñido de dolor, y Elna comprende que está siendo violada. La bofetada quema, el alcohol lo vuelve todo confuso, no sólo en la zona genital, sino también en la cabeza. Forcejea pero no puede soltarse, él jadea y empuja y ella siente como si estuviera metido en lo más profundo de su vientre. Y así él se estremece con fuerza varias veces, gime y babea y cae pesadamente sobre ella. Ahora no se inmuta cuando ella le golpea la espalda. Ella se arrastra hasta soltarse y él yace en la hierba resoplando. Elna encuentra sus bragas en la hierba, se las pone y nota que tiene la entrepierna pegajosa, pero ahora en su mente sólo hay un pensamiento. Dormir, sólo dormir. Coge el saco de dormir, va tambaleándose hasta la pared del granero y se mete dentro del saco, luego cierra la cremallera por encima de su cabeza. Dormir, sólo dormir. Lo que ha ocurrido no ha ocurrido, y mañana todo será distinto y tienen un largo camino que recorrer en bicicleta...

Al día siguiente ellos han desaparecido. Cuando Elna se despierta, Vivi está hirviendo café en el hornillo, hace otro día espléndido y un abejorro zumba sobre su cabeza. Tiene la boca seca y le estalla la cabeza.

–Buenos días –dice Vivi–. ¡Qué mala cara tienes!

–¿Mala cara? –pregunta Elna arrastrándose fuera del saco de dormir y entrando tambaleándose en el granero. Lleva un espejo pequeño en el bolso. Cuando ve su rostro, recuerda las bofetadas y ve que tiene un arañazo en la mejilla y un hematoma en la garganta. ¿Es una marca de succión o un golpe?

Bebe café y le pregunta a Vivi cómo está. Gracias, todo bien. Dedos y ella se lo pasaron bien. (Aunque él era testarudo y se enfureció cuando no logró lo que quería, cuando ella ni siquiera quiso masturbarle. Pero eso hay que tomárselo con calma, una vez que él se ha dado cuenta de que no puede obligarla a hacer algo que ella no quiere hacer, a pesar del licor y de que le prometió retirarse a tiempo, así que es amable. Han pasado la noche acurrucados en un rincón.) Al final, Nils dijo desde la entrada del granero que tenían que marcharse. Entonces ella y Dedos ya llevaban un buen rato oyendo los ronquidos de Elna al otro lado de la pared.

–¿Y tú qué tal? –pregunta Vivi.

Elna no quiere pensar en eso, es un sueño incómodo que seguramente desaparecerá en cuanto se pongan en camino con sus bicicletas.

–Más o menos igual –dice–. Pero no estuve tranquila hasta que me metí en el saco de dormir.

Vivi repite que han sido encantadores. Elna no contesta, limitándose a balbucear algo incomprensible.

La semana en Skallskog transcurre con rapidez. Pelle el Gallinas se enfurece cuando ve que Rune le ha mandado dos chicas escuálidas, él había contado con ayuda en condiciones para la siega. Lo dice con franqueza, pero entonces Vivi y Elna se esfuerzan al límite con sus rastrillos para demostrar que ellas también pueden trabajar de verdad. El calor persiste y ellas trabajan desde la mañana a la noche y no les quedan fuerzas para mucho más que comer, lavarse lo mejor que pueden y dormir en una habitación destinada a los jornaleros. Rune ha acertado totalmente, el hijo de Pelle y los jornaleros son requeridos como guardianes de la neutralidad en el asalto al país, y no les han dado permiso para ir a casa para la siega, a pesar de las repetidas cartas de Pelle el Gallinas a las autoridades militares competentes. No obstante, lo que menos entiende de todo es qué tendrán que hacer en el archipiélago los pobres muchachos de Blekinge, ya que carecen de los requisitos para las faenas navales. Pero parece que ahora la defensa se adapta a las confusas leyes de la casualidad, y se rumorea que los jóvenes labradores del interior de Laponia hacen guardia en Kärnan, Helsingborg, así pues, ¿qué se puede pensar? Pero Pelle el Gallinas se da cuenta, tras dudar unos días, de que estas dos chicas son de gran utilidad. Si hubiera entendido lo que decía esa muchacha de Escania que hablaba con tanta rapidez, habría sido todo perfecto...

Logran guardar la cosecha en graneros y depósitos sin retrasarse por un solo chaparrón. En un acceso de generosidad, Pelle le da un billete de diez coronas a cada una de ellas cuando han terminado el trabajo y suben en sus bicicletas para ir a Rättvik a tomar el tren. También llevan una bolsa de comida en condiciones, saludos para Rune y el resto de la familia, y se despide de ellas diciéndoles que pueden volver cuando lo deseen. La guerra puede continuar, nunca se sabe, y quizás a los muchachos no les den permiso en sus trabajos con facilidad, por lo menos así se deduce de las pocas cartas que van llegando a intervalos irregulares.

A las seis de la mañana se despiden donde se encontraron, en el andén de Borlänge. Están bronceadas y descansadas, a pesar del desgaste por la siega. Y por supuesto que van a seguir escribiéndose, ahora con más entusiasmo aún, una vez que se han conocido y han visto que ambas disfrutan de la mutua compañía. Están de pie en el andén, agarrándose de las manos y prometiéndose una y otra vez que se escribirán y que volverán a verse pronto, ocurra lo que ocurra, haya o no guerra.

El tren de Vivi parte antes y Elna corre al lado del vagón despidiéndola con la mano hasta el final del andén.

Pero luego, cuando se sienta en el banco de madera en su propio vagón, a mitad de camino entre Borlänge y Falun, explota lo que ha estado ocultando durante la última semana. Le preocupa terriblemente que pueda haberse quedado embarazada. Una y otra vez ha repasado mentalmente lo que ocurrió fuera del granero, y sin duda ocurrió lo que no debía ocurrir. Mira al exterior a través de la ventana, por encima del lago Runn, que reluce entre las copas de los pinos, y piensa que, cielo santo, no tendría que haber ocurrido...

¿Cómo se llamaba él? ¿Nils? ¿Qué más? ¿Y dónde vive cuando no está reclutado? Dios mío, si no sabe nada de él...

El tren cruje y traquetea. Falun, Hofors y luego está de nuevo en casa. Cinco semanas después, a mediados de agosto, sabe que está embarazada. Ahora vive en el chalet del ingeniero Ask. Tras su regreso ha sido ascendida directamente a criada principal, ya que Stina, su anterior compañera de trabajo, ha aprovechado para fugarse durante su visita a las afueras de Estocolmo. Esa persona desagradecida ha aceptado el ofrecimiento de una viuda que vive en Kommendörsgata –¡en el centro de Estocolmo!– y se ha ido sin más, con todo el descaro. Pero ellos confían en Elna, por supuesto, es tan dócil y fácil de contentar...

Habitación propia dentro de la cocina, estrecha como el establo de un ternero, pero una habitación propia al fin y al cabo. Y es en esa cama donde se despierta desesperada cada mañana con la esperanza de que haya sangre en las sábanas. Pero no llega, lleva un mes de retraso, y una mañana vomita de repente cuando está preparando el té para el desayuno del ingeniero. Entonces cae el último reducto de defensa, la desgracia es real: está embarazada.

Hace lo único que puede, escribirle a Vivi contándole lo que ocurrió en realidad fuera del granero mientras que ella y Dedos estaban sentados acurrucados en el interior. Le informa de todo, la violación, las bofetadas, el dolor punzante en la zona genital, las últimas y repetidas sacudidas de él, la sustancia pegajosa que había en sus muslos después, las manchas secas y amarillentas en las bragas. También le cuenta que, como es natural, se defendió todo lo que pudo, pero que él era demasiado fuerte y ella estaba demasiado borracha. Y ahora no le viene la menstruación, debe estar embarazada. ¿O hay alguna posibilidad de que se equivoque...? Escribe, contesta lo antes que puedas. Sólo te tengo a ti, Vivi, a nadie más. No he dicho nada en casa. Ojalá no estuvieras tan lejos, me ahogo, contéstame, ayúdame. No quiero esto...

No, no está exagerando. ¿A quién va a pedirle consejo? El mero hecho de pensar en mencionarle algo a su madre o a Rune le da más terror que la peor de las pesadillas. Sabe bien que la condenarían de inmediato; como a una mujer deshonrada. La madre muy probablemente entraría rápidamente en la habitación y cerraría la puerta, pero el padre, él lo destruiría todo en un arrebato de cólera, le pegaría con rabia por la vergüenza y luego la mandaría escaleras abajo de una patada diciéndole que no volviera nunca, que habría sido mejor que no hubiera nacido...

¡Pero si ella no sabe nada! Nadie habla de eso. Cuando tuvo la primera menstruación, cuando empezó a sangrar por ahí, creía que iba a morirse, que se le iba a salir toda la sangre del cuerpo. Entonces, llena de pánico, bajó corriendo a la casa de Ester y allí la ayudaron y, sobre todo, le explicaron lo que era. Ella le dio uno de sus paños higiénicos y le proporcionó algodón suave para que pudiera hacerse los suyos. Mantente *lejos de los hombres* es la única regla que conoce. ¿Y su hermano Arne? ¿Y si una décima parte de sus supuestas historias con las mujeres no fueran sólo sueños y mentiras? ¿Cuántos hijos tiene? Ninguno, está segura. Hay tantas cosas que no entiende...

En 1937 llega una ley que permite la venta de métodos anticonceptivos, entonces oye hablar de eso, al principio cree que se llaman «medios primitivos», antes de que pueda saber el nombre correcto en el recreo de la escuela. Y ella vio una vez una goma, estaba tirada en la calle cuando iba a la escuela, la recuerda como algo flácido, transparente, asqueroso. ¿Tiene que llevar la mujer eso dentro? ¡Nunca!

Aprieta los dientes y se encarga de sus miles de quehaceres bajo la acechante mirada de la señora Ask. Pero ahora la guerra carece totalmente de interés para ella, no le interesan lo más mínimo las discusiones de la señora Ask y el preocupado esposo a la hora de comer. A veces, mientras hablan de las últimas noticias del frente, le dan ganas de gritar que ella está embarazada. ¡Oíd! ¡Embarazada y no quiero tenerlo! Pero no grita, naturalmente, no dice nada.

Antes de recibir respuesta de Vivi está paralizada, no es capaz de pensar de forma razonable.

Dentro de ella sólo cabe una gran negación, entrelazada con una nube de desesperación.

Cuando llega la carta de Vivi, rompe el sobre y cierra la puerta de su cuarto, a pesar de que debería estar en el jardín sacudiendo las alfombras. Pero pueden esperar, lo único que significa algo ahora son las palabras de Vivi.

Vivi no cesa de sorprenderla. Lo primero que le dice es que ha hablado con su madre, «porque ella ha tenido varios abortos, ¡así que sabe más que yo!».

Es una carta larga, muchas hojas de escritura apretada, con tachaduras, groserías y añadidos, y Elna siente un agradecimiento profundo cuando comprende que Vivi se implica de verdad. ¡Incluso su madre!

Elna la lee muchas veces, hasta que lo asimila todo. Pero necesitaría leerla muchas veces más, cuando la señora Ask abre la puerta de un tirón, sin llamar, y pregunta si en las tareas de Elna se incluye leer cartas. Elna mete la carta en el bolsillo del delantal, pide disculpas y sale apresuradamente al jardín. Allí golpea más tarde las gruesas alfombras para quitar el polvo, mientras la carta da vueltas en su cabeza como una película sin fin.

Vivi y su madre son realistas. No creen que sirviera de nada poner una denuncia por violación. Ellas mismas se habían ofrecido a los dos reclutas, habían bebido... No, no funcionaría. Y no queda nada más que hacer que lo que tantas mujeres se ven obligadas a hacer todos los años, el aborto ilegal.

«No sé nada de Sandviken», escribe Vivi, «pero Gävle es una ciudad grande, con puerto y todo. Allí debe de haber alguien que pueda hacerlo. Pero ten cuidado quién te lo hace, puede ser peligroso. Busca alguien a quien se lo hayan hecho y pregúntale.»

¿Gävle? Sigue sacudiendo y golpeando con fuerza las alfombras, empapada de sudor. ¿A quién conoce ella en Gävle? Vivi, estás tan lejos... No puedo superar esto sin tu ayuda. Ella golpea y golpea. La señora Ask, que la vigila a través de los grandes ventanales del cuarto de estar, sonríe satisfecha. La chica es buena, no escatima fuerzas. Al verla cómo se afana casi se le puede disculpar que lea cartas. Y que tenga un novio que le escriba es de lo más natural...

Por la tarde toma sus desesperadas decisiones en la soledad del cuarto. Tiene que mantenerlo en secreto, si se enteran fuera de allí de que está embarazada se corta el cuello. Sólo resta seguir el consejo de Vivi, viajar a Gävle. Pero necesita ayuda, no puede ponerse en la estación de Gävle y empezar a gritar que necesita a alguien que le meta una sonda. ¿A quién va a preguntarle? ¿Quién puede ayudarla y a la vez no revelar nada? Finalmente sólo se le ocurre una persona. Y lo admite de mala gana, lo conoce tan mal, no sabe cómo reaccionará, ni si puede confiar en él. Pero no hay otra persona más que él. Arne, su hermano mayor. Él conoce Gävle, va allí a bailar, conoce a mujeres, tal vez él pueda ayudarla. No tiene otra elección, y llora hasta quedarse dormida, intentando no pensar una vez que la decisión ya está tomada.

El lunes hay fútbol. Juega el Sandviken contra el Dagerfors en el Jernvallen y gana por 3-1. Elna está fuera de las gradas buscando a Arne. Y ahí llega él, pero no está solo, va con sus compañeros. Ella duda, él está a punto de pasar de largo cuando la descubre y se para en seco. Algo en el rostro de ella debe revelar que no está allí por casualidad. Él grita a sus compañeros que se queda un momento a hablar con su hermana.

–No sabía que te gustara el fútbol –dice él.

–Estaba esperándote –contesta ella sin poder evitar que la voz le tiemble. Pero él no nota nada, la victoria y en especial el último gol han sido espléndidos.

–Un saque de falta desde veinticinco metros –dice él–. Directo a la escuadra izquierda. El portero se quedó de pie mirando, sin moverse. ¡No movió un solo dedo! ¿Y tú qué es lo que quieres?

Bajan hasta el Storsjön y se sientan en un puente. Arne mira a su hermana con gesto interrogante. ¿Qué diablos le pasa?

Ella se lo cuenta, después de pedirle varias veces que no se lo diga a nadie. Tiene que prometérselo. Lo promete, claro, no va a decir nada. ¿Pero de qué se trata?

Ella sólo habla de lo necesario, va a tener un niño y quiere abortar, de lo contrario se quitará la vida. Necesita que le ayude a encontrar a alguien en Gävle que... ¿Conoce él a alguien? ¡Tiene que conocer a alguien!

–¡Uf! ¡Mierda! –exclama él–. ¿Sabes en qué lío te has metido? ¿Qué crees que van a decir en casa?

¡Nadie dirá nada en casa, nadie va a saberlo nunca! Él ha prometido guardar el secreto. Y ella llora. Él mira a su alrededor con impotencia, pero no se ve a nadie ni a un lado ni al otro, está desierto, una hermana menor lloriqueando en un puente no puede ser más que una pesada carga para un hombre joven como él.

Quiere conocer los detalles, ¿quién, dónde? Pero ella sólo sacude la cabeza, no se trata de eso. Lo agarra del brazo, arañándole en el puño calloso, y le dice que tiene que ayudarla.

–Yo no sé nada de eso –dice él con voz débil–. Sólo lo que se oye. Pero la mayor parte no son más que habladurías.

–¿Y alguna de tus chicas? –suplica ella–. Tienes tantas. ¿Alguna de ellas?

Entonces él al principio parece orgulloso y luego se ofende. Claro que conoce a muchas chicas de Gävle, pero no tiene problemas *de ese tipo*. Él sabe muy bien que debe andarse con cuidado si no quiere tener que pagar por un niño durante un montón de años. Pero...

No, ella no acepta excusas. Tiene que hacerlo.

Él irá para allá por la tarde, dice al final. Verá lo que puede hacer. ¿Pero cómo demonios puedes ser tan tonta como para complicarte así la vida?

–Porque soy tonta –grita ella, y él le dice que se calle y mira alrededor. «Santo cielo, parece que está completamente histérica. No creo que se hunda el mundo si...»

Ella se incorpora y pone en sus palabras toda la desesperación de que es capaz.

–Te espero mañana a la salida de la fábrica –dice Arne interrumpiéndola–. Tiene que ocurrírseme algo para que me den permiso. Y aléjate de papá y de Nisse.

Eso le recuerda que el causante de su desgracia se llamaba Nisse. Igual que su hermano, piensa estremeciéndose.

Se lo promete, por supuesto, va a intentarlo. Pero ella no tiene que hacerse ilusiones. ¡Y que haya sido tan imbécil como para no tener cuidado! Colocarse de cualquier manera... ¡Vaya mierda de familia!

Al día siguiente se escapa del chalet blanco y va corriendo a la puerta de la fábrica, se esconde tras una plataforma de carga que está llena de tubos de cemento y mira a través de las aberturas cómo salen Rune y Nisse por la puerta de la fábrica, apretujados entre las cansadas hordas que serpentean hacia las alas del edificio. Poco después aparece Arne.

–Bueno, tal vez –dice.

Alguien que conozca a alguien que sepa de alguien que lo haya hecho.

Hoy no puede decir más. Pero el miércoles va a ir de nuevo a Gävle a bailar y tal vez entonces averigüe algo más. Es una tarea peliaguda la que le ha caído encima, pero cuando se tiene una hermana que no sabe cruzar las piernas no hay otra alternativa...

El miércoles hay realmente alguien que conoce a alguien que a su vez menciona a la Rut, una antigua trabajadora de la fábrica de cerveza que ha tenido que prostituirse cuando el hambre apretaba. Arne está sentado bebiendo un zumo en el café del baile durante una pausa, Viola es quien la menciona. Pero ¿por qué está Arne tan interesado en *alguien así?* No, él sólo pregunta, no es nada especial, enseguida empieza el baile y les importa un bledo esto. Pero ¿dónde vive la Rutan esa? De repente, a Viola parece que ya no le interesa su compañía, se levanta para ir al servicio a peinarse. Pero aun así le dice que cree que vive en una casucha detrás de una de las cervecerías que hay abajo en el puerto, seguramente detrás del Ankaret...

–Ahora tienes que solucionar esto sola –dice Arne cuando vuelve a encontrarse a su hermana a la puerta de la fábrica. A él la situación le resulta tan condenadamente desagradable que no quiere tener nada que ver. No obstante, ha hecho todo lo que podía.

Al día siguiente, Elna va a casa de la señora Ask, que está sentada leyendo su selección de periódicos, y refunfuñando por las reflexiones de liberales y socialdemócratas acerca del desarrollo de la guerra. ¿Tienen que ser tan cobardes y falsos en su deprimente cautela? ¿No ven que la guerra sólo puede ir hacia un lado? ¿Y no ha sido el ataque relámpago de Hitler a los refugios bolcheviques, por sorpresa y tácticamente extraordinario, el inicio de una cruzada que todas las personas decentes han estado esperando durante veinticinco años, desde 1917? No, Suecia es en realidad un país pequeño. Pero también aquí el nuevo orden va a acabar con la escoria democrática, si Hitler tuviera tiempo, llevaría a cabo los grandes cometidos... ¿Qué quiere la muchacha?

–Quería pedirle si podría tener una tarde libre –dice Elna haciendo una reverencia.

–Elna, ya tiene los domingos y los miércoles por la tarde cada dos semanas –contesta la señora Ask por encima del periódico. No le gusta que la molesten cuando está leyéndolo. Como no ha tenido hijos, entierra las fuerzas que le sobran en el mundo de los periódicos.

Y cuando lee no quiere que la molesten, como ya le ha informado expresamente. ¿No es cierto?

–Tengo una amiga en Gävle que ha sufrido graves quemaduras en un accidente –miente Elna, que se ha preparado a conciencia–. Puede que muera.

La señora Ask frunce el ceño y baja el periódico. ¿Quemaduras?

–Estaba agachada delante de la cocina y se volcó una gran caldera de agua –continúa diciendo Elna–. Era agua hirviendo y le cayó toda encima, en la espalda y en la cabeza. El pelo se le quemó.

La señora Ask tiembla y no quiere oír más. Le concede el permiso, pero con la advertencia de que no se repita.

–Gracias por su amabilidad, señora Ask –dice Elna haciendo una reverencia. Pero en su fuero interno odia a esa pálida alimaña que está detrás de sus periódicos, la odia a ella y detesta la humillación.

Al día siguiente, cuando conoce a la Rut, ve ante sí a una mujer de treinta y cinco años que parece tener sesenta. Un matón que vigila ante la puerta de una cervecería le indica perezosamente con la mano el patio interior, allí vive la vieja entre los contenedores de basura, los retretes y las ratas.

Elna llama a una puerta inclinada en una escalera sin alumbrar, un trozo de papel sobre la puerta informa de que ése es el apartamento de Rut Asplund (o tal vez Asklund, no se puede descifrar). Después de oír por un momento unos pies que se arrastran, se entreabre la puerta y una mujer con los ojos inyectados de sangre la mira fijamente.

–¿Quién diablos eres? –pregunta golpeando el rostro de Elna con un tufo a borrachera de varios días.

Y ya está dentro. Una cocina, mugrienta, llena de hollín, con sólo una ventana empañada de grasa. Una habitación, alumbrada por una bombilla desnuda que cuelga del techo. Una habitación con algunas sillas rotas, los muelles colgando bajo los enmohecidos asientos, botellas apiladas, paquetes de cigarrillos y, por segunda vez en su vida, Elna ve un condón. Pero esta vez sin usar, está encima de un montón de ropa en un rincón de la habitación. Allí hay una cama sin hacer, con sábanas sucias y manchadas, y unos colchones apoyados en la pared. La habitación huele a cerrado, como si hubiera permanecido cerrada miles de años...

¿Hay algo más? Sí, dos criaturas pálidas y asustadas, acurrucadas en un rincón, preparadas para vestirse y salir corriendo, en caso de que se trate de un *caballero* que viene de visita. En tal caso tienen que dar vueltas por el patio interior o por la calle hasta que ven que la visita se marcha. Son dos niñas, una de diez años, la otra unos años menor.

Elna quiere darse la vuelta, salir de allí. No está demasiado impresionada por lo que ve, no es mucho peor que lo que tiene la mayoría. No, es el tema del que quiere hablar lo que la empuja hacia la puerta de salida. Pero no se va, se queda. Rut lleva afuera a sus hijas, le pregunta a Elna si quiere una cerveza y por qué ha venido.

–Si has decidido hacerte puta tienes que viajar a Estocolmo –dice echando fuera de una patada a un gato de pelo hirsuto que se ha metido debajo de la cama–. Allí es posible que una mujer tan joven como tú tenga posibilidades de evitar la porquería. A pesar de todo, es mejor que estar tirada follando allí abajo en proas apestosas. Aunque los marineros son honrados casi siempre, pagan debidamente y además tienen acceso al aguardiente, pero a menudo están tan calientes que nunca se quedan satisfechos. Y luego están todos esos extranjeros de los barcos que tienen deseos especiales que no siempre son tan divertidos. No, tienes que viajar a Estocolmo, si es eso lo que te estás preguntando...

»¿O es que alguien te ha dejado preñada? ¿Por qué no dices nada? ¿No estarás aquí sólo por curiosidad? ¿Quién te ha enviado aquí?

Rut está borracha. No es que se tambalee o no sepa lo que dice, sólo está borracha, aunque tiene fuerzas para mantenerse en pie. El sucio apartamento no es por ello menos deprimente, ni las niñas están menos pálidas, pero todo parece más soportable. ¿Qué querrá la pobre chica que está sentada frente a ella? Parece medianamente bien alimentada, además está bronceada, y viste normal ¿Por qué va a arrastrarse por la calle? ¿Se ha apoderado de ella ese sueño demencial acerca de la felicidad y el hombre rico? No, no parece ser una de ésas. Rut ha aprendido a juzgar a las personas, de otro modo algún loco la habría matado o acuchillado. No, seguro que la chica está embarazada. Rut está acostumbrada a que eso ocurra, y entonces la visitan para pedirle direcciones y remedios.

–Ahora tienes que abrir la boca –dice la Rut dando una patada al gato que intenta meterse otra vez bajo la cama, donde vive su vida clandestina.

Cuando Elna le cuenta la situación en que se encuentra y confirma las sospechas de la Rut, se pone a llorar. La Rut hace muecas, las lágrimas tienen mal sabor porque el llanto es endiabladamente real, es lo único auténtico. Ella lo sabe, ha dado a luz siete hijos y sólo uno está enterrado. Pero ha perdido a los cuatro que no están en la casa, se los han llevado en adopción, no sabe adónde. Siete hijos, de distintos padres. Sólo las dos niñas son del mismo padre, aunque tuvo un niño en medio, la goma se rompió en la proa de un mercante inglés. Pero apenas recuerda cuántos abortos provocados y espontáneos ha tenido. De todos modos, no menos de ocho, de eso está segura. Y ahora su matriz está tan destrozada que ya no puede quedarse más embarazada, gracias a Dios. Y ha sobrevivido. Ha perdido el trabajo que tenía en la fábrica de cerveza, de donde la echaron al presentarse una vez borracha en el embotellado, con vómitos por todo el cuerpo. Ese olor ha apestado toda su vida, es un hedor que no se va y contra el que ha dejado de luchar hace demasiado tiempo. Ahora sólo tiene una cosa en la cabeza, apañárselas con las dos niñas que las autoridades no le ha quitado aún. Ayudarlas a vivir. No le importa lo que ocurra después. Pero a veces se pregunta si ese hedor va a acompañarla hasta la muerte. Eso la asusta, y cuando bebe demasiado le dan ataques de pánico y ruega y pide a quien quiera oírla que se encargue de que la quemen cuando haya muerto. No puede soportar la idea de llevarse el olor al ataúd.

Sólo eso.

Es exactamente como dice la Rut, la sabia prostituta. Para Elna, quedarse embarazada es una enfermedad grave. Y las enfermedades hay que curarlas.

–Hay muchas formas –dice la Rut cuando Elna deja de llorar–. Hay tantas porque ninguna es segura. Para algunas, unas cápsulas de quinina y quince centilitros de aguardiente pueden bastar para que se vaya la criatura. O grama mezclada con mazapán... Naturalmente también hay medicinas, pero se necesita receta, magnesio, azufre, todo eso, como quiera que se llame, ¿y qué médico lo prescribe en vez de llamar a la policía? Pero nada es seguro, lo que ayuda a una no le sirve de nada a la otra... ¿De cuánto estás, pequeña? ¿Un mes? Bueno, no es tan peligroso. ¿Sabes dónde está la Österportsgatan?

No, Elna no lo sabe, la Rut tiene que decírselo. Subiendo la cuesta, pasando el cobertizo que huele a naftalina, a la izquierda y luego a la derecha. En la puerta pone Johansson, se entra por el patio, tres llamadas largas y dos cortas. Yo estuve en su casa y me fue bien. Pero vigila que se lave las manos y que no esté demasiado borracho. No esperes que esté sobrio nunca, pero deja que cierre los ojos e introduzca los índices. Si no lo logra, debes marcharte... ¿Cuánto cuesta? Depende.

Ella lo sabe bien, pero no quiere asustarla sin necesidad. Cuando llegue el momento, Elna lo descubrirá por sí misma, a Johansson y sus caprichos. ¿Por qué iba a asustarla diciéndole que hace un daño tan terrible, especialmente si no se ha parido antes? No, ¿para qué agravar el dolor? Esta joven desgraciada tiene que aprender de su experiencia, como las demás.

Y que vaya bien. Porque ni siquiera eso es seguro. Puede haber infección y supuración, la muerte siempre ronda por ahí cerca cuando el feto va a expulsarse de modo clandestino. Si un solo caballero de los que están arriba, políticos, sacerdotes, comandantes, cualquiera de ellos, hubiera sabido lo que es. Sobre una mesa mugrienta, con las piernas abiertas y un borracho tembloroso intentando pinchar en el sitio correcto con una sonda sucia... ¡Una y otra vez! Entonces se vería de otro modo. Que los niños tengan que nacer en medio del dolor es una cosa, pero que haya que morir o pudrirse desde dentro sólo porque un muchacho miserable no puede contenerse o retirarse a tiempo, es de eso de lo que se trata. Ése es el significado de la ley contra el aborto provocado.

¿Gracias por ayudarte? ¿Por qué has de dar las gracias? ¿Pagar? ¿Tienes dinero? Sal, y recuerda, a la izquierda y luego a la derecha, tres largas y dos cortas. No te equivoques al llamar porque entonces no abrirá. Como ya sabes, lo que hace está prohibido. Ahora vete. No vuelvas nunca..., pequeña. Me das tanta lástima, me enfurece tanto esta sociedad de mierda... Ponte en camino y rézale a Dios...

En la escalera, Elna se tropieza con un caballero borracho que lleva un elegante sombrero tapándole la cara. Pasa por su lado dando traspiés y se mete en casa de la Rut. Ella aún no lo ha dejado del todo, todavía la visita algún que otro burgués caballeroso. A algunos de esos caballeros les excita ser atendidos en medio de la decadencia y la suciedad, ver de vez en cuando el inframundo, encontrarse con una mujer verdaderamente degradada...

Tres largas, dos cortas. El último tren de regreso a Sandviken va a salir enseguida, pero antes tiene que pedirle hora a ese médico.

Sin embargo, no abre ningún médico. Un hombre calvo de unos cincuenta años la hace pasar a un vestíbulo oscuro. Lleva un batín negro. Elna se lo había imaginado vestido de blanco. Está sin afeitar y tiene los ojos turbios. ¿Es realmente él?

Puede venir dentro de una semana. Tiene que llevar cien coronas. O algo de valor similar. Cuando le indica que salga, a ella le parece oír a alguien removerse detrás de una puerta cerrada.

Cuando regresa en tren a Sandviken, está empezando a oscurecer. Es agosto. Enfrente de ella va sentada una mujer embarazada. Es pobre, y tiene el vientre puntiagudo. Mira con vaguedad por la oscura ventanilla, tal vez sólo tenga algún año más que Elna.

Cien coronas. ¿Dónde va a conseguir ese dinero? Para ella es el sueldo de tres meses. Su única posibilidad es conseguir un adelanto. Menos mal que no es doña nariz de halcón la que le paga, sino su preocupado marido. Él le dirige de vez en cuando una sonrisa nostálgica, si su esposa se lo permitiera, tal vez sería tan amable como parece.

Aparta de su pensamiento al hombre calvo. No es lo peor de toda esa repugnancia que la rodea, y ahora ha encontrado también la manera de obligarse a seguir.

Si no logra deshacerse del niño, sólo le queda el suicidio. Y ella quiere vivir.

Mira al exterior por la ventanilla. No hay casi nada entre una y otra estación. De vez en cuando brilla alguna luz en la oscuridad. El tren da un tirón hacia delante, la mujer embarazada del asiento de enfrente tiene la mirada perdida.

Cuando Elna, después de las noticias de la noche, va a preparar la mesa para el café del ingeniero, hace una reverencia y le pregunta. Él la mira asombrado.

–Tres meses de sueldo por adelantado es mucho –dice luego.

–No lo pediría si no lo necesitara –contesta Elna.

–No, naturalmente... Bueno, lo pensaré...

–Lo necesito enseguida –dice Elna.

Él asiente moviendo la cabeza. Lo va a pensar durante la noche.

Le da cincuenta coronas. Lo ha discutido con su esposa y ella descarta que puedan adelantarle más. Elna percibe que no vale la pena implorar, si doña nariz de halcón lo ha dicho, el ingeniero no se atreve a contradecirla. ¿Pero de dónde va a sacar el resto? Necesita lo poco que tiene para los viajes de ida y vuelta en tren.

¿Pedir prestado en casa? ¿Cómo iba a justificarlo?

No, no se atreve. Las preguntas lloverían sobre ella y su padre Rune no es tonto, empezaría a imaginárselo, y ella no podría oponerse a su furia si él quisiera confirmar las sospechas.

Pero de pronto recuerda algo que le dijo el hombre calvo. *Algo de valor similar.* Si tuviera un vaso de plata valorado en cincuenta coronas, él lo aceptaría. ¡Pero ella no tiene ningún vaso de plata, no posee nada, nada en absoluto!

Al limpiar el polvo ve el servicio de plata brillando dentro de la vitrina que hay en el gran armario del comedor. Coloca bien un cuadro que cuelga enfrente de la chimenea. En alguna fiesta ha oído comentarios sobre ese cuadro. ¿Estaba valorado en tres mil o en cuatro mil coronas? No lo recuerda exactamente, sólo que era una suma inmensa. ¡Que en esa casa no puedan adelantarle más de cincuenta coronas! Sólo en el comedor encontraría objetos que podrían financiar cincuenta abortos. ¿Lo notarían si desaparecieran un par de cucharas? Sí, como es natural, doña nariz de halcón, que no tiene otro modo de mantenerse ocupada que no sea seguir los éxitos de Hitler y vigilar a su sirvienta, lo descubriría antes o después.

Y aquí está Elna con su trapo de limpiar el polvo preguntándose qué haría Vivi si estuviera en su lugar. Por supuesto, ella habría conseguido el dinero necesario de un modo u otro...

De pronto se desata en su interior una furia intensa, tan fuerte como los accesos de rabia de su padre Rune, que sólo aparecen cuando bebe. Se le llenan los ojos de lágrimas ante la visión de la enorme injusticia que la rodea, un mundo en el que ella está para limpiar el polvo. Si ésta es la rabia a la que Vivi alude cuando habla de las ideas políticas de su padre, a Elna le resulta ahora más fácil entenderla. Porque ahora lo ve. Todos esos jarrones de porcelana, cuyos bordes limpia con cuidado para quitarles las partículas de polvo, ¿por qué diablos tienen que estar todos juntos aquí? ¿En un solo sitio? De pronto se ve con un par de cucharas de plata en la mano. Son la diferencia entre tener que vivir en la miseria –y acabar arrojándose a aguas profundas– y lo opuesto, lo que le pareció vislumbrar durante las dos cortas semanas estivales: una vida llena de sentido a la que enfrentarse.

Pero no roba nada, como era de suponer, no es ese tipo de persona. Las propiedades son sagradas aunque, curiosamente, resulten estar injustamente repartidas. No necesita arrodillarse siquiera ante el recuerdo del catecismo y las explicaciones, le basta con oír el eco de las palabras de su madre: mantenerse puro y ser honesto es un signo de nobleza. Nuestro signo de nobleza. Con pureza y honestidad viene la santidad por sí sola...

Todo lo que posee son cincuenta coronas. Al final no ve otra salida que esperar que el hombre calvo le permita amortizar el resto, pues a pesar de todo tiene un empleo fijo, puede mostrar incluso un certificado de trabajo.

La tarde antes de viajar a Gävle baja al sótano a lavarse, se quita toda la ropa y se lava el cuerpo con cuidado. No utiliza jabón común, sino virutas que ha obtenido raspando el jabón de baño de doña nariz de halcón. Tiene un suave olor a perfume, le recuerda a un aroma estival.

Se queda quieta con la mano sobre el vientre intentando imaginarse que ahí hay algo que puede convertirse en un niño. Y se da cuenta de que, en la situación en que se encuentra, ni siquiera se ha dado la posibilidad de pensar si *le gustaría tenerlo.* Ese pensamiento es imposible. Así se prohíbe a sí misma sentir algo...

Prepara ropa limpia y se mete en la cama. Empieza una carta a Vivi, pero después de un par de líneas, «Te escribo otra vez. Mañana ocurrirá...», no puede seguir, se le cae el lápiz de la mano. Tiene miedo y siente que le dan palpitaciones. Retira la manta para no empezar a sudar, quiere estar limpia al día siguiente, al menos *eso.* Apaga la luz, se queda completamente inmóvil en la oscuridad y se pregunta si debería rezar una oración al dios que dirige y dispone lo mejor para todos. No, no es capaz. ¿Pero qué puede hacer ella? Nada.

Nada en absoluto.

De repente, Nils está delante de ella, no su hermano, sino él, el otro. Los pantalones caídos alrededor de las piernas pálidas, el miembro erecto, y quiere poseerla, ahora mismo.

–¿Qué importancia tiene? –dice él–. Ahora no puede pasar nada. Ponte boca abajo para que probemos de esa forma...

Si lo hubiera tenido cerca, lo hubiera matado. Y habría cogido cien coronas de su cartera.

Luego lo habría descuartizado y se lo habría comido. Y habría vomitado como un gato que ha ingerido demasiada hierba.

Esa noche permanece despierta, una hora tras otra.

Después del mediodía toma el tren para Gävle. Por mucho que intenta evitarlo, siente correr el sudor por sus axilas.

Y así llega el momento en el que se encuentra de pie en el tenebroso vestíbulo y ya no puede escapar. Los ojos del hombre calvo están inyectados en sangre como la otra vez que lo vio, pero no parece tan borracho. ¿Qué le había advertido la Rut? *¿Introducir los índices* *y cerrar los ojos a la vez?* ¿Pero cómo va a atreverse ella a pedirle eso? Él le indica en silencio una percha y ella se quita el abrigo. Luego, él abre la puerta detrás de la cual ella oyó un leve movimiento la vez anterior. Le parece una habitación normal empapelada con tonos tristes, que no se parece en nada a una clínica. Sí, tal vez por el hecho de que hay una pantalla en un rincón de la habitación y una mesita de ruedas con la superficie de zinc. Elna retrocede cuando ve el instrumental y un pañuelo manchado de sangre tirado en un rincón. Las cortinas de las ventanas están cerradas, la débil luz de las bombillas da a la habitación un aspecto borroso, irreal. En el centro de la habitación hay una mesa alargada. Las patas están apoyadas en tacos de madera, para que la mesa sea lo suficientemente alta. Sobre la mesa hay un hule y una almohada, debajo de la mesa hay un cubo. De repente entra una mujer por una puerta invisible, vestida con una bata gris como si trabajara en una fábrica. Lanza una mirada inquisitiva a Elna y desaparece tras una cortina sin decir ni una palabra. Elna ha pensado no decir que sólo tiene cincuenta coronas hasta que haya pasado todo. Pero de pronto no puede evitarlo. Se vuelve hacia el calvo y le confiesa el estado de las cosas. Él se halla de pie junto a la mesa con ruedas, toqueteando el instrumental. Una vez que le ha dicho lo que tenía que decir, él extrañamente ni se inmuta, cosa que no le parece nada normal. Sólo la mira, la observa de arriba abajo y, de repente, sonríe y se acerca a ella.

–Entonces digamos cincuenta coronas y un número. –Su voz es grave y ávida, pero a la vez decidida. Y sonríe sin cesar.

–¿Quiere decir que...? –Elna retrocede involuntariamente. ¡No es posible! ¿Realmente quiere que ella..., en esta situación? ¡Por Dios, qué repugnante!

–Enseguida está hecho –dice él con su voz suave–. Así estaremos menos tensos y todo irá bien. Y yo voy a ser muy bueno contigo. Basta con que te lo metas en la boca.

Empieza a desabrocharse los pantalones, pero se le ocurre una idea y se dirige hacia un armario y sirve algo en un vaso.

–Bébete esto –dice con voz dulce y monótona–. Te tranquilizará. Y luego quítate la ropa de arriba para que pueda tener algo que ver.

Ella bebe. Le recuerda a lo que bebió en la granja la noche de verano.

–No –dice ella luego–. No lo haré. Puedo pagar, tengo un trabajo fijo, he traído el certificado.

Él se enfada, le tiemblan las comisuras de los labios.

–Nada de pagos atrasados –chilla–. ¡Ahora, ahora! Las dos partes. Si no, ya puedes irte.

Habla de forma entrecortada, como un niño que apenas sepa hablar, a la vez que se desabrocha la bragueta con cuidado...

Casi no es necesario describir lo que ocurre. Ocurre. Elna es obligada a ponerse de rodillas; él está delante de ella resoplando y ella no puede hacer nada más... Termina enseguida, le dan náuseas, sólo quiere vomitar. Pero de pronto la mujer vestida de gris se encuentra de nuevo en la habitación, y ahora le ordena que se quite la ropa de la parte inferior del cuerpo. La ayuda en silencio, sus manos son amables, tiene los ojos tristes, compasivos. Y asustados.

Luego Elna se tumba sobre la mesa con las piernas separadas, la mujer le ha puesto una toalla por encima de las piernas para que no pueda ver. Elna tiene en la boca un barquito de goma, un barco de juguete. La mujer vestida de gris le ha dicho al oído que no puede gritar, que muerda el barco, y Elna hace lo que le han dicho. Elna percibe que la mujer tiene acento de un país extranjero. Oye el traqueteo de un cubo detrás de la toalla, y cierra los ojos.

Y le produce un dolor tan enorme, tan insoportable. La mujer la tiene sujeta por los hombros, apretándolos contra el mantel de hule. Siente como un clavo ardiendo en el bajo vientre, muerde el barco de goma y lo parte en dos. «Pero ahora va a pasar», piensa desesperada. «Y luego ya habrá pasado, ya habrá pasado...» No sabe cuánto tiempo dura el dolor, es tan fuerte que todas las ideas se desvanecen y en su cabeza sólo revolotea un pensamiento como un desesperado pájaro encerrado. «¿Por qué no me desmayo?»

Pero ella se encuentra muy lejos cuando de pronto el hombre calvo dice algo y la mujer vestida de gris se sobresalta. Ella le contesta, se acerca a la toalla y se pone a hablar con tono furioso en el idioma extranjero. Pero Elna apenas lo registra, el dolor ha empezado a disminuir y es reemplazado por un flujo de líquido caliente en su zona genital, como si corriera agua caliente entre sus piernas. ¿Qué le importa a ella que se peleen los dos, que se griten indignados el uno al otro, que parezca que no están de acuerdo en algo? ¿Qué le importa a ella, que está volviendo de nuevo a la vida...?

Pero de pronto se asusta y mira abajo hacia sus piernas, levantando incluso la cabeza, y lo que ve es sangre, y dos caras asustadas. La mujer vestida de gris le está metiendo un trapo de algodón enrollado entre los muslos y lo venda con tiras de tela blanca. Luego le coge las piernas y se las junta.

–¡Aprieta! –grita–. ¡Aprieta, aprieta!

¿Qué ocurre? Parece que la mujer está peleándose con el calvo, que se ha quedado pasmado con una sonda ensangrentada en la mano. Él sacude la cabeza y ella le grita. Pero de repente emite un rugido, y entonces habla en el idioma de ella, la azota con la sonda y ya no parece estar paralizado de terror. La visten mientras Elna está recostada en la mesa, y él hasta va al vestíbulo a buscar el abrigo de Elna.

Cuando ella va a sacar el monedero que lleva en el bolsillo del abrigo, él le retira la mano con fuerza.

¿No quiere que le pague?

–Ve al hospital –dice él–. Vete allí directamente. Sigue esta calle y luego la primera transversal a la izquierda. Luego verás el hospital. Ve allí. Ni demasiado deprisa ni demasiado despacio. Aprieta las piernas y respira profundamente. No te pares. Sigue andando. Entra directo. Y di que estás sangrando. Sólo eso, nada más.

Su voz suena decidida, pero ella se da cuenta de que está asustado. ¿Pero por qué? No, se encuentra demasiado cansada para preguntárselo. Entonces él la agarra por los hombros con fuerza, y en sus ojos ella ve que tiene miedo.

–No has estado aquí –dice él–. Te puede ir mal. Si dices que has estado aquí, puedes ir a la cárcel por el resto de tu vida. Recuerda. No has estado nunca aquí.

–Un taxi –grita la mujer–. Llama a un taxi.

Pero el hombre calvo ruge, emite un ruido gutural para que ella se calle. Entonces sujeta a Elna bruscamente por el brazo y la lleva al recibidor. Echa una ojeada con cuidado a la escalera para comprobar que esté vacía. Luego la empuja hacia fuera.

–Ve directamente –dice él–. Ni deprisa ni despacio. Y aprieta las piernas. Y nunca has estado aquí. Nunca te he visto. –Luego cierra la puerta.

Ella se marcha. Siente un calor extraño entre los muslos, algo que le corre. Está débil y preferiría sentarse, apoyarse contra algo. Pero cuando se cruza con alguien por la acera, respira profundamente y continúa andando. Ni demasiado deprisa ni demasiado despacio, sin pensar, sólo eso caliente que fluye sin cesar y le produce tanto cansancio. Tropieza una vez, se le doblan las piernas, pero no llega a caerse, sigue andando, con las piernas apretadas, y llega al hospital. Toca el timbre, después de unos instantes vislumbra a alguien que va vestido de blanco, todo se ha vuelto tan borroso ante sus ojos que apenas puede ver qué es, y luego pierde el sentido del tiempo, pierde la conciencia...

Cuando se despierta está tumbada en la cama en una habitación blanca.

Su madre está sentada a sus pies.

Claro que es ella. Lleva en las manos el viejo sombrero negro, y lo pellizca sin cesar. Cuando ve que Elna se ha despertado va en busca de una enfermera, sin decir ni una palabra.

La enfermera es joven, toma la muñeca de Elna buscando el pulso, cuenta, y luego deja caer la mano sobre la sábana. Parece que quisiera decir algo y no sabe qué. Después de una mirada furtiva a la madre, que está pálida como un cadáver y estruja su sombrero con desesperación, se vuelve hacia Elna sonriéndole.

–Esto va bien –dice–. Y bebe mucha agua. Tu madre o alguna de las otras hermanas irá a buscarme si hiciera falta. ¿Te duele?

Elna se palpa. No, no le duele, sacude la cabeza y la enfermera sale después de mirar una vez más a la madre.

¿Mi madre? ¿Qué hace aquí? ¿Y un hospital? Sí, ahora recuerda. *Ni demasiado deprisa ni demasiado despacio.* Todo se volvió borroso...

Se queda helada. ¿Qué hace ella en un hospital? ¡Cielo santo, si su madre está aquí tiene que saber todo lo que ha ocurrido!

¿Pero qué ha ocurrido en realidad? ¡Su madre está lívida! ¿Y por qué no dice nada?

Al final el silencio se hace insoportable. El silencio y el sombrero negro que ella sólo se pone en ocasiones solemnes.

¿Lo es esta ocasión?

–¿Qué hago aquí? –pregunta Elna mirándola.

La madre casi retrocede ante la pregunta. Pero luego se inclina hacia delante, después de haber mirado a su alrededor, como si hubiera alguien más en la habitación.

–¿Cómo has podido hacernos algo así? –dice en voz baja. Elna apenas oye lo que dice.

¡Así que lo sabe! ¿Cómo puede haber ocurrido tal fatalidad? ¿Será que Arne no ha podido mantener la boca cerrada?

–Qué vergüenza vamos a tener que pasar –susurra la madre. A Elna le recuerda el sonido de un gato silbando...

Elna intenta pensar. Tiene que haberse puesto mal después del aborto y por eso ha tenido que ir al hospital. Y se supone que allí han encontrado su nombre, ya que lo lleva en una tirilla que ha cosido al cuello del abrigo. Ahí está todo escrito, nombre y dirección.

¿Pero qué importancia tiene que su madre esté aquí diciendo que le da vergüenza? Ella no puede saber nada. Excepto que... ¿Qué? Sí, claro. Entonces recuerda toda la sangre y comprende que fue el motivo por el que tuvo que ir al hospital.

–Cualquiera puede empezar a sangrar –dice.

La madre parece que no la ha oído. Estruja el sombrero entre sus manos y sigue riñéndola, por la vergüenza, la horrible vergüenza.

–Podrías haberte muerto –dice, sin que Elna perciba un ápice de compasión en su voz.

Y, como es natural, está exagerando. Tiene que haber algo más grave que una pequeña hemorragia para que ella muera.

Elna cierra los ojos y piensa que ya ha pasado todo. Ahora puede volver a vivir. Si su madre quiere avergonzarse de que ella esté en el hospital, puede hacerlo. ¿Qué motivos tiene? Si no hubiera hecho lo que ha hecho, podría sentir vergüenza, pero no ahora.

–¿Cuánto tiempo llevo aquí? –pregunta sin abrir los ojos. Aunque puede ver el sombrero, que su madre mueve sin cesar entre las manos.

–Dos días –contesta la madre.

¿Dos días? Pero, su trabajo...

Es como si la madre pudiera leer los pensamientos de ella.

–Como es natural, he informado a la señora Ask –dice en un idioma del todo impersonal. «He informado a la señora Ask», suena como..., como si estuviera hablando un sacerdote–. Y debes dejar tu puesto inmediatamente, como era de suponer –dice la madre.

Entonces ella abre los ojos por primera vez. ¿Por qué?

–Naturalmente, no quieren que haya en su casa alguien como tú –continúa la madre.

Elna detesta de repente esa amargura que le transmite su voz. Sin embargo, en el fondo nada le importa más que el hecho de ser libre. Pero es curioso que el calvo no quisiera que le pagara... En lo otro no quiere pensar, porque le da náuseas... La madre lo percibe y le pregunta si va a vomitar. No, no va a vomitar, eso ya pasó. Pero, en medio del asco, todavía está agradecida de que ocurriera antes de la intervención, porque tal vez se hubiera podido quedar embarazada también de ese modo. ¿Qué sabe ella en realidad? ¡Nada! ¿Cómo es posible que todo lo que tiene que ver con *aquello* sea tan inaccesible y oculto?

–Tu padre está conmocionado –dice la madre levantándose. Otra vez habla en su idioma amanerado–. Mañana vendré para llevarte a casa –añade–. Debes abandonar el hospital, y ¿a qué otro sitio ibas a ir?

Sale con el sombrero en la mano. La puerta se cierra tras ella.

Es agradable estar sola. Elna piensa en Vivi. En cuanto salga del hospital le escribirá para contarle que todo ha pasado ya. Y luego no volverá a pensar en ello. Bueno, a la Rut sí que la recordará. Y tal vez también a la mujer vestida de gris que hablaba ese idioma extranjero. Sus manos y sus ojos tristes.

Una apacible alegría se esparce en su interior. Ahora que todo ha pasado podrá encargarse de su padre. De toda adversidad surge también la fuerza.

En lo único que quiere pensar ahora es en las dos semanas de verano con Vivi. Borra la noche nefasta junto al granero. Pero todo lo demás..., eso sí que quiere recordarlo.

Se despierta al darse cuenta de que hay un médico y dos enfermeras junto a su cama. La que le ha sonreído antes no está, hay otras dos, que se mantienen con humildad a unos pasos de distancia del médico de pelo gris y están muy serias. Ellas no sonríen...

–Ha tenido suerte –dice el médico con brusquedad–. Había perdido mucha sangre. ¿Lo hizo usted misma? ¿Con qué? ¿Con una aguja de tejer? ¿Un batidor?

Elna piensa febrilmente y recuerda las palabras del calvo. Por lo tanto, asiente.

Sí, ella sola. Nadie más.

El médico la mira un momento.

–Ha tenido suerte –vuelve a decir–. No logró desgarrar mucho con lo que fuera que usara. Vasos sanguíneos y tejidos. Pero no la membrana amniótica. Hemos salvado al embrión. Está ileso.

Y luego, al salir de la habitación:

–Mañana podrá irse a casa.

Va todo tan rápido que no le da tiempo a defenderse. Así que todo ha sido para nada. El calvo no quería que le pagara porque había fracasado, sólo la había herido. Sigue embarazada, el feto aún está ahí bajo su piel, haciéndose más y más persona cada vez que respira.

Entonces empieza a gritar. No quiere tenerlo, no quiere. Patalea y da golpes, ¿pero de qué sirve? Alguien le da algo de beber y luego se vuelve a dormir. Y esta vez no quiere despertar nunca...

El padre está sentado a la mesa de la cocina. Sus manos, apoyadas sobre el mantel de hule, parecen dos mazos. Han echado a Nils, Arne se ha ido por sí solo. En la ventana del piso de abajo, detrás de las cortinas, ha vislumbrado el rostro de Ester. Pero ya no le importa nada, todo ha pasado. Con un poco de suerte, tal vez el padre no se pueda contener y le dé una paliza que la mate. O la tire por la ventana al jardín, como hace con las cacerolas cuando está borracho. Pero no hace ninguna de las dos cosas. De él sólo sale un silencio compacto, como si fuera una estatua de hielo sentada al final de la mesa. Ni una palabra. Sólo su mirada siguiéndola todo el tiempo.

Ella entiende que se avergüence. ¿Pero entiende él que ella quiera subirse a sus rodillas y esconderse? Ya sabe que su madre no lo entiende. Ha desaparecido en el profundo cenagal de la vergüenza, que ya cubre su cabeza. Por encima se balancea el sombrero negro como un pájaro muerto...

Transcurre una hora, tal vez más. La madre ha desaparecido en la habitación. Elna está sentada en el extremo del banco de la cocina mirando por la ventana. La respiración del padre es pesada y refleja cansancio, emitiendo silbidos y gruñidos como si cada inspiración fuera un suplicio. Y en realidad lo es.

–¿Quién es él? –dice por fin.

¿Quién es él? Eso se pregunta ella también. Puede darle un nombre, incluso su número militar. ¿Pero qué más? Una descripción: alto como un pino, con espinillas, tímido (ella oye una risa burlona en su interior), de apariencia como cualquier otro. Un recluta, un guardián de la neutralidad. De alguna parte de Suecia. Dice lo que hay, no sabe más. El silencio que sigue es largo, ella se pregunta en qué piensa él. Cuando se da la vuelta tras mirar por la ventana, ve que él está con la vista fija en el mantel de la mesa.

Ella no puede evitarlo.

–Papá –dice, una palabra que casi nunca utiliza–. Papá, tienes que ayudarme.

Él continúa mirando fijamente el mantel, pero le contesta haciéndole otra pregunta.

–¿Quieres que esté contigo? –le pregunta.

No, no quiere eso. Por nada del mundo.

–Pero aun así tal vez tengamos que buscarlo –agrega él–. Debe pagar por la diversión, y tal vez le interese saber que ha tenido un hijo. O va a tenerlo. Y si no está interesado, no le vendrá mal saberlo de todos modos.

Es como si hubieran logrado abrir un surco en el hielo. Él suspira y la mira.

–No quería hacerlo –cuenta Elna–. Pero me golpeó de tal forma que no pude librarme.

–¿Te pegó? –dice, y ella ve que empieza a temblarle la cara. Dios mío, va a ponerse a llorar. Pero él se contiene, como hace siempre.

–Sí –dice Elna–. Me golpeó y yo no quería.

–No creo que pueda matar al padre del hijo de mi propia hija –declara él despacio con voz temblorosa–. Pero lo haría de buena gana. Sólo para que lo sepas.

–Si quieres me iré de aquí –dice Elna–. Así no tendréis que avergonzaros.

–¿Adónde irías? –Su voz revela más preocupación que asombro, y ella de pronto está segura de que él aún la quiere. Pero de repente estalla, la furia siempre le sigue los pasos a la dulzura–. ¿Adónde demonios ibas a ir? –ruge él–. ¿A vivir en la calle?

Antes de que vaya más allá aparece la madre por la puerta de la habitación.

–No levantes tanto la voz –dice llevándose los dedos a los labios–. Piensa en los vecinos.

Y, naturalmente, eso sólo aviva la rabia del padre, ella nunca aprenderá que los vecinos le importan un bledo. No va a pararse a pensar ni un momento en lo que ellos oigan o dejen de oír. Antes había que comunicarse con papelitos para estar totalmente seguro de que nada se filtrara a través de las agrietadas paredes.

¿Los vecinos? ¿Qué diablos tienen que ver con esto? Se levanta, se arranca el chaleco de lana y sale.

–En medio de la calle –ruge de nuevo–. Allí tal vez se pueda estar en libertad y evitar todos estos asquerosos problemas. Si no te pasa por encima un caballo desbocado y te mata, por supuesto...

Cuando él sale, la madre no empieza con sus lamentos habituales, lo cual sorprende a Elna. Al contrario, se sienta a la mesa, alisa el delantal y le pregunta con cuidado cómo está.

Es tan extraordinario que despierta la curiosidad de Elna. No puede recordar la última vez que su madre fue tan amable con ella. Debió de ser alguna vez cuando era muy pequeña. Por lo general todo se reduce a reprimendas, preguntas y más reprimendas. Elna ve que siente realmente lo que dice.

Entonces cae en la cuenta de que en verdad no sabe nada de ella. La madre es madre, se mueve en rutinas comunes, cocina, lavadero, patio, tiendas, habitación, cocina... Un ciclo sin fin, con tal carencia de cambios y sorpresas que simplemente no se ve.

Su madre está presente en la vida de un modo invisible.

–Estoy jodida, como es natural –contesta Elna. La madre no le recrimina por decir palabrotas, cosa rara.

Después de eso, Elna dice palabrotas sin inhibirse, cuando le viene bien.

–Tenemos que sacar lo mejor de la situación –continúa diciendo la madre con cautela–. Debemos acostumbrarnos a lo que viene. Salir adelante. Aunque tengamos poco espacio.

–Me voy –dice Elna. Cuando la madre le pregunta que adónde, ella no contesta, porque no tiene nada que decir.

Pasan unos días y Elna nota que sus padres realmente intentan ayudarla, animarla, apoyarla, pero que nunca hacen todo a la vez. Es como si se escondieran unos de otros. Cuando están todos reunidos, nadie dice nada. Nils sonríe burlonamente, pero no es desagradable, sólo parece afectado por lo ocurrido, sin saber cómo comportarse. Y Arne le da caramelos a su hermana con un guiño incierto.

Ella no llora ni grita, no reacciona de ninguna manera. Cuando lleva dos días en casa, llega un recado de doña nariz de halcón desde el chalet blanco diciendo que esperan que Elna retome su trabajo todo el tiempo posible. El anticipo que ha recibido no es, por supuesto, el motivo, ella puede trabajar todo el tiempo posible...

En otras palabras, mientras no se note. Pero las tareas en la cocina suponen una ventaja, allí podrá estar en paz. Mejor allí que en la cocina de su casa, con esas comidas insoportables junto a sus padres y sus hermanos sin decir una palabra.

Y ahí está trabajando de nuevo con los desayunos, las ventanas, los almuerzos, la compra, y el polvo infinito que cae de una montaña invisible...

Tarda en escribirle a Vivi. No tiene ganas de hacerlo a pesar de recibir al menos una carta semanal de Landskrona. Y Vivi está preocupada, ¿qué ocurre? Entonces Elna lloriquea, porque no soporta tanta consideración. Pero no contesta, no se atreve. Aún no.

El sarcasmo de doña nariz de halcón se ha recrudecido, la arrogancia es más que manifiesta, pero Elna sólo se agacha, se escapa hasta perderse. El preocupado ingeniero la mira compasivo. A veces abre la boca como si quisiera decir algo, pero se queda boquiabierto, nunca dice nada...

Pasa una semana, pasan dos. Pronto estarán a mediados de septiembre. El mes de la serba. En el gran mundo parece que Hitler ha decidido ser cada vez más inexpugnable; en el pequeño mundo, Elna no puede apartarse de su hijo. Está ahí, piense lo que piense, haga lo que haga, vaya a donde vaya. Y quitarse la vida... Es inútil, ha desistido.

Sin embargo, al final le escribe una carta a Vivi.

Simplemente dice lo que sigue...

«... lo que el verano pasado era verde ahora es rojo y amarillo. ¿Sucede igual donde tú vives en Escania? Es bonito. Fracasó lo que intenté hacer al principio, el niño está ahí todavía. No puedo librarme. Sueño que corro, pero no llego a ninguna parte. No soy yo la que me desplazo, lo que se mueve es lo que hay a mi alrededor. Los árboles, las casas, las personas. No sé qué hacer. Encontré un libro pequeño mientras quitaba el polvo a los libros, hace unos días. Se encontraba al fondo de la repisa, tal vez se había caído, pero tampoco creo que estuviera escondido. Empecé a pasar las hojas y ponía esto: "El primer hijo es generalmente bienvenido, puede ser que también el segundo, si los hijos y la madre están sanos y el padre tiene un trabajo medianamente bien pagado. Pero luego..., los llantos del niño, las noches en vela, los benditos hijos se convierten en los malditos niños... Y así un día te das cuenta de que la añoranza que sentimos un día por tener un niño se ha convertido en terror de que la madre pueda quedarse embarazada de nuevo...". Eso dice, y mucho más. Se llama *Hijos indeseados,* y pienso que, de haberlo sabido antes, todo habría sido distinto. Ahora no puedo escribir más, pero en otro momento...»

Luego pide ayuda, al final de todo, pero Vivi no puede hacer nada, así que tacha las palabras para que no pueda leerlas. La carta se queda sin enviar muchos días hasta que finalmente la echa al correo.

Elna deja de trabajar en casa de la familia Ask el último día de noviembre. Una nueva sirvienta ha ocupado ya su puesto durante una semana y su última tarea consiste en introducirla en las prácticas laborales. Es una mujer al menos diez años mayor que Elna. Procede de Linköping y Elna percibe enseguida que tiene las mismas ideas políticas que doña nariz de halcón, aunque sea de forma menos estructurada. Elna supone que es el resultado de un anuncio en el *Dagens Eko,* tan odiado y temido por el ingeniero. Pero eso a Elna no le concierne, lo importante es que la nueva sólo aprenda que el té de la mañana del ingeniero no tiene que estar demasiado fuerte...

El último día, cuando Elna está planchando los cuellos de las camisas del ingeniero, éste se le acerca de repente.

–No, continúe –dice él cuando Elna deja la plancha para oír lo que espera sea una nueva orden–. Sólo quería darle esto, Elna –dice extendiéndole un billete de diez coronas, uno de los nuevos, con la imagen de Gustav Vasa y el vacío espejo ovalado al lado–. Esto es lamentable –añade luego–. Si hubiera podido aconsejar... –Deja de hablar y se aleja mascullando. Elna piensa que debería sentir agradecimiento, pero no lo siente. Está demasiado cansada.

A las seis abandona la casa y atraviesa el pueblo. Está nevando y le duele la espalda. Anda a pasitos, sintiéndose como una vieja agotada. Diecisiete años... Mira al suelo para no arriesgarse a resbalar. Piensa que los que la vean seguramente creerán que baja la vista porque está avergonzada. ¡Pero no lo está!

La desgracia es algo completamente distinto, se trata de una vida perdida.

Cuando llega a la hilera roja de las casas de los trabajadores, Ester está en la puerta esperándola.

–Entra un momento –dice–. ¿No tendrás prisa ahora?

No, ella no tiene ninguna prisa. Ester la ayuda a quitarse el abrigo y le dice que se siente para que le prepare un café de verdad, no va a invitarla a ningún sucedáneo. Ha guardado algunos granos... ¿Puede hacerse Elna con el molinillo y molerlos mientras ella lleva a la mesa algo dulce...?

Ester es baja y obesa, una inmensa obesidad se le desborda por todo el cuerpo. Tiene las piernas hinchadas y vendadas, el rostro enrojecido, y siempre está sudorosa. Su respiración es pesada y forzada, pero se mueve con asombrosa facilidad. Es increíble que pueda ponerse de rodillas y fregar los suelos. Sin embargo, vive de eso, y nadie logra que el suelo esté más limpio y huela mejor que ella. Además a veces hace de ayudante de cocina cuando hay algún festejo importante en el salón de fiestas del hotel. Su marido trabaja en la fábrica, sus dos hijas son recaderas en una droguería y en una mercería, ambas con la posibilidad de ascender a dependienta.

–¿Qué relación de parentesco hay realmente entre nosotras? –pregunta Elna de repente.

Ester se ríe y se seca el cuello con un pañuelo que se saca del pliegue del codo.

–No sé qué relación hay entre tú y yo –dice–. Pero tu madre y yo somos primas segundas. O terceras. No estoy segura. ¡Ahora prueba esto!

Elna coge un trozo de bizcocho. Ha notado que ahora le apetece muchísimo todo lo que está dulce o salado. Supone que tiene que ver con el embarazo, recuerda que durante una conversación en el recreo el último año de escuela, una compañera le aseguró que iba a tener una hermana. Cuando Elna le preguntó cómo lo sabía, le respondió que su madre había empezado de repente a chupar hojas de abeto, y que eso también lo había hecho antes de nacer su hermano. Sí, sin duda está relacionado.

El bizcocho está sabroso, y de repente se siente segura en casa de Ester. Si pudiera vivir aquí y evitar tener que subir por la escalera hasta sus silenciosos padres, que nunca sabía si iban a ayudarla o a sacarle los ojos.

–Come más –dice Ester–. Lo he hecho para ti. Sabía que vendrías hoy. Que vendrías aquí.

«¿Venir aquí? ¿Por qué no dice irías a tu casa? ¿Y lo ha hecho para ella?»

–Seguro que irá bien –añade–. No eres la primera que ha tenido que pasar por esto. Y tampoco serás la última...

Lo último lo dice con evidente amargura.

–Si una de mis hijas llegara a casa –dice–, si una de ellas llegara a casa y le hubiera ocurrido lo mismo que a ti... Entonces la ayudaría en todo lo que pudiera. Y pobre del muchacho como empezara a hacer ruido. Aunque esté tan gorda como una oca, me enfadaría tanto que sería capaz de darle un puñetazo si fuera necesario. –Y luego, en voz baja–: Sé que no te resulta fácil ahí arriba. Ya lo he oído. Pero tienes que saber que siempre puedes bajar aquí si se te hace demasiado pesado. No es porque seamos parientes ni porque tenga lástima de ti. Sino porque me caes bien. Quería que lo supieras antes de subir.

A Elna últimamente se le llenan los ojos de lágrimas por todo. Pero Ester vierte el último chorro de café en su taza y hace como que no lo nota.

–Vuelve cuando quieras –dice cuando Elna se dispone a salir.

Claro que lo hará. Va a tener mucho tiempo, ahora sólo le queda esperar.

¿Esperar a qué? A que lo incomprensible ocurra de verdad, que ella dé a luz un hijo. Pero no puede imaginarse nada más allá de eso, después todo se interrumpe. Lo único que puede hacer es esperar a que todo haya pasado realmente...

En la puerta se vuelve y mira a Ester.

–¿Qué ocurre luego? –dice–. Con...

Ester va hacia la puerta con andares de pato y apoya sus grandes y enrojecidas manos sobre los hombros de ella.

–Ya veremos –dice–. Primero vas a sentir lo que es.

–No quiero tener ese niño –grita ella.

A veces estalla todo y sale a chorros de su interior una desesperación contenida. Ester le deja que lo haga, no le dice que tiene que tranquilizarse, sino que la insta a llorar, a arañar, a desahogarse, a descargarse... Todo lo que quiera. Pero ahora no llega el llanto, sólo ese único grito.

–Es natural que no lo quieras –dice Ester–. Pero el niño ahora está ahí y no podemos hacer nada. Ya veremos luego.

Cae la nieve, el pueblo se cubre de blanco. Elna pasa las noches sin dormir en su banco de cocina. Al lado opuesto de la cocina, entre la mesa y el fregadero, Nisse ronca en su colchón. Ha dejado de hacerla rabiar, ya no puede ni siquiera sostenerle la mirada, parece desconcertado e inseguro. Y ella tampoco hace nada para acercarse a él. Lo que la mantiene despierta por las noches es una mezcla de odio y desasosiego. Odio contra el que la ha metido en la miseria, desasosiego por lo que vendrá después. Ella no es capaz de dar la vida por perdida. La ha vislumbrado, junto con Vivi. Ha imaginado las posibilidades, ha oteado el futuro. Aunque no exista justicia alguna en la tierra, siempre estará ahí la vida, y mientras continúe ahí...

A veces también tiene la impresión de que no todo es oscuridad total, noche sin fin, sino de que tiene que haber una solución.

Puede deshacerse del niño. Hay padres sin hijos que lo que más desean es tener uno. Ni siquiera necesita verlo si no quiere.

¿Pero es eso lo que quiere? La primera vez que notó que había algo vivo dentro de ella, que notó las sacudidas, al niño que se movía, fue también como si algo más despertara a la vida. No sabe qué, no encuentra ninguna palabra que explique la sensación. No era alegría, ni curiosidad, ni añoranza, ni... No, no encuentra la palabra. Eso también la confunde. Preguntas e ideas que van y vienen en las noches de invierno en que no puede dormir...

Faltan unos días para Navidad. Elna ha ayudado a su madre a cocinar. Enseguida es la hora del almuerzo y el budín de sangre ya está caliente sobre el fuego. Como es habitual, se oyen ruidos en la escalera y hoy es Arne, que viene a acompañarlos a comer. Nunca cuentan con él, así que Elna pone un plato más. Rune, el padre, parece estar cansado, no dice nada y sólo mira al suelo. También eso es una costumbre, ha estado cansado todo el otoño y lo que le ha pasado a Elna le atormenta. Y, además, tiene lo de las piernas, la maldita sangre que no quiere circular por su cuerpo sin ayuda, su constante baile nocturno. También ha empezado a perder las ganas de comer, el budín de sangre está casi intacto en su plato. Es una de las comidas mudas, ni Arne ni Nisse rompen el silencio. En vez de eso, escuchan una riña después de una cena copiosa en el apartamento de al lado, en casa de los Wretman. Él trabaja en las vías muertas del ferrocarril, su esposa está en casa y el apartamento, que es igual de pequeño que los otros del edificio, está lleno de niños pequeños. Han tenido siete hijos en diez años y, por algún motivo extraño, ni siquiera uno de ellos ha nacido muerto, ni siquiera ha perecido durante el primer año de vida. Es raro, con lo delgada que es ella, y la tos de Wretman no suena bien, seguro que está enfermo de los pulmones. Pero acaba de estallar una pelea, los niños gritan, golpean las puertas, algo se estrella contra la pared, es imposible no oírlo. Pero parece que el silencio en la mesa de ellos crezca debido al alboroto al otro lado de la delgada pared.

Rune, el padre, retira su plato, toma un poco del rapé que le ofrece Arne y luego se dirige a Elna.

–Me he informado –dice.

Se hace aún más silencio en la mesa, si es posible. Todos saben a qué se refiere, es como si hubiera echado sobre sí la pesada carga de tratar de seguir las huellas de ese miserable que ha hecho que su hija se encuentre en el camino de la desgracia. En el despacho del fiscal del distrito ha tenido que humillarse preguntando qué tiene que hacer para encontrar al mocoso que le ha ocasionado eso a su hija. El funcionario, sin embargo, ha sido amable, apenas ha reaccionado por todo ello, sólo le ha formulado algunas preguntas que ha anotado en un papel. Cuando se da cuenta de que no obtiene información por el momento, hace muecas y se rasca la nuca. Pero va a iniciar la búsqueda, es sólo que le cabrea que las autoridades policiales necesiten tanto tiempo para buscar al granuja que no ha podido contenerse, o retirarse a tiempo. Aunque si la mujer hubiera sido sólo un poco más... No, lo deja ahí. Ve los pesados ojos de Rune, además la muchacha tiene sólo diecisiete años. Y él tiene tres hijas que están empezando a madurar sexualmente. Enemigos hay en todas partes, tanto fuera de los límites del país como dentro del mismo, por no hablar de todos esos niños que son engendrados por la impaciente defensa sueca. Si hubieran estado igual de despiertos y alerta cuando estaban en sus puestos, habría habido sin duda un cambio notable, en vez de toda la holgazanería que, por lo que se ve, impera actualmente... ¿Qué creen que es Hitler? ¿Un sonido tirolés de los Alpes alemanes del sur? Ese hombre no dudaría en prenderle fuego al aire que respiramos si pudiera... Claro, el hará lo que pueda. Las autoridades militares disponen incluso de una unidad especial que se encarga de todos los asuntos de paternidad que, por desgracia, acarrean los malos tiempos. Si puede volver a... Sí, digamos tal vez a mediados de diciembre, veremos lo que han encontrado... ¿De verdad no sabe la hija el apellido del hombre en cuestión? No, no lo tiene que saber. Ese maleducado se habrá guardado de decir hasta el nombre... Sí, cielo santo, es una desgracia... Así pues, a mediados de diciembre...

Y ahora ya ha llegado el informe, ha ido corriendo desde el trabajo, después de que el capataz de la fundición haya asentido con la cabeza, y el funcionario va a buscar el archivador.

–Lo siento –dice.

Lee en un papel con membrete militar que durante el referido lapso de tiempo no ha sido destinado a la vigilancia de fronteras ningún recluta que responda a los datos mencionados en el informe, ni tampoco han llegado otros informes que puedan ser de interés, por lo que volvemos a remitir el asunto, firmado...

–No vea cómo demonios se llama el que ha firmado –dice el funcionario público–. Parece que los militares empiezan a tener escasez de cintas para las máquinas de escribir. ¡Mira qué marranada!

Mete el papel, cierra el archivador y gesticula.

–Ella podría poner un anuncio en la prensa nacional –dice intentando aconsejarle–. Quizás el muchacho tenga acceso a los periódicos de vez en cuando. Los anuncios personales suelen interesar siempre, además de los deportes y las series de dibujos, claro. O los anuncios de ropa interior de señora... Pero no sé si aparecerá alguno. Y no podemos buscar a alguien que se llame Nils. Tiene que haber como medio millón de hombres que se llaman Nils en este país. No, debe tomarse las cosas como son y darse cuenta de que el padre es un desconocido. En todos los aspectos, excepto que lo ha engendrado él, claro.

Pero todo esto no lo cuenta Rune, como es natural. Él sólo dice que no se ha podido encontrar al padre de la criatura.

Y, después, de nuevo el silencio. Elna mira a su padre y se pone triste, le duele que él lo pase tan mal. Y la madre... Elna es capaz de superar muchas cosas, pero no esos silencios de reproche, la pena que los embarga. No soporta su mala conciencia. Ella es la culpable de que estén tan afligidos, haya o no haya sido violada. Es como es, la víctima tiene que hacer penitencia para reparar sus pecados...

Nochevieja. Doce campanadas y luego es 1942. Ha llegado una carta de Vivi. Una borrosa vista aérea de Landskrona. Elna se avergüenza de no haberse acordado de hacer lo mismo. Pero piensa escribir una carta, en cuanto pasen las fiestas y pueda tener un poco de tranquilidad en la cocina...

La guerra sigue sonando y golpeando. Rune, el padre, se emborracha la tarde de fin de año y empieza a desvariar sobre la situación en el mundo, de cómo los pregones del Juicio Final se oyen cada vez más, de que el mundo se encuentra muy cerca de su fin... A menos que...

–¿Qué?

Para asombro de todos, es Nils quien abre la boca y se atreve a formular una pregunta. Y obtiene respuesta, una respuesta que se extiende durante toda la noche, tanto que Elna casi se duerme sentada en la silla. Le duele la espalda y le pesa el estómago, y el niño patalea más de lo normal. «¿Qué hará él ahí adentro? ¿Se estará dando la vuelta? ¿Él? ¿Y por qué no ella?»

–Hitler –dice Rune de modo intempestivo–. Hitler es algo que llega una vez cada cien años. Y si no se tiene cuidado, un hombre así destruye todo el mundo y nos lleva otros cien años construirlo de nuevo, y luego viene el siguiente loco de atar. Napoleón, César y nuestro propio loco, Carlos XII. Piensa, no obstante, que esa vez fue necesario pedir a los noruegos que pusieran fin a todo. Ni siquiera fuimos capaces de lavar nuestra propia ropa sucia. ¿Entiendes lo que quiero decir?

No, Nils no entiende nada. Y esta Nochevieja le trae sin cuidado que los granos se le noten más cuando se indigna, el nuevo año va a afrontarlo empezando a decir «no». No sólo a su padre, sino a todo el mundo si fuera necesario. Pero siempre se puede empezar por el padre, y no entiende eso de que Hitler sea un espectro intemporal.

Pero todo esto es anticiparse. Nochevieja es la penúltima fiesta navideña, el trabajo de los días que median entre Navidad y Año Nuevo no ha absorbido todo el jugo de los trabajadores de la fábrica, una fiesta más no es mucho, y tiene que aprovecharse al máximo, porque luego viene el invierno de verdad, con un frío atroz y oscureciendo a mediodía. Durante la primavera y el verano resulta todavía más impensable que alguna vez haya paz de nuevo.

Están todos reunidos excepto Arne, que celebra con sus compañeros. En las escaleras de la casa han resonado los buenos deseos para el año nuevo, han ido unos a las casas de los otros, y mientras que los maridos han intercambiado copas de aguardiente, las mujeres han invitado a las demás a bollos y café. Sucedáneos de grasa en casa de la mayoría, alubias auténticas en casa de unos pocos. Y las conversaciones son las habituales, el año que se ha ido –¡a pesar de todo! Los cada vez más exiguos racionamientos. ¿Y cómo demonios ha podido ella o él conseguir café? ¿Acaso hay algún estraperlista en este agujero? Las historias jocosas se suceden, a un loco se le ha ocurrido intentar entrar en el hotel para acceder a las bebidas racionadas y se ha quedado atrapado en una ventana del sótano y han tenido que sacarlo los bomberos voluntarios. Parece que también se ha hecho una herida incisiva en una parte delicada... Pero la pena es que no lo lograra, la gente corriente no tiene posibilidad alguna de hacerse oír en el mercado abierto del estraperlo, está hecho para los que tienen dinero. Y otro chiflado le ha escrito al rey para pedirle que tenga la misericordia de concederle una ración extra de café, ya que asegura que el corazón deja de latirle si no consigue su habitual dosis diaria. Sin duda, el sucedáneo le ha vuelto loco también, lo destruyó todo en un arrebato de cólera como si hubiera comido setas venenosas. No, este año ha sido una mierda y no va a mejorar. Piensa sólo en este impuesto sobre las ventas que nadie entiende. Y es bastante alto, por cierto... «Pero hay que tener esperanza mientras no se nos caigan los pantalones», como dijo otro chiflado y luego se volvió inmortal... Salud y feliz año nuevo. Tenemos que conformarnos con que las ruedas de la fábrica rueden al máximo, para que tengamos trabajo. Pero no es especialmente divertido trabajar en una fundición de armas tal como está el mundo...

El mundo, sí. Hay guerra dondequiera que mires en el mapa o en el globo terráqueo, dardos negros, primeras líneas zigzagueantes, dardos nuevos. Y que aquellos endiablados japoneses se hayan metido contra Estados Unidos e Inglaterra, eso juro por Dios que es peor que si nos hubieran dado una paliza en el fútbol hace cinco años. Hay guerra por todos lados, cada vez menos manchas blancas. Suiza, Turquía, Sudamérica, y algunos países raros de África que de todas formas no importan a nadie... Y luego Suecia. Tontos los que piensen que vamos a poder mantenernos fuera. Por lo que parece, habrá que *aceptar,* por decirlo de un modo fino, que el dinero de los impuestos se destine a reforzar la defensa. Cuando los trabajadores de todas partes del mundo son obligados ahora a ponerse firmes y dispararse unos a otros, no se pueden tener ya muchas ilusiones... No, lo peor está por venir, puede que tengamos otro año nuevo como país libre, o que los alemanes ocupen Suecia. Sería una lástima, en muchos aspectos. Porque el año próximo, la próxima Nochevieja, este poblacho va a abandonar su miserable existencia pueblerina para convertirse en ciudad. Y no es demasiado apresurado si se tiene en cuenta que pueblos agrícolas como Bollnäs y Kumla lo harán ya esta noche. ¿Qué demonios es Kumla? Una pequeña plaza con algunas casuchas alrededor donde los agricultores se engañan unos a otros un par de veces al año en sus ferias. El paraíso de los vendedores ambulantes... Y Bollnäs, Dios mío. Un sitio en el que el tren se detiene de vez en cuando, donde sin duda se juega al bandy bastante bien, pero ¿qué más? No, brindo por un feliz año nuevo... Hay que tener esperanza y no cagarse en los pantalones. Esta noche van a beberse hasta la última gota, la cartilla de racionamiento está exprimida al máximo, y no hay nadie que cumpla años pares en la casa para poder pedir ración extra...

Hacia la noche cesan las visitas, cada uno se ha ido a su casa. Nisse le ha birlado un par de copitas a su padre Rune y ha añadido un poco de agua a la botella. No se preocupa, esta noche son tantos los que invitan que el riesgo de ser descubierto es inexistente. Calienta bien, claro que sí, y la lengua se suelta.

–Salchicha –dice–. ¿Cuántas palabras se pueden formar con esas letras? ¿Alguien lo sabe?

Sí, surgen muchas palabras. Es un poco absurdo en realidad, pero alguna vez se tiene que poder jugar. Rune, el padre, está de buen humor, encuentra «sal» y «chica». Hasta la madre encuentra palabras, «sala» y «lisa». Elna prefiere oír la radio, pero resulta imposible en la bulliciosa cocina. No habrá tranquilidad hasta que suenen las campanas y Jerring empiece a hablar.

–Casa y hacha –dice. También se le ocurre «cala».

Nadie gana, pero ¿qué importa? Por una vez pueden intentar pasarlo *sólo* bien. Y, además, ha llegado el momento de olvidarse de la salchicha y dedicarse a fundir el plomo. Es tradición, siempre se ha hecho. En la fábrica no es difícil dar con algunos cabos de conducción que estén cubiertos de plomo. Rune conserva el molde de su padre, con el que hacía soldados de plomo en el pasado, cuando era niño.

Rune es el primero. Abre la puerta del horno y mete dentro el molde, y cuando el plomo se ha fundido, lo echa en el cubo con agua. El agua borbotea, después el trozo de plomo deforme va a parar a la mesa. Como suele ocurrir, a primera vista no parece nada, tal vez una mierda de perro de color gris, pero basta con fijarse para ver lo que el trozo de plomo augura para el nuevo año. Riqueza, poder y gloria. O muerte y perdición. Claro que es sólo superstición y brujería, pero qué diablos...

–Esto parece una motocicleta –dice Rune por fin, tirando así por tierra el resto de propuestas–. ¿Qué significa? ¿Que me va a atropellar Lundin, el agente de policía que tiene motocicleta y conduce endiabladamente mal? Sí, sí, gracias por el aviso, habrá que tener cuidado cuando ese loco se nos acerque a toda velocidad. ¡El siguiente!

Es Nils. Según la madre, el pegote de plomo tiene la forma de un hermoso ángel, pero cualquiera puede ver que es un coche. ¿Qué hacer con algo así cuando no hay gasolina ni puede sacarse la licencia para conducir? No, tal vez se trate de un ángel, un ángel con cuerpo de mujer, una mujer. Lo bueno de fundir plomo es que cada uno decide lo que ve. ¡Es una mujer desnuda! El turno de la madre. Rune, el padre, ríe ahogándose y satisfecho cuando opina que el trozo recuerda a un alce. ¿Estará pensando ella en salir de caza? La carne de alce está buena. ¿O tal vez se ha extraviado un alce en la aldea y se dirige al apartamento de ellos para ir a parar a la despensa? La madre no ve ningún animal, ve un paisaje de verano. Pero no lo dice, se lo guarda para sí.

–Un aparato de radio –dice en cambio–. ¿Pero no tenemos ya uno?

Sólo queda Elna. Ve fundirse el plomo en el cucharón y luego vierte con cuidado la masa gris en el agua.

¿Cuál es el resultado? Le parece ver una imagen de Vivi desde atrás. O un avión si le da la vuelta al pegote. O una piña. No, no es capaz de decidirse.

–No sé lo que es –dice la madre de repente–. Pero tu trozo de plomo es el más bonito de todos.

Esa noche, todos son amables con todos. Se invitan a café entre sí, se pasan la fuente de bizcochos una y otra vez, aceptan de buena gana cuando el padre Rune cree conveniente tomar otro trago o mezclarlo con el café. Y toda la casa parece estar predispuesta a la paz y la tranquilidad. Nadie riñe, nadie se pelea, ningún niño grita. Aunque se preguntan si, a pesar de todo, uno de los hijos de Wretman no tendrá pulmonía. Uno de los más pequeños ha empezado a toser de un modo que no les gusta.

Pronto serán las doce de la noche. La nieve cae en medio de la oscuridad. La madre abre las ventanas de la cocina y el sonido de las campanas de la iglesia de la aldea se mezcla con el de las campanas de la catedral, que tintinean por la radio. Pero antes el actor Anders de Wahl ha leído como cada año el imponente poema de Lord Tennyson, y el ambiente se vuelve solemne. Rune, el padre, tiene lágrimas en los ojos, piensa que empieza a hacerse viejo a pesar de que no ha cumplido los cincuenta. Pero a alguien que se mata trabajando a diario la decadencia le puede llegar enseguida. Y la sangre, que no quiere circular. No, no puede estar seguro de que vaya a vivir un año más. Pero debe hacerlo. La pobre chica lo tiene tan mal. Claro que quiere ayudarla, pero ¿qué puede hacer?, ¿para qué vale él?

Para ser bueno, claro, pero ¿para qué sirve? Generalmente ha sido siempre bueno. En cuanto dejen de sonar las campanas podrán sentarse y beber lo que queda. Afortunadamente han guardado algo, todavía quedan por lo menos quince centilitros. Lo necesitan, puede tranquilizarlos, porque estas nocheviejas son dolorosas, recuerdan tantas cosas, muerte y extinción, y el *enorme y oscuro vacío,* en el que nadie tiene tiempo de pensar pero que siempre está ahí, un paso más cerca, es lo único de lo que se puede estar seguro... Las campanas de la catedral de Lund tocan de una forma impresionante. Y luego viene Växjö...

La madre está de pie mirando a Elna, que tiene la mirada perdida en la noche. «Está mirándose el vientre pensando cómo le irá. Es demasiado joven. ¿De qué sirve alegrarse de que esté bien formada, de que pueda tener hijos, de que sea una mujer de verdad? ¿Sirve de algo?» De tan poco como que ella misma ha deseado, de un modo natural, tener nietos. Pero no así... Se da cuenta de lo cansada que está, agotada después de la Navidad, que les exige todo a millones de mujeres que quieren tener la casa limpia y comida en la mesa. No está agotada sólo por eso, todo es tan inseguro. La guerra, Elna, por no hablar de su querido Rune, al que le duelen tanto las piernas que no puede dormir una sola noche sin tener que levantarse para moverlas y patalear. Lo único que se sabe del futuro es que aún nos depara muchas cosas. «¿Cómo vamos a poder? Hay que hacerlo, siempre esa obligación de hacerlo. Y ahora, espero que Arne se porte bien, dondequiera que esté. Que no beba demasiado, que no haga ninguna tontería...»

Nils está de pie y se estimula tocándose el miembro con la mano en el bolsillo. Ha aprendido el arte de hacerlo sin que se vea. Es la última Nochevieja que pasa en casa, se lo promete a sí mismo como algo sagrado. Dentro de un año estará en la cama de alguna chica, y va a ser la hostia. Se siente ridículo escuchando de pie un montón de campanas que parece que nunca van a dejar de sonar. Mañana será un nuevo día y entonces habrá acabado ya todo. Mientras no nieve por la noche y haya que quitar la nieve allá en el lago durante toda la mañana...

Elna. Ella sólo está de pie y mira. La nieve que cae, silenciosas motas blancas provenientes de ninguna parte. El desolado tañido de las campanas de la iglesia refuerza la impresión de que lo que ve es una imagen, algo estático. No piensa en nada en especial, con ver tiene más que suficiente. De todos modos no para de darle vueltas en la cabeza, ¿por qué ha tenido que suceder de esta manera...? Cuando está ahí junto a la ventana en medio del aire frío de la noche, siente de repente las patadas del niño. Los movimientos en el vientre son más violentos que nunca. Sin saber por qué, se da la vuelta, las campanas han dejado de sonar y la madre alarga la mano para apagar la radio.

–El niño da patadas –dice.

Rune se queda paralizado y el rostro se le enrojece. Mira hacia otro lado, moviendo los labios como si quisiera decir algo. Finalmente es capaz de darle unas suaves palmadas en la mejilla con su gruesa mano, sin que ella pueda percibir que tiene lágrimas en los ojos. Luego, él balbucea algo y desaparece por la escalera para bajar al jardín a orinar. Por lo general lo hace en la pila de lavar, pero esta vez no. Nils se ríe de modo demasiado rápido y afectado. Pero ¿qué va a hacer? El hecho de que las mujeres vayan con los niños en el vientre y al final salgan *por ese sitio* le parece casi asqueroso. Y que su hermana haya hecho lo que a él no se le va de la cabeza no facilita las cosas. Sólo la madre reacciona de un modo completamente tranquilo y normal. Apaga la radio, va hacia Elna y pone la mano en su vientre. Sí, nota que se mueve.

–Seguro que el niño está bien –dice sonriendo.

Él niño. Ella también piensa en un niño.

–Tal vez sea una niña –se le ocurre a Elna.

–Ya veremos –dice la madre. Y no se habla más.

Sin embargo, en ese momento su hijo se hace realidad para todos ellos. Está allí y ha venido para quedarse. Como es natural, nadie sabe por cuánto tiempo. Naturalmente, la madre debería hablar con su hija de la posibilidad de dar al niño en adopción, pero... No, no puede. Todavía no. Primero tiene que nacer, luego ya se verá.

Cuando Rune ha acabado de orinar y se ha calmado, vuelve a subir y lo hace de un humor excelente. Es su modo de dejar claro que unos minutos antes ha mostrado demasiada sensibilidad, demasiada poca indiferencia como hombre que es. Ha llegado el momento de tomar los últimos tragos y mezclar el maldito sucedáneo para poner algo de color a la miseria, algo de color y de sabor.

–¡Feliz año nuevo! –grita–. Nos hemos olvidado por completo de desearnos feliz año nuevo.

Y luego le da un manotazo a la madre en el culo, como corresponde. Queriendo manifestar con ello que está de buen humor. ¿Y por qué no iba a estarlo? Quedan muchas horas hasta que tenga que bajar otra vez al calor abrasador de la fábrica, y la primera noche del año acaba de empezar... ¿Podía hervir alguien un poco más de eso que dicen que es café? Y luego intercambiaremos algunas ideas sobre la guerra. ¿Os habéis dado cuenta de que esta noche la guerra entra en su cuarto año? Para empezar por lo peor, Hitler es un ejemplo de cómo un siglo de pecados acumulados tiene como resultado el nacimiento de un hombre así, aparecen una vez cada cien años...

Nils no entiende a qué se refiere y lo dice sin ambages, el tono de su voz es incluso algo mordaz. Su padre lo mira desafiante, cuando ha bebido no le gusta que le contradigan, como es bien sabido, y, naturalmente, mucho menos su propio hijo. Pero, para asombro de todos, queda demostrado que las objeciones de Nils tienen fundamento. Es el resultado de lo que ha ido recogiendo de aquí y de allá, en el trabajo, los titulares de los periódicos y las noticias de la agencia sueca de información, y luego, dándole vueltas a lo que ha asimilado, se ha formado algo similar a lo que se suele llamar opinión propia. Respecto al avance alemán, está de acuerdo con su padre en la mayor parte de las cosas, pero en la visión de la Unión Soviética difieren por completo. Por no hablar de la apariencia y la administración de la neutralidad sueca. ¿Un país neutral que deja pasar divisiones alemanas que van a ser enviadas de un escenario bélico a otro? No, eso no es más que desesperada complacencia. Ahí se ha puesto boca arriba, como un perro salchicha delante de un bulldog.

–Puedo estar de acuerdo contigo en que es incómodo –dice el padre–. Pero sólo se dio una vez. Y es mejor eso que tener la guerra encima...

Nils le interrumpe, ahora aclara lo que quería decir.

–No hubiéramos sido ocupados de haber opuesto resistencia –dice–. Los alemanes tienen suficiente con lo que tienen. Y a diferencia de Noruega y Dinamarca, disponemos de un cuerpo de defensa. Y nos daba tiempo de prepararnos.

–¿Puede saberse entonces adónde habrían ido todos los refugiados en caso de haber entrado en guerra? –pregunta el padre empezando a irritarse–. Somos un alivio, la resistencia puede organizarse aquí.

–Si los alemanes nos hubieran atacado, se habrían debilitado en Noruega y Dinamarca. Y entonces allí podría haberse incrementado la resistencia.

–Ahora estás diciendo tonterías, hijo mío. Los alemanes pueden meter todas las reservas que hagan falta.

–¿Contra veinte millones de rusos?

–¿De dónde sacas todos esos rusos?

–De la Unión Soviética.

–¡Eres un insolente!

–¡Digo la verdad!

–¡Y yo digo que eres un impertinente! ¿Cómo va a poder movilizar Stalin a veinte millones de hombres cuando no ha hecho más que matar a tiros a sus campesinos desde mediados de los años treinta? Ahora podría necesitarlos, pero los ha eliminado.

–No ha hecho eso, ni mucho menos. Y no creo que sea distinto a que enviemos a un montón de nuestra propia gente al bosque, a los campos de internamiento.

–Eso es traición a la patria. Si llegara Stalin, estarían en el muelle para coger las amarras.

–¿Entonces por qué no encerramos a todos los que recibirían a las tropas de Hitler. ¿Acaso no hay gente que lo está haciendo ya?

–¡Eso sólo son majaderías!

–¡Es mi opinión!

Uno de los puños del padre cae sobre la mesa como un mazo.

–Un niñato como tú no tiene las ideas claras. Ser insolente no es lo mismo que saber de qué se habla.

Elna escucha. Hasta la madre se ha quedado sentada. A pesar de todo es Nochevieja, y claro que le parece divertido ver cómo su hijo empieza a medir las fuerzas con su padre. Sólo espera que no vaya demasiado lejos. Le preocupa un poco su impetuosidad.

Pero, como es natural, la discusión se descarrila. Y cuando Nils de pura furia arroja por la boca que quienes realmente tendrían que estar preparados para defender el país son los comunistas, estalla en serio. El padre se pone en pie rugiendo, se tambalea pero recupera el equilibrio y grita señalando hacia la puerta que no quiere comunistas en casa. Y Nils se pone de pie para marcharse, está tan fuera de sí que no consigue articular ni una palabra. Pero las sorpresas no han terminado aún, porque en ese momento Elna alza una mano y, sin levantar la voz, les pide que se tranquilicen. No se encuentra del todo bien...

Y eso hacen, el niño manda. El padre sacude la cabeza, mira a Nils airadamente por un momento y luego se dirige a la habitación rezongando. Que le lleve la contraria su propio hijo... ¿Adónde vamos a llegar?

Nils duerme en su colchón, Elna yace despierta. A través de las paredes oye toser a alguien en casa de los Wretman. Una tos inquietante que parece que no va a cesar nunca.

1942. Dentro de un mes exactamente cumplirá dieciocho años. Y dentro de tres meses tendrá un hijo, un hijo de invierno, un hijo en la transición entre el invierno y la primavera. Durante un instante trata de imaginarse dónde está el padre del niño, ¿hará guardia en algún sitio en la noche invernal? Pero ni siquiera es capaz de representarse su rostro, y mejor que sea así.

Un día a mediados de enero, un domingo claro y frío de invierno, Elna atraviesa la población. Es temprano, antes del mediodía, y el pueblo está desierto. La nieve acumulada varios metros de altura a lo largo de las paredes de las casas sirve para tapar las fisuras y mantener así el calor dentro del hogar. Porque este invierno de 1942 no parece que vaya a ser más suave que el anterior. Es como si incluso el clima protestara contra lo que ocurre en el mundo y el frío fuera su arma ofensiva. Elna camina deprisa, aunque le pesa el vientre y se queda sin aliento con facilidad. Pero no quiere enfriarse, su abrigo oscuro y el chal que se ha enrollado varias veces alrededor de la cabeza apenas sirven para aislarla del frío. Pero no sopla el viento, se puede aguantar. Atraviesa el pueblo, pasa por delante de la fábrica, con sus altas chimeneas que parecen dos cuernos, por delante de los chalets blancos donde viven los ingenieros y directores, y luego sale a la carretera. Allí dobla al azar y avanza por un camino forestal, las marcas de los anchos patines de los trineos y de los cascos de los caballos indican que por ese camino se han transportado troncos. Una corneja bate las alas y remonta el vuelo desde lo alto de un abeto, de donde caen en silencio gruesos montones de nieve al suelo.

Ella no va a ninguna parte, sólo camina, dejando vagar sus pensamientos por senderos propios. El aire que respira es frío. Andar le tranquiliza, no aguanta estar siempre sentada esperando... De pronto se encuentra ante un claro del bosque. Cerca del camino que va serpenteando entre los abetos y los pinos hay una torre de vigilancia aérea. Parece como todas las demás, un esqueleto gris de madera, una escalera rota que acaba en lo más alto, junto a la plataforma. Mira hacia arriba y ve que no hay ningún vigilante en la torre. Donde terminan las escaleras hay colgado un aviso que prohíbe la entrada a personas no autorizadas. En el bosque reina la calma, ella está sola y, sin saber exactamente el motivo, empieza a subir la escalera de la torre. Va despacio, en las escaleras suda con facilidad y puede marearse si no tiene cuidado. Cuenta los escalones... 43, 44, 45 y en el 62 ya está arriba. La plataforma sólo se compone de un suelo de gruesos tablones sin pintar y una barandilla a la altura de su vientre. Ahí arriba está por encima de las copas de los árboles y un viento suave sopla sobre el bosque.

Contempla el paisaje, sigue con la vista las oscuras colinas de bosque que se pierden en el infinito. Y como único contraste con los bosques sin fin, los campos blancos como sábanas extendidas. Un granero solitario aquí y allá. También le parece ver a lo lejos a un esquiador que se desliza sobre los campos blancos. Aguza la vista y tarda un rato en estar segura de que es algo que se mueve. Pero es un esquiador, se desplaza lentamente y desaparece poco a poco en el bosque, como si no hubiera existido nunca.

A ella le gusta lo que ve, es un paisaje invernal, frío y monótono, pero es el suyo, el que está acostumbrada a ver. Su reino, un reino infinito, el más bonito que conoce. Aquí es donde vive, no conoce otra cosa. ¿Se puede querer lo desconocido? Se pone de puntillas y, a pesar de que tiene el vientre como obstáculo, puede asomarse tanto por encima de la barandilla que hasta ve el suelo allí abajo. Sus propias huellas en la nieve.

«Si saltara, todo acabaría en unos segundos», piensa. «No me daría tiempo de pensar, moriría en mitad de un respiro y no sentiría ningún dolor. Sería así de sencillo, caería sobre mis propias pisadas y todo habría terminado.»

En una esquina de la plataforma hay un banco desvencijado. Se sube con cuidado para poder tirarse desde allí por encima de la barandilla, sin que nada se lo impida.

Siente la tentación de hacerlo, no se trata sólo de un capricho que se le pasa por la cabeza. Está tan cansada, las largas noches que ha pasado en vela meditando le han arrebatado las fuerzas, ni siquiera la seguridad que siente en compañía de Ester le ayuda ya. El impulso de acabar con todo le viene a la cabeza cada vez con más frecuencia. Salir al bosque, tumbarse allí y dormir. O caminar sobre el hielo hasta que llegue a un agujero, resbalar dentro del mismo y dejarse absorber por el agua. O las vías del tren... Y ahora se encuentra en la torre de vigilancia aérea. Tiene la sensación de que la altura le incita, tira de ella hacia fuera...

Durante un buen rato se asoma con la parte superior del cuerpo colgando sobre la barandilla, luego se baja del banco y se desploma. Entonces siente tanto frío que empieza a tiritar. Pero ahora lo sabe. No va a saltar. No porque no se atreva, sino porque no quiere.

Simplemente, porque no percibe la muerte como una vía de escape. Ve un clavo oxidado sobre el banco a su lado. Grava con él su nombre en la barandilla, el nombre y la fecha.

Elna. 16-1-1942.

Se queda un momento más junto a la barandilla, a pesar de que tiene mucho frío, mirando por encima de su territorio como una reina. Allí abajo, en la quietud, y en alguna parte entre los árboles, hay un esquiador que avanza sudoroso sobre el terreno irregular, hacia alguna meta que sólo él –o ella– conoce.

Ella baja las escaleras con cuidado para no resbalar, toma el mismo camino por el que ha venido. Va andando paralelamente a sus propios pasos en sentido contrario.

Ahí está la población de nuevo. Se acerca la hora de ir a misa y unas pocas personas se dirigen con dificultad hacia la iglesia. Por un instante siente el impulso de ir ella también, pero se esfuma tan rápidamente como ha llegado. «¿Qué iba a hacer ella allí?»

Además tiene frío y se da prisa.

Esa misma tarde le escribe una carta a Vivi. Hay algo que se ha vuelto una costumbre en la cocina, preparar su sitio en la mesa abatible y sacar papel y lápiz. Nadie le pregunta qué escribe, sino que, en vez de hacerlo, tratan de quedarse en silencio como muestra de consideración.

«... He decidido vivir», escribe. «Veremos qué ocurre luego. Después.»

Y lo de cada día. Que hace frío pero ella está bien de salud. ¿Y cómo van las cosas por allí abajo en la lejana Escania? ¿Continúa siendo el trabajo en el hotel igual de duro? ¿Sigue sin percibir el mismo sueldo que los demás que limpian habitaciones? ¿Hay algo de nieve en Landskrona? Si no la hay, puede venir a Sandviken a buscarla. Aquí hay para dar y tomar. Seguramente va a ser un invierno largo. Tal vez tengan nieve hasta entrado el mes de mayo... ¿Y su padre? ¿Sigue todavía en aquel campo de Norrland? Como no ha hecho nada, seguro que lo pondrán pronto en libertad. Ahora también se ha declarado la guerra entre Alemania y la Unión Soviética... ¿Crees que la guerra acabará alguna vez? ¿O durará mientras haya un solo soldado con vida? O una sola persona... Muchos saludos de Elna.

Ella tiene razón.

Es un largo invierno.

Tan largo que no hay ni el más mínimo indicio de que vaya a llegar la primavera, el 16 de marzo de 1942, por la mañana temprano, da a luz a una niña que pesa 3,450 kilos.

A la niña le ponen el nombre de Eivor Maria.

Y de apellido Skoglund. Así se llama Elna.

Cuando ve a su hija por primera vez, le parece que es una copia de sí misma. Igual de desamparada, igual de indefensa.

Al otro lado de la ventana cae la nieve.

Incesantemente.

1956

En este mundo se dan muchas situaciones extrañas.

¿Quién ha oído hablar, por ejemplo, de un hombre que durante una época de su vida ha vivido de cazar mosquitos? Ciertamente no fue un trabajo de larga duración, sin embargo, él asegura que vivió de ello durante siete meses. Posee incluso un desgastado documento que lo acredita. Lo lleva siempre consigo en el bolsillo interior izquierdo, justo encima del corazón. Pero nunca o casi nunca ha sacado el documento. Llegado el momento, sus interlocutores se han ido ya a otra mesa o le han pedido que se calle si no quiere que le den una paliza.

No tienen por qué escuchar semejantes tonterías, aunque se encuentren en una cervecería sueca cualquiera.

Y él, naturalmente, cierra el pico. Siempre le ha dado miedo que le peguen, y, además, qué sentido tiene tratar de explicar algo del mundo a alguien que, al fin y al cabo, no va a entender lo que le dice. Pero a veces se pregunta qué habrían opinado si les hubiera dicho que su nombre es Abd-ur-Rama. Entonces, probablemente le habrían echado a palos de esa pequeña e insignificante localidad sueca. Y probablemente habría sido lo mejor que podría ocurrir. Aunque pronto va a cumplir cincuenta años, la vieja inquietud sigue incrustada en su espíritu. Y cuando se ha vivido la mayor parte de la vida en las carreteras, jamás te desprendes de ella.

Está sentado en un café de la estación del ferrocarril en Hallsberg, bebiendo cerveza y cavilando acerca de su destino. Es a principios de abril y todavía no hay indicios de la primavera. Y el tiempo pasa a toda velocidad. ¡Cielo santo, ya lleva tres años viviendo en este agujero! Tres años sin que ocurra nada, sólo que es tres años más viejo, ha perdido un par de dientes más y cada vez le cuesta más contener la orina.

Hace tres años que, según el testamento de su hermana, consiguió heredar su casita en las afueras de Hallsberg, en dirección a Pålsboda.

Como es natural, está agradecido de que su hermana se haya compadecido de él en su testamento, pues igualmente podría haber cedido la casa y los bienes a la Misión Sueca. Por supuesto, da gusto tener un sitio donde vivir, en una residencia de ancianos seguro que se habría muerto enseguida; además, ya no es capaz de dormir entre cartones durante el invierno. Antes dormía por las noches, aunque fuera bajo un puente helado en Holanda o en una cuneta en las afueras de Staffanstorp. La salvación del vagabundo siempre ha sido tener un buen dormir. Pero los últimos años que pasó en las carreteras dormía cada vez peor, y entonces era un auténtico infierno constatar, hora tras hora, que estabas tirado en una húmeda cuneta, y que el futuro sólo te depararía nuevas aflicciones. Su día de suerte fue el día que se dirigió a la tienda de tabaco de Hugo Håkansson en Vetlanda y se encontró con una carta que llevaba allí esperándole desde hacía un mes. Hugo y él se conocían desde los años veinte, cuando viajaban juntos por las ferias. En aquella época, Hugo era el hombre de goma. Tenía el buen sentido de guardar algo de dinero, y ponía sumo cuidado en no ir dejando hijos sueltos por todo el país. Y para una tienda de tabaco bastaba con lo ahorrado. Él se había domiciliado en la casa de Hugo, y varias veces al año iba a Vetlanda. En general no había nada para él, y entonces seguía su camino después de haber dormido algunas noches en una cama en condiciones, haberse quitado la porquería de encima y, tal vez, haber heredado también algo de ropa del bondadoso Hugo. Pero el caso es que, ahora hace tres años, había una carta del bufete de abogados Åkerman de Örebro esperándole. La casa y los bienes muebles se le entregaron de inmediato. Todo podría haber ido bien de no encontrarse la casa en Hallsberg. No aguanta ese cuchitril, es pequeño y estrecho, y todo gira alrededor del tren que viene y va.

Lo peor es que nadie se apea y se queda. En Hallsberg sólo se bajan algunos pasajeros para ir corriendo a hacer transbordo a otro tren. Cambian de tren para continuar lo antes posible. Y para una persona que no ha hecho otra cosa en su vida que viajar, es un infierno hallarse ahí y no poder seguirlos.

No se llama Abd-ur-Rama, por supuesto. Es sólo uno de sus muchos nombres artísticos (tiene varios, por cierto.) Cuando nació en Broddebo en 1886, lo bautizaron con el nombre de Anders, por su abuelo paterno, Anders de Björkhult. Y la joven y pobre pareja de campesinos estaba tan feliz con su primogénito que nunca hubiera creído que esa pequeña criatura iba a ser faquir. O que cazaría mosquitos con un sueldo semanal fijo. O todo lo demás con lo que ha llenado su agitada vida...

¡No, por Dios! Hay tanto en lo que pensar cuando se pasan las tardes en el café de la estación de Hallsberg. Suele permitirse el lujo de tomarse tres cervezas al día, y con una botella cada dos horas tiene tiempo de sobra para pensar.

Como ahora esto de los mosquitos. Es verdad y tiene pruebas, pero nadie quiere creerle. En este endiablado agujero parece que todo gira en torno a los vagones de mercancías. Aparte de comentar lo increíblemente bien que se están poniendo las cosas, por supuesto. ¿No se va a bajar ya este año, 1956, el horario laboral de 48 a 45 horas semanales? ¿Y no se ha suprimido la cartilla de racionamiento hace ya más de un año? Sí, ahora se están haciendo las cosas correctamente, las industrias funcionan a toda marcha, los salarios suben y pronto van a poder tener coche y casa de campo... Es lo que la gente comenta a su alrededor. Hallsberg es un nudo ferroviario, ni más ni menos, y el café del ferrocarril es donde los trabajadores de las vías piden su café y su taza de leche y se comen los bocadillos que llevan preparados. Son muchos, el trabajo en el apartadero del ferrocarril se divide en turnos durante las veinticuatro horas del día, por lo que en el café hay un tráfico ininterrumpido de entrada y salida. Sólo alguna que otra vez se confunde un viajero al entrar y retrocede ante el olor acre a tabaco y a botas de goma sudadas.

Así que aquí vive su triste vejez Anders Jönsson, el que fue humorista, faquir, artista de feria... ¿Quién podría creer que ese viejo de pelo hirsuto y vestido de manera anticuada tuvo un día un trabajo, incluso fijo, en el maravilloso mundo del cine? Ahora viene lo de los mosquitos. Es mejor que terminemos con ello para poder continuar.

A principios de los años treinta emprende un agotador y triste viaje a pie por Europa. Parte con la intención de no volver nunca. En Suecia ya no le interesan a nadie sus trucos. Ahora lo que la gente reclama son bailarinas y espectáculos de variedades, revistas de lujo en locales caros. Aunque se hubiera vestido con sus mejores galas, se pregunta si le habrían dejado siquiera entrar. El tiempo de los artistas individuales parece que ha pasado inexorablemente, ya nadie se toma la molestia de escuchar a alguien que se ha puesto un chaleco de flores y se ha metido algodón bajo el labio superior para parecer un ingenioso campesino con la boca llena de rapé. Ya no vale la pena subirse a un escenario destartalado a interpretar canciones cuartelarias o contar chistes. Nadie viene a escuchar. Quizá podría haberse retirado como una reliquia disecada en el Skansen, pero ni siquiera eso es seguro. Porque él no es ningún cómico conocido, nunca ha tenido éxito. A diferencia de fenómenos locales como Skånska Lasse o Böx i Kôvra, Anders de Hossamåla no es más que un cómico medianamente bueno que va tirando adelante como animador y comparsa de las grandes estrellas. Así que no le importa marcharse. Salir a Europa y luego morir. Al fin y al cabo, allí hace más calor, los inviernos no son tan terriblemente fríos como en Suecia. Y quién sabe, el mundo es grande...

No, nadie lo sabe y, sin darse cuenta, atraviesa Francia rápidamente, y en cuanto llega a París va directo a un estudio de cine. Fiel a su costumbre, pregunta si hay algo que pueda hacer, se ofrece para lo que sea por unas monedas que alcancen para un poco de pan y tal vez también un par de vasos de vino tinto, que no entiende cómo puede ser tan barato en ese país. Anders tiene buen oído para los idiomas. Durante sus años como cómico aprendió muchos dialectos, y podría decirse que ése era su verdadero talento. No era especialmente divertido, y podría haber cantado bastante mejor. Lo que hacía que pudiera ir tirando era precisamente su facilidad para captar al vuelo un dialecto. Se apoya en ese talento para abrirse camino por Europa y no tarda en aprender las palabras necesarias.

Un hombre menudo con cara de rata y empastes de hierro lo ve en la puerta de entrada a la zona del estudio y tiene algo que ofrecerle... ¿Quiere acompañarlo? A ese vagabundo sueco puede ofrecerle algunos francos al día; acaba de recibir una reprimenda de un agotado jefe de rodaje, que le ha preguntado enfurecido por qué no ha llegado aún ninguna persona que pueda hacerse cargo de la catástrofe que se les ha echado encima...

Todo el estudio está volcado en la producción de un enorme melodrama. Una madre se casa con el amante de su hija, quien a su vez mata al amante secreto de ésta, que a su vez... Todo rodado en costosos interiores. Los delicados focos estallan constantemente haciendo un estruendo ensordecedor. Los actores, nerviosos, se ponen histéricos por miedo a que sus valiosos rostros resulten dañados con los fragmentos de cristal, y el productor está hecho una furia por los costosos retrasos. Y todo eso sólo porque hay mosquitos volando dentro de los decorados. Mosquitos que van en busca de la luz y rebotan contra los cristales de los focos, que estallan por ello.

Así que durante siete meses, el ex cómico Anders de Hossamåla caza mosquitos en ese estudio. Es ingenioso, se sube a las escaleras y a lo largo de las frágiles rampas de iluminación. Lleva en la mano un matamoscas, tiene puntería y pone el alma en el trabajo. Debido a esa tenacidad suya, el productor se imagina que después de un par de semanas habrán disminuido los retrasos, y enseguida ordena al tesorero que le suba el sueldo al cazador de mosquitos. A Anders le interesa el rodaje al principio de la película, pero cuando poco a poco consigue relacionar las distintas escenas que se van tomando saltándose el orden de una a otra de forma curiosa, se da cuenta de que sólo se trata de un exagerado romanticismo en cantidades industriales y de repente deja de interesarse por otra cosa que no sean los mosquitos. Los francos que obtiene le alcanzan de sobra para comida y vino tinto y para una cama en el desván de la casa de uno de los trabajadores del estudio. ¿Qué más puede pedir? Cuando además la temperatura es suave y agradable a pesar de que pronto llegará la Navidad...

Así que claro que ha vivido de perseguir mosquitos, pero es un secreto que deberá llevarse a la tumba el día en que todo termine.

¿Y va a ser este nudo ferroviario, donde nadie se apea para quedarse, su estación final? Aunque la vida siempre le ha mostrado tanto su máscara trágica como su máscara cómica, esto es lo peor de todo...

Muerto y enterrado en Hallsberg. Dios nos guarde.

Cuando el reloj se aproxima a las siete se levanta y se marcha, saliendo por la chirriante puerta y siguiendo luego el camino que lleva lejos de la zona de la estación.

La casa es pequeña y de color rojo y tiene un huerto cubierto de maleza. Sólo conserva el campo de patatas y el nudoso manzano, y cada año obtiene suficientes patatas y pequeñas manzanas verdes. La casa se compone de cocina, una habitación y una pequeña alcoba detrás de una pared de masonite. Un año antes de morir, su hermana había instalado electricidad en la casa, había puesto linóleo en los suelos y había tirado el mobiliario antiguo de la cocina. Ahora brilla por el acero inoxidable y tiene cocina eléctrica y frigorífico. El frigorífico que había antes se encuentra medio oxidado detrás de la casa. Pero los muebles de su hermana están todavía y todos los bordados con textos religiosos cuelgan sobre el papel pintado de las paredes como cuando él se mudó. Vino a Hallsberg en tren desde Örebro, después de haber recibido la herencia, las llaves y una libreta bancaria en el despacho de abogados Åkerman. Y todo lo que llevaba consigo era una maleta rota atada con cuerdas para que no se abriera. En la maleta llevaba un par de chanclas de goma, algunas camisas sucias, un chaleco floreado, un deteriorado espejo de maquillaje y varias tarjetas antiguas de Abd-ur-Rama, de Anders de Hossamåla, y del cantante malayo 42 Sonidos, «con diversión garantizada». Es todo lo que posee, aparte del pasaporte y distintos permisos y certificados.

La mayor parte del tiempo lo pasa en la cocina. Se sienta a la mesa de la cocina y sueña durante horas. La mayoría de las veces no se preocupa de encender la luz, la oscuridad hace que se distraiga menos. Desde hace tres años va sacando sus recuerdos uno tras otro, los mira y luego los guarda de nuevo en los oscuros escondrijos de su cabeza... Pero, naturalmente, no es tan sencillo. No obstante, sigue vivo y se ha quedado con un gato vagabundo. Una mañana se lo encontró maullando en la escalera, despellejado y lleno de pulgas, pero Anders se hizo cargo de él y ahora le sigue con una fidelidad infinita. Sólo desaparece al aullido de las gatas por las noches, pero siempre vuelve, seriamente dañado y con las orejas llenas de heridas. Pero no importa mientras regrese y se siente en las rodillas de Anders.

Junto a su casa hay un bloque de apartamentos de alquiler. A través de la ventana de su cocina puede hacerse una buena idea, curiosamente variada, de cómo vive la gente hoy en día. Él ya casi no pertenece a la realidad, su vida se ha quedado congelada en imágenes de sí mismo en las viejas fotos de propaganda. Para poder seguir lo que ocurre en el mundo no puede perder de vista la ventana de tres cocinas y de tres dormitorios. En el edificio sólo viven empleados del ferrocarril, las ventanas que puede abarcar con la vista pertenecen a dos trabajadores del apartadero y a un maquinista de cambios. En otras palabras, tres familias trabajadoras actuales. Los Sjögren viven en el piso de abajo, y para él es una suerte. La señora Sjögren es una mujer joven y elegante de no más de treinta años. Tiene el pelo oscuro y bonito, y grandes pechos que tiemblan y oscilan cuando se mueve. Con un poco de suerte se inclina a por algo que hay en el suelo y entonces él puede ver directamente esas dos grandes maravillas...

Ella suele peinarse junto a la ventana. Pero a veces baja la mano que sostiene el peine o el cepillo y se queda de pie mirando hacia fuera, a la noche. Anders trata de imaginarse en qué piensa. No puede tener problemas, pues conforme pasan los días va mejorando todo.

No, seguro que es capaz de ver el futuro, aunque la noche sea tan negra e impenetrable...

¿Realmente es todo perecedero? ¿No va a quedar nada? ¿Es así como se transforma el mundo, cambiando el papel de la pared pegando uno nuevo encima sin que nadie recuerde ya cómo era el que está debajo?

Heredó nueve mil coronas de su hermana. ¿Cómo pudo ahorrar semejante cantidad si no hizo otra cosa más que limpiar vagones durante toda su vida? Y todavía resulta más raro que le haya legado a él la inmensa cantidad de dinero. Han tenido contacto de vez en cuando, si él estaba cerca de Hallsberg intentaba buscar un momento para ir a visitarla. Y, a pesar de colaborar de forma activa en la Misión Sueca, nunca ha dudado en ir a verlo actuar cuando tenía la oportunidad. ¿Consideró tal vez que era tan importante salvarlo a él de las humillaciones de la vejez como bautizar paganos en la lejana África? Es la única explicación que puede dar, y por eso cuida de su modesta tumba en el cementerio, es lo mínimo y a la vez lo único que puede hacer como prueba de su agradecimiento.

¿Y si él, a su vez, legara la casa a la Misión Sueca?, después de su muerte, por supuesto. ¿Venderla para que el dinero en efectivo pueda utilizarse para la guerra santa en África?

No, diablos, tiene que haber límites. Y él sabe en qué va a emplear el dinero...

Es abril de 1956 y él ha tomado una decisión. Ahora ya tiene suficiente. Ahora que ya ni siquiera puede controlar la orina y se despierta cada noche con la cama empapada, cuando al final el olor a orín es tan fuerte que hasta el gato empieza a taparse la nariz, es mejor darse cuenta de que la hora ha llegado. ¿Qué otra cosa puede esperar sino el incremento, lento pero inexorable, de la decadencia? Nada en absoluto. Y no quiere eso. Ha sobrevivido durante setenta años, más que nada gracias a su fuerte voluntad, así que esa voluntad va a hacerle el último favor.

Le quedan dos mil coronas. Ese dinero le alcanza hasta la Navidad, luego se acaba. Le viene justo. En ocho, nueve meses tiene que ser capaz de matarse bebiendo. Además es lo que ha decidido. Beberse el dinero, sentarse y soñar, cuidar al gato.

¿Y después? Después no hay nada. Entonces va a estar muerto. En el momento adecuado, para año nuevo, el periodo más frío del invierno. Y para él va a ser una gran alegría engañar al invierno. Siempre ha odiado el invierno y ahora, por fin, tiene la posibilidad de devolverle todas las noches que ha estado encogido y tiritando de frío en parques, bajo puentes o escaleras. Ahora llega la venganza y va a ser dura...

Va a beber, beber hasta la muerte y la destrucción. ¿Hay acaso alguien en el mundo a quien le importe lo que haga Abd-ur-Rama? A nadie, al menos en este asqueroso agujero en el que el tren debería dejar de detenerse...

Es lo que él cree. Y seguramente tiene razón.

Pero de vez en cuando sucede algo inesperado.

Una tarde de finales de abril, cuando está sentado bebiendo una mezcla de aguardiente y vino tinto en su casa a oscuras, oye que arañan en la pared de la esquina. No puede ser el gato, está durmiendo encima de la mesa delante de él, entre las botellas. ¿Entonces qué es? ¿Otro gato? ¿Una gata en celo? ¿Un erizo? Al cabo de un rato cesa el ruido y lo olvida enseguida. Está pensando en el mercado de Skänninge un día de verano de 1917. Entonces no es Anders de Hossamåla o 42 Sonidos el que garantiza diversión. No, Cederlund, el director del parque de atracciones, lo ha contratado temporalmente como faquir, especializado en comer clavos de dos pulgadas. August Cederlund es uno de los mayores sinvergüenzas reconocidos que ha habido en el mundo del espectáculo en Suecia. El expectante público, como es natural, no se imagina nada, pero los que trabajan para él lo saben. Cuando las cosas están mal, no da trabajo a ninguna mujer, ni como encantadora de serpientes ni como vendedora de entradas, a no ser que antes hayan accedido a acostarse con él al menos tres días a la semana. Las noches no le interesan, porque entonces juega al póquer y les saca con trampas a los trabajadores del parque de atracciones los sueldos que aún no les ha pagado. Es odiado por todos, pero, como quiera que sea, se las arregla para no tener problemas a la hora de llenar los obligados espectáculos de variedades del parque de atracciones. Si la decisión está entre padecer hambre o pasar por el carromato ambulante de Cederlund con su correspondiente sofá, en realidad es como no tener ninguna alternativa. Y mantenerse con la moral artística alta no es necesariamente lo mismo que evitar el desagradable sofá lleno de manchas. Cederlund tampoco vacila en dar empleo a artistas masculinos con las mismas condiciones. Con toda generosidad ha extendido sus servicios hacia otros lados y, según los rumores, llegado el caso no tiene escrúpulos en vejar animales que vayan a actuar. Hay muchos que quisieran cortarle el cuello a ese endemoniado Cederlund, pero nadie se ha atrevido a hacerlo; y Anders se pregunta si estará vivo aún... Pero ¿no tendría entonces ya cien años?

Con Cederlund, Abd-ur-Rama tiene que tragar clavos nueve veces al día durante los tres días que dura la feria. Así que son veintisiete veces, y, entremedias, también debe salir fuera de la lona y llamar la atención de los campesinos para que acudan a verlo. Va a cobrar veinticinco coronas al día y, aunque resulte raro, le dan la mitad por adelantado. Y luego tragará clavos mientras el público se pregunta cómo diablos lo hace. Sí, se trata de un secreto profesional, es todo lo que puede decir, porque después de cada actuación se esconde detrás del telón y vuelve a sacarse los clavos de la garganta, uno por uno, con los finos hilos que hábilmente ha escondido al público... Y salen uno tras otro, acompañados de bilis y saliva...

Alguien intenta entrar por la puerta que da a la calle e interrumpe sus pensamientos. Normalmente teme por su vida, pero ahora está tan borracho que, más que nada, le produce curiosidad. ¿Quién puede querer entrar en su casa? Claro que la casa está a oscuras y el descuidado patio podría indicar que está deshabitada... Pero, aun así, ¿qué cree que va a encontrar aquí un ladrón? Permanece sentado. El gato se ha despertado y aguza las orejas.

Cuando la puerta se abre, Anders gira el interruptor de la luz que se encuentra en la pared detrás de él, y la cocina se llena de luz. En la puerta de la casa hay un adolescente menudo y delgado, está sucio y manchado de barro. Se queda paralizado por la luz como un animal, y, asustado, mira a Anders.

Anders percibe enseguida que no es peligroso. Sin duda, no se debe juzgar a los animales ni a las personas por su pelaje, pero esta figura embarrada apenas representa una amenaza para su vida o sus propiedades.

Anders se pone en pie y el sucio adolescente retrocede.

–No te muevas –le ordena Anders–. ¡No intentes escapar ahora! ¡Porque si lo haces, te perseguiré!

El muchacho obedece, después le ordena que vaya hacia la mesa de la cocina. El chico se mueve con cautela y Anders ve que la cara de susto no es sólo una máscara, es real.

–¡Siéntate! ¡Y cállate!

Anders mira al muchacho. Viste de modo extraño. Lleva botas, unos pantalones demasiado cortos, una camisa de cuadros hecha jirones debajo de una chaqueta de cuero abierta. En realidad, lo único de su talla es la chaqueta negra. Lo demás parece que se lo haya llevado a toda prisa, seguramente es robado.

El chico es moreno, tiene el pelo grasiento y enmarañado por todos lados. Anders trata de determinar su edad y llega a la conclusión de que tiene dieciocho años.

–Diecisiete –responde cuando le pregunta.

–¿Cómo te llamas?

–Lasse.

–¿Qué más?

–Nyman. Creía que esto estaba deshabitado. No pretendía...

–¡Cierra la boca hasta que se te diga lo contrario!

Anders puede ser autoritario si quiere y eso precisamente es lo que desea en ese momento. Pero, para su amargura, se da cuenta de que está orinándose. Ya le cae por el pantalón y no puede ir corriendo a la pila para echar allí lo que queda, sería lo mismo que confesarle al muchacho que en realidad es un hombre débil. Tirarlo al suelo de un golpe no sería más complicado que hacer un agujero en un huevo. Así que la orina puede seguir corriendo, y él se sienta para ocultar la mancha que crece.

De pronto, el muchacho empieza a llorar. Un llanto furioso y amargo. El rostro se retuerce y se vuelve gris como la ceniza. Anders olvida enseguida la pasajera calidez que lleva consigo orinarse en los pantalones y observa con asombro al muchacho que llora. Él no ha derramado una sola lágrima durante más de treinta años y creía que la gente hoy en día sólo lloraba en el cine.

Pero Lasse Nyman, el chico de diecisiete años lo hace, aunque rápidamente recobra el control y se seca las lágrimas de la cara con rabia.

–¿Te encuentras mejor? –pregunta Anders–. Aquí puedes estar tranquilo. No hay nadie más aparte del gato y yo bebiendo.

–¿Un gato que bebe?

Lasse Nyman parece tener un humor variable porque, de repente, se ríe, dejando al descubierto sus dientes, irremediablemente descuidados.

–¿Quieres un trago? –le ofrece Anders, y el muchacho asiente con la cabeza. Anders señala hacia el fregadero y el muchacho trae un vaso, al andar deja grandes manchas de barro en el suelo.

Quiere aguardiente y lo tiene. «Por lo general, en este país el vino sólo es apreciado en las comidas de la realeza y por la alta sociedad después de haber hecho algún mérito», piensa Anders mientras sirve el aguardiente. Lasse Nyman vacía el vaso de un trago y lo coloca de nuevo sobre la mesa sin inmutarse.

–Ahora te toca a ti –dice Anders–. Pero no mientas. Si lo haces, me enfadaré.

–¿Me das una oportunidad? –pregunta Lasse Nyman. Anders reconoce enseguida su acento del sur de Estocolmo, a la vez que decide hacer un pequeño truco.

–¿Cómo piensas utilizar esa oportunidad, si puede saberse? –contesta rápidamente con el mismo acento del muchacho. Éste se queda atónito y boquiabierto. Anders vuelve a hablar de repente con su acento habitual–. Dime, cabrón. ¿Qué andas haciendo por aquí, en Hallsberg, en medio de la noche?

Lasse Nyman contesta al momento.

–¿Hallsberg? –dice extrañado–. Hallsberg...

«Así que no sabe dónde está. ¿Se habrá caído del tren?» Anders ve que está dudando mientras se muerde la uña de uno de los dedos hasta la raíz.

–Parece que no tengo elección –dice al fin–. Me he fugado. De la cárcel de menores de Mariefred. Me escapé el viernes pasado.

Hoy es lunes. Por lo tanto, en cuatro días ha ido desde Mariefred hasta Hallsberg.

–Deja de tomarme el pelo y contesta ahora de modo más detallado. Pero no mientas si no quieres que te dé una paliza –ordena el viejo meón que ni siquiera puede controlar su vejiga...

Pero Lasse Nyman habla y parece que eso le alivia. Y lo que sale de él, con frases inacabadas, opiniones empezadas que no llevan a ninguna parte, con su idioma pobre lleno de palabrotas, no es una historia particularmente impresionante. En realidad es lo de siempre.

En pocas palabras: Lasse Nyman es vástago de un obrero borracho y violento que, además de dar palizas a su esposa de vez en cuando, también logró dejarla embarazada. El ambiente de la niñez de Lasse son las chabolas húmedas de Hornsgatan y en cuanto aprende a andar sale corriendo a la calle. Solían darle palizas, y ¿cómo iba a concentrarse en la tarea escolar si cada tarde le esperaba una nueva tunda? A los doce trata de arar un surco en el infierno mediante un simple hachazo en la cabeza de su padre. Pero el corte es una chapuza, lo ha hecho con tanta rabia que se ha olvidado de apuntar, así que sólo logra cortarle una de las orejas. La sangre chorrea, la madre se desmaya y viene la policía retumbando por las ruidosas escaleras. Entonces va a parar por primera vez a los archivos de Götaverket (¡sí, el Departamento Social se llama así, por el laborioso Göta Rosén!) y, a pesar de que se le encasilla como un joven y prometedor homicida, obviamente hay que colocarlo en una familia de adopción y, como es natural, en el campo. Parece lo único sensato que se puede hacer cuando se trata de niños con tendencias violentas debidas a terribles ambientes familiares. Pero en esas basuras no se hurga, nunca se puede defender a alguien que le corta la oreja a su padre. No, son tendencias criminales condicionadas genéticamente y hay que castigarlas en medio de las llanuras de Västgöta. Con eso la escolaridad también puede darse por terminada. Que apenas sepa escribir no tiene la menor relevancia. En el mejor de los casos puede convertirse en un operario en alguna fábrica... El campesino intenta violarlo la misma tarde de su llegada, y entonces tiene que recurrir a la única salida que conoce, los puños. Nuevo informe y nueva granja, esta vez en Strömsund. En esa zona del interior, apartada y melancólica, enseguida se ahuyentará el recuerdo de Hornsgatan. A las cuatro arriba, a las nueve en la cama, nunca una palabra amable. A los catorce años roba el coche del médico comarcal y logra llegar hasta Slussen, en Estocolmo. Pero pierde el control en medio del tráfico de la gran ciudad y se estrella contra un taxi, dando el paso definitivo de depravado a delincuente. Pobres padres, oye decir... Y luego no hay mucho más, pronto tendrá edad para que lo metan en la cárcel de menores y después de un par de delitos menos logrados puede que lo lleven, por fin, al lugar que probablemente más le corresponde. Pero fuerza la cerca de Mariefred y llega a Hallsberg a través de los bosques. La casa parecía que estaba vacía, tiene tanta hambre que le duele el estómago, y ¿qué puede perder?

Nada, naturalmente.

Anders tiene algunas patatas y un trozo de salchicha para ofrecerle. Lasse Nyman engulle la comida y se bebe una jarra de agua.

Luego se duerme. De repente, con la cabeza sobre la mesa. ¿Qué demonios le interesa el día de mañana?

Nada, como es natural. Un prófugo en realidad sólo puede encontrar el escondite perfecto en su propio sueño.

Lasse Nyman se queda en casa de Anders. La razón de ello es tan sencilla como que no tiene ningún motivo para no quedarse. Al menos de momento, luego ya verá.

–Quédate –le dice simplemente–. Arréglate, lava tu ropa y cómprate zapatos nuevos. Yo te daré dinero. Y sal por ahí. Compórtate como siempre, nunca mires alrededor. Eres un pariente que ha venido a visitarme. Haz lo que te digo.

Lasse Nyman puede dormir en la habitación, Anders tiende un colchón en la cocina. Allí es donde mejor se siente, que haya dormido antes en la habitación se debe a que la cama ya estaba allí cuando llegó.

Y Lasse Nyman hace lo que le dicen. Peina su cabello negro hasta conseguir una cresta absolutamente perfecta, restriega la ropa en la pila de lavar para que esté limpia, y cuando se ha secado, va tranquila y dignamente a Oscaria a comprar un par de botas negras de la mejor marca de Örebro. Y no mira alrededor. Aunque como es lógico está siempre nervioso, cree sentirse bastante seguro en este agujero. Naturalmente, la batida para cazarlo se realiza en Estocolmo, en el sur. Y allí pueden buscar todo lo que quieran esos hijos de puta...

Que busquen hasta que revienten.

Cuando regresa calzando sus botas recién compradas y tras haber tirado las viejas en una acequia llena de agua, está a punto de que lo atropelle una muchacha que sale en bicicleta del patio del bloque de apartamentos. Él se hace a un lado y suelta una maldición, ella se sonroja y sigue su camino. Lasse sabe que no tiene que mirar a su alrededor, pero esta vez no puede evitarlo.

–¿Quién es esa chica? –pregunta cuando está sentado enfrente de Anders en la cocina.

–¿Esa chica? ¿A quién te refieres?

Ah, se refiere a la chica aquella. Según la describe, debe de ser la hija de los Sjögren. Pelo oscuro, bonita, muy delgada y desgarbada, pero bastante mal hablada. Anders sabe que la señora Sjögren es la madre de la muchacha, pero que Erik Sjögren no es su padre. Además es hija única, la pareja no tiene hijos en común.

–Seguramente te refieres a Eivor –dice Anders.

Cuando Anders llegó a Hallsberg y tomó posesión de su residencia, ella era una niña menuda y escuálida que jugaba en la calle después de la escuela. Y desde el primer día le saludó al salir él de su casa.

–¿Vas a vivir aquí? –le había preguntado con absoluta naturalidad–. Entonces vamos a ser vecinos. Me llamo Eivor. ¿Cómo te llamas tú?

Pero de eso hace tres años. Ha crecido deprisa y ahora tiene pecho y se pinta y lleva otra ropa. Sigue saludándole, pero no con la misma naturalidad.

–¿Cómo es tu vida? –le pregunta a Lasse Nyman. Han transcurrido un par de días y el prófugo se ha pasado la mayor parte del tiempo durmiendo, especialmente durante el día. Parece un noctámbulo empedernido, con lo joven que es.

–¡Menuda pregunta! –obtiene como respuesta.

Sí, claro que es rara la pregunta. Demasiado directa. Pero le interesa la respuesta. Así que no se rinde.

–¿Qué deseas tener? ¿Qué quieres evitar? ¿Con qué sueñas? ¿A qué le tienes miedo? ¿Entiendes?

Claro que sí, Lasse Nyman es astuto. Además le fascina este viejo que le trata con amabilidad sin pedir nada a cambio. Hasta le da dinero para zapatos, cigarrillos, comida y, sobre todo, parece que no tiene necesidad de enviarlo de nuevo a esa cárcel del demonio.

¿Está senil? No, no lo parece. Mantiene la cabeza medianamente lúcida, a pesar de beber todo el día. La experiencia de Lasse Nyman con la bebida es distinta. Peleas, gritos y escándalos, borracheras y palpitaciones. Siente simpatía por ese viejo que apesta a orín. Además es algo que le inspira benevolencia. Él se ha orinado en la cama durante muchos años y todavía puede ocurrir que se despierte después de haberse orinado encima. Pero cada vez sucede con menos frecuencia. Por lo que da gracias a Dios o a quien sea... Aunque, desde luego, el viejo se ha rezagado sin remedio. Parece que no entiende casi nada de lo que ocurre en el mundo.

Como lo de los coches. Lo más importante de todo, tener un buen coche. Y eso, sin duda, quiere decir tener un buen coche americano. Un Ford o un Chevrolet.

Intenta explicárselo.

Con un coche, uno puede largarse rápidamente. Puede cerrar la portezuela y marcharse por ahí, a donde sea. Estar caliente dentro del coche aunque en el exterior haga un frío terrible. Puede meter a sus amigos y pirarse. O estar solo con una chica y buscar algún sitio adecuado en el bosque y ser recompensado por darle una vuelta en coche.

Sin coche estás, por así decirlo, en medio de la calle mirando cómo pasan las cosas a toda velocidad. Te quedas fuera.

Por lo que con su joven y limitada experiencia entiende, el límite entre lo antiguo y lo actual está ahí. Ahora todo el mundo puede comprarse un coche. A grandes rasgos. Sin embargo, algunos como Lasse Nyman han tenido que pedírselo prestado a otros. Pero espera y verás...

Anders bebe y escucha. El joven fugitivo no es tonto. Habla un idioma comprensible. Entiende lo del coche.

–¿Se puede dormir en los coches? –pregunta.

¡Claro que se puede!

¿Lo ha entendido ya?

Por supuesto, no es tan complicado, pero tiene que haber algo más. Todavía existen pobres y ricos. La política...

–La política es una mierda –responde Lasse Nyman–. Que unos tengan todo desde el principio, que sus cunas estén a rebosar de pasta, es algo con lo que hay que convivir. Pero ahora todos pueden conseguir lo que necesitan con sólo un poco de astucia, pensando rápidamente y siendo lo bastante descarado.

No mantienen largas conversaciones. Lasse Nyman duerme todo lo que puede y se prepara para partir. Después de dos días se ha dado cuenta de que Hallsberg es sin duda un escondrijo excelente, pero sólo hasta que se recupere. Luego tiene que seguir, aquí no hay posibilidades para alguien como él. Con sus ambiciones...

Por las mañanas, Anders sufre unas terribles resacas al despertar. Por ello siempre tiene algunas cervezas a mano que le tranquilizan hasta que llega la hora de ir al establecimiento de bebidas. Pero antes debe llevar a cabo sus rituales matutinos.

Uno de los actuales avances también supone una mejora importante para él. Ha comprado una cantidad de bolsas de plástico en las que ha hecho dos agujeros. Luego se sube las bolsas como si fueran unos calzoncillos y así tiene algo que, en lo sucesivo, funciona de maravilla como pañales. Por supuesto, a veces le aprieta un poco, pero al menos el colchón no está siempre empapado cuando despierta. Cada mañana se quita la bolsa de plástico, se lava la irritada entrepierna y se viste. Sólo se pone la bolsa de plástico por las noches, durante el día trata de controlarse lo mejor que puede. Es cuestión de no enfadarse por nada, moverse despacio, y no llamar la atención en el establecimiento de bebidas. Evita ir a comprar los sábados, cuando hay colas en la tienda, y también cuando acaban de abrir y entran todos los borrachos a por su reconstituyente. No, lo mejor es a las diez, entonces suele ir directamente a uno de los empleados que hay en las cajas y consigue lo que quiere.

En realidad él no se considera un borrachín. Bebe conscientemente, tiene un motivo profundo y filosófico para beber. Su modo de poner fin a su vida no puede compararse con las temblorosas y enrojecidas figuras que siempre están nerviosas por miedo a que les nieguen la bebida. Él saluda educadamente, pide con voz clara y decidida lo que quiere y se despide con amabilidad al salir. En eso se diferencia de todos esos viejos trabajadores ferroviarios que están temblando ante la puerta.

Lo más extraordinario de estos nuevos tiempos es que la gente tenga su pensión y además pueda permitirse el lujo de beber. ¿De dónde viene todo ese dinero? ¿Cómo se puede recibir todos los meses una orden de pago o ir a la oficina de correos con tu cartilla de jubilación sin hacer nada? Es extraño.

¿Cómo puede haberse transformado de tal modo un país que ha vivido la pobreza y la miseria?

Le gustaría que Lasse Nyman le aclarara eso antes de desaparecer para siempre.

Cuando llega a casa con su aguardiente y su vino tinto, además de un nuevo par de pantalones de poliéster, la puerta de la habitación está cerrada y oye que cuchichean dentro. Así que Lasse Nyman tiene visita. ¿Quién puede ser? Se queda de pie en la entrada escuchando. Después de un momento le parece oír risas entrecortadas. Parece que Lasse Nyman ha encontrado compañía femenina en Hallsberg a los pocos días. Así es como hay que ser, rápido y descarado. Y si cierra la puerta es cosa suya. Anders entra en la cocina y cierra la puerta tras de sí. Se sirve la primera dosis de alcohol del día después de haberle dado de comer al gato, y se sienta junto a la mesa de la cocina. Al cabo de media hora está borracho de nuevo y los pensamientos empiezan a retroceder en el tiempo. Lo que esté haciendo Lasse Nyman –y, sobre todo, con quién– ya se verá. Pero esas risas... Eso también despierta sus recuerdos. Él tampoco se quedaba atrás durante los mejores años de su vida, que, evidentemente, no eran buenos, pero sí los mejores que ha vivido pese a todo. Durante los interminables viajes por toda Suecia y las representaciones en los fríos locales de reuniones, en las tiendas de campaña y, con el tiempo, en las recién construidas Casas del Pueblo, siempre había un *después*. Acabada la función, cuando solía haber baile, a veces aparecía alguien que quería que le acompañara a alguna celebración. Siempre ocurría algo y con frecuencia pasaba la noche en la cama de una mujer con buena disposición... Las imágenes corren por su mente como centellas. Recuerda los rostros, a veces también los cuerpos, pero casi nunca los nombres. Y los momentos en sí, que eran casi siempre iguales. Primero el rechazo entre risas cuando él en la oscuridad empezaba a quitarle la combinación, luego las insistentes promesas de tener cuidado mientras iba buscando y, finalmente, el momento del coito, breve por lo general, que terminaba cuando él se retiraba de un tirón derramándose sobre el vientre cálido y sudoroso de la mujer. Durante todos esos años, ni una sola vez fue demasiado rápido, ni una sola vez se arriesgó a hacerle un hijo a ninguna de las mujeres con las que estuvo.

Sólo con Miriam fue distinto. Entonces siempre trató de penetrar en ella todo lo que podía, ¿pero de qué sirvió? Nunca se quedó embarazada a pesar de que lo intentaron con tenacidad durante cuatro años. Querían tener un hijo, pero no lo lograron... Conoció a Miriam en Varberg el año 1914. Había empezado la guerra. Él había organizado una gira junto con el conocido Schwente de Flena, y un sábado por la tarde iban a actuar en la Casa del Pueblo de Varberg. Allí topa con Miriam, que trabaja en la cocina del hospital de la ciudad. Y por primera vez en su vida se enamora de verdad, con una vehemencia de la que no se creía capaz. Y ella corresponde a su violento amor. Después de una semana se reúne con él en Gotemburgo y después lo sigue en sus viajes por el país durante cuatro años. Ambos desean tener hijos inmediatamente e intentan guardar cada corona que gana él para poder buscarse un hogar en algún sitio... Cielo santo, cómo se acuerda. Los largos viajes en vagones de tercera clase que traqueteaban, en autobuses en los que entraba el aire del exterior, con caballos y carromatos. Y siempre iban los dos cogidos de la mano... Miriam con sus ojos azules, el pelo castaño... ¡Qué poco les importaba ser tan pobres que a veces apenas podían comer lo necesario! O que soñar con un sitio donde vivir sólo fuera eso, un sueño. Al menos mientras él se empeñara en continuar actuando, ser un artista que nunca sabía si iba a tener contrato. No importaba nada, la felicidad que sentían era fuerza más que suficiente...

Más aguardiente. Medio vaso y el otro medio de vino tinto, Algerie. Una mezcla demoniaca de sabor asqueroso, pero que sin duda va a ser capaz de acabar con él antes de que llegue el invierno. Y es mejor beber ahora que está pensando en los años felices... Al otro lado de la ventana ha llegado por fin la primavera, hay sol de abril y tusilago, tiempo de sobra y productos nuevos e interesantes en las tiendas... No, eso le trae sin cuidado. Él está por completo en otra parte. En 1917, en Vagnhärad. Por la mañana han llegado de Trosa, donde han actuado para una concentración de agricultores que se han reunido para la asamblea anual en alguna federación local. Una treintena de oyentes. Sus canciones cuartelarias han sido las que más han gustado. Los agricultores estaban borrachos y han recordado su época de reclutas. Y hay guerra en el mundo. Conviene pensar en las maniobras que uno va a hacer en los páramos de Suecia. La tarde ha sido buena, le han pagado y Miriam, que siempre está detrás del telón –cuando lo hay–, le ha hecho señas animándole. Es una tarde de esas en las que da gusto actuar, en las que él pone toda su alma en el espectáculo, bromea y la saliva se le escapa disparada más lejos que de costumbre, hace movimientos raros, resulta ridículo e ingenioso del modo más sorprendente... Una buena tarde en la que siente que, a pesar de todo, no es un inútil total.

Se pagan un desayuno en condiciones en una pensión. Tienen un día libre por delante. Anders no va a actuar hasta la tarde siguiente, que estará en Tystberga, a no muchos kilómetros de allí. A diferencia de muchos de sus colegas, él no quiere ir al sitio donde va a actuar hasta el día de la actuación, y prefiere que sea lo más tarde posible. Es distinto cuando va a una zona cuyo dialecto le es desconocido. Pero por lo general quiere llegar lo más tarde posible. Alquilan una habitación barata en una pensión, es invierno y se deslizan bajo la colcha para mantener el calor. Se abrazan con fuerza, escuchando cada uno la respiración del otro. Un momento de la más delicada quietud. A lo lejos, en alguna parte, suena una campana, un caballo relincha. Por lo demás, todo está rodeado por la quietud invernal.

–Odio los inviernos –dice Anders.

–Me duele un poco el estómago –contesta Miriam acurrucándose.

–Se te pasará –dice Anders–. Has comido demasiado deprisa.

Por la tarde está muerta. El dolor de estómago se ha convertido en una obstrucción intestinal galopante, el médico local al que llaman se ve impotente y antes de que puedan pedir una ambulancia para llevarla al hospital de Nyköping todo ha terminado. Miriam muere con unos dolores terribles, clavando sus uñas en las manos de Anders hasta llegar al hueso. Los ojos de ella reflejan miedo. Y luego todo ha acabado.

Fuera de sí por la impotencia, huye de todo después de que ella haya sido enterrada en el cementerio de Vagnhärad. Está solo junto al féretro, ese frío día de invierno sólo aparecen en el cementerio el sacerdote y un sepulturero, que se mantiene alejado esperando su momento.

Cumple con su cometido en Tystberga y luego viaja a Estocolmo y empieza a beber. Tarda más de un año en volver a salir a las carreteras. A pesar de seguir siendo el mismo humorista está cambiado, tiene profundas cicatrices en esa parte desconocida que se llama alma...

Más aguardiente, más vino tinto. No olvidarse de orinar en la pila al menos cada media hora para no hacérselo en los pantalones. Fuera brilla el sol, la señora Sjögren sale por la puerta marrón del bloque de apartamentos y va al pueblo a hacer *shopping*, como lo llaman ahora... Hallsberg, Vagnhärad... Pronto hará cuarenta años... El año próximo, el próximo invierno... Febrero... Pero entonces él ya no estará. Y ya hará por lo menos veinticinco años que fue a visitar su tumba. Y la encontró abierta, había desaparecido...

Se acerca a la pila a orinar y se pregunta por qué no llora, ni siquiera una sola lágrima. ¿Y alguien como Lasse Nyman sí puede hacerlo? No, es mejor bebérselo todo y volver a llenar el vaso. Seguramente este mundo es mejor que el que ha conocido él, pero no hay nada que hacer. Él ha tenido lo suyo, no podemos decidir al nacer. Hay muchas cosas que no se pueden decidir... Rådom, Rådom... ¿No hay alguien conocido con ese nombre? Rådom... Sí, ahora recuerda. Hedlund de Rådom, el agricultor del gobierno de coalición. El que suele salir en las fotos con Erlander, el alto, el que habla con ese acento tan agradable de Värmland... Y que parece que siempre está a punto de llorar... No, ahora los recuerdos pasan a toda velocidad. Vuelve a la mesa de la cocina, tambaleándose un poco, pero hay vino tinto. Y vodka...

¿Pero quién diablos está en la habitación con Lasse Nyman?

Sí, claro, cielo santo. Ese miserable no lo ha tenido fácil. Y tampoco lo va a tener fácil en lo sucesivo... Huir y fugarse toda la vida...

Se queda dormido en la mesa y unos golpes en la puerta de la calle le despiertan. Lasse Nyman va corriendo a la cocina y le mira asustado.

–No es nada, tranquilízate, vuelve a la habitación y cierra la puerta. Yo abriré. No tengo la menor idea de quién puede ser, pero... ¡Sal de aquí!

Es la señora Sjögren, ni más ni menos. Le saluda inclinando la cabeza.

–Buenos días –dice ella–. Espero no molestar.

–En absoluto.

–Sólo me pregunto si Eivor está en su casa, señor...

–Mi apellido es Jönsson. No nos hemos presentado, es cierto. Me llamo Anders.

Ella retrocede cuando habla, y él comprende que se debe a que apesta a alcohol y a que no se ha cepillado los dientes. Es una suerte que hoy no se haya orinado encima. A no ser que...

No, está seco. Un vistazo a las piernas se lo confirma.

–Yo soy la señora Sjögren.

–Ya lo sé.

–Me llamo Elna.

–Eso no lo sabía.

–Hoy en día apenas sabemos el nombre de nuestros vecinos.

–Es cierto.

¿Va a pedirle que entre? ¿A la cocina, que parece un campo de batalla? ¿Y qué le ha preguntado ella? Tiene la mente nublada y necesitaría al menos un par de vasos de su mezcla para despejarse. Pero no puede pedirle que entre en la cocina.

¡Claro que puede! ¡Es obvio que está matándose a beber! No hay ninguna razón para fingir. Y él, que la ha mirado en secreto tantas veces... ¿Quién sabe?, a lo mejor también está empalmándose...

–Entre, por favor –dice rápidamente, poniéndose a un lado y señalando hacia la cocina.

A ella no parece importarle el desorden lo más mínimo, sólo se sienta en una silla y se pone al gato sobre las rodillas.

La situación le conmociona. Es como si en realidad nunca hubiera visto a la señora Sjögren –o a Elna, como al parecer se llama–. Él la ha estado observando, pero ella no parece haber sido consciente de ello, y ahora es ella la que está sentada frente a él, la que hace pedazos la imagen que se había forjado de ella. Al mismo tiempo, parece ser cierto que lo último que abandona un hombre es la esperanza de una mujer, aunque tenga setenta años y se esté haciendo viejo en una decadencia absoluta. Pero el hecho es que a él se le ha puesto dura y se pregunta por un momento si a pesar de todo habrá una posibilidad...

Ahora que la tiene cerca, descubre que posiblemente es más guapa de lo que él creía. Irradia una evidente exuberancia y acaricia al gato de modo refinado y enérgico.

–Eivor –dice ella de nuevo–. Me ha parecido ver que venía corriendo hacia aquí.

¿Así que es ella la que está cuchicheando en la habitación con Lasse Nyman? De pronto, Anders se preocupa y se irrita a la vez. Le preocupa el lío que pueda organizar ese maleante y le irrita que Lasse se sirva de las vecinas sin permiso. Se da cuenta de que apenas puede hacer nada para evitarlo, además él mismo le ha dicho al fugitivo que se esconda tras un aspecto normal. ¿Pero acaso sabe él lo que es normal para Lasse Nyman? Éste le ha hablado de caminos oscuros en el bosque y de los asientos traseros de los coches. Pero él creía que se trataba de mera jactancia. No, sólo el diablo sabe lo que puede llegar a hacer allí.

Debe contestar. Pero en vez de decir algo, se levanta tratando de evitar dar traspiés, y va hacia el recibidor y abre la puerta de la habitación sin llamar. «Es mejor enfrentarse cara a cara a la verdad, sin rodeos», piensa. «Si existe la verdad. Y si creemos que podemos soportarla.»

Eivor y Lasse Nyman están sentados jugando a las cartas.

Lo miran por encima de las cartas. Lasse Nyman parece casi ofendido porque le han molestado.

–Hola –saluda Eivor contenta.

Anders está de pie en la puerta con gesto sombrío, pero le alivia que no haya pasado nada peor.

–Ha venido tu madre –dice–. Está sentada en la cocina.

Eivor gesticula, duda y luego arroja las cartas con gesto de fastidio.

Se levanta y pasa junto a Anders para ir a la cocina.

–¿Qué pasa? –pregunta a su madre.

–Sólo quería saber si estabas aquí.

–Ahora ya lo sabes.

Eso es todo. Luego Eivor entra otra vez en la habitación, recoge sus cartas y Lasse Nyman mira a Anders con impaciencia. Éste deduce que tiene que cerrar la puerta.

Anders vuelve a la cocina.

–Ha venido un sobrino a visitarme –dice–. Son de la misma edad. No sabía que los jóvenes de ahora jugaban a las cartas.

Evidentemente, las cosas no son como cabría imaginar. El descaro de la muchacha, el rostro tenso de la madre y las manos que han dejado de acariciar al gato. ¿Debería preparar café? ¿Cómo va a invitarla a un vaso de vino? ¿Y a un trago? Menos aún. A media mañana...

No tiene la más remota idea de lo que debe hacer y de repente desea estar solo. Los recuerdos pueden ser desagradables, pero, a pesar de todo, se pueden contener si molestan demasiado. Sin embargo, soportar la realidad es bastante más complicado...

Como ella no dice nada, él le pregunta si es de Gävle.

–¿Se me nota el acento? –pregunta divertida.

–Sí.

–Pues no es correcto.

–Sandviken.

¿Ha actuado alguna vez en Sandviken? Sí, seguro, aunque tendrá que hacer memoria. Probablemente le resulte más fácil recordar dónde no ha estado.

–Llegué aquí poco después de la guerra –le cuenta ella–. Conocí a mi marido cuando vine a visitar a una vecina en Escania. Nos sentamos uno enfrente del otro en un compartimento del tren y empezamos a hablar. Y así ocurrió.

Antes de que le dé tiempo de terminar se abre la puerta de la habitación y entra Eivor en la cocina. Anders percibe de pronto que la muchacha se parece cada vez más a su madre. La misma cara, el mismo pelo.

Eivor está furiosa. Cuando abre la boca, habla tan atropelladamente que casi olvida el orden de las palabras.

–¿Por qué te has quedado? ¿Por qué no te vas a casa?

Elna se contiene, Anders no sabría decir si le resulta o no difícil.

–Estoy hablando con Anders.

–Estás vigilándome.

–No, no lo hago. ¿Pero no voy a conocer a quien te ha invitado a venir?

–No, no vas a hacerlo.

Y Eivor se da la vuelta y cierra de nuevo la puerta. Pero ahora se ha extralimitado. Elna se levanta con tal brusquedad que el gato sale corriendo asustado y se esconde detrás de la cocina. Ella vuelve a abrir la puerta de la habitación, entra directamente y le tiende la mano a Lasse Nyman.

–Me llamo Elna –dice.

–Lasse Nyman.

Eivor tira las cartas al suelo y grita.

–¡Mierda! ¡Vieja del demonio!

–A mí no me hables así. Entérate bien. ¡Maldita mocosa!

Anders lo oye todo desde la cocina. Se queda sin habla.

Igual que Lasse Nyman. Habitualmente no suele preocuparle que la gente chille y se grite, está acostumbrado desde que era pequeño, pero ha ocurrido tan rápido que él tampoco sabe qué hacer. ¿Y si a esta mujer se le ocurre de repente gritarle a él también? ¿Qué hace entonces? Se escabulle y se va a la cocina.

–¿Por qué gritan? –pregunta.

–No lo sé –contesta Anders.

No, ¿por qué se pelean? Parece que lo hicieran por todo a la vez. Que Elna no la vigila en absoluto, sino que simplemente ha decidido por fin ir a saludar al viejo de la casa de al lado... Que está preocupada porque Eivor no hace sus tareas escolares, que las buenas notas son importantes... Y luego se oye la voz aguda de Eivor. Se caga en la escuela, sólo espera que se termine para poder empezar a trabajar. Nadie va a obligarla a ir a la escuela secundaria, nadie... ¿De qué va a vivir? ¿No entiende que tiene que seguir estudiando, ahora que la gente común también puede hacerlo? ¿No sabe que es mejor para ella? ¿No entiende que ella, Elna, habría dado cualquier cosa por ir a la escuela cuando era joven, pero entonces era imposible? Porque te quedaste embarazada... ¿Cómo eres tan descarada, mocosa?

Y luego suena una bofetada, se oye un fuerte chillido, Eivor llora y Elna entra en la cocina, y allí se pone a llorar también.

¡Cielo santo, qué desbarajuste! ¡Vaya mañana! Y eso que empezó bien, con buen tiempo primaveral y un par de pantalones nuevos.

El viejo y el prófugo se miran uno al otro. Se encuentran en una especie de tierra de nadie entre las dos mujeres llorosas. Se quedan de pie en la entrada sin saber qué hacer. Desde allí pueden ver tanto la habitación como la cocina. ¿Qué hacen?

–¿Por qué has tenido que meterla en la casa? –masculla Anders. Ahora que ya ha perdido el control de la situación no encuentra una vía de escape mejor que reñir a su inquilino ocasional.

–Vete al infierno –obtiene por respuesta. Y ahora es el prófugo el que habla su idioma habitual. El viejo no tiene que imaginarse nada. Claro que puede ser honrado y amable, pero también hay otras cosas...

Lasse Nyman va hacia donde está Eivor, que llora sentada en el suelo con las piernas cruzadas y la cabeza entre las manos.

Lasse Nyman no tiene ni idea de cómo se consuela a alguien. A él nunca le han consolado. ¿Y qué demonios puede hacer para acallar este griterío? La única experiencia en la que puede basarse es darle una bofetada seguida de un rugido para que entienda que ya está bien de berrear. Pero duda, no puede darle un puñetazo a esta chica. Debe andarse con cuidado, es un fugitivo. Así que recoge las cartas y empieza a jugar al solitario.

¿Qué va a hacer?

Anders se coloca detrás de Elna y le da palmaditas en el hombro. Ella no se sobresalta al notar su mano, pero tampoco deja de llorar. Él se queda de pie, dándole palmaditas en el hombro sin decir nada.

Y fuera brilla el sol y empieza a caer la tarde.

Pero todo se tranquiliza poco a poco, primero en la cocina y al cabo de un rato en la habitación. Eivor entra en la cocina, se sienta encima del fregadero y se queda mirando hacia delante de modo inexpresivo, desamparado. Lasse Nyman aparece por la puerta y echa una mirada hacia la cocina, pero el silencio le resulta tan molesto que rápidamente vuelve a sus cartas. Elna se seca la cara y mira a través de la ventana, hacia su propia ventana, del mismo modo que Anders ha hecho con tanta frecuencia. Él se siente incómodo y se apresura a salir al patio para orinar en la pared de la casa. Luego se queda de pie sin saber qué hacer. ¿Entra otra vez o no? ¿Dónde se puede meter? La cocina está ocupada, en la habitación hay un granuja sentado jugando a las cartas. Pero ¿cómo va a quedarse de pie y sin zapatos en el patio? Cuando entra, Eivor se ha sentado frente a su madre. Y están hablando. No interrumpen la conversación, pese a que ambas se percatan de que Anders está en la puerta. La intención debe de ser que él pueda escuchar.

¿O no?

Elna opina que la hija se maquilla mucho.

–Si no lo hago, no me dejan entrar a ver las películas prohibidas para menores.

Es Elna la que ataca y Eivor la que se defiende con furia. Pero entre lo que opina una y opina la otra sobre distintas cosas parece haber un abismo. La pintura de ojos y el pintalabios, ese rojo brillante, sólo son una insignificancia en la conversación.

Hablan de lo más importante que hay. El futuro.

Los estudios secundarios.

–Incluso querrás que siga estudiando –dice Eivor mesándose el pelo sin cesar, como si le preocupara perderlo.

–Claro que sí –contesta Elna–. Como mínimo la secundaria. Así al menos podrás ser oficinista.

–No quiero eso.

–¿Entonces qué quieres?

–Sacarme el carnet de conducir.

–De eso no podrás vivir.

–De todos modos no podré ser lo que quiero.

–¿Por qué no?

–Tengo las piernas demasiado feas. Y la nariz demasiado grande. Sólo los ojos y la boca están bien. Por eso me los pinto. Para que se vean. Pero no la nariz, y tampoco las piernas.

–A mí me pareces bonita. ¿Pero hay alguien que pueda vivir de su cara?

–Claro que lo hay. Si tiene algo que enseñar.

–No haces más que soñar.

–¡No te metas en lo que no te importa, joder!

–No digas palabrotas.

–No las digas tú. Eres tú quien me ha enseñado.

Más o menos así todo el tiempo.

Anders está de pie junto a la entrada dando vueltas, sintiéndose como un inoportuno huésped en su propia casa. ¿Qué le importan a él los problemas de ellas? Le importa un bledo lo que dicen. Sólo le satisface sentir que, a pesar de todo, parece que no hay nadie en ese nuevo mundo que esté libre de problemas. Se encierra a la gente en cárceles de menores y hay madres e hijas que se maldicen y se abofetean entre sí. Y empinan el codo a mediodía. En la cocina de otros. Una cosa es que dé gusto mirar a Elna porque es bonita; y también a la hija, que va camino de serlo. El resto, todo lo demás, no tiene nada que ver con él.

–Ahora ya podéis iros –dice enfurruñado, como un niño tras una fiesta de cumpleaños que ha salido mal.

Y entonces es como si la vida cotidiana, la normalidad sin fisuras, volviera a tomar el mando de nuevo. Elna se disculpa por lo ocurrido, ruborizándose de verdad, y Eivor dirige a Lasse un débil adiós al salir por la puerta. Luego, la cocina se queda tan vacía como de costumbre, el gato se atreve a salir, pero mira alrededor con más recelo.

Anders se deja caer de nuevo en la silla junto a la mesa, y en la habitación se oyen los golpes de Lasse Nyman al tirar sus cartas sobre la mesa, una tras otra.

–Mañana me largo –anuncia cuando aparece más tarde en la cocina. El tono es distinto, ahora más agresivo. No contra Anders, sino contra el mundo.

–¿Crees que se había pintado demasiado la cara? –pregunta Anders, que ahora está realmente borracho de nuevo.

–Un poco –contesta Lasse Nyman con sarcasmo–. Y además tenía granos en la nuca.

–¿Y tú qué tenías que hacer en su nuca? –gruñe Anders.

–Jódete –responde Lasse Nyman, y ahí se acaba toda la conversación.

Por la mañana, Anders le da cincuenta coronas y recibe un breve gesto de despedida como agradecimiento.

Luego, Lasse Nyman desaparece sin decir adónde va.

Pasan varias semanas. Llega el primero de mayo.

El gran escándalo de unas semanas atrás ahora le parece que ha ocurrido en su cabeza. Cuando se encuentra con Elna o ve a Eivor de pie en la puerta de su casa, acariciándose siempre su pelo oscuro, hacen como si no hubiera pasado nada. Ahora han vuelto los saludos habituales y las sonrisas, y la luz del sol resplandece tanto que le resulta difícil fijar la mirada. Beber continuamente le ha vuelto sensible a la luz. Ahora prefiere ir a comprar aguardiente y vino cuando está nublado, sobre todo cuando llueve y el viento es helado. La primavera ha llegado tan deprisa que él casi se siente agredido. Intenta pensar que es su última primavera con vida, que la próxima vez el calor vendrá después de un largo invierno, cuando él ya no esté. Pero sólo siente una vaga impotencia dentro de sí y a veces también un nudo en la garganta. Y no le gusta, así que vuelve a evadirse rápidamente en sus recuerdos. O a pensar en las noches de invierno que pasó en caminos oscuros atravesando bosques interminables. Que no llevaban a ninguna parte...

Pero sigue espiando el momento en que Elna se desviste, y sigue excitándose una y otra vez. Es curioso que ese instinto no parezca disminuir, no se enfríe nunca.

Una tarde, de repente, ella mira hacia la ventana de su cocina, y él retrocede como si le hubiera descubierto. Pero sabe que ella no puede verle, está sentado tan al fondo de la cocina que la luz no puede llegar hasta él. Sin embargo... Después de esa tarde se vuelve más cauteloso. ¿Se lo imagina ella tal vez? Sin embargo, ella no cierra las cortinas. Al contrario, ahora que el aire primaveral empieza a ser cálido, a menudo deja la ventana abierta.

¿Y Lasse Nyman? Le ha perdido el rastro, es como si se lo hubiera tragado la tierra. Anders se acuerda a menudo de él y espera que se las esté arreglando, que encuentre una senda en la vida. Pero lo duda, los que han sido apaleados una vez vuelven a ser apaleados cada vez más, ésa es su experiencia. Casi todo está decidido al asomarnos al mundo por primera vez. Son pocos los que logran traspasar sus propios límites y sobrevivir... Pero siempre se puede tener esperanza. Quién sabe, tal vez sea Lasse Nyman uno de los pocos jóvenes inteligentes que hay. Tal vez posea un talento inesperado que surja de repente, alguna dote natural. Una buena voz de cantante. Tal vez tenga una revelación religiosa y logre formar una secta a su alrededor. ¿Quién sabe?

Tal vez pueda llegar a ser al menos un crack jugando a las cartas...

Pero, con más frecuencia aún, se pregunta cómo pudo descubrir los granos en la nuca de Eivor. ¿Qué estaban haciendo realmente? La muchacha es joven todavía, sólo tiene catorce años. Apenas está desarrollada, aunque los vestidos de verano que ha empezado a usar revelen que está brotando y redondeándose donde debe hacerlo...

El corazón late y Dios dispone, son muchas cosas las que dan vueltas en su cabeza.

Y ahora está empezando a hablar en voz alta consigo mismo en su cocina. Generalmente Miriam está sentada enfrente de él, con un vaso de vino en la mano, a pesar de que ella no bebía nunca, y charlan los dos... Se mezcla todo. El loco Cederlund y sus camisas inarrugables, excursiones por los muelles de Gotemburgo y el creciente tráfico de automóviles, funciones en las que fue abucheado, funciones que le hubiera gustado llevar a cabo pero no se lo permitieron... Miriam es una diosa como oyente. Nunca se cansa, sólo responde lo que él quiere...

También intercambia algunas palabras con el gato todos los días. Y el gato está de acuerdo con él acerca de que América parece ser el país con más futuro del mundo. No, el gato no pone ninguna objeción, no duda de lo que él dice...

Primero de mayo. Cielo nublado, ambiente húmedo, pesado. Un día para pasarlo en la cocina. Las botellas están ahí en fila, como soldados, preparadas para ser descabezadas y vaciadas de sangre...

De repente se le ocurre hacer una excursión de verdad. Ha visto que va a haber una manifestación y un discurso de alguien llamado Kinna. Eso también es un invento raro. ¿Han empezado a actuar los políticos también con un nombre artístico? ¿Como bufones? Sí, sí, santo cielo, la diferencia no es tan grande... ¿Pero han empezado a disfrazarse incluso, a vestirse con ropa divertida? ¿A cantar sus mensajes? En realidad, él sólo va a reponerse y a supervisar todo desde el lateral... Camisa limpia, los pantalones nuevos, la vieja chaqueta, botas abrochadas, y sombrero como protección de la endiablada luz. Así está listo. Un último vaso y luego en marcha.

Se queda a la sombra de un árbol, fuera de la estación, viendo pasar la manifestación. Es corta y poco densa, en absoluto silencio. Lo único que oye son los zapatos al golpear contra el asfalto, un perro que corre y ladra al lado, el claxon de un coche de vez en cuando. Él no ha ido nunca a una manifestación, pero con frecuencia, como ahora, se ha puesto a un lado a mirarlas. Generalmente las pancartas y banderolas le inspiran poco interés, más bien trata de descifrar un mensaje, un objetivo, en los rostros de las personas.

PARA LA SEGURIDAD DE LA FAMILIA – LEGALIZACIÓN DE LAS PENSIONES SUPLEMENTARIAS, lee con dificultad con sus enrojecidos y doloridos ojos. Suena muy bien, por supuesto. ¿Quién puede estar en contra de la seguridad de las familias? Lo de las pensiones suplementarias es más confuso. Ha oído hablar de ellas en el café de la estación y sabe que existen distintas opiniones al respecto, lo llaman ATP, pero no tiene ni idea de lo que significa en realidad.

Tendría que haberse traído una botella, nota la boca seca y está a punto de marearse por permanecer tanto tiempo en pie. Pero el desfile de gente no es largo, «apenas un poco más que un ferrobús», piensa, lo justo para una población como Hallsberg.

Las caras, sí, ¿qué expresan en realidad? Que ninguno pasa hambre y que ninguno está enfermo. La palidez del invierno persiste, como es natural, acaba de empezar la primavera, pero si los compara con las caras que pasaban a su lado hace cincuenta años, la diferencia es casi inconcebible. ¿Y ese gentío abigarrado? Antes todo era marrón, negro y gris. Lo que ve aquí son brillantes tonos pastel, un prado de flores que contrasta con el cortejo fúnebre y los rostros desnutridos y espectrales que antes eran la característica externa de las manifestaciones.

Todo parece tan asombrosamente agradable. No es una comitiva encolerizada, ni una marcha solidaria que va por la calle demostrando la fuerza que tienen todos juntos. Esto parece más un grupo de viajeros que van detrás de un guía invisible hacia una meta también desconocida. Sí, realmente, la manifestación es una marcha rebosante de salud. Pero...

No, no tiene sentido dudar. Además le acucia tanto la sed y le duelen tanto los ojos que debería volver a casa. Pero pueden más las ganas de ver al político que va a soltar su mensaje bajo seudónimo. Cuando la corta manifestación ha pasado de largo junto al árbol donde está él, se une al séquito en el lado de la sombra...

Se sienta en una ladera cubierta de hierba y se abanica con el sombrero. Se encuentra mal y debería irse a casa, pero ahora se le ha metido en la cabeza que va a asistir a la actuación.

Al pie de una pequeña tribuna de oradores hay unas filas de bancos y detrás se ha sentado la gente en el césped. Un socialdemócrata local se levanta el primero y habla, pero tiene la voz tan débil que Anders no entiende lo que dice. Le llama la atención que la gente no pueda aprender a utilizar el apoyo del abdomen al hablar en público. ¿Qué sentido tiene ver a este hombre vestido de gris? Ninguno, naturalmente...

Debe reprimir unas crecientes ganas de subir la cuesta arrastrándose, bajar la pendiente, echar a un lado al hombre que está hablando sin hacerse oír y representar luego alguno de sus viejos y celebrados números. ¿Cómo iría con el de «August, el que fue a la farmacia y...»? ¿Daría buen resultado? No, naturalmente. No puede evitar reírse de su estupidez...

Pero debe reconocer que le inquieta la presencia de aquel público y de la destartalada tarima. Él ha vivido del público, el público ausente o mudo ha sido su pesadilla durante toda la vida.

No es fácil darse cuenta de que todo se ha acabado. Sin duda lo habría hecho mejor que ese cerdo que no sabe hablar...

De pronto se siente tan aturdido que tiene que tumbarse en el suelo. Las nubes se desplazan en el cielo y de repente siente miedo. ¿No estará muriéndose aquí, sobre la hierba de la ladera? No quisiera. No es en absoluto lo que había pensado. No puede acabar tan deprisa, no le da tiempo... Dios mío, cómo da vueltas todo, y el corazón apenas late... Necesito ayuda, no puedo quedarme aquí tumbado y morirme. No quiero...

No sabe cuánto tiempo permanece en el suelo creyendo que va a morirse. Tal vez se ha desmayado unos minutos, pero no muere. Recupera el conocimiento y abre los ojos.

No ve ninguna nube, sino los ojos maquillados pero preocupados de Eivor.

–¿Estás enfermo, abuelo? –pregunta.

Él toma la mano delgada de ella y se alegra profundamente de no estar solo. De tener a alguien a quien agarrarse. Nota que Eivor se sobresalta cuando él, asustado, la agarra con fuerza, pero ella no retira la mano.

–Ya se me está pasando –murmura él–. Sólo siéntate aquí... Ya se me está pasando. Me he mareado un poco, nada más...

–¿Voy a buscar a alguien? –pregunta ella.

–No, sólo quédate sentada a mi lado –responde él tratando de sonreír–. Sólo eso...

Él cierra los ojos y empieza a sentirse mejor. La pequeña y cálida mano le transmite seguridad. El mareo va cediendo y se levanta con dificultad.

–Soy viejo –dice–. Por eso a veces todo me da vueltas. No es nada grave.

–Te has orinado encima –dice Eivor retirando la mano.

Sí. Los pantalones tienen una mancha oscura en el lado izquierdo. Y huele a orina. Cielo santo..., ¿por qué no se va ella de aquí? Él no puede soportarlo...

Pero Eivor no se va. Sólo se sienta a su lado, se acomoda con los brazos alrededor de las piernas flexionadas y mastica una brizna de hierba. En ese momento, abajo en la tribuna, alguien empieza a hablar con un autoritario acento de la región de Lund.

–Se llama Kinna Ericsson –dice ella–. Nunca hubiera creído que ibas a venir.

–Ni yo tampoco –contesta Anders.

–He venido sola. Mi madre y Erik están fuera mirando un coche de segunda mano.

–¿Ah, sí?

Se quedan escuchando.

–¿Entiendes lo que dice ése? –pregunta Anders después de un rato.

–No –contesta ella sonriendo–. Nada en absoluto. ¿Y tú?

–No mucho.

El orador tiene una buena voz diafragmática que transmite voluntad. Pero no hace ningún truco ni lleva chaleco floreado. Se ha subido las mangas de la camisa y de vez en cuando levanta uno de sus brazos como si diera un fuerte tirón. Tras el gesto hace una pausa y entonces recibe amables aplausos como respuesta.

–¿Te sientes mejor? –pregunta Eivor sin mirarlo.

–Claro que sí –contesta Anders–. Pero creo que es mejor que me vaya a casa.

Ella le sigue sin decir una palabra.

Al llegar a la verja se quedan inmóviles. Ella, nerviosa, da patadas en la dura gravilla.

–¿Quieres entrar? –pregunta Anders.

Ella se sienta enfrente de él, mirándolo mientras sirve con mano temblorosa un par de buenos tragos que él se bebe de golpe. A ella no parece sorprenderle ni da muestras de curiosidad, sólo está allí sentada mirando.

–Cuéntame algo –le pide Anders.

–¿Sobre qué?

–¿Cómo que sobre qué? Lo que sea. Ahora ya estoy bien otra vez. Ahora puedo escuchar.

–Quisiera tener algo que contar.

–Todas las personas lo tienen.

–Yo no.

–Tú también.

Claro que sí. Y no es que él recuerde especialmente su propia adolescencia, la época de su juventud es como un dolor desagradable y turbio que prefiere no remover. Sin embargo, ella debe de tener algo que contar, ahora que está atravesando esa etapa de la vida. ¡La juventud! ¡Esa época maravillosa! Ella no pasa hambre y tiene ropa para cambiarse todos los días. ¡Y no tiene hermanos, gracias a Dios, es hija única! ¿No puede decir al menos que en ese sentido le va realmente bien?

Pero, por supuesto, se trata de otra cosa. Debería haberlo entendido.

–¿Dónde está Lasse? –pregunta ella en voz baja, y puede percibir en su voz que teme la respuesta.

Pero él le dice lo que hay, que no lo sabe. No tiene la menor idea.

Y pregunta qué sabe ella en realidad. Lasse le había dicho que era un sobrino suyo. ¿Pero qué cuchicheaban cuando estaban en la habitación con la puerta cerrada?

–Iba a ponerse en contacto conmigo –dice ella.

¿Así que eso le dijo? A Anders no le sorprende, andar de un lado a otro con la promesa de mantenerse en contacto es sin duda la solución al eterno problema del fugitivo para, por un lado, quitarse la responsabilidad de encima, y por el otro, mantener abiertas las puertas que deja atrás.

Pero Lasse no va a dar señales de vida. Es un ejemplo de los nuevos tiempos, pero a la vez es un condenado que está fuera de la ley.

–¿Te gustaba el muchacho? –pregunta él débilmente.

–¡Bah! –contesta ella, pero con esa respuesta confirma el presentimiento de Anders.

–A mí también –dice él.

Y entonces, de repente, ella empieza a hablar, su rostro brilla en la penumbra de la cocina. Anders escucha, interesado al principio, después cada vez más asombrado. ¿Es realmente posible? ¿Cómo puede haber pergeñado lo que Eivor está contando, casi jadeando de emoción? En realidad, no es que lo haga parecer mejor... Pero, por supuesto, no cabe ninguna duda de que Lasse Nyman posee una gran fantasía. ¿O sería más correcto quizá decir que las fantasías de él tienen una especie de lógica ingenua que las convierte en creíbles, pese a su elevado nivel de irrealidad? En medio de su gran asombro, no puede evitar sentir a la vez alegría y nostalgia de que Lasse Nyman sea capaz de soñar despierto. Que la pobre muchacha luego no sea capaz de separar los sueños de la realidad es otra cosa. El hecho de que ella no sea lo suficientemente adulta para poder filtrar y diferenciar lo que es verdad de lo que no lo es no convierte necesariamente en mentira las proezas inventadas y las perspectivas de futuro de Lasse Nyman.

¿O sí?

Duda. Está fascinado y a la vez duda.

No obstante: Lasse Nyman ha traído una bocanada de aire fresco a Hallsberg y a la vida de Eivor, nadie puede dudar de ello. Que luego el gran desencadenante de la tormenta sea un delincuente juvenil fugitivo de Mariefred, que ni siquiera es pariente de Anders, apenas importa. Para Eivor es la persona que ha venido a decirle lo que ella *realmente quiere,* sin que ella misma haya podido formulárselo.

¿Pero qué le dijo ese joven tan peculiar?

Se conocieron en la calle. Él llego y se puso a dar vueltas ante la puerta de su casa, ella se ruborizó y empezó a tontear con su bicicleta, y la conversación comenzó cuando él, con su genuino acento de Estocolmo, le dijo que debía ponerle más aire a la rueda trasera de la bicicleta. «¿O acaso aquí en Hallsberg conducís para caeros de cabeza? Es simple curiosidad.» No recuerda lo que respondió ella, probablemente nada. «Me ruborizo con facilidad», confiesa sonriendo. A Anders le asombra que sea tan sincera. Es una muchacha de catorce años y él un viejo que se ha meado encima, y ella le habla como si él fuera su amiga más fiel, o un diario rosa con su correspondiente candado. No, no lo entiende, pero ¿qué importancia tiene? Lo que él entienda o no a nadie le interesa, ni siquiera a él mismo. Continúa, Eivor...

Lasse se encendió un cigarrillo, y dejó que se consumiera pegado a su labio inferior, luego le quitó a ella la bomba de la bicicleta de la mano e infló la rueda trasera hasta que estuvo a punto de estallar. Después volvió a encender el cigarrillo ahuecando la mano, lanzó la cerilla con sus amarillentos dedos y le preguntó cómo se llamaba. Él es de Estocolmo y se llama Lasse Nyman. Y no entiende cómo puede vivirse aquí en el campo, pero el nombre de Eivor es bonito, es bonito, *terriblemente bonito.* ¿Por qué no vive ella en Estocolmo? Allí pasan cosas.

Anders casi puede oír su voz. Alta, nasal, descarada. Y sabe bien que el desdén puede impresionar. No le resulta difícil entender que Eivor seguramente esté de acuerdo con todo lo que dice, que hay que vivir en Estocolmo y no en un pequeño agujero de mierda como éste.

«¿Quieres entrar? El viejo no está.»

–Después jugamos a las cartas –continúa Eivor–. Y él me contó que iba de camino a Gotemburgo para recoger un coche. Un Ford Thunderbird. Luego iba a ponerlo en marcha tranquilamente y viajar por ahí. Como es vendedor de coches, puede trabajar cuando quiera. Sin horarios fijos, sólo cuando quiera. –Y luego añade–: Yo también quiero vivir así. No como ahora.

–Sólo eres una niña. ¿Has terminado ya los estudios?

Ha sido una tontería decir eso. A los catorce años queremos que se nos trate como a un adulto en lo referente a nuestros derechos. Los deberes, sin embargo, pueden exigírsele todavía a una niña indefensa. No hay que decirle a una joven de catorce años que es una niña, es una ofensa.

Ve que ella se encoge, entonces intenta remediar lo irremediable.

–No quería decir eso exactamente. No me malinterpretes. Un viejo como yo confunde lo que piensa y lo que dice.

–¿Entonces qué querías decir?

–Dices que te gustaría vivir así. ¿Cómo vives ahora?

–Lo sabes muy bien.

–No sé nada.

A Eivor se le escapan unas carcajadas y él sabe inmediatamente por qué. Tiene que ser muy gracioso estar ante una persona mayor que reconoce con tal rotundidad que no sabe nada en absoluto.

–No he conocido a mi padre verdadero –dice ella de repente.

El vino tinto le baja por la garganta, con aspereza, pero parece que el estómago se ha resignado. ¿O acaso está paralizado? Ha notado que cada vez vomita menos.

–Y aquí estoy yo matándome a beber –contesta él.

Eivor habla, de modo espontáneo y directo.

–Estoy aquí matándome a beber –dice una vez más. Pero ella sigue hablando de su padre.

–Mi madre tampoco sabe casi nada de él. No hay ni una sola foto suya, y ella apenas puede describirlo. Se llamaba Nils, ocurrió durante la guerra. Pero lo peor es que él no sabe que existo. Anda por algún lado y no sabe que me ha tenido a mí. Tal vez esté muerto. Nadie sabe nada. Es lógico que me enfade con mi madre. Erik no podrá ser nunca mi padre por mucho que lo intente. Pero es bueno.

A Anders le parece raro que no sepa más, pero no tiene por qué dudar de lo que le dice. Ella apenas miente, no parece hacerlo, al menos de momento.

–Es una lástima –dice de modo lento e inseguro.

–¿A qué te refieres?

–A no tener padre.

–No hace gracia ser un accidente.

¡Cielo santo! ¿Es posible que pueda sentirse así? ¿Como un accidente que debería haberse impedido?

–Pequeña –dice extendiendo la mano sobre la mesa. Pero no logra alcanzarla, ella se echa hacia atrás en la silla.

Y lo entiende. Está muy sucio. Y cuando se es joven todo da asco.

Las manos sucias, la meada del perro en la nieve recién caída, los dientes mal puestos... ¡No, mentira! Lasse Nyman no tenía los dientes precisamente limpios. Pero tal vez él lo sabía y mantuvo la boca cerrada mientras hablaba con ella.

–¿Pero qué es lo que quieres? –pregunta él.

Como es natural, no lo sabe. Es algo impreciso. Para empezar, tiene nostalgia y ganas de estar lejos, bien lejos, luego ya se verá. Lo que sea, pero no esto, no puede quedarse aquí ni un minuto más. La vida está afuera. Es todo lo que sabe. ¿Ha escrito alguien algo de Hallsberg en el *Filmjournalen*? ¿Qué relación tiene Hallsberg con el mundo? ¿Quién se apea en esta estación?

Él asiente. En realidad, ella piensa como él, van en el mismo sentido.

–Es bueno que sientas nostalgia –dice él–. Pero no te vayas a morir de nostalgia.

–Por eso quiero marcharme de aquí. ¿Es que no entiendes nada?

–No. Ya te lo he dicho.

–¿Te has enfadado?

–¿Enfadarme? No, no... ¿Pero la culpa es de tu madre, de Elna? ¿O de tu padrastro, quizá?

–Tampoco he dicho eso.

La tarde es cálida, la conversación se prolonga. Anders no puede precisar si está realmente interesado o no en lo que ella le cuenta. Por un lado siente curiosidad, pero, al mismo tiempo, cuando más tranquilo está es cuando está solo. Matarse a beber no es nada fácil, ya se ha dado cuenta. La vida, los recuerdos turbios, la melancolía que tan a menudo llega con pasos silenciosos y le asalta, el miedo; todo eso está contra él. Parece que a la vida sólo le interesa salvarse a sí misma. Sin tener en cuenta la vejez ni el deterioro, la soledad y la existencia al margen de la realidad, más estrecha cada día que pasa. Y a veces es como si él ni siquiera pudiera creer en su propia voluntad, morir por sus propios medios. ¿Y qué es él sin su voluntad? Nada. Está totalmente desamparado. Mira a la chica. ¿Puede notarlo? No, naturalmente. Y, sin duda, ella también tiene bastante con lo suyo. Ella y todos los demás. Está seguro de que no es fácil no saber nada de tu propio padre. Pero, por otro lado...

–Lasse Nyman le cortó la oreja a su padre –dice–. Y fue por error, intentaba cortarle la cabeza.

–Debes de estar loco –replica ella levantando la voz.

–No estoy diciendo nada malo de Lasse –se defiende él–. Y no hagas caso de lo que te diga, soy un viejo.

–Estás borracho.

–Eso también. Estoy matándome a beber. ¿Quieres saber por qué?

Ella no le contesta, pero, no obstante, Anders intenta explicárselo. Naturalmente fracasa, ella no sabe ni siquiera lo que es un humorista.

–¿Qué aprendéis en la escuela?

–Los ríos. Viskan, Lagan, Nissan, Ätran –contesta–. Y algunas cosas más. Pero eso pronto va a acabarse.

¿Pero a quién conoce él?

¿A Errol Flynn? ¿A Alan Ladd? ¿A Bogart?

–Lasse Nyman no vende coches –dice él interrumpiéndola–. Los roba.

Entonces Eivor se marcha. No quiere oírlo. Y a él no le resulta difícil entenderla. Queremos soñar en libertad y deshacernos de nuestros sueños cuando llega el momento. Él no tiene derecho a pisotear el corazón de ella como si golpeara el suelo para quitarse la nieve de los zapatos.

¿O sí lo tiene? ¿Cómo va a arreglárselas en el mundo si no sabe nada ni quiere saberlo?

–Hay que ver cómo educa la gente a sus hijos –masculla él.

Pero para entonces, como se ha dicho, ella ya ha salido afuera, bajo el sol, se ha montado en su bicicleta y se ha puesto en marcha. En la misma dirección en que desapareció Lasse Nyman.

A ninguna parte.

A las cinco suena un claxon ante su casa y ahí están Erik y Elna en un coche recién comprado.

–¡Ven a verlo! –grita ella, y él se levanta con dificultad y sale. Todavía hace demasiado calor para él, le molesta la luz y entorna los ojos. Pero el coche está ahí, un PV44 de segunda mano. Del manojo de llaves cuelga una pequeña placa de metal en la que puede leerse: EL VALOR DE VOLVO PERMANECE.

–¿Os ha costado mucho? –pregunta él.

–Ha sido una ganga –responde Erik.

Anders se queda mirándolo con sus ojos hinchados. Erik lleva puesto un traje, negro como el coche. Hay que vestirse con las mejores ropas para ir a comprar un coche. Y la alegría es en realidad algo que tampoco puede faltar. ¿De verdad es la misma persona que, con la espalda encorvada, suele ir apresuradamente a su turno en el apartadero?

–¿A que es bonito? –dice Eivor entrando y saliendo del coche. El capó está abierto, igual que el maletero y todas las puertas. Parece una mosca que acaba de aterrizar y ha olvidado plegar las alas.

–Realmente es bonito –dice Anders–. ¿A quién se lo habéis comprado?

–A un panadero.

–Pastelero –corrige Elna–. También nos ha dado una barra de pan de trigo.

Más risas. El delicioso y agradable mes de mayo, la radiante primavera.

–¿Te apetece un poco de café? Aún no has estado en nuestra casa, ven a verla... Nunca ha surgido la ocasión...

Dos habitaciones, cocina y baño. Sirven el café en el cuarto de estar. Anders echa una furtiva ojeada al dormitorio. Sí, hay una cama doble, y ahí está la mesa con el espejo, y el cepillo encima.

–Yo duermo aquí –dice Eivor corriendo una cortina que deja a la vista una pequeña alcoba en la sala de estar. Por encima de la cama, las paredes están llenas de recortes de periódicos con imágenes de distintos actores.

Sobre una mesa de madera clara que hay junto a la ventana se ven algunos marcos con fotografías. Eivor va señalándolas, dando a las fotos nombre y pertenencia.

–Aquél es mi abuelo materno, Rune –dice–. Y mi abuela materna Dagmar. Ésos son Arne y Nils, los hermanos de mi madre. Todos viven en Sandviken.

–Arne no –dice Elna, que acaba de entrar con la cafetera–. Se ha ido a vivir a Huskvarna.

Y luego los padres de Erik, una vieja foto aérea de Hallsberg, un pariente lejano de Arizona. Anders se sienta en la parte del sofá que le indican, es blando y cómodo. Se concentra todo lo que puede para no orinarse.

–Anders y yo hemos estado hoy en la manifestación –dice Eivor de repente–. Pero nos vinimos a casa.

–¿Ah, sí? –pregunta Erik con una mezcla de asombro y distracción. La documentación del coche está ente las tazas de café y el plato de bollos, y de vez en cuando Erik se acerca a la ventana a ver si el coche sigue ahí–. ¿Ah, sí? –repite–. Y... ¿Y había gente?

–Tú trabajas con algunos de los que estaban allí. Del ferrocarril.

–Bueno... Yo también me manifesté hace unos años.

–No tiene sentido –dice Elna–. Ya no lo tiene.

–No, claro. Uno no se va a cambiar de coche cada primero de mayo.

Y Anders ya no puede quedarse sentado, cree que está perturbando la calma familiar. Los deja solos con su coche, que a fin de cuentas es de ellos. Les da las gracias, les dice que tienen una casa muy bonita y da las gracias una vez más. Cuando está en la puerta hace un guiño a Eivor.

Ella se sonroja.

Varios días después llega Erik y le pregunta si tiene ganas de acompañarlos de vacaciones en julio, con el coche. Han hablado acerca de ello, tal vez le gustaría ir si no tiene otros planes. Naturalmente, no los tiene, pero...

–No hacen falta excusas –dice Erik–. Cabemos perfectamente cuatro personas en el coche. Y tenemos una pequeña tienda de campaña individual, que puedes usar tú. Si quieres acompañarnos. Una pequeña gira de una semana.

A Anders se le hace un nudo en la garganta, la voluntad grita a la vez sí y no, un ruido tremendo invade su cabeza.

–Piénsatelo –dice Erik–. No nos iremos mañana. Pero habíamos pensado subir hasta el Mälaren y luego tal vez bajar a Öland. Depende del tiempo. Piénsatelo.

Le gustaría acompañarlos. Salir de Hallsberg una vez más, la última, por esas carreteras, dar rienda suelta a la inquietud. Y luego a casa a acabar con todo. Sí, quiere hacerlo. Pero ¿por qué se lo han pedido? ¿Es compasión o amabilidad? ¿Hay amabilidad en el nuevo mundo?

¿Por qué no iba a haberla?

Mezcla su combinado de aguardiente y vino tinto. Es una hermosa tarde de primavera y sabe que irá con ellos. Incluso les está agradecido. Los problemas prácticos que tiene debe intentar solucionarlos lo mejor que pueda. No beber más de lo necesario, para que la angustia no se atreva a asomar la cara. Y seguro que puede retener la orina si se concentra. Si no basta con ello, tendrá que hacerse un nudo...

Anders ha salido cojeando ligeramente y se ha sentado en una silla de jardín medio podrida que hay bajo la sombra de un abedul en el terreno cubierto de maleza. Es un día de principios de junio. Ha escarbado con desazón en el patatal, pensando que tal vez debería plantar este año también. Pero deja la pala junto a la puerta del sótano, no puede. No, prefiere sentarse aquí fuera a la sombra del árbol. Sin embargo, no se lleva el vaso ni la botella. Pasa gente por el camino y ¿quién sabe lo que van a empezar a decir en un poblacho como éste? Tal como están las cosas, puede haber algún entrometido del comité antialcohólico junto a la verja, con uno de esos dispositivos de la ley seca de los que, aparentemente, hay muchos en el país. Antes solían enviar a los vagabundos al monte, a picar adoquines. Ahora ya no es necesario, ha llegado el asfalto, así que en vez de eso los llevan directamente al centro de rehabilitación. A centros para alcohólicos, y después la incomprensión y el delirio. No, cuando tiene que volver a llenar el vaso va a la cocina. En el huerto sólo está sentado, sintiendo el cálido viento estival, escuchando a los pájaros.

Y está allí sentado cuando llega Eivor con su vestido blanco después de la escuela. No viene sola, la acompaña su mejor amiga, Åsa, Åsa Hansson, la hija de la dependienta de una tienda. Le saludan agitando la mano desde la calle y él responde al saludo.

–Se acabó –grita Eivor–. ¡Por fin! Ésta es Åsa.

Entran en la casa de él y Anders le da a cada una un billete de cinco coronas, para helados o pasteles.

–¿Qué se siente ahora? –pregunta él.

Åsa Hansson va a continuar y estudiar secundaria en Örebro. Durante el verano ayudará a su tío a recoger fresas.

–Ha sacado muy buenas notas –dice Eivor.

–Igual que tú –contesta Åsa, que mira sin cesar a todos lados, como un ave en busca de una presa invisible.

–¿No te arrepientes? –dice Anders.

–¿De qué?

–De no continuar los estudios.

–En absoluto. Me las arreglo bien de todos modos.

–¿Es verdad, Åsa?

–Sí, claro que lo es.

Nada más. Toda la clase va celebrar una fiesta por la tarde en algún sitio, y justo después del fin de curso es imposible estar tranquila. La indolencia con la que antes se soñaba, se planeaba y de la que se hablaba, de repente se ha desvanecido. La gran libertad siempre va acompañada de inquietud. O de dolor, dependiendo de cómo se mire.

Ellas desaparecen con sus claros vestidos y Anders vuelve a quedarse solo en su huerto.

«Así es mi vida», piensa. «Como este huerto. Tiene de todo, pero hay un desorden enorme. Aquí no se ven todos los árboles del bosque. Pero están aquí, el bosque y los árboles. Mi vida...»

3 de julio de 1956. Una hermosa mañana después de una noche de lluvia incesante. Anders, que no ha pegado ojo por los nervios del viaje, ha visto varias veces a Erik mirando a oscuras la lluvia a través de la ventana del dormitorio. Pero sobre las cinco empieza a amainar, a las seis el cielo está casi despejado.

La salida será a las ocho. A las seis, Erik y Elna se ponen a cargar el coche, mientras Eivor duerme aún. Anders ya hace varios días que tenía preparada y cerrada su maleta recién comprada. Ha dudado mucho si llevarse la vieja maleta que usaba en las giras o comprar una nueva. Pero cuando se soltó el asa al sacarla de debajo de la cama arrastrándola entre el polvo, se dio cuenta de que tenía que comprarse una nueva. Sin embargo, le da lástima volver a meter la maleta vieja entre el polvo. Pues le ha acompañado desde..., sí, ¿durante cuántos años realmente? Cielo santo, de repente recuerda con claridad que llevaba esa maleta en una mano mientras con la otra apretaba la mano de Miriam el día en que ella murió.

En la maleta ha metido ropa interior recién comprada, calcetines y camisas, un cepillo de dientes, y ha envuelto en ropa todas las botellas que cabían. Erik va a prestarle un saco de dormir, y ya es más de lo que ha llevado nunca durante sus muchos años de cómico ambulante, cuando tenía que conformarse con heno y papel de periódico, cartones o tumbarse directamente sobre los adoquines de la calle o en unos escalones. Si ellos supieran... Pero ¿para qué va a contárselo? Sentado con sus miles de cervezas en el café de la estación lo ha intentado, seguro que Erik se lo ha oído decir a sus compañeros de trabajo. Pero hace como si nada.

Erik, sí. Tiene sus dudas sobre él, ese hombre extraño que parece una cochinilla renqueante y sometida cuando va raudo a su trabajo, pero que resplandece como una mariposa de primavera cuando lustra el coche, intenta ponerlo en marcha, lo examina al mínimo detalle. Anders se pregunta por qué no adopta nunca una posición intermedia. ¿Quién es él en realidad, él, que está casado con la bella Elna y es padrastro de Eivor? ¡Alguien tiene que ser! No puede ser como un vagón de mercancías anónimo que cambia de vía sin cesar. Pero quiénes...

Bueno. Después de una semana en el mismo coche lo descubrirá.

A las ocho en punto el coche está preparado. Ponen la tienda de campaña encima del coche bajo una lona gris, el maletero está abarrotado, la maleta de Anders va encima de todo.

–¿Quieres sentarte delante? –pregunta Erik. En lo que respecta al coche, él es quien decide.

–Prefiero sentarme atrás –contesta.

–¿No te mareas?

–No que yo sepa.

Él y Eivor van en el asiento trasero. Enseguida empieza a sentirse mal, pero aprieta los dientes. Nada puede pararlo, nada va a conseguir que se maree. Ha dicho que no se marea, así que no lo hará.

Al poco rato se pierden. La intención era tomarse con tranquilidad los primeros días y no ir más allá de algún cámping a las afueras de Västerås. Ello implica que atravesarán Örebro y Arboga, al norte de los lagos Hjälmaren y Mälaren. Pero Erik ha estudiado el mapa y ha encontrado muchos *atajos interesantes,* según expresa él mismo. Eso significa que en la carretera principal doblan hacia Örebro y van a parar a algún sitio cerca del canal de Kvismare, antes Erik también ha de reconocer que se han extraviado. Pero ¿qué importa? ¿No tienen dos semanas de vacaciones? Si alguien tiene prisa que tome el tren...

No, como es natural, nadie tiene prisa, los alrededores de Odensbacken y la orilla sur del Hjälmaren son muy bonitos, pero es demasiado temprano para sacar la cesta del almuerzo. Así que retroceden hasta la carretera principal. En coche nunca vas a parar a un lugar equivocado. Te puedes extraviar, pero para corregir el error basta con desplegar el mapa. Es la consecuencia de conducir coche propio, y mientras la gasolina no cueste más que ahora...

Eivor se acurruca en su rincón, apretando la nariz contra la ventanilla. Anders la mira de reojo y ve que está soñando. ¿Con qué sueña? ¿Con el futuro? ¿Lasse Nyman? Se inclina sobre ella y roza con sus labios la oreja de ella, esa mañana se ha cepillado los dientes y está recién lavado.

–¿Dónde estás? –susurra él.

Ella se sobresalta y lo mira, pero no dice nada, sólo sonríe, y vuelve a sumirse en sus pensamientos.

Erik comenta en voz alta los coches con los que se cruzan y los que les adelantan. Ése es uno de Västergotland, un maldito P... Aunque no lo creas, era un Ford Cónsul, de 59 caballos de motor... Su precio ronda entre las diez y las once mil coronas. Sin impuestos... Sí, claro que veo aquella moto. Menuda birria de carga que llevaba. Me pregunto adónde irá. Espero que no vaya a Västerås... ¡Mira, Elna! ¡En el retrovisor! Ahora nos está adelantando uno de esos nuevos Citroën DS 19. Ése seguro que tiene una suspensión increíble. Unas bombas especiales. Pero no es barato... Por lo menos quince mil. Mil más de impuestos... ¿Vas cómoda, querida?

Sí, Elna va cómoda. Tiene poco espacio para las piernas porque lleva ahí la cesta con la comida, los termos no cierran bien, así que no se atreve a ponerlos en el maletero, pero qué agradable es irse lejos de Hallsberg. Lejos de todo...

En Glanshammar hacen la primera parada. Erik apenas se toma tiempo para saborear el café que le sirven en una taza de plástico. Tiene que controlar que todo esté bien bajo el capó. Los otros tres se sientan en la hierba junto al aparcamiento, una delgada franja verde que baja por la leve pendiente hasta el gran lago. Hace calor. Eivor se tumba boca arriba y cierra los ojos al sol. Elna se sienta mirando al lago, mientras la brisa despeina su morena melena. Anders se queda mirando su taza. Le lleva unos instantes entender que está hecha del mismo material con el que él improvisa sus calzoncillos en momentos apremiantes. Plástico.

–Hay tantas cosas nuevas –dice Elna al verlo sentado examinando su taza–. Tantas cosas nuevas y que enseguida creemos que *hay que* tenerlas.

–En efecto. Pero no para mí. Soy demasiado viejo.

–Anders ha sido cómico –dice Eivor de repente, sin abrir los ojos–. ¿Sabes qué es eso, mamá?

–Es una especie de artista, según tengo entendido –dice dubitativa–. Pero no lo sabía.

Anders es consciente de que le ha disgustado que Eivor le haya descubierto. Es curioso que cuando alguien muestra un interés inesperado por su persona o por su pasado, enseguida se vuelve reacio a hablar de ello. Pero con dos cervezas sobre la mesa en un café lleno de humo habría ido de maravilla.

–No es nada de lo que valga la pena hablar –dice.

–A veces nos hemos preguntado a qué te habías dedicado –dice Elna–. Especialmente cuando llegaste a la casa. Oímos decir que eras hermano de Vera, la que vivía antes allí. Pero no sabíamos nada más.

–Si supieras lo que hemos dicho de ti –interviene Eivor incorporándose–. Si supieras lo que dicen de los vecinos. No paran de hablar.

–Es lo que hacen todos –contesta Elna enfadada.

Eivor se encoge de hombros y vuelve a tumbarse como estaba antes. Pero después se levanta con brusquedad. No es capaz de quedarse tumbada al sol, no tiene paciencia.

–¿Bajas conmigo al lago? –pregunta.

¿Quién? ¿Elna o Anders? Anders sacude la cabeza y Elna dice que no tiene ganas. Al final, Eivor baja corriendo.

Por un instante, Elna recuerda a su amiga Vivi cuando, hace muchos años, corría del mismo modo por la pendiente de una colina en algún sitio al norte de Älvdalen. Corría y gritaba con su acento de Escania, hasta que tras dar una voltereta aterrizó encima de una boñiga de vaca.

«Ha pasado tanto tiempo desde entonces.»

Pero deja a un lado los recuerdos cuando Erik cierra el capó y se acerca a ellos. Tiene los dedos manchados de grasa y se los restriega con un puñado de estopa.

–Todo en orden –informa satisfecho–. ¿Hay más café?

–Se ha acabado.

–¿Vamos a continuar el viaje?

–Todavía no. Aquí se está muy bien...

Anders se pregunta si tener un coche produce inquietud. Parece que Erik quiere salir a la carretera lo antes posible. Va deprisa de un lado a otro y Elna le pregunta si se ha olvidado de que está de vacaciones. Entonces se sienta. A regañadientes...

–¿Dónde está Eivor? –pregunta mirando a su alrededor.

–Ahí abajo. Creo que voy a hacer lo mismo que ella. Bajar a mojarme los pies.

–¿Estás pasándotelo bien? –le pregunta Erik cuando se quedan solos. Anders asiente. Está pasándoselo divinamente. Se siente muy agradecido de poder acompañarlos.

–Hace tiempo oí una historia –dice Erik de repente–. Era sobre un chico y una chica que fueron a Copenhague de fiesta. Pero como no estaban casados, no podían quedarse en la misma habitación. Entonces hicieron un agujero en la pared que separaba las dos habitaciones y acordaron que cuando ella diera tres golpes en el suelo, él la metería por el agujero. Y así estuvieron un par de días. Pero una vez entró la mujer de la limpieza mientras la chica estaba fuera comprando el periódico. Él oyó un primer golpe cuando ella dejó el cubo de fregar en el suelo, luego oyó un golpe más, al caérsele a ella un cenicero, y finalmente oyó un tercer golpe, cuando movió una silla. Como es natural, él se bajó los pantalones y la metió por el agujero de la pared. La mujer de la limpieza la vio y salió corriendo por el pasillo gritando: ¡Socorro, hay una rata pelada ahí dentro! Como quiera que se diga en danés... Sí, cielo santo.

Anders lo mira con asombro antes de decidirse a reír. (Fue una de las primeras cosas que aprendió cuando era joven, articular una carcajada creíble aunque tuviera los ojos llenos de lágrimas.)

–Tiene mucha gracia –dice.

–¿Verdad que sí?

Y entonces continúan el viaje en pleno verano.

El cámping que hay a las afueras de Västerås es pequeño. Cuando llegan está lleno de tiendas de campaña, bicicletas, automóviles y cochecitos de niños, pero logran encontrar un rincón donde todavía hay sitio. Erik ha sido muy generoso invitándoles a almorzar en Västerås, en una lechería que ofrecía crepes y leche a un precio razonable. Anders trató de convencer a Erik para que le dejara pagar, pero él se negó en redondo. Le han invitado a viajar, y ni siquiera puede compartir los gastos de la gasolina. En Västerås, Erik aprovecha además para entrar en el establecimiento de bebidas alcohólicas, y cuando las dos tiendas de campaña estén colocadas, con la mampara de PVC separándolas, va a invitarlos a un trago de coñac. Cuando insiste en que se sienten fuera de las tiendas, Elna y Eivor protestan, pero Erik va a lo suyo. ¿No hay un par de italianos allá a lo lejos, que están bebiendo vino y gritando ASEA, ASEA todo el tiempo? No ve la diferencia. Cómo no va a ser posible tomarse un pequeño trago al atardecer, al aire libre, cuando se está de vacaciones. «Y había pensado invitarte a ti también, Elna.»

Elna se abstiene y prefiere ir a dar un paseo con Eivor. Anders, que se ha metido en su diminuta tienda de campaña y, rápidamente, se ha bebido un par de buenos tragos y media botella de vino tinto, procedente de las reservas que lleva en la maleta entre su ropa interior, intenta mantenerse a cierta distancia de Erik, pues sería una descortesía que éste notara su aliento a alcohol justo cuando iba a invitarle a un trago...

Pero Erik sabe bien que es alcohólico, que no hace otra cosa que beber día y noche. No ha podido escapársele. Elna y Eivor seguro que se lo han dicho. ¿Y no vio él con sus propios ojos cómo estaba la cocina cuando fueron a invitarle a que les acompañara en el coche durante las vacaciones?

Erik ha encontrado un tablón que apoya entre dos piedras.

–Vamos a sentarnos aquí –dice–. Estamos en verano. En verano uno debería poder sentarse tranquilamente.

Al poco rato, Erik se ha emborrachado. Parece que no está acostumbrado a la bebida y bebe demasiado deprisa. Anders ve que se le enrojece la cara, que se mueve con lentitud cuando se levanta para ir a orinar. Sin embargo, la mayor diferencia es que se vuelve hablador. Cuando regresa después de haber orinado, ha olvidado abrocharse la bragueta. Los bordes de la camisa sobresalen a través de la abertura, pero Anders no se molesta en decir nada. Si está borracho, lo está. Y tiene mujer e hijastra para cuidar de él...

Anders se sienta y lo mira en la oscuridad de la noche, al trabajador ferroviario Erik Sjögren. Sentado a su lado ve a un hombre amable. Amable, formal, generalmente silencioso. Muy distinto de Elna y de Eivor.

Anders se anima y le pregunta abiertamente cómo es ser padrastro.

–Un sube y baja –contesta Erik evasivo–. Va y viene, sube y baja.

–Es una chiquilla encantadora.

–Sí. Elna no debería reñirla tanto.

–¿La riñe?

–Por la escuela. Tendrías que oír el escándalo que montan a veces. Gritan y maldicen y dan tales portazos que los marcos se desprenden. Si no quiere estudiar, que se ponga a trabajar. Es lo que he hecho yo, y Elna también, y nos ha ido muy bien. A veces sus gritos me ponen algo furioso. ¿Por qué tiene que darse tanta importancia? Es hija de unos malditos trabajadores, aunque su padre fuera un general o un vagabundo. Se ha criado en nuestra casa.

–Entonces, ¿se lo has dicho?

Erik se queda sorprendido.

–¿Yo? No es hija mía. Me mantengo al margen. Pero pienso lo que pienso.

–Sin embargo, creo que deberías decir lo que quieras. Por la muchacha.

–Ella venía en el paquete. No quiero meterme en eso. Pero si alguna vez lograra agarrar a su padre por la garganta, apretaría con fuerza. Y luego le vaciaría la cartera. Y le cortaría el nabo.

Ahora está realmente borracho y se balancea, sentado en el tablón, hacia delante y hacia atrás.

A Anders le parece percibir oscuros matices en él, y en la oscuridad vislumbra a Elna y a Eivor. Habrían estado más tranquilos si ellas se hubieran quedado. Parece que Erik experimenta importantes cambios de humor al beber. Apenas ha acabado de expresar su enfado contra el padre desconocido de Eivor, y de repente se pone a cantar a voz en grito.

–Tal vez deberías cantar un poco más bajo –dice Anders con cautela–. La gente duerme y se oye todo a través de las paredes de las tiendas de campaña.

Como respuesta, recibe una risa burlona.

–¿No había por ahí unos italianos que estaban cantando hace un momento? ¿Cantando y bebiendo vino tinto?

Y después, profiriendo alaridos, trata de imitarlos: ASEA, ASEA...

A Anders ni siquiera le da tiempo a percatarse de dónde vienen. De repente están ahí, sin más. Dos italianos, descalzos, en camiseta y pantalón. De unos veinticinco años tal vez. Como quiera que sea, están furiosos. De sus bocas sale un sinfín de palabras, una curiosa mezcla de italiano y sueco. Se enfrentan a Erik ignorando a Anders. Erik está sentado balanceándose con su vaso, sin entender nada. Levanta el vaso, sonríe y dice «salud». Pero no debería haberlo hecho, porque uno de los italianos le da un golpe en la mano y le tira el vaso, que choca contra la puerta del coche y se rompe. Erik mira asombrado al coche y luego comprende.

–¿Qué demonios...? –dice levantándose.

La pelea no dura apenas. Los tres golpean con furia y aciertan pocas veces. El tablón vuelca y Anders cae de bruces sobre la tienda de campaña al tiempo que llega el vigilante del cámping corriendo como un loco, tropezando con las piquetas de las tiendas de campaña y con los vientos. Por todos lados aparece gente que ha oído el jaleo, y la emprenden con los italianos. Arrastran a Erik a un lado y luego se llevan a los dos italianos lejos de ahí, y los persiguen hasta su tienda de campaña entre insultos y patadas.

Malditos espaguetis del demonio...

Erik se sienta en el suelo y se seca la sangre de la nariz. Tiene la camisa rota y está conmocionado. Anders, como era de esperar, se ha orinado encima. Cuando presencia una pelea le es imposible contener la orina. Siempre les ha tenido pavor, le recuerdan las palizas y latigazos de su infancia...

–¿Qué ha ocurrido? –jadea Erik apretando un pañuelo contra la nariz–. Estoy sangrando, demonios...

–Les insultaste.

–¿Qué?

–Gritando ASEA, ASEA.

–¿Eso es insultar?

–Tal vez lo entendieron así.

–Malditos...

Él mira la sangre. ¿Les ha insultado?

En ese momento llegan Elna y Eivor. Han oído la pelea desde lejos cuando estaban sentadas en un banco junto al agua.

Mientras Elna se encarga de Erik, Anders intenta aclarar lo ocurrido. Y se pone del lado de los italianos, les han ofendido, en eso no cede. Pero lo que él dice no es convincente y, cuando vuelve el vigilante y les comunica disculpándose que a los dos italianos se les ha pedido que abandonen el cámping inmediatamente, Erik y Elna le dicen que debería llamar a la policía.

–Ni siquiera se puede estar en paz en un cámping –dice Elna indignada–. ¡Por gente así!

–Basta con que se marchen –dice Anders tratando de mediar.

–Tendrían que irse del país.

Anders ha superado la conmoción y, como es natural, está enfurecido.

–¿Tienen que venir esos tipos a darle un puñetazo en la cara a la gente que está sentada tranquilamente fuera de su tienda de campaña? ¿Y salir impunes? No, voy a destrozar esa puñetera tienda de campaña para que nunca más puedan volver a montarla.

Elna lo retiene y el vigilante del cámping impone silencio.

–Ahora hay que guardar silencio –dice–. No queremos tener mala fama.

Y luego desaparece.

Elna logra tranquilizar a Erik poco a poco y le ayuda con la tienda de campaña. Anders bebe un gran trago de la botella de coñac e intenta normalizar la respiración.

¿Pero dónde está Eivor?

Sí, se ha escondido en el asiento de atrás del coche con los oídos tapados. La encuentra allí, lloriqueando.

–Ya ha pasado –dice él.

–No sé a qué te refieres –contesta–, ¿qué es lo que ha pasado?

–Todo...

–No ha pasado nada –contesta ella–. Nada. Quiero que me dejen en paz.

Ella se acurruca y él la deja. Entra arrastrándose en su tienda de campaña, se quita con dificultad los pantalones manchados, se tumba encima del saco de dormir y echa un buen trago de la botella de aguardiente. Una luz tenue se filtra a través de la lona de la tienda de campaña, le parece oír el silbido de un mosquito.

Así es Erik. Un perfecto ejemplar de sueco grosero cuando tiene un poco de coñac en el estómago. Sin duda, los italianos también han reaccionado, innecesariamente, de modo demasiado brusco; seguro que hubiera bastado con una disputa verbal, pero a la vez los entiende. Claro que hay hijos de puta en todo el mundo, él se ha topado con muchos durante sus viajes por Europa. Aunque, al mismo tiempo, hay algo *indefinido* en la grosería sueca, que casi siempre está relacionado con el alcohol. O se llora con los ojos fuera de las órbitas, o se destruye todo en un arrebato de rabia bajo los efectos del alcohol.

Dicho de otro modo, Erik ha mostrado un comportamiento normal al sentarse con su coñac. Pero todavía hay muchas cosas de él que asombran a Anders. ¿Qué está pensando *realmente?*

Sus pensamientos se interrumpen al oír que Elna abre la puerta trasera del coche y habla con Eivor en voz baja.

–Se ha quedado dormido. Entra y acuéstate.

No puede entender lo que dice Eivor desde dentro del coche, pero de la respuesta de Elna deduce que quiere quedarse ahí, entrar tal vez algo más tarde. Y Elna no protesta.

–Haz lo que quieras –se limita a decir–. Que duermas bien.

Y luego vuelve a cerrar la puerta.

A las cuatro de la mañana, Anders asoma la cabeza en medio del rocío y la niebla. Ha dormitado unas horas, luchando con inquietantes visiones oníricas, y luego, de repente, se ha despertado por completo. Tiene la espalda rígida y le duelen las piernas, la tienda es tan pequeña que apenas logra salir por la abertura sin llevarse a rastras la lona como si fuera el caparazón de un caracol.

Erik está sentado fuera, en el parachoques del coche.

Y en el asiento de atrás duerme Eivor, acurrucada como un gatito.

Erik está despierto. Mira al frente en silencio. Tiene la nariz roja e inflamada, los ojos pesados.

–Estás despierto –dice Anders.

¿Qué otra cosa iba a decir? Entiende cómo se siente Erik, el remordimiento brilla en sus ojos. Y él no puede echar unos tragos por la mañana para quitarse lo peor, tiene que conducir.

–¿Qué ocurrió? –masculla–. La nariz...

Anders se lo cuenta en pocas palabras.

–Pero pasamos un rato agradable –dice al final–. Deberíamos hablar más a menudo.

Erik lo mira suplicante. ¿Estará diciendo la verdad? ¿O el viejo le está mintiendo? ¿Y por qué está durmiendo Eivor en el coche?

–Sabes bien cómo son los jóvenes –contesta Anders–. A su edad se quiere estar en paz. Y luego dormirse de golpe. En cualquier sitio.

–Sólo me pregunto una cosa –dice Erik después, en voz baja–. ¿Por qué gritaban ASEA?

–Seguramente trabajan allí –responde Anders–. Estamos en Västerås. O tal vez van a trabajar allí. Una vez leí que se está empezando a buscar trabajadores en el extranjero.

–¿Por qué?

–Será que ningún sueco quiere hacer ese trabajo. O tal vez no los haya.

Erik asiente. Sí, debe de ser algo así. Pero...

–¿Te ocurre algo?

–No... Nada. ¡Uf! Me siento fatal.

–Se pasará. Lo sé. Con todo lo que yo bebo. Como sabes.

Erik no contesta, no hace ningún comentario, sólo continúa con su lamento.

–¿Dije ayer alguna tontería?

–No...

–¿Seguro?

–Totalmente.

–¡Joder!
–A veces pasan estas cosas.
Anders da un largo paseo por el cámping. Camina con cuidado para recuperar la movilidad de las piernas, procurando no tropezar con las estacas de las tiendas de campaña y las cuerdas. La niebla ha envuelto el cámping en un extraño amanecer gris. De pronto tiene la sensación de que todo el cámping está abandonado. Como un campo de batalla que se ha evacuado precipitadamente...
Un cementerio con lápidas de piedra gris.
Vuelve a la vida al oír unos fuertes ronquidos en una de las calles del cámping.
Siente escalofríos y regresa lentamente.
Pero de pronto se queda petrificado.
Erik está sentado llorando con el rostro entre las manos.
Cuando Erik se ha secado las lágrimas, Anders se dirige hacia él. La niebla ha empezado a disiparse, el sol se abre camino y el rocío va secándose...
Se ponen en marcha temprano. Ni siquiera les da tiempo a hervir café en el hornillo antes de partir. Es evidente que la familia Sjögren quiere desaparecer de Västerås lo antes posible. Anders se queda mirando las tres caras pálidas y los ojos que se evitan entre sí.
«Debería haberme quedado en casa. ¿Cómo diablos va a terminar esto?»
Pero en cuanto salen a la carretera están de nuevo de vacaciones. La resaca de Erik y la nariz hinchada no tienen por qué ser un mal comienzo. Y los italianos recibieron lo que se *merecían*. Malditos... Menos mal que ellos no trabajan en ASEA...
Van hacia Hummelsta y luego a la derecha, por encima de las destellantes aguas del Mälaren, hacia Strängnäs y Sörmland. Otro día espléndido, sin nubes, azul. Aquí nos quedamos. ¿Qué pone en el cartel? ¿Iglesia de Dunker? Curioso nombre. Pero ahora, por fin, vamos a desayunar. El primero o la primera que vea una tienda en el pueblo, que avise...
Llegan a Estocolmo sobre las tres. Erik está nervioso por tener que conducir en una gran ciudad. Van a ir al Skansen y Anders, que es el que más conoce Estocolmo, no tiene la menor idea de cómo llegar en coche. Pero ya que él, a pesar de todo, debería reconocer algo, cambia el sitio con Elna y se instala en el asiento delantero.
Pero, naturalmente, no reconoce nada. A Erik no le da tiempo de

leer los nombres de las calles y dan muchas vueltas por el sur hasta que Anders logra llevarlos a Slussen.

Pero han pasado Hornsgatan y Anders ve en el espejo retrovisor cómo Eivor mira con ansiedad a las personas que van por las aceras.

Lasse Nyman, Lasse Nyman...

¿Es aquí donde te escondes, en tu barrio?

Pero, como es natural, él no está ahí.

Tan natural como que Estocolmo supone una gran decepción para ella. No es que no le llame la atención, todo lo contrario. Pero sus necesidades son muy distintas a las de Erik y Elna. Anders sólo les hace compañía, como un perro cansado que no tiene ningún deseo. Hace miles de años era un perro joven que corría el primero en la carrera. No, lo que pasa es que Eivor no tiene ganas de ir al Slottsbacken, a ver a los soldados que hacen guardia. Eso puede hacerlo en otra ocasión, cuando tenga más tiempo. Se nota de sobra que es la *Capital*, no hace falta detenerse y perder con ello un montón de tiempo. Ella quiere entrar en las tiendas, mirar las carteleras de los cines y, tal vez, encontrarse con ese paraíso hechizado llamado Nalen. Poder observar a los jóvenes de su misma edad que viven en la capital. ¿Qué aspecto tienen, qué ropa llevan, cómo son sus peinados, manos, ojos, bocas? Eso no tiene nada que ver con *la vida...* Pero sus protestas no surten efecto, Elna refunfuña y Erik conduce el coche a donde él quiere. No es que no valga la pena ver al rey o a las princesas, nunca se sabe... Pero un día tan caluroso como el de hoy muy probablemente estén en Haga...

Así que Eivor hace lo único que puede, se cierra herméticamente, baja las cortinas, bloquea las puertas, se enfurruña. Si va a ser así, lo mejor es largarse de aquí...

Cuatro personas, tres experiencias distintas. Anders está cansado y por lo general ni siquiera quiere salir del coche. Se queda sentado, con la puerta abierta, cuida el coche y bebe a escondidas de alguna de sus botellas. Además tiene suerte, en una ocasión Erik frena muy cerca de un establecimiento de bebidas y, mientras intentan darse prisa para ver algo, sea lo que sea, a él le da tiempo de abastecerse de algunas botellas más. Y luego disfruta viendo pasar a la gente mientras él permanece sentado. Yo estoy aquí y nunca vamos a encontrarnos...

Elna y Erik miran cada uno lo suyo, Eivor está agachada a unos pasos de distancia. Ellos miran hacia un lado, Eivor hacia otro. Ellos hacia las fachadas de las casas, ella mira a las personas.

Bueno, no está mal del todo. Los tres miran a algunas de las asombrosas figuras que se cruzan en su camino.

Un hombre con el pelo increíblemente largo. Y una trompeta en la mano. Un loco de Estocolmo. O algo todavía peor. Según parece, aquí hay que espabilarse para que te vean entre los demás...

¡Y esa mujer con esos tacones y ese pelo! El marido...

Pero, a grandes rasgos, las impresiones son distintas.

«Voy a volver aquí», piensa Eivor apretando los dientes. «Sin esos dos. Luego pueden venir ellos a verme.»

Pasan la tarde en Gröna Lund. Anders, cansado después de un largo y caluroso día, se ha quedado en el hotel que ellos costean. Es pequeño y huele a cerrado, está encajado en el Klarakvarter. Al principio, tanto Elna como Erik parecen algo indecisos cuando, en la oscura entrada del hotel, ven salir de una habitación interior a un sudoroso portero que huele a cerveza. Pero las habitaciones son baratas, es sólo por una noche, ¿y de qué iban a tener miedo? Además, Erik aprovecha la oportunidad para pedir habitación en la planta baja. El mayor peligro es un incendio, y desde las ventanas del primer piso podrían salir ilesos si ocurriera lo peor. Anders no quiere que tengan que estar pendientes de él si los acompaña a Gröna Lund.

–No con un viejo como yo –dice tratando de bromear–. Creía que ibais allí para pasarlo bien...

Así que se queda solo en la habitación que va a compartir con Erik. Abre la ventana que da a un patio interior con barras para sacudir las alfombras, contenedores de basura y viejos retretes cerrados. En cuanto se queda solo saca sus botellas de la bolsa y prepara su combinado rojo. Oye el ruido de la ciudad a lo lejos como un débil e indefinido susurro, disipado de vez en cuando por el claxon de un coche.

«La vejez», piensa. «La horrible vejez.»

En un momento dado, cuando estaba sentado en el coche, después de visitar el establecimiento de bebidas, y contemplaba el deambular de las personas de la capital, le pareció entender por fin el desamparo que implica hacerse viejo, ir de mal en peor, en la mayor oscuridad. Cuando ve el ímpetu de la vida en los vestidos veraniegos de colores claros, en los pantalones aleteando al viento con movimientos lúcidos y ligeros; entonces es incapaz de comprender cómo alguien puede querer ser viejo. Como si hubiera en algún sitio una vejez agradable, incluso bonita. Nadie logrará que se crea eso. La vejez es la parte oscura de la vida, nunca puede ser otra cosa. Es ilusión y engaño. Hacerse viejo es arrugarse, desgastarse...

Así que él ya lo sabe. Por fin, definitivamente. ¿Para eso ha querido acompañarlos en este viaje?

No lo sabe.

Pero ahora lo que vale es el combinado de color rojo. Del mismo color que su sangre, pero infinitamente más fresco... Se pregunta si está amargado. Pero la respuesta es no, no se trata de eso. La vejez es fea, ahora lo sé. Éste será mi último verano. Y se pone a beber, solo en la tarde estival, solo en su habitación de hotel con vistas a un patio interior.

Quiere estar en paz. Vamos a dejarlo a él y vayamos a buscar a la familia Sjögren, que ya ha desaparecido en el hervidero que es el parque de atracciones Gröna Lund, entre faroles y organillos, carruseles y columpios.

Por primera vez desde que salieron de viaje encontramos a una familia contenta y satisfecha, ninguno de ellos pone mala cara, ni siquiera Eivor. A ella la ha despejado el atardecer y la impactante experiencia de un parque de atracciones. Está realmente contenta de tener a su alrededor los brazos protectores de su madre y de su padrastro Erik, para no arriesgarse a desaparecer entre el gentío.

Resulta una tarde completamente feliz. Eivor gana un oso y enseguida sabe dónde va a ponerlo en su pequeño dormitorio, Elna y Erik bailan en una de las pistas al aire libre, y los tres juntos se apretujan en uno de los vagones del Tren Azul. Y para terminar, la montaña rusa, donde aúllan como cerdos heridos. Santo cielo... ¿Cómo se vivía antes, cuando no había vacaciones? Por no hablar del coche...

Eivor se acuerda de repente de Lasse Nyman. Piensa si será cierto lo que dijo Anders aquella vez que estaban sentados a la mesa de la cocina de él. ¡Que Lasse Nyman no es vendedor de coches, sino que los roba!

–Mientras no lo roben –le dice de pronto a Erik cuando están haciendo cola junto a uno de los muchos puestos de venta de salchichas.

–¿Robar qué? ¿El oso?

–El coche, por supuesto.

–Me gustaría ver quién se atreve a robar mi coche.

Pero tanto Elna como Eivor se dan cuenta de que sólo de pensarlo se sobresalta.

–Nos marcharemos enseguida –dice–. Seguro que está donde tiene que estar.

Se comen las salchichas y luego dan vueltas buscando un urinario para Erik. Cuando por fin lo encuentran, hay cola, y mientras Erik golpea el suelo con el pie y refunfuña detrás de un montón de militares que se aprietan y empujan para entrar a orinar, Elna y Eivor esperan discretamente a un lado.

Por cierto, ¿qué hacían ellas la tarde anterior, cuando Erik y Anders estaban sentados en el desvencijado tablón dispuestos a beberse un trago de coñac? Pues sí, ellas deambulaban por la playa, extrañamente eufóricas las dos. Más cerca la una de la otra de lo que habían estado hacía mucho tiempo. Por una vez son capaces de hablar del futuro de Eivor sin ponerse a discutir, y por primera vez, también, Elna obtiene una respuesta que no es un bufido furioso. Eivor quiere ser costurera. Coser ropa. Y ya que está tan decidida a no continuar en la escuela, lo único que Elna puede decir es que le parece una buena alternativa. En el acto promete a su hija enseñarle todo lo que sabe ella acerca de costura. Y tal vez haya alguien en Hallsberg o en Örebro que pueda enseñarle más. Sin embargo, Eivor dice que primero quiere trabajar en lo que sea para ganar su propio dinero, poder comprar la ropa que los inexpugnables muros de los escaparates le negaban antes. Elna también lo entiende, y siente un súbito calor hacia su hija, que se le parece en tantos aspectos. Entonces se produjo el escándalo en el cámping y ambas temieron enseguida que Erik estuviera implicado.

Ellas ya le han visto beber alcohol. Desafortunadamente...

Pero ahora están de pie bajo unos árboles viendo cómo Erik se va dando empujones con los borrachos y vociferantes reclutas.

–¿Lo has pasado bien, hija?

–Claro que sí. –Y, sin transición, dice–: Imagínate que estuviera aquí esta tarde.

–¿Quién?

–Mi padre de verdad. Nils.

Por una vez, Elna puede pensar en él sin sentir un nudo en el estómago.

–En tal caso te lo habría dicho –responde ella.

–¿Le habrías reconocido? –pregunta Eivor sorprendida.

Elna sacude la cabeza.

–No, pero él seguramente me habría reconocido a mí.

Eivor no entiende muy bien lo que quiere decir, pero no importa demasiado. No en ese momento en que, por una vez, puede hablar con su madre sin que surja enseguida un motivo de disputa.

–Somos iguales –dice ella.

–Sí –contesta Elna–. Nos parecemos mucho.

–Aunque tú eres más guapa que yo.

–¿Tú crees?

Ven que Erik consigue meterse por fin en el urinario.

–¿Por qué te casaste con él? –pregunta Eivor.

–Me gustaba.

–¿Te gustaba?

–Me gusta.

–¿Te imaginas que no os hubierais encontrado en ese tren?

–¡Imagínatelo tú!

–Tiene que haber sido difícil.

–¿A qué te refieres?

–Bueno... A estar sola conmigo.

¿Cómo es posible? Elna la mira interrogante. ¿Ha tenido que ir a un bullicioso parque de atracciones para poder mantener una conversación sensata con su hija? Pero en realidad no le sorprende, Eivor ha crecido...

Se queda mirándola. De tal palo, tal astilla. Ya es adulta. Hace tres años que tiene la regla y Elna le compró su primer sujetador hace dos...

Una hija a punto de escapársele de las manos para tomar sus propias decisiones sobre el rumbo de su vida. Una persona con cada vez más expectativas...

Casi se emociona, pero en ese momento llega Erik y la toma de la mano, aliviado por haber podido descargarse, algo furioso por culpa de los malditos militares. De buena gana le habría dicho a su esposa lo que estaban dibujando en las paredes de los urinarios. No, *lo grababan* con cuchillos y picaportes que habían arrancado. Y no eran precisamente canciones infantiles...

–Aquí estoy sin saber qué hacer –dice, en vez de lo que piensa. Es una de sus frases más comunes.

Uno de los rasgos de Erik es ese modo de intentar dejar caer siempre una cortina de humo sobre su inseguridad y timidez utilizando frases hechas, cosa a la que Elna no tardó en acostumbrarse cuando le conoció.

«Mi vida», piensa ella. «Pronto podré empezar a pensar otra vez en mí, ahora que Eivor comienza a arreglárselas sola. Sólo tengo treinta y dos años. No debo olvidarlo nunca, en ningún momento.»

–Tenéis un aspecto muy misterioso –dice Erik.

–Ya lo creo –contesta Elna.

Y luego se marchan al hotel, pasando por Djurgården, y luego a lo largo de Strandvägen, Hamngatan y Hötorget.

Cuando se han dado las buenas noches en el pasillo y Erik abre la puerta de su habitación con cuidado, Anders yace en la cama despierto.

Pero, naturalmente, finge que está dormido.

Saluda a Erik Sjögren con un amable ronquido.

Pasa el resto de la noche despierto. De vez en cuando se levanta para echar un trago.

Lo que bebe es de color rojo, como ese sol declinante que ha visto reflejarse en una de las ventanas del patio interior.

Rojo como la sangre.

¿De qué color es la muerte?

¿Seguro que es negra?

¿Quién lo sabe?

Al día siguiente está nublado, tanto fuera como dentro del coche.

Empieza de un modo muy inocente.

¿Adónde se dirigen realmente? Han hablado de Öland, pero ¿por qué precisamente a Öland? ¿No hay otro sitio?

Son Eivor y Elna las que sacan el tema. Anders no dice nada, está sentado en su rincón disfrutando del viaje. Es todo lo que pide. Por la mañana también le ha dado tiempo de comprar algunas botellas más. Ahora tiene para pasar la semana.

–¿Alguien tiene algo contra Öland? –pregunta Erik sorprendido.

No, no es eso. Y sin duda lo han decidido de antemano. Pero ¿la libertad de viajar en coche propio no implica que puedas cambiar?

–Yo os llevo a donde queráis –dice Erik con galantería.

–¿No podemos ver simplemente adónde vamos a parar? –propone Eivor.

Entonces Elna comprende realmente por qué no quiere ir a Öland. Lo que la atrae y la arrastra por dentro es otra cosa. Algo vinculado a la mejor relación que mantiene ahora con Eivor.

Ya lo sabe. Decidida y ardientemente.

–Escania –dice ella–. Vamos a saludar a Vivi.

–Ni hablar –contesta Erik–. Queda demasiado lejos.

–No mucho más que Öland. Y dijiste que nos llevarías a donde quisiéramos, ¿no es verdad?

Llueve a cántaros, los mapas de carreteras son malos, y la visibilidad horrible. Pero ¿es necesario cabrearse hasta tal punto que casi se mete en la cuneta? Conduce hasta el arcén y detiene el coche, de golpe, dando una sacudida.

–Ni hablar –dice otra vez–. A Escania no.

Eivor opina que también le atrae.

–Podemos ir a través de Dinamarca –dice para intentar persuadirlo.

Pero no, él se siente ofendido. Lo decidido, decidido está. Tiene que haber algún orden. No sirve dar vueltas por las carreteras de cualquier manera... Ahora es el momento de decirlo.

–Erik –dice Elna con decisión–. Si yo quiero ahora...

–¡Y yo!

Él se dirige hacia Escania sin decir una palabra. Pero ni Elna ni Eivor se toman muy en serio su testarudez, y a Anders no le importa lo más mínimo. Escania o Lycksele, a él le da igual. Sólo conduce...

A medianoche llegan a un sitio que se llama Häglinge. Bajo la lluvia incesante, Erik monta las dos tiendas de campaña en un pequeño espacio de césped junto a la carretera. Gruñe cuando Elna y Eivor quieren salir bajo la lluvia para ayudarle.

–¡Déjalo en paz! –dice Elna–. Nosotras nos quedamos aquí dentro compadeciéndolo, así mañana estará contento.

Ambas tiendas tienen goteras, pasan una noche infernal, y a las siete de la mañana ya están de nuevo en la carretera. Erik va sentado al volante y parece muy enfadado. En Höör encuentran un café abierto, y es allí donde Erik, por fin, abre la boca, que parecía sellada.

–¿Sabes cómo llegar a Malmö?

No, Elna no lo sabe. ¿Y Anders? Él tampoco.

–Yo os llevo hasta la ciudad –dice Erik–. Luego tendréis que espabilaros vosotras solas.

–Escania es muy bonita –dice Elna, y trata de aplacarlo dándole unas palmaditas en la mejilla–. Conduces bien, ¿lo sabías?

Vivi Karlsson, la hija de un trabajador de los astilleros de Landskrona. Los años pasan, ahora están en el verano de 1956. La guerra terminó hace más de diez años. Ocho desde la última vez que se vieron ella y Elna. Las cartas van y vienen, pero no con tanta frecuencia como entonces, ni tampoco con la misma intimidad de cuando tenían la edad que tiene Eivor ahora.

¿Qué ha ocurrido?

Vivi Karlsson se ha formulado la misma pregunta muchas veces. Y cuando se arrincona a sí misma y se pregunta en qué ha empleado su tiempo, no inicia ninguna conversación apacible. Más bien se parece a una pelea de tigre. Ella conoce el arte de luchar contra sí misma, para ello no necesita ayuda. Pero ha perdido la habilidad para recomponerse cuando cesan los golpes, cuando yace noqueada en un rincón, con muebles y porcelana, ropa y hombres destrozados.

Una vez fue a caer de cabeza encima de una boñiga de vaca en las afueras de Älvdalen. Nunca lo ha olvidado. Guarda la imagen de ese incidente como una caricatura sarcástica siempre presente de su eterno pataleo en esa vida que nunca logra poner en orden.

Esa vida que empezó tan bien, con una fuerte unidad familiar en la humilde casa de Landskrona. Una casa en la que de vez en cuando faltaban tanto la comida como la ropa, pero nunca el esfuerzo de educarla para que fuera una persona independiente y vital. Una casa en la que nadie se escondía tras las puertas y donde, por consiguiente, no olía a humedad ni a encierro.

Cuando acabó la primaria sólo dispuso de diez minutos para salir corriendo desde la iglesia –¡con su vestido rojo!– hasta el Stadshotellet, donde trabajaría como camarera de habitaciones. Pero eso fue sólo un paréntesis, una pausa remunerada para tomar aire, en la que ella lo mismo podía limpiar la mierda que había dejado algún viajante de comercio que hacer otra cosa. Luego intentó entrar en la escuela secundaria y lo logró. Entonces comenzaron los problemas cuando intentó acceder a un grado superior. No es que tuviera dificultades en seguir las clases, ella posee una mente aguda, clara como el trino de un jilguero. No, eran esos pringados que había a su alrededor y al otro lado de la cátedra. Claro que también había otros hijos de las filas trabajadoras que se habían equivocado pero que enseguida se adaptaban, pasaban por la trilla áurea hasta llegar a la Escuela Pública Superior y se volvían igual que los hijos de los burgueses. Todos excepto ella. La mordacidad que hasta entonces había sido una virtud, ahora se volvía contra ella. En su continua rebelión contra el servilismo inmovilizante, estaba destinada al fracaso. Le fue bien durante un año, tal vez dos, a pesar de que no cesaban las advertencias. Los profesores se lanzaban sobre ella sin darle tregua, como perros hambrientos, con la única y común ambición de machacarla. Cielo santo, ¡ese pez escurridizo con su diente negro va a intentar disciplinar nuestro centro de enseñanza! Naturalmente, entre los profesores había excepciones y también era admirada en silencio por alguno de sus compañeros de clase. Pero al final estaba sola, siempre sola. Una mañana, cuando hacía sólo unos días que había empezado el semestre de verano, ella se levanta de repente en la segunda clase, en medio de una lección de historia, recoge sus libros mientras el resto de la clase y el profesor se mantienen en silencio y, sin decir una sola palabra, abandona el aula para no volver nunca más. Una vez en la calle, levanta la rejilla de una alcantarilla y tira la cartera de clase. En el claustro de profesores se lamentan de que esa muchacha, Karlsson, tan inteligente, haya interrumpido sus estudios sin previo aviso, pero detrás de las máscaras hacen muecas de triunfo; la obstinada alondra del astillero había sido sometida, derrotada.

Al llegar a casa cuenta exactamente lo que ha ocurrido, si se hubiera quedado un solo día más habría declarado la guerra abierta a la escuela. Sus padres refunfuñan pero, por supuesto, la comprenden. Así es la sociedad de clases, tal vez la ropa y las armas hayan cambiado, ¡pero sigue siendo la misma maldita sociedad de clases! Y, como es natural, también está el orgullo de no haber sacrificado su ideología en aras de la escuela. El destino del oportunista debía ser peor que la muerte, pero en estos tiempos en que los socialistas se esfuerzan por hacer una sociedad burguesa accesible a todos, es una virtud blasfema. Es mejor seguir siendo pagana. Cuando llegue el momento, todos esos gigantescos castillos de naipes se vendrán abajo. Ya lo dijo Strindberg, que sin duda arde de impaciencia en su tumba por ir todo tan terriblemente despacio. Pero hay que aguantarse...

El padre está satisfecho, la chica no se ha degenerado. Un comunista no puede tener una hija que se siente a adorar al becerro de oro. Ella es fuerte, a pesar de que vivimos en tiempos duros en los que el hombre normal y corriente apaga la radio cuando llega el turno del señor Hagberg de aportar algo de sensatez a la débil discusión...

¿Y qué hace ella? Pues ella se lanza a la calle con su baño de acero, y sale airosa de la prueba. El mismo año en el que sus antiguas compañeras de clase bajan presurosas las escaleras con sus gorras blancas, ella se gradúa en el centro de enseñanza por correspondencia Hermod, pasando el examen con brillantez. Pero ha adelgazado tanto y está tan cansada que casi se desmaya, y cuando se mira en el espejo con la gorra blanca que ha adquirido, se pone a llorar y a sangrar por la nariz. Pero Vivi está hecha de hierro. Ese mismo otoño se matricula en la Universidad de Lund, conoce a un asistente social borracho y alquila una habitación en la casa de la viuda de un oficial. Va a ser arqueóloga, y se tira de cabeza a la piscina, que está llena de libros de texto. Pero también allí se verá pronto obligada a tirar la toalla. Simplemente no puede con la vida de estudiante, todos esos extraños rituales, esos desiertos institucionales que ella no había previsto. En Lund soplan vientos extraños que nunca soplaban en el apartamento de Landskrona. A veces le dan ganas de ponerse hecha una furia, de echarles la culpa a sus padres, pero sabe que sería injusto. Un día de primavera en que la vieja que le alquila la habitación ha salido a visitar la tumba de su marido en Karlskrona, Vivi quema sus libros en la chimenea y luego sale corriendo al patio a ver cómo sube la gruesa nube de humo y se pierde en el azul del cielo. La vez anterior fue una alcantarilla...

¿Qué hace entonces? Beber y follar, gritar y echar reprimendas, ir a las rebajas, abofetear al segundo de a bordo en uno de los barcos de Copenhague, y tener un aborto durante el verano. En cuanto puede mantenerse en pie de nuevo se va a hacer autoestop por Europa, conoce a un cocinero español en Ámsterdam y le sigue hasta París, Pamplona, Madrid, y entonces se queda embarazada de nuevo. Otro aborto más, una pesadilla sobre la mesa de un sótano apestoso, y luego le pide a su amigo español que se vaya lo más cerca del infierno que pueda... Otro invierno en casa, en Landskrona, trabajo eventual, un fuerte compromiso contra la intervención de Estados Unidos en la guerra de Corea, un nuevo sueño: conocer China –y entonces morir–. Ya ha recorrido París de un extremo al otro. Pero China... Se enrola en uno de los barcos bananeros de Johnsonlinie, en el que pasa buenos momentos con su hermano Martin, que es cuarto maquinista. Pero en Santiago padece una infección en la sangre y cuando vuelve a Gotemburgo tiene que renunciar a su trabajo, la oficial de a bordo desembarca para siempre...

¿Y luego? Luego, luego... Eso se pregunta ella también.

Un día mueren sus padres, los dos, con un intervalo de dos meses.

El padre cae al suelo de la cocina, fulminado por un derrame cerebral. Y la madre cumple con su obligación, le sigue tan pronto como puede, tranquila y adormecida en sus sueños cuando ha transcurrido el tiempo necesario para que los tres hijos, la chica y sus dos hermanos, sean capaces de sobrellevar una nueva pena. Mueren súbitamente, pero en sus vidas no hay ningún desorden, el testamento es tan transparente como la vida que ambos han vivido.

A los veinte años se traslada a Malmö y empieza a trabajar como secretaria en una empresa de transportes. Ha pensado quedarse un año. Pero se convierten en dos. Luego se subleva otra vez, vuelve a matricularse en la universidad y vuelve a fracasar, esta vez de puro hastío. Y después de nuevos viajes, a los treinta y dos años de edad, regresa a la empresa de transportes, vuelve a caer de cabeza en la boñiga de vaca...

Mientras Elna y los demás luchan contra la lluvia en Häglinge, Vivi está durmiendo en su apartamento de la calle Fabriksgatan en Malmö. Está de vacaciones, pero no va a viajar a ningún sitio. Va a emplear sus días libres para decidir qué hacer. Después de las vacaciones va a dejar su carta de rescisión directamente sobre la mesa del dueño de la empresa de transportes, ya lo ha decidido, y ese pensamiento la mantiene en pie. Cuando lo haya hecho, terminará también la relación que ha mantenido durante demasiado tiempo con un artista. Está harta de él, de sus uñas sucias y de sus lúgubres e incomprensibles cuadros. No quiere verlo durante sus vacaciones, ya se lo ha hecho saber, y él se ha unido a un grupo que vive de alquiler en Falsterbo. Lo que él haga o deje de hacer allí le tiene sin cuidado...

Ella duerme, reuniendo fuerzas para el duelo que le espera.

Mientras tanto, la lluvia cae sobre las tiendas de campaña en Häglinge...

¿Cómo describir el encuentro entre las dos amigas?

Por supuesto, Vivi se asombra y rebosa alegría espontáneamente, puesto que ambas simpatizan. Pero ¿qué más?

¿Ha resurgido de inmediato todo lo que comparten?

¿Sienten incomodidad e incertidumbre tal vez?

Cuando se separan los hombres de las mujeres, se percibe cierta excitación, emoción. Anders y Erik se meten en el coche y desaparecen. Elna, Vivi y Eivor se quedan solas.

–¿Qué hacemos? –pregunta Vivi–. Ya estáis aquí. ¿Vamos a bañarnos, a la ciudad, nos quedamos aquí sentadas?

–Decide tú –dice Elna.

–¿Por qué no tú? –sugiere Vivi dirigiéndose a Eivor–. Eres la más joven y debes de tener más deseos. ¿Qué quieres hacer?

Así que el resultado es Copenhague.

Cuando Elna muestra su preocupación porque puedan retrasarse y Erik y Anders se pregunten dónde están, Vivi la interrumpe bruscamente con una risa.

–Mientras haya cervecerías, nuestros queridos hombres no tienen por qué quejarse –dice.

Suben a uno de los transbordadores que salen de Malmö. Vivi se abre paso en el barco, que está abarrotado, y encuentra una mesa junto a la ventana de la cafetería. Un hombre que intenta aprovechar el verano en ausencia de su mujer estaba a punto de sentarse, pero retrocede cuando Vivi clava sus ojos en él.

–¡Está ocupado!

–¿No sois sólo tres?

–Vamos a ser más.

Pero, por supuesto, no es verdad, sólo que Vivi quiere disfrutar de espacio suficiente. Lo necesita, no soporta tener a gente *demasiado* cerca, y menos aún a hombres inútiles en viaje de placer.

Está nublado y hace viento, pero el pesado transbordador se mece testarudo por el estrecho de Sund. De vez en cuando, algún goterón de lluvia golpea contra la ventana de la cafetería, y resbala formando hilos de agua irregulares hacia los marcos, donde los gruesos remaches han atravesado la pintura agrietada. Hace mucho, mucho tiempo que Elna y Vivi no se veían. Pero, mientras que Elna afirma una y otra vez que el tiempo ha pasado volando, Vivi parece más interesada en el momento actual.

–¿Recuerdas que hablábamos de eso en nuestras cartas? –pregunta Elna.

–Habría sido extraño que no lo hubiéramos hecho.

–¡Piensa en el tiempo que hace de ello!

–Es una suerte que no se pare. O aún estaríamos recolectando heno junto al Siljan. O pedaleando sobre nuestras bicicletas en las mismas cuestas que hace quince años.

–Tú sigues siendo la misma –dice Elna.

Vivi gesticula.

–No digas eso.

–¿Por qué no?

–¿Puedes imaginarte algo peor? ¡Seguir siendo la misma! No cambiar. Sería horroroso...

Eivor se siente desconcertada en compañía de Vivi. No conocía a nadie que dijera las cosas de forma tan directa, ni Elna, ni Erik ni ninguna otra persona. Es rápida como un galgo. Y eso la hace sentirse insegura, le da un poco de miedo. Ese modo que tiene de mirarla a los ojos todo el tiempo, de hacer preguntas, de ir directa al grano...

–Cuéntanos algo –le dice a Eivor.

Eivor se ruboriza sin saber qué contestar.

–No tengo nada que contar –masculla arañando la mesa.

–Todo el mundo tiene algo que contar.

–No seas tímida –dice Elna. Y entonces Eivor se pone furiosa, como es natural, aunque no lo demuestra. «Otra vez la vieja madre de siempre, la que no sabe mantener la boca cerrada en el momento oportuno. Ahora va a exhibir a su hija como si fuera un objeto o un perro. Que se vaya al diablo, maldita...»

Tres mujeres en un barco, un día de julio, de camino a Copenhague. Dos amigas de juventud y el fruto de una noche de verano hace muchos años. El hombre que quiere aprovechar el verano, con su traje claro, está sentado y las observa junto a una mesa. «Tres hermanas», piensa. «Son distintas, tanto en el aspecto como en su forma de vestir, pero muestran tanta intimidad que no pueden ser otra cosa que hermanas que han crecido juntas, sin secretos en los cajones del armario. La que se mostró tan descarada es seguramente la mayor, luego tenemos a la morena, que debe de ser casi de la misma edad, y luego la última, la delgada, habrá nacido mucho después. Y van a Copenhague...»

–Está mirando –dice Elna.

–Déjalo –contesta Vivi–. Parece que eso le gusta.

–A mí me resulta incómodo.

–¡Pues no mires!

Eivor está sentada de espaldas, así que no ve nada. Pero no puede evitar que le irrite Elna y su preocupación. «Vieja cateta», piensa. «Tendría que haberse quedado en casa...»

Todo lo contrario que Vivi. Cuando te acostumbras a su indiscreta franqueza, hay mucho que aprender de su incuestionable forma de relacionarse con el mundo, ya sea tratando de espantar a un insistente caballero de traje blanco, o de buscar un sitio para sentarse en la cafetería de un barco a Dinamarca.

¿Y si su madre hubiera sido Vivi? Si hubiera sido ella la que la hubiera llevado en el vientre durante la guerra? Hablaría con acento de Escania. Se habría librado de vivir en Hallsberg. Habría podido viajar a Copenhague cuando quisiera. No habría tenido que estar al lado de una madre que se aferra al sucio mantel y tiene ese aspecto espantoso, con esos reflejos de campesina en los ojos...

A veces le gusta pensar mal de su madre. Hacer de pequeños enfados verdaderas hecatombes, crear otros nuevos en su imaginación si es necesario. Acabar con lo conocido y familiar, con su propia madre. Elegir otra.

–Copenhague –dice Vivi, y Eivor ve deslizarse el barco a lo largo de la entrada al puerto. En el muelle, que parece no tener fin, hay grandes cargueros con banderas desconocidas. Las casas son distintas a las de Suecia. En un buque militar ondea una bandera blanca y roja con tres puntas, y es impresionante estar fuera de Suecia, ser sueca y llamarse Eivor en un país extranjero...

Al adentrarse en el muelle y en territorio extranjero no entiende ni una palabra de lo que dice la gente. Suena como si estuvieran enfadados. Pero a la vez hay un continuo murmullo de risas a su alrededor. Dinamarca. Furia y risa. Eivor mira a Vivi y ella le sonríe.

–Vamos al centro –dice.

–Parece que va a llover –dice Elna mirando al cielo.

«Ya salió de nuevo», piensa Eivor. «Lo primero que dice cuando acabamos de llegar a Dinamarca es que le preocupa que llueva. *¿Qué importa?* Así podremos ir nadando al centro, sin tener que caminar...»

–Si empieza a llover, nos metemos corriendo en un café –contesta Vivi–. Hay muchos en Copenhague. Aquí beberse una cerveza o una copa no es un acto tan solemne. ¡Vamos!

Ströget. La arteria principal que atraviesa la ciudad. Se ven aglomeraciones procedentes de todos los lados, que desaparecen en tiendas o callejuelas de aspecto oscuro y misterioso, mientras otras personas salen de la oscuridad de los callejones y se incorporan a la inmensa marea humana. Pero, a pesar de esa compacta multitud, a Eivor no le preocupa ser engullida por ella, desaparecer. Hay algo en los rostros que pasan deprisa por su lado, algo amable, jovial. Aquí no siente miedo, ni siquiera cuando se detiene ante un escaparate y luego ve que Elna y Vivi han desaparecido. Ella continúa, y en el siguiente cruce de calles están ellas esperándola. Pero su madre...

–Puedes perderte –le advierte.

–Si vuelves a decirlo puede que lo haga –contesta muy enfadada.

Vivi la mira, sorprendida y divertida a la vez.

–Está en verde –dice zanjando la polémica entre madre e hija. Sin más, con decisión, como lo más incuestionable del mundo.

«Justo así», piensa Eivor. «Exactamente así. Una insignificancia. Pero si ella no lo hubiera hecho, mi madre habría dado media vuelta para ir al barco y habría estado enfadada el resto del día.

»¿Cómo es posible que hayan sido tan buenas amigas una vez con lo distintas que son? Una se queja de la lluvia como una vieja aterrada, la otra lleva la cabeza alta y va por Copenhague como Pedro por su casa. No puede ser una cuestión de hábito. ¡Tiene que haber diferencias! Como entre una vaca y un gato.»

Pero, por supuesto, Elna lleva razón al decir que va a llover. Acaban de llegar al ayuntamiento cuando las nubes negras descargan una violenta y torrencial lluvia.

–Allí –indica Vivi señalando con un dedo–. Allí dentro, debajo de la escalera.

Una cervecería, nubes de humo, ruido de vasos y botellas, poco espacio en las mesas de madera, olor a cerveza y a botas de goma sudadas. A Eivor le parece que Vivi se supera a sí misma en ese atestado local al encontrar una mesa y tres sillas libres. Apenas han podido sentarse en las sillas bajas cuando el camarero ya está delante de ellas, un hombre de vientre prominente y un delantal sucio por encima de la barriga.

–Cerveza y un chupito –dice Vivi–. ¿Coca-Cola para ti?

Eivor asiente.

–Yo no quiero cerveza –replica Elna sobresaltada–. ¿A estas horas del día?

–Si estás en Copenhague, lo estás –contesta Vivi–. ¿Qué importancia tiene? Creía que estabas de vacaciones.

«Si no te la bebes, lo haré yo», piensa Eivor.

–Me gustaría saber por qué pareces tan preocupada –dice Vivi, y Eivor nota que está irritada.

«Haces bien», piensa Eivor rápidamente. «Ve a por ella, enfréntate a ella. Molesta un poco a la señora de Hallsberg...»

–Aquí en Copenhague nunca llueve durante demasiado tiempo –añade Vivi–. Sólo lo suficiente para poder beber una cerveza y un chupito.

–No estoy preocupada –dice Elna–. ¿Por qué crees que lo estoy?

–Veo lo que veo.

–Entonces ves mal.

–Sí, pero sea como sea, te estás contradiciendo. ¡Salud!

Encima de la mesa aparecen dos botellas de Tuborg y dos vasitos llenos hasta el borde. Eivor llena su vaso de Coca-Cola y brinda cuando Vivi levanta el vaso mirándola.

–No entiendo por qué te parece que estoy preocupada –repite Elna.

Y Eivor se queja interiormente: «Mamá, mamá... Por dios...».

–Simplemente –dice Vivi–. Siempre me ha pasado lo mismo. ¿Supongo que te acordarás? Creo que noto algo en una persona y lo digo. Recuerdo que fue una de las primeras cosas que me dijiste cuando nos encontramos aquel verano durante la guerra. Que yo era muy franca.

–¿Dije eso?

–¿No estarás insinuando que lo has olvidado?

–Hace tanto tiempo...

–No lo creo. ¿Y sabes por qué?

–No.

–Porque después me escribiste una carta diciéndome que era algo que yo te había enseñado.

–¿Qué me habías enseñado?

–A ser siempre directa.

–Vaya...

De repente, Vivi frunce el ceño y mira a Elna pensativa. ¿Será cierto que lo ha olvidado? ¿O es que recuerdan cosas completamente distintas de aquel verano, de sus paseos en bicicleta? ¿Acaso no quiere recordar? Pero ¿por qué?

–¿Al menos no habrás olvidado lo de Daisy Sisters?

–No –dice Elna evasiva.

–¿No quieres hablar de ello?

–Hace tanto tiempo...

Vivi sacude la cabeza y mira a Eivor con gesto interrogante.

–¿Pero tú sí habrás oído hablar de ello? Que nos pusimos el nombre de Daisy Sisters cuando fuimos en bicicleta hasta Dalarna.

¿Daisy Sisters? ¿De qué está hablando? Eivor nunca ha oído hablar de ello. Pero, al mismo tiempo, no puede evitar aprovechar la ocasión...

–Nunca he oído nada acerca de aquel verano –dice apretando con fuerza su vaso–. Lo único que sé es que mi padre debió de estar por ahí en un rincón... En un rinconcito.

–Eivor –dice Elna indignada–. ¿A qué te refieres?

Pero es interrumpida por una carcajada de Vivi.

–Discúlpame –dice–. Pero me ha sonado tan gracioso... Un *rinconcito.*

–No le veo la gracia –dice Elna.

Pero no debería haberlo dicho. Porque de pronto, sin previo aviso, Vivi se enfurece, se inflama.

–Elna –dice–. Sinceramente, no entiendo por qué vienes a visitarme y estás de tan mal humor y no quieres hablar de nada. Porque debes de haber sido tú quien ha querido viajar hasta aquí, puesto que somos nosotras dos las que nos conocemos. No entiendo dónde está el error. Cualquier cosa que digo te incomoda. Si vas a seguir así, creo que es mejor que volvamos a casa cuando pare de llover.

Elna palidece. Se queda inmóvil mirando el tablero de la mesa. Eivor cree por un instante que va a echarse a llorar, pero simplemente está ahí sentada, inmóvil, desamparada...

Como es natural, Eivor enseguida empieza a sentir lástima por ella. Siempre le pasa cuando su madre no puede contestar, aunque sea un defecto de ella, aunque se enfade por nada. Siempre ha sido así y seguramente siempre lo será. Cuando Elna se enfada, Eivor pide disculpas en silencio, porque podría no haber nacido...

De repente se abre la puerta de la cervecería. El diluvio ha pasado.

–Sal un rato afuera –le pide Vivi a Eivor–. Nosotras nos quedamos aquí. Sabes cómo volver, ¿verdad?

Sí, claro que sabe. Pero justamente ahora no tiene ningunas ganas de irse. A menudo estar sola es lo que más desea, arremeter sin ayuda contra lo desconocido y extraño. Pero no ahora. No cuando parece que a su madre le haya dicho alguien que no vale nada.

Pero Vivi parece decidida, evidentemente quiere estar a solas con Elna, así que Eivor se levanta y sale a la calle.

Al salir se cruza con un hombre que lleva un mono encima del hombro. Ella se sobresalta cuando pasa por su lado y la atrofiada cara de viejo del mono casi roza su pelo.

Vivi quiere estar a solas con Elna. Se ha puesto hecha una furia, Elna se ha quedado paralizada, se ha hecho inexpugnable, y ahora Vivi va a tratar de solucionarlo todo. Pero ¿de qué van a hablar?

Eivor siente curiosidad. Le hubiera gustado oír, pero no se lo permiten. Y Elna nunca va a decirle nada. Cuando vuelva, Elna estará probablemente como de costumbre, como si no hubiera ocurrido nada en absoluto...

Eivor deambula por las calles, mira los escaparates, la gente. Pero piensa: «¿De qué estarán hablando? ¿De algo que no me incumbe? ¿O de algo que es mejor que no lo oiga?». Ser niña y adulta a la vez, para agradar a los adultos que ya ni siquiera guardan el recuerdo de su propia juventud...

Ser adulto implica, evidentemente, olvidarse de que cuando eras niño o adolescente sabías mucho más de lo que creían los padres...

¿Y si ella fuera a otra cervecería y se emborrachara? Tiene un billete de diez coronas en su monedero y parece mayor de lo que es, si es que en este país hay algún límite de edad para consumir bebidas alcohólicas. ¿Y si lo hiciera y luego volviera dando traspiés?

¿Y si no volviera nunca? ¿Y si desapareciera en medio de la calle, una desaparición de esas que luego contarían una y otra vez durante las largas tardes de invierno? Como Viola, la que se puso el abrigo para ir al cine y nunca más volvió y luego ha sido vista por todo el mundo, pero no ha dado nunca señales de vida. ¿Y si disolviera toda su identidad aquí en medio, reuniéndose con las personas desaparecidas...? Tal vez esté rodeada de personas que han desaparecido antes precisamente en esta calle. Personas que han ido a comprar leche o a ver si la verja está cerrada y luego dejan de existir. Esos rostros que ha visto en los periódicos, en los anuncios de personas que se buscan, con unos ojos que parece que siempre quieren contar algo...

Así que ellas pueden quedarse allí sentadas con su pena y su culpa y dentro de treinta años ella puede volver y decir que es verdad, que el paseo fue más largo de lo que había pensado... ¿Qué ha hecho? No, eso es asunto de ella, su modo de sancionar conversaciones secretas en una cervecería...

Obviamente, la idea es descabellada, pero no puede evitar que le atraiga y le quema por dentro. Desaparecer en el mundo. Convertirse en un enigma...

Se detiene ante las escaleras que llevan a la cervecería. ¿Qué hace? ¿Baja? ¿Ha estado fuera el tiempo suficiente? No, no lo cree. Se dirige de nuevo a Ströget, da la espalda a la gente y se pone a mirar lo que está expuesto en los escaparates...

Cuando finalmente vuelve a la cervecería, todo está tal y como esperaba. Elna sonríe y todo es como de costumbre. Ni una palabra, ni una señal que indique que ha ocurrido algo más, aparte de que hayan bebido otro par de cervezas.

–Elna y yo hemos estado hablando –dice Vivi y Elna asiente. Eivor no se atreve a preguntarles de qué han hablado, de todos modos no se lo van a decir. Pero le alegraría que su madre no volviera a ponerse de mal humor. Dejemos que mantengan sus secretos, así ella podrá tener también los suyos... ¿Por qué habría de interesarle saber de qué han estado hablando? *Realmente,* tener curiosidad es incómodo, pero ya se le pasará. ¡Claro que se le pasará!

Y así deambulan por Copenhague con sus distintos secretos. Elna ha reconocido su mal humor: se arrepiente, no quiere ser vieja con sólo treinta y dos años. Vivi escucha y dice que sí, lleva razón, *siempre* puede hacerse algo. Con ganas y alegría, pueden ventilarse y solucionarse la mayor parte de las cosas. Ella, que casi siempre siente las turbulencias del mar en su interior, lo sabe bien. Caer sin cesar en la escalera, pero levantarse siempre y esforzarse en seguir subiendo, no importa adónde nos lleve, sólo continuar...

Y Eivor ve en su interior la imagen de su cara como una foto de búsqueda y captura en un periódico. Una desaparición que deja pena y culpa.

Vivi va entre la madre y la hija y las lleva cogidas a ambas por los brazos. Ya no llueve y ellas andan y andan, miran y hacen comentarios, preguntan y responden. Cuando empieza a caer la tarde regresan con el barco, y Elna no pregunta ni una sola vez cómo les habrá ido a los hombres que han dejado totalmente solos en Malmö...

¿Y cómo les ha ido a ellos? Pues parece que ese día de julio ha sido el esperado día de las cervecerías, ya que, a falta de alternativas y por común acuerdo con Anders, Erik se ha tomado la molestia de buscar un café donde han podido pasar el tiempo en torno a una inagotable reserva de botellas. Han estado sentados allí hablando de tonterías y escuchando ese peculiar acento de Escania, comiendo picadillo de tripas, bebiendo y orinando. La borrachera es leve, apenas perceptible. Pero está ahí corroborando lo deliciosa que es la irresponsabilidad: estar libre, volar y maldecir todos los trenes de mercancías con los frenos bloqueados por el hielo...

–ASEA –dice Erik por enésima vez. Anders ya ha perdido la cuenta–. Aquellos malditos italianos en calzoncillos estaban sentados bebiendo vino, ¿no?

–Así es –dice Anders.

¿Qué va a decir? En Suecia no se ponen a beber fuera de la tienda de campaña en *calzoncillos,* y menos aún vino.

–Gitanos –dice Erik.

–Tal vez no lo fueran exactamente –masculla Anders.

–Claro que eran gitanos –insiste Erik. Y entonces ya no vale la pena contradecirle. Sin duda eran gitanos italianos que estaban allí gritando.

–¡Qué suerte no trabajar allí!

¿Realmente no hay suficientes suecos que puedan trabajar allí? ASEA construye las jodidas locomotoras eléctricas. Es una empresa de renombre. Extraño, muy extraño...

Otra cerveza. Hace calor en Malmö.

–Vaya cómo entra –dice Erik levantando el vaso.

Esa noche duermen en el apartamento de Vivi, en colchones y camas plegables. Todos han aprovechado bien el día, aunque parece que ninguno tiene nada que contar.

Pero dos de ellos no pueden dormir durante toda la noche. Anders (a quien Vivi ha mandado a su propia habitación y cama) y la propia Vivi, sobre un colchón que ha puesto en el suelo de la estrecha cocina. Ellos permanecen despiertos escuchando los pájaros que cantan en la noche de verano.

Un día después inician el viaje de vuelta a casa, y a pesar de que no tienen prisa, Erik no para hasta que llegan a Hallsberg. Es como si existiera un límite del tiempo que puede soportar fuera del trabajo sin tener cargo de conciencia.

Anders sale del coche y estira sus entumecidas piernas. Ve su casa y piensa que ahí va a morir. Pero no deja traslucir nada de lo que piensa, sólo toma su maleta y les da las gracias por permitirle que les acompañara.

–No tiene importancia –dicen ellos.

¡Pero claro que la tiene!

El gato está sentado en la escalera esperándole. En silencio, impenetrable.

–Ya estamos en casa –dice Erik, después de sacar todas las cosas, cerrar el coche y darles el beso de buenas noches.

–Mañana escribiremos al taller de costura de Jenny Andersson –dice Elna.

Y Eivor asiente.

Unos días antes de que acaben las vacaciones, Elna recibe una carta de Vivi.

Cuando se sienta en el sofá a leerla, Eivor mira de reojo y ve que al final de la carta pone: ¡Buena suerte!

«¿Buena suerte con qué?», piensa ella. «¿Con qué?»

Pero, naturalmente, no obtiene respuesta. Elna sólo dobla el papel, lo mete en el sobre y dice que Vivi le envía saludos.

–¿Qué te ha parecido? –pregunta a su hija.

–Bueno... Bien.

–¿Nada más?

–No. Bien.

–Es mi mejor amiga. La única que tengo.

–Sí...

–Realmente lo es.

Lunes por la mañana. Eivor se despierta en su alcoba y oye a Erik moverse por la cocina. Son las seis y él tiene que ir al apartadero. Ella le oye canturrear en voz baja mientras trajina con la cafetera y la panera.

«¿Se puede estar tan contento de volver al trabajo?», piensa ella. «Si es así, quiero empezar mañana a trabajar con Jenny Andersson.»

Después de que Erik se haya marchado y cerrado la puerta, ella se queda un momento en la cama, intentando imaginarse el taller de costura antes de volver a dormirse.

El otoño empieza a hacer su aparición en los bosques de Närkinge. Ha llegado septiembre, el mes de las bayas. Cada vez oscurece más temprano por la tarde. Con las heladas matinales, el gran silencio blanco está cada vez más cerca. Y con él aumenta el desasosiego de Eivor. Cada vez le resulta más difícil envolverse en los frágiles sueños y mantenerse ajena a la realidad, que parece deslizarse por las rendijas de las ventanas y posar sus dedos, fríos e invisibles, sobre ella, arañándole el corazón con sus uñas sucias. Cose con Elna durante el día, entonces no piensa, sólo se concentra en que las costuras salgan rectas. Todo lo que se oye es el ruido de la aguja, el pedaleo de los pies y el murmullo de la voz de Elna cuando hace algún breve comentario. Pero con el crepúsculo vuelve la preocupación...

El tiempo va arrastrándose hacia el primero de octubre, lento como un soldado aterrorizado en zona enemiga. En el almanaque de cocina que cuelga encima de la chimenea, Eivor marca los días con una cruz. Otra vez tres semanas, el tiempo es un caracol que te irrita. Ella no puede hacer otra cosa que esperar. Pero a la vez ha empezado a preocuparse. ¿Es realmente eso lo que quiere? ¿Aprender a coser en casa de una costurera en Örebro, por un sueldo que ni siquiera le alcanza para la ración diaria de cigarrillos sueltos John Silver? No lo sabe, ni siquiera sabe cómo solucionar el problema mentalmente. ¿Cómo va a arrepentirse de una cosa que no ha hecho todavía?

Pero algo le asusta, algo que no marcha bien. Las cornejas aparecen en bandadas negras que asedian el serbal que se encuentra ahí plantado, como si vigilara y a la vez dividiera el bloque de viviendas y la agazapada casa de madera de Anders. Ella está en la ventana presionando la nariz contra el cristal. Todo es gris, las cornejas picotean, y el desmejorado gato de Anders se restriega en silencio contra las piedras que hay al pie de la casa de madera.

Ella se estremece, tirita. El frío interior. Ser adulta sin saber cómo tratarse a sí misma. Una realidad y unos pensamientos que chocan continuamente con sueños, sueños de vigilia, sueños nocturnos. En los sueños todo es tan sencillo, ella los dirige como quiere. Pero, en cuanto abre los ojos, las pesadas nubes están ahí, y el cristal de la ventana sobre el que apoya su nariz está tremendamente frío, frío como la muerte... El otoño comienza y dentro de Eivor hay un buque de guerra en marcha todo el día. ¿No hay ningún camino, ninguna puerta secreta que revele la entrada a un túnel que pueda conducirla a un mundo que al menos tenga *algún* parecido con los sueños? ¿Y que no lleve al edificio blanco de la estación de Örebro?

Va a visitar a Anders cada vez menos. Pero a la hora de comer hablan de él en la mesa, que parece que cada día bebe más, que deberían hacer algo. ¿Pero qué? Él es inaccesible, no daría resultado tratar de presionarle.

Eivor lo ve en ocasiones, como una sombra grisácea cuando se desplaza en la cocina sobre sus piernas doloridas.

Al verlo se echa a llorar de repente. Pero únicamente si está sola, cuando Erik se encuentra en el ferrocarril y Elna ha salido a hacer algún recado. Si no no lo hace.

Septiembre. La primera tormenta de otoño. Anders está sentado en la cocina con una camisa rota alrededor de la mano. Se ha caído y se ha cortado con una lata de conservas que había en el suelo. De repente le fallaron las piernas cuando iba a hacer café, como si todas las fuerzas que le quedaban hubieran desaparecido, dejando sólo tras de sí una piel muerta, un esqueleto que es como las ramas secas del otoño. Tarda un rato en levantarse. En realidad tiene ganas de quedarse en el suelo, pero sabe que no ha llegado tan lejos aún. Sin duda le gustaría dormir, pero volvería a despertarse. Y entonces se levanta, va tambaleándose a la cocina y envuelve con la camisa la mano que sangra. La tormenta arranca algunas tejas del tejado, azota y golpea las paredes de madera pesada. Él está sentado en la oscuridad y siente la fría corriente que entra por las ventanas. Sigue sentado sin pensar en nada, esperando en su mausoleo...

Cuando nota la mano sobre su hombro, cree que es la muerte la que está ahí. Siempre se la ha imaginado así, como una mano inesperada que llega de atrás, el último policía de su vida...

Pero es Lasse Nyman, que ha regresado. La puerta que da a la calle estaba abierta, la tormenta ha ahogado sus pasos y, en la oscuridad, Anders, que tiene la mirada turbia, no ha visto nada.

Así que no es la muerte sino Lasse Nyman, que se sienta frente a él.

–¿Te has asustado? –pregunta en voz baja.

–No –contesta Anders–. ¿Y tú?

–¿Por qué iba a asustarme?

–No lo sé.

Lasse Nyman lleva una bolsa de papel con unas botellas de cerveza. Anders sacude la cabeza, él sigue con su aguardiente rojo. Pregunta a Lasse si tiene hambre, como cuando llegó la primera vez. No, no quiere comida, tiene sus botellas de cerveza.

–Estás vivo –dice Anders.

–¿Qué diablos creías?

–Me lo he preguntado a veces.

Lasse Nyman le cuenta que ha sido un infierno de principio a fin, pero se las ha arreglado, no le han pillado y es lo único que importa. Ha dormido por ahí, en sótanos, en hoteles cuando tenía dinero. Pero Anders percibe que está más amargado aún que cuando estuvo allí la vez anterior, le dominan más el odio y la desesperación. Tiene el rostro pálido y duro como el yeso, la chaqueta negra de cuero cuelga sobre su cuerpo flaco.

Le dice que ha venido en coche. Un Volkswagen que robó hace unos días en Södertälje.

–De la puerta de una capilla –agrega riendo con sarcasmo–. Ya pueden ponerse de rodillas a rezar. El coche es tan malo que habría que devolverlo.

Lo ha dejado en el aparcamiento de la estación y ha ido andando el último tramo hasta casa de Anders.

–¿Adónde vas? –pregunta Anders.

Tiene la cara rígida, los ojos desorbitados de miedo y dolor. Se asombra de que ese cuerpo escuálido pueda soportar tanto sufrimiento. ¿Cuánto va a durar sin quebrarse?

–Nunca me atrapan –dice–. Nunca. Mañana me marcho. ¿Puedo dormir aquí esta noche?

–La cama está donde siempre.

Lasse Nyman no tiene nada más que decir. Sólo está cansado.

–Ve y acuéstate –dice Anders–. Yo me quedo aquí sentado.

–Igual que antes.

–Exactamente igual.

Por la mañana, Lasse Nyman le pide a Anders que vaya a buscar a Eivor. Anders vuelve a ponerse alerta por un momento.

–¿Por qué? –pregunta.

–Sólo quiero saludarla.

Cuando Lasse Nyman habla de Eivor suena tan tierno de repente. Sí, Anders intentará dar con ella cuando vaya al establecimiento de bebidas. Tiene que salir a comprar bebidas a pesar de sus doloridas y débiles piernas.

–Yo iría con gusto –dice Lasse Nyman–. Pero no quiero que me vean. Soy un animal nocturno.

–¿Sólo a Eivor?

–Sólo a ella.

Anders la ve en la ventana de la cocina. Se pone junto al serbal y agita la mano saludándola. Una bandada de cornejas alza el vuelo sobre la cabeza de él. Ella le devuelve el saludo, y poco después entiende que él quiere que salga al patio.

La mira a los ojos y de pronto piensa que le recuerdan a los de Miriam, tienen el mismo brillo.

–¿Qué haces? –pregunta Anders–. ¿Estás sola en casa?

–Sí. Mamá ha salido a comprar.

–Tienes visita.

Ella lo comprende enseguida, se pone rígida y nota que tiene palpitaciones.

–Ve a mi casa –dice él–. Llegó anoche y quiere saludarte.

Cuando vuelve después de comprar las bebidas, han cerrado la puerta de la habitación, exactamente como él esperaba. Pero esta vez no se irrita. Al contrario, por primera vez en mucho tiempo puede sentir en su interior algo cálido. Una sensación divina.

Eivor y Lasse salen al cabo de unas horas, Eivor se va a casa y Lasse Nyman se sienta frente a él junto a la mesa de la cocina.

–Me marcho esta noche –dice.

Anders asiente y le pregunta si necesita dinero.

–Claro que sí. Algunos billetes de diez para gasolina... –Anders le da un billete de cincuenta coronas, todo se repite.

–¿Habéis podido hablar?

–Sí.

–Ella va a empezar a trabajar en Örebro dentro de unas semanas.

–Me lo ha dicho.

Lasse Nyman quema todo su almuerzo, a base de huevos y salchichas. Anders observa su rabiosa e inútil lucha con la sartén. Él sabe hacer un puente en los coches para robarlos, mezclar las cartas de una baraja con habilidad, pero la sartén es como un gato que da bufidos entre sus manos.

–¿Cómo te va a ti?

–Ya ves.

–Bebes demasiado. Tendrías que dejarlo.

–¿Por qué?

Lasse Nyman se encoge de hombros. No, porque... Es lo que suele decirse.

–¿No comes nada?

–Muy poco.

–Si no comes, te morirás.

–Me moriré de todos modos.

–¡Bah!

Lasse vuelve a ponerse en marcha hacia la medianoche. Llueve y hace mucho viento. Está de pie en medio de la cocina y se cierra la cremallera de la chaqueta de cuero. En los pies lleva botas de goma marrones.

–¿Qué has hecho con los zapatos? –pregunta Anders, más que nada por tener algo que decir como despedida.

–No lo sé. Han desaparecido.

–Buena suerte.

Él inclina la cabeza y se marcha, desaparece en la oscuridad.

Anders vuelve a sentarse solo con su tormenta. La mano con la que agarra el vaso es la única parte de su cuerpo que se mueve de vez en cuando. No puede comprender que el corazón lata todavía.

¿Será porque no se ve?

A las diez de la mañana, Elna entra en la cocina de Anders. Está pálida y tiene el pelo alborotado. Lleva en la mano un papel arrugado.

–Eivor se ha ido –dice con voz temblorosa–. He encontrado esta nota.

Ella lee, Anders se da cuenta de que está a punto de llorar.

«No debéis preocuparos. Me las arreglaré bien. Pero si denunciáis mi desaparición, no volveré nunca. Nunca.

»Eivor.»

–¿Estuvo ayer aquí? –pregunta ella.

–Sí, así es. Lasse Nyman volvió.

–Dios mío... ¿Se ha ido con él?

Anders logra mantener la cabeza clara a pesar de los ruidos y aullidos que oye en su interior. Así que ella se ha ido, se han encontrado en alguna parte en la oscuridad y han desaparecido de Hallsberg en el coche robado. Pero no es posible que Elna sepa que Lasse es un delincuente juvenil.

Y rápidamente se decide, sin dudarlo.

–Era una sorpresa –dice él–. Pero... Siéntate. No tiene por qué ser tan grave. ¿Acaso es tan raro que los jóvenes se vayan unos días? Él... tiene coche. Seguramente volverán dentro de pocos días. No hay nada por lo que preocuparse.

Pero claro que está asustado. ¿Cómo puede tener la seguridad de que Lasse Nyman no la arrastrará a algo cuyas consecuencias ella no se imagina? Con la amargura, la desesperación de él. No, por supuesto que la situación es incómoda. Pero...

–Si no vuelve esta noche iré a la policía –dice Elna. El miedo resplandece en sus ojos.

–Espera al menos hasta mañana.

–¡Sólo tiene quince años!

–¿Solamente?

A sabiendas de que se equivoca, intenta convencerla de que espere al menos veinticuatro horas antes de ir a la policía. Pero ¿qué está defendiendo? ¿A Lasse Nyman? ¿Y a qué expone él a Eivor por tratar de impedir que haga la denuncia? ¿Que le revelen lo que es en realidad Lasse Nyman? ¿Otro arrebato de desesperación? Bueno, sin duda es esto último. Tiene que serlo...

Lasse Nyman está en situación de hacer cualquier cosa. Lo vio en su rostro la noche anterior. No estaba tan aturdido.

Elna quiere que le hable de Lasse Nyman. ¿Quién es? ¿Es de fiar? ¿Dónde vive en realidad? Él contesta lo mejor que puede, balbuceando, tratando de responder sin revelar nada. Pero la pálida mujer que está de pie en la cocina se transforma en una tigresa que defiende a su cría, la única que tiene, su hija.

–Espera al menos hasta mañana por la mañana –suplica.

–Si no está en casa esta noche a las nueve, iré a la policía –dice ella. Y, por el tono de su voz, deduce que no serviría de nada intentar convencerla de que espere hasta el día siguiente. Y da igual, hay que dejar que todo se descubra. La hora de Lasse Nyman debe llegar de todos modos, antes o después.

Tiene miedo. Pero prefiere no revelarle a Elna la situación. Él es demasiado cobarde, el miedo a las discusiones está en lo más profundo de su alma.

Ella se marcha.

Son las nueve de la noche.

Anders está sentado mirando fijamente hacia la mesa. De pronto presiente que va a ocurrir algo terrible, que tal vez haya ocurrido ya. Algo que no se puede evitar. Con manos temblorosas empieza a beber con desesperación, pero el miedo no cesa.

¿Qué va a pasar?

Cielo santo... Dios de los cielos...

Sí, cielo santo. Eso piensa Eivor también, pero con una precipitada sensación de liberación en su interior, cuando circulan durante la noche por las carreteras a través de bosques tormentosos y negros, evitando las zonas pobladas. Cuando Lasse Nyman le pide que le acompañe, no lo duda. Era lo que ella había estado esperando, con lo que soñaba. Cuando sale a medianoche, a escondidas, está tan ansiosa y expectante que tiene ganas de ponerse a gritar. Pero atraviesa sigilosamente la desierta comunidad, y en la oscuridad detrás de la iglesia está el Volkswagen con las luces apagadas. Lasse Nyman le abre la puerta y, arrancando bruscamente, se pone en marcha. Las oscuras carreteras salen raudas a su encuentro en medio de la noche, destellando en los faros. La lluvia reluce donde hay asfalto, y en las carreteras que no están pavimentadas salta la gravilla. Los neumáticos patinan y chirrían en las curvas. Lasse Nyman va inclinado sobre el volante mirando la lluvia. Conduce deprisa, muy deprisa, el fugitivo siempre tiene prisa. No dice nada excepto cuando le pide a ella de vez en cuando que le encienda un cigarrillo y se lo ponga a él en la boca.

¿Y por qué ella no lo hace? Fuma, diablos, fuma...

De pronto frena y se mete por un camino de troncos y apaga las luces del coche. Están en medio de la oscuridad más absoluta, ella nota el olor de la gomina del pelo de él.

–No soy ningún asqueroso vendedor de coches –dice de repente, con vehemencia, como si hubiera sido atacado por alguien en la oscuridad–. Estás en el coche con un fugitivo. Sólo para que lo sepas. Si quieres te dejo en las afueras de Töreboda. Enseguida estaremos allí. Luego puedes hacer autoestop. Pero si no lo haces, tendrás que estar conmigo en todo. Decídete ahora.

–Quiero acompañarte.

Gira la llave de contacto, que emite un chirrido, y ya están otra vez de camino.

Ahora tiene una meta, ahora va a demostrarle cómo hacer las cosas para apañárselas en este mundo. Sólo con que ella viera lo que tiene debajo del asiento del coche...

En Skövde apenas les queda gasolina, el indicador está por debajo de la línea. Pero ya va siendo hora de cambiar de coche, hay que devolver el que robó en la puerta de la capilla. También es el momento idóneo de la noche para dar el golpe. Por otra parte, robar un coche es algo que puede hacerse con más facilidad durante el día, sin ser molestado, a plena luz del sol. Por la noche todos los movimientos son sospechosos. Pero debe hacerlo ahora, ya no tiene ganas de rebajarse conduciendo por ahí con ella en un Volkswagen... Dejan el coche y empiezan a caminar hacia el centro. Si se acerca un coche, él la lleva rápidamente hacia la oscuridad. Es cauteloso y ella le sigue muy de cerca.

Antes de que él cerrara la puerta del Volkswagen y se metiera las llaves en uno de los bolsillos exteriores de la chaqueta de cuero (colecciona las llaves de los coches que no ha tenido que puentear, son sus trofeos), ella ha visto que escondía algo dentro de la chaqueta. ¿Pero qué? No le pregunta, se limita a seguirle en absoluto silencio.

Hay un Ford Zephyr en una calle oscura. Es uno de los modelos que él ha puenteado anteriormente, no es un coche de primera clase pero, de cualquier modo, supone una mejora comparado con el Volkswagen. El Ford es verde, tiene el capó blanco y está en medio de dos farolas, en la zona más oscura.

–Quédate aquí –le dice a ella empujándola hacia una pared.

Desde allí, ve que él cruza la calle en diagonal y se pone de rodillas junto al asiento del conductor. Ella puede oír un leve ruido metálico cuando él abre la puerta con una ganzúa. Luego desaparece y, de pronto, oye que el motor arranca con desgana. Lentamente, el coche empieza a rodar calle abajo mientras él le hace señas con la mano a través de la ventanilla bajada. Y ella hace lo mismo que él, cruza la calle y se encoge todo lo que puede, luego salta al asiento delantero y de nuevo están en marcha. Un taxi pasa al lado de ellos, pero parece que el conductor no ve nada sospechoso. Lasse Nyman sale de la ciudad lo más rápidamente que puede, sin exceder el límite de velocidad establecido. Pero cuando llegan a la carretera, pisa el acelerador a fondo.

–El depósito de gasolina está lleno –dice él con una risa estridente–. Con eso llegaremos lejos. ¿Has mirado si hay algo en el coche?

–¿Qué puede haber?

–¡Yo qué sé! Mira, ¡es tu trabajo!

Ella busca en la guantera y en el asiento de atrás, pero todo lo que encuentra es una manta de viaje y un sombrero gris.

–Póntelo –dice él. Y ella, naturalmente, hace lo que le dice. Le queda grande y se le escurre hasta debajo de las orejas. Él se ríe y el coche patina sobre el asfalto.

–Te queda de maravilla. De maravilla...

Y luego, de nuevo el silencio.

–¿Adónde vamos? –Eivor ve distintos nombres. Axvall, Skara, Götene. Ha oído hablar de Skara, como es natural, pero los demás nombres que dejan atrás como flechas le resultan desconocidos.

Se sienta y lo mira a hurtadillas. Parece tan diminuto detrás del volante; y su rostro, tan pálido y rígido. ¿Tenía ese aspecto realmente cuando lo vio por primera vez? El recuerdo que guardaba de él era del todo distinto. ¿Habrá sido también una visión? Le enciende un cigarrillo y él aparta la vista al recibirlo. ¿De qué tiene miedo? ¿Se te pone una expresión tan desencajada sólo porque has robado un coche? Bueno, tal vez sí. ¿Qué sabe ella? De todos modos, no sabe nada de él... E ignora adónde van. Y parece que él también, porque a menudo frena en un cruce, duda y luego gira el volante, como si en realidad no le importara adónde ir.

Tiene que confiar en él, sea quien sea, ahora que ya ha dado el paso. Ocurra lo que ocurra...

El coche avanza a toda velocidad a través de la noche. Cuando empieza a amanecer, Lasse Nyman gira con brusquedad y se desvía de la carretera general, el coche traquetea al entrar en un sendero. Apaga el motor y se queda mirando en silencio a través del parabrisas.

–Coge tú la manta –dice después–. Vamos a dormir unas horas. Túmbate en el asiento de atrás.

Ella hace lo que le dice, sin rechistar, se desliza hacia la parte posterior y se envuelve en la manta de viaje. Antes de cubrirse con ella la cabeza ve que él se inclina sobre el volante. El pelo negro le llega a la nuca por encima de la chaqueta...

El frío la despierta. ¿Cuánto tiempo ha dormido? Ya es pleno día, el viento ha cesado, hace frío. Se sienta sin moverse apenas y mira hacia el bosque. Abetos pesados, un paisaje muerto. Lasse Nyman duerme con la frente apoyada en el volante. Murmura en sueños, suena como una mezcla de sollozos y blasfemias. Ella abre con cuidado la puerta trasera y va a orinar detrás de un abeto. Tiembla y tirita de frío. Cuando vuelve al coche y se mete en el asiento de atrás, él se despierta de repente. Se queda mirándola como si no supiera quién es. Luego consulta su reloj. Son las ocho y media.

–Tenemos que buscar comida –dice–. ¿Traes algo de dinero?

Ella sacude la cabeza. Él hunde las manos en los bolsillos y encuentra el billete de cincuenta coronas que le ha dado Anders.

En Moholm para el coche frente a una tienda que acaba de abrir. Le da el billete a ella.

–Entra tú –dice–. Compra pan y algo de beber. Págalo. Pero lo demás te lo metes en el bolsillo. Necesitamos el dinero para gasolina. Y no olvides los cigarrillos.

¿Qué es lo demás? ¿A qué se refiere? Entiende que tiene que robar, pero no qué. Pero él le grita que se dé prisa, que no quiere estar ahí más tiempo del necesario.

El tendero es amable. Entra en su tienda y canturrea mientras desembala el paquete de la mantequilla. Le pregunta qué necesita... Una barra de pan, un litro de leche... ¿No tiene un envase vacío? ¿Algo más? No. Ella le da el billete de cincuenta coronas y no tiene la menor idea de cómo comportarse. Pero recibe una ayuda inesperada, el tendero aún no ha tenido tiempo de poner el cambio en la caja y desaparece por una puerta trasera. Con el corazón latiéndole con fuerza, se mete un paquete de salchichas en el bolsillo y estirándose por encima de una vitrina de vidrio alcanza rápidamente dos paquetes de John Silver. Un paquete de Florida cae sobre un montón de bolsas de caramelos, pero no se atreve a colocarlo de nuevo, sino que pone una bolsa encima, y unos segundos después vuelve el tendero.

«Seguro que lo ve», piensa. «Me muero... No voy a conseguirlo.» Pero el comerciante sólo sonríe y le devuelve cuatro billetes de diez, uno de cinco y algunas monedas.

–Ha llegado el otoño –dice.

–Sí –masculla Eivor mientras sale. La campana de la puerta tintinea cuando la puerta se cierra.

Él está satisfecho, sonríe burlón cuando ella saca los cigarrillos y las salchichas y le devuelve el dinero.

–Ya lo ves –dice él–. No es difícil.

¿Que no es difícil? Todavía siente las palpitaciones, es la peor situación por la que ha pasado. Tiene ganas de decírselo, pero no se atreve. De repente se da cuenta de que Lasse Nyman le da miedo, y en ese momento también se arrepiente de haberlo acompañado. Pero ¿cómo va a volver a casa?

En las afueras de Moholm se quedan dentro del coche para poder comer y beberse la leche. Ella sólo prueba un trozo de pan y apenas bebe leche, pero Lasse Nyman tiene hambre. Rasga el envoltorio de las salchichas y se llena la boca, como si no hubiera comido en muchos, muchos días.

Y cuando han terminado con la comida y han tirado la botella de leche a la cuneta, Lasse se enciende un cigarrillo y llega el momento de la verdad.

–Necesitamos dinero –dice él fumando y resoplando al expulsar el humo por la nariz congestionada–. Dinero. Sin eso no podemos hacer nada. Sin dinero no se puede ni pensar. ¿Lo entiendes?

–Sí.

–No, no lo entiendes. Pero estás aprendiendo.

Él tamborilea nervioso sobre el volante, pensando en las cuarenta coronas que lleva en el bolsillo.

–Tú podrías seducir a alguien –dice al final, mirándola.

–¿Que podría qué?

–Buscamos alguna granja donde viva un viejo solo. Y luego entras tú y le dices que puede verte las tetas. Y meterte mano. Y luego entro yo y si no suelta su dinero le amenazamos con ir a la policía. Entonces puedes empezar a gritar que ha intentado violarte o algo por el estilo. Vas a ver cómo saca lo que tenga. ¿Entiendes?

Sí, claro que entiende. Se ruboriza, pero por dentro está completamente fría. ¿Qué quiere de ella en realidad?

–No voy a hacerlo –dice con voz temblorosa–. Quiero irme a casa.

Y luego se echa a llorar.

Él le pega, no con mucha fuerza, pero el golpe llega deprisa, una ardiente bofetada que procede de ninguna parte. Una bofetada, y otra más. Y luego está encima de ella, encaramado en el asiento delantero, la besa, apretándole los labios con fuerza a la vez que la acaricia y le saca los pechos y la empuja entre las piernas. Ella se defiende todo lo que puede, pero él es fuerte, el miedo le hace fuerte. Sin embargo, de pronto se abre la puerta y están a punto de caer del coche. Rápidamente, él se agarra al volante y tira de ella hacia dentro.

–¡Entra! –grita–. Por todos los diablos, puede venir alguien.

Y como no se da la suficiente prisa, se agacha sobre ella y la mete en el coche tirándole del pelo. Le duele tanto que se pone a gritar y a llorar y entonces él también empieza a gritar.

–Si no callas de una vez, te mato a golpes –aúlla–. Acaba ya...

–¡No me pegues más! Lo haré, lo haré...

Él pone el coche en marcha y conduce a toda velocidad.

–¡Cállate! –grita–. Cállate.

Ella deja de llorar, sin atreverse a hacer otra cosa, y se hunde en su rincón.

«Mamá», piensa. «Ayúdame...»

Lasse Nyman está desesperado. El largo viaje, el continuo desasosiego que le ha roído por dentro tanto tiempo, como ratas insaciables, ha hecho trizas sus nervios. Su corazón y su cabeza son como un sangriento ovillo de hilachas, una soledad recalentada que de repente amenaza con inflamarse como una botella de gas. La larga huida ha empezado a aturdirle. Cada vez más a menudo tiene la tentación de irse con uno de los coches robados a un camino de montaña para acabar con todo. Pero todavía hay algo que lo frena, algo que no sabe qué es.

Cuando oye que alguien llora se pone completamente histérico. No puede, es como si le quemaran con el ascua de un cigarrillo.

Sigue conduciendo. En una pequeña y apartada estación Gulf llena el depósito de gasolina, y luego vuelve a adentrarse por pequeños senderos.

Están en algún sitio en las afueras de Mariestad.

–Se hará lo que yo diga –dice–. Es mejor que te acostumbres.

Ella no contesta, no se atreve a contradecirle. Tiene una sola idea en la cabeza, ¿cómo va a librarse de él? ¿Cómo va a volver a casa, a alejarse de ese sueño que la ha engañado, causándole el mayor dolor que ha sentido en su vida?

Hay una granja en las afueras de Mariestad, ubicada en un sitio solitario, no lejos de Ullervad.

No sabe cuántas veces ha pasado Lasse Nyman por delante con el coche, despacio, y ha observado la vivienda con curiosidad. Es la tarde del 15 de septiembre de 1956. Han transcurrido muchas horas desde que intercambiaron las últimas palabras, los pequeños caminos forman un laberinto infinito en su interior. Aquí no puede huir, él la alcanzaría...

De pronto se abre la puerta de la casa solitaria, un hombre mayor sale y se dirige con paso cansino hacia el montón de leña. Lasse Nyman y Eivor siguen sus movimientos con la mirada.

–Si tuviera mujer, habría salido ella a buscar la leña –dice Lasse Nyman en voz baja. Sabe que no tiene por qué ser cierto, pero ahora ya no puede esperar más, debe entrar en acción. Se dirige a Eivor–. Haz exactamente lo que te he dicho. No obstante, si hubiera alguna vieja allí, pregunta sólo cómo ir a Mariestad y luego vuelve a salir. ¿Has entendido?

Ella asiente. Sí, claro que ha entendido. Sin embargo, él no puede ver lo que ella piensa: «¿Podrá conseguir ayuda para escapar dentro de la oscura cabaña, ahora que ha decidido huir?

Empieza a oscurecer. Lasse Nyman entra en el patio con el Ford y da la vuelta. Nunca aparca los coches que roba de tal modo que luego se vea obligado a dar marcha atrás y dar la vuelta para salir si hubiera que marcharse corriendo. Ha aprendido. Aunque aún no ha logrado alcanzar la fase culmen del fugitivo, o sea, la facultad de dormir con un solo ojo cerrado, sabe otras cosas: como que nunca hay que sentarse de espaldas a una puerta, y que no hay que poner la cara ni el morro del coche mirando en dirección equivocada.

Él asiente. Ahora ya puede salir.

¿Qué va a decir ella? ¿Qué va a hacer una vez que esté dentro de la casa? ¿Va a ponerse el dedo en los labios y decirle al viejo que guarde silencio?

¿No es lo que hacen en las películas que ha visto? Un dedo con una uña bien pintada contra unos labios igualmente bien pintados?

Ella no tiene esmalte de uñas y la boca hambrienta de Lasse Nyman le ha quitado la pintura de labios. Pero tiene un dedo...

Golpea la puerta y oye que alguien murmura algo impreciso desde dentro. Oye por detrás el zumbido del motor, el pie nervioso de Lasse Nyman sobre el acelerador.

En la cocina hay dos hombres sentados junto a la mesa del comedor. El hule es marrón y huele a mermelada y a remolacha. Son viejos, de pelo blanco, arrugados. Reconoce el olor a hombre viejo.

¿De dónde?

Sí, ya se acuerda. Huele como la cocina de Anders.

Y aquí va a tener que quitarse el suéter y la blusa, desabrocharse el sujetador y bajarse el pantalón.

Debe de estar loco.

–Socorro –dice ella–. Ayúdenme...

Eivor no sabe mucho del mundo. ¿Cómo van a entender lo que dice esos dos hermanos de setenta años, sordos y aislados? ¿Y qué van a hacer?

–¿Qué? –dice uno de ellos levantándose. Uno de los calcetines que lleva puestos está roto y por el agujero asoma el dedo gordo entumecido.

Ella mira a su alrededor en la oscura cocina. ¿No hay un teléfono? ¿Pero a quién va a llamar en caso de haberlo?

El que se ha levantado está ahora muy cerca de ella y la mira entornando los ojos. Ella desearía que fuera Anders. Pero no lo es. La única semejanza con él es el amargo olor a hombre viejo y los ojos entornados.

–¿Ha ocurrido algo? –pregunta el que está delante de ella. El otro permanece sentado a la mesa con el tenedor levantado.

Santo cielo, ¿cómo va a poder explicar a estos dos viejos lo que está pasando? Si al menos hubiera una mujer aquí, si Elna pudiera atravesar las paredes...

Él llegará pronto, en cualquier momento, y entonces tiene que estar desnuda... Debe de haber una puerta trasera, lo que sea, sólo desea no estar aún ahí cuando él entre en la cocina.

–La puerta trasera –dice ella y comienza a llorar.

¿No oyen lo que dice? Puerta trasera, PUERTA TRASERA...

Ahora también se levanta el que se había quedado sentado junto a la mesa, y en ese instante entra precipitadamente en la cocina Lasse Nyman.

Lleva un revólver negro en la mano.

–¿Qué diablos estás haciendo? –ruge.

Los dos hombres se quedan completamente paralizados, como dos estatuas que no entienden. Lasse Nyman va directo hacia el que está en la esquina de la mesa pellizcando el hule de color marrón y le empuja en el pecho con el revólver.

–¡Saca el dinero! –grita–. Deprisa, deprisa...

El hombre cae de espaldas por el impulso del revólver, se agarra al mantel y caen al suelo platos, fuentes y jarras. Entonces el otro hombre viejo, el hermano, emite un gruñido y se vuelve hacia Lasse Nyman levantando las manos, como escudo y como arma.

Lasse imagina el movimiento a sus espaldas y dispara a la vez que se da la vuelta, una vez, dos veces. El estruendo es espantoso, el anciano cae hacia atrás y se desploma en el suelo sangrando a chorros por la mejilla y el cuello.

Se intenta tapar la herida de la garganta con una mano, pero todo es en vano, la sangre empuja al salir del viejo cuerpo, la mano cae sobre el linóleo marrón, unos cortos jadeos y luego la gran quietud.

Pero entonces el otro, el que Lasse Nyman ha empujado al suelo, empieza a mecerse con la parte superior del cuerpo y a emitir gemidos y gritos de hombre viejo. Tapándose la cara, se lamenta de la muerte de su hermano. Ni una sola vez levanta la vista hacia Lasse Nyman o Eivor, para él solamente existe el muerto que yace en el suelo. No sale de su boca ni una sola acusación, y tampoco da muestras de miedo o asombro, sólo ese quejumbroso sonido gutural, como uno de esos pájaros abandonados en el bosque de los que hablan las sagas.

Eivor ve la muerte, oye el ruido sordo, el canto fúnebre que le sigue. Mucho después carga también con la sensación de que ha *oído* cómo la sangre y la vida se escapaban de la garganta del anciano. Pero eso sucede mucho más tarde. Con una mezcla de miedo e impotencia hace lo único que puede, sale corriendo de la cocina, abre de un tirón la puerta de la calle y empieza a correr para alejarse de la casa. En su cabeza ve caer al anciano, como un movimiento ininterrumpido que se repite una y otra vez. Nunca piensa que sólo se trata de una pesadilla de la que antes o después va a despertar. Lo que ha ocurrido es real, tan real como que ella va corriendo por el camino mojado y lleno de barro. Es real pero incomprensible, no va a entender nunca de qué se está alejando en realidad.

No ha llegado muy lejos cuando él la alcanza con el coche, y cuando frena en seco en el barro suelto, el coche patina y un golpe del guardabarros la hace caer al suelo.

–¡Entra! –grita él por atrás y ella se levanta y se mete en el asiento delantero, porque no se atreve a hacer otra cosa. Entre ambos está el revólver. Mientras el coche va dando tumbos, ella tiene tiempo de pensar que eso era lo que él escondía bajo el asiento del conductor, era un revólver lo que llevaba dentro de la chaqueta de cuero.

Él conduce como un poseso y eso es lo que es. Sabe lo que ha hecho, pero no por qué. Bueno, en realidad sí que lo sabe. Siempre hay que cubrirse las espaldas. ¿Cómo podía saber él que había dos hombres en la cocina? Y el que se levantó de la silla había alzado las manos para atacar. Todo lo que viene de atrás tiene que enfrentarse con la mayor rapidez y dureza posible, él lo sabe, eso es elemental en el arte de sobrevivir. El otro o yo, siempre el otro o yo...

Salen a la carretera principal, él se ve obligado a reducir la velocidad y conducir despacio, a pesar de que está destrozado y su conciencia sólo le pide velocidad, escapar lo más rápido y lo más lejos que pueda, volverse invisible.

–Estas cosas pasan –le grita a Eivor desesperado–. Supongo que comprenderás que estas cosas pasan. Él ha tenido la culpa. No tendría que haber intentado acercarse a mí a hurtadillas. ¿Entiendes?

Eivor no contesta, el miedo la ha enmudecido. Intenta concentrarse en la carretera, los coches que vienen de frente, el bosque, las casas. Pensar en algo totalmente distinto, imaginarse que está tumbada en su alcoba con la lámpara apagada, fantaseando algo agradable sobre su futuro hasta quedarse dormida sin darse cuenta. Pero no es posible, no puede evitar verlo ahí sentado, con su cara pálida. Mira sus manos, las manos de él agarrando el volante, los nudillos sucios y llenos de rasguños... Sí, él es real, es real...

De repente frena en seco y gira hacia el arcén. Saca un cigarrillo con las manos temblorosas y lo enciende.

–Mierda –dice–. Tenemos que volver.

¿Volver? ¿Allí? No, nunca. En tal caso prefiere que la mate de un tiro aquí en la cuneta. No va a volver.

Está a punto de echarse a llorar, pero se muerde los labios, no se atreve, tal vez empiece a pegarle otra vez. Mantenerse en silencio es su única posibilidad.

–El otro –dice él–. Nos ha visto.

Naturalmente, ella entiende a qué se refiere. El hombre que estaba sentado en el suelo gimiendo es un testigo. Y sabe que a los testigos hay que hacerlos callar, lo ha leído muchas veces en las novelas policiacas de las revistas, lo ha oído en la radio en los seriales de los viernes, y alguna vez también lo ha visto en el cine.

Para Lasse Nyman lo sucedido tiene otra causa, una defensa propia desesperada. Además está cada vez más encolerizado y siente odio hacia el hombre que gemía sentado en el suelo. Si hay alguien que tenga motivos para gritar en este mundo es él, Lasse Nyman. Pero no puede, porque entonces se derrumba. Y eso no va a hacerlo nunca. Los pobres imbéciles que se crucen en su camino, que se atengan a las consecuencias, así de sencillo.

Da la vuelta al coche.

–¡No! –grita Eivor.

Él gira la cabeza y le lanza una mirada rápida.

Luego sonríe con sorna.

Entonces ella se calla.

Pero cuando vuelven, no hay nadie en la casa. Lasse Nyman, que ha entrado precipitadamente en la cocina, la encuentra vacía. Llega demasiado tarde. Pero ¿adónde ha ido el viejo? ¿Se ha escondido? Abre la puerta de la habitación, abre de una patada la puerta de un armario, mira en una despensa que huele a mermelada, pero la casa está vacía. Igual que el establo, donde unas pocas vacas giran la cabeza con pereza cuando él entra corriendo y empuñando el revólver. Busca al anciano fuera, en el patio, trata de entender adónde ha ido. Pero es inútil, siente la amenaza procedente del bosque, el prado está vacío.

¿Se da cuenta de que ha llegado demasiado tarde? No, la idea sólo se desliza fugazmente por su cabeza, como una rata asustada, pero luego está listo de nuevo. Nada va a detenerlo.

Vuelve a entrar en la casa, rompe los cajones de una cómoda y, por primera vez en mucho tiempo, tiene lo que se llama suerte. Debajo de unos calcetines encuentra una pequeña caja de hojalata que contiene doscientas coronas en billetes. Se mete el dinero en el bolsillo, tira la caja al suelo y, antes de abandonar la casa, se lleva un pedazo de queso y media barra de pan que hay sobre la mesa de la cocina.

Siempre le entra hambre cuando tiene miedo. Entonces, si es posible, puede comer como un poseso, lo que sea, durante horas.

Cuando acaba de salir de la casa, oye el motor de un coche que avanza con torpeza en algún lugar distante. Escucha y deduce que es un coche que se acerca. Pero sin sirenas, despacio.

Eivor está sentada en el coche escuchando. No ha habido disparos y, cuando oye los pasos de él acercándose de nuevo, comienza a tener esperanzas de que haya cambiado de idea y no vuelva a disparar.

Obtiene respuesta cuando Lasse se sienta al volante, con la boca llena de queso.

–Se ha largado –masculla–. Y hay un coche en el camino.

El camino termina en el patio, la única posibilidad que tienen de escapar es retrocediendo. Y en una curva se cruzan con otro coche conducido por un hombre que va solo. En el momento en que pasan uno junto al otro, Lasse Nyman se agacha sobre el volante y Eivor, sin saber por qué, hace lo mismo.

La huida. En Lyrestad, Lasse Nyman carga el coche de gasolina y luego vuelve a ponerlo en marcha. Ahora sólo hay un sitio en la tierra al que pueda ir y, naturalmente, es Estocolmo.

Pero no se lo dice a Eivor. La deja estar, la deja que se esconda en su rincón del coche.

Se alegra de que le acompañe. Por lo general, lo peor de vivir una vida como la de él es estar solo.

Cae la tarde, han dejado Örebro y Arboga, y Eivor de pronto reconoce los sitios de su viaje en verano. La policía ha puesto la barrera de control a la salida de Köping. Aunque está colocada después de una curva cerrada para que no se vea, Lasse Nyman está preparado. Se lo esperaba y le extrañaba que no la hubieran puesto antes. Pero cuando de repente ve los coches negros de la policía aparcados a ambos lados de la carretera, y que la calzada está cortada, se queda pasmado durante unos segundos. Pero sólo los suficientes para que le dé tiempo a gritarle a Eivor que se sujete, apretar el acelerador hasta el fondo y atravesar la barrera lanzando las vallas y las señales en distintas direcciones.

«La barrera de clavos», piensa él. «Si han puesto barrera de clavos es el fin. Entonces tendré que disparar para salir.»

Durante unos segundos se queda paralizado por la angustia, esperando a que revienten los neumáticos y se vea obligado a detener el coche. Pero no ocurre nada y en el espejo retrovisor ya ha desaparecido la barrera.

–Nos encontraremos con más –dice excitado–. Pero nos las arreglaremos. ¿Te has dado un golpe?

No, no se ha golpeado. No le ha pasado nada. Sólo cerró los ojos, oyó los golpes y luego volvió a abrirlos. Cuando el coche está en movimiento parece que se siente más tranquila. Entonces no piensa, la cabeza está completamente vacía.

Lasse Nyman recurre de nuevo a los caminos del bosque. Él sabe bien cómo engañar a esos cabrones. Ellos pueden poner sus barreras, enviar sus alertas nacionales, él sabe lo que tiene que hacer. Como es natural, ellos creen que va camino de Estocolmo y llevan razón. Pero si se imaginan que va a caer en sus fauces están equivocados. Él sabe cómo comportarse. Su tocayo Lasse Bråttom dedicó muchas horas a enseñarle cómo librarse cuando estaban internados en Mariefred. Las barreras sólo se ponen en las carreteras principales y en Suecia cualquier núcleo urbano que merezca ese nombre tiene un montón de vías menores que llevan al mismo sitio. Lasse Nyman ha aprendido y ahora va a utilizar esos conocimientos. El primer punto en su orden del día es, obviamente, buscar un coche nuevo. El que llevan ahora ya no sirve pues la policía sabe el color y la matrícula.

Frena al llegar a Lindesberg y le ordena a Eivor que abandone el coche. Se mete el revólver en el cinturón. Ahora ya no se molesta en esconderse y pegarse a las paredes de las casas, ahora hay que moverse en las calles con la mayor naturalidad posible. No importa que la gente aún no se haya ido a dormir porque no es hora todavía. El primer coche que valga la pena y luego de nuevo en camino.

–¿Entiendes? –Él le cuenta sus planes rápidamente.

Ella sólo piensa en salir corriendo, dando alaridos, pero es como si la presencia del revólver se lo impidiera. Pero ¿sería capaz de dispararle en medio de la calle, en este sitio, como quiera que se llame? ¿Y por qué no iba a hacerlo? ¿No lo ha hecho ya, sin dudar, contra un hombre viejo que no podía causarle daño alguno? Ella le sigue con silenciosa sumisión.

En la Casa del Pueblo hay algún tipo de reunión. Se ve luz en las ventanas que dan a la calle y al otro lado de los cristales se vislumbran cabezas de hombres. Pero, sobre todo, hay varios coches aparcados frente al edificio y además algunos en la parte de atrás, a la sombra del edificio. Lasse Nyman se dirige con paso decidido hacia los coches que están aparcados en la oscuridad. Intenta abrir las puertas y la tercera manilla que toca cede, la puerta del coche está abierta. No importa que sea un Saab, ahora tiene que llevarse lo que encuentre. Cuando pasa un autobús por la calle pone el coche en marcha con un par de llaves de reserva que el propietario ha tenido la amabilidad de dejar en la guantera. Eivor se desliza adentro y se sienta al lado de él, Lasse Nyman hace un gesto cuando ve en el marcador de gasolina que queda menos de medio depósito, pero mete una marcha mientras maldice a alguien e inician de nuevo la huida. Hacia la noche, hacia la creciente oscuridad. Un largo rodeo, él piensa acercarse a la capital desde el norte. Por Lindesberg, Gisslarbo, Surahammar, pequeñas carreteras al norte de Uppsala, salir hacia Roslagen y bajar luego hacia Estocolmo. Así que pueden quedarse ahí esperando con sus asquerosas barreras. Porque ni se les pasa por la cabeza que un automovilista de camino a Mariestad llegue a Estocolmo desde el lado de Åkesberga. Para eso no tienen ni la inteligencia ni las barreras suficientes.

Es medianoche, están en alguna parte en Fjärdhundra. Él se mete con el coche en un camino forestal y apaga las luces. Ya no aguanta más, ahora tiene que descansar. Ha empezado a ver la carretera borrosa, ha derrapado con demasiada frecuencia y se ha pasado al otro carril. Pero aquí nadie va a encontrarlos. Además no tienen prisa por llegar a Estocolmo. Cuanto más tiempo tarden más probable es que retiren las barreras.

Están sentados en la oscuridad. Lasse Nyman fuma, Eivor permanece en silencio.

–Ahora hay orden de búsqueda y captura sobre ti –dice–. ¿Cómo te sientes? Bienvenida al club.

Le habría pegado si hubiera podido y tenido valor. No quiere ser una prófuga, no le gusta nada de lo que ha ocurrido.

Ella sólo quería ir con él al gran mundo para ver por fin cómo era. Pero él la ha engañado, no puede ser así. Esto es peor que lo que el sacerdote le había contado durante el cursillo preparatorio para la confirmación, cuando hablaba de los distintos caminos del pecado y de sus distintas apariencias.

Esto es una equivocación total. Carece por completo de sentido...

–Él no debería haberse abalanzado sobre mí por atrás –dice Lasse Nyman una y otra vez.

Eivor no puede creer lo que oye. ¿Es realmente consciente de lo que dice? ¿Qué tendrá dentro de la cabeza?

¡Ha cometido un asesinato!

De pronto siente que una de las manos de él avanza con torpeza por sus piernas. Se sobresalta, se pone totalmente rígida. Es como una serpiente fría que va reptando por el muslo, el vientre, entre los pechos, subiendo a su garganta. ¿Piensa estrangularla?

Él le aprieta la garganta con las yemas de los dedos.

–Aquí –dice–. Aquí.

–No –susurra ella–. No.

–No voy a hacerte nada –balbucea él en la oscuridad–. ¿De qué diablos tienes miedo? ¿No estamos juntos?

¿Juntos? ¿Ellos? ¿Qué quiere decir ahora? ¿Es eso lo que cree él, que están empezando a salir juntos sólo porque se ha ido con él?

Sí, ésa es precisamente la impresión que él tiene. Y ahí, en medio de la noche, siente un deseo irreprimible de que se lo confirme, de escurrirse en un mundo distinto por completo al que está acostumbrado.

Quiere que se vayan al asiento de atrás y ella no se atreve a hacer otra cosa que obedecerle, ahora no se trata de que no tenga voluntad propia. Está sometida por completo al miedo, a su humor cambiante y a sus deseos. Nunca va a olvidar lo que ocurre en el estrecho asiento de atrás del Saab robado, ni tampoco va a perdonárselo. En ese momento siente que la vida la ha decepcionado. No es sólo Lasse Nyman, que en el futuro sólo representará para ella un recurso inútil, sino que también sus sueños, lo que ella esperaba de la vida, se han desenmascarado. Nadie le ha advertido de que eso también es una posibilidad, nadie le ha dicho nada, no lo ha leído en ningún sitio y no lo ha visto en ninguna película. Es como si el mundo se despojara de todas sus cambiantes caras, las hubiera transformado en rígidas máscaras de muecas burlonas, y luego hubiera atravesado su corazón con un dedo frío como el hielo.

Ella se resiste todo lo que se atreve, no tanto como probablemente hubiera podido. Pero el temor por su vida se apodera otra vez de ella. Intenta suplicarle, implorarle, le pide llorando que la deje en paz, pero la rabia lo ha ensordecido. En un grotesco, retorcido y ondulante revoltijo de miembros medio desnudos, bragas rasgadas y con la fría chaqueta de cuero negro rozándole la cara, la penetra e inmediatamente llega al orgasmo, un espasmo que tiene más de dolor que de placer. Para ella es un dolor candente, tanto en la zona genital como en el corazón. Primero le ha visto matar a un anciano indefenso, luego la viola en el asiento de atrás de un coche robado. Así es su encuentro con la vida.

Cuando todo ha pasado, de pronto se da cuenta de que ella no es la única que llora, pues también en el interior de la fría chaqueta de cuero se oyen sollozos. Pero Lasse Nyman llora contra su voluntad, lucha contra las lágrimas como contra todos los que quieren atacarle. Nota que él le está arañando la espalda y, cuando ella no puede contenerse más y grita de dolor, cesa también el quejumbroso y abatido llanto de él. Entonces se suelta de un tirón, se arrastra hasta el asiento delantero y enciende un cigarrillo. Ella tira de su ropa para taparse en cuanto él la deja, y se esfuerza por evitar que la oiga o la vea llorar.

El coche se llena de humo. Ella oye el roer y el rechinar de los dientes gastados de él. No sabe cuánto tiempo transcurre, pero de repente siente que ya no le tiene miedo. Es como si él ya no pudiera causarle ningún daño. No puede ocurrirle nada peor que eso, ni aunque él dirigiera su revólver hacia la cabeza de ella y disparara.

–¿Por qué lo has hecho? –pregunta ella por fin rompiendo el silencio, sin que le tiemble la voz.

Él no tarda mucho en responder. Evasivo, mascullando.

–¿Qué? –dice.

–¿Por qué lo mataste? ¿Por qué no me has dejado en paz?

–No lo maté –farfulla él–. Le disparé.

Ignora la otra parte de la pregunta. ¿Qué demonios va a contestar a una pregunta que no tiene ninguna respuesta? Bueno, tiene una, la única. Pone el coche en marcha de nuevo y prosigue la desesperada huida. Ella permanece en el asiento de atrás, sólo desea dormir, y el movimiento de la parte trasera del vehículo la mece y la tranquiliza poco a poco.

Cuando se despierta, el coche está parado y reina un silencio absoluto.

Lasse Nyman está sentado en el asiento delantero con el revólver en la mano. Se ha metido el cañón en la boca. Está inmóvil con los ojos cerrados, mordiendo el cañón del revólver con los dientes.

Ella no sabe cuánto tiempo pasa hasta que él retira el revólver y lo deja a su lado en el asiento.

Lo que sí sabe es que ha estado todo el tiempo pensando que él no va a ser capaz de apretar el gatillo y quitarse la vida.

Él vuelve a poner en marcha el coche sin mirar a su alrededor. Al cabo de un rato, ella se sienta en el asiento trasero y finge que acaba de despertarse. Él la ve por el espejo retrovisor con ojos inexpresivos. Ha amanecido. El camino tiene un color grisáceo por la escarcha de la mañana.

Al nordeste de Uppsala en dirección hacia Östhammar se encuentran de repente con otra barrera de control. También aquí él se lanza sin dudarlo contra las señales de aviso, pero sólo cien metros más adelante hay dos alfombras de clavos en medio de la carretera. Una de ellas falla, pero la rueda delantera izquierda estalla cuando los clavos perforan el neumático. Desesperado, intenta mantener la velocidad a la vez que mueve y tira del volante para obligar al coche a que se mantenga en la carretera. Pero después de unos cien metros ya no es posible. Prepara el revólver y abre la puerta del coche para salir corriendo al bosque. Finalmente le ha llegado la hora a Lasse Nyman. Por distintos lados aparecen coches de policía con las sirenas sonando, dando frenazos, y antes de que ni siquiera haya tenido tiempo de levantar la pistola, Lasse está en el suelo derribado por varios agentes. Un perro policía aúlla muy cerca de él. A primera hora de la mañana todo ha pasado, y lo último que ve Eivor de él es que se tapa la cabeza con su chaqueta de cuero y que se lo llevan a rastras a uno de los coches patrulla. Él está mudo, no se resiste. Vuelve su rostro pálido hacia el otro lado y lo aprieta contra el pecho.

Y así se aleja.

En otro coche patrulla se llevan a Eivor. Va sentada en el asiento de atrás con un policía a cada lado. A ninguno de los dos le importa que llore.

La interrogan en una ciudad que tiene un palacio rojo sobre una colina, ella contesta lo mejor que puede a lo que le preguntan. Le sirven comida y café y sólo a veces se pone a llorar.

–Quiero irme a casa –solloza–. A mi casa de Hallsberg.

–Enseguida –le contestan–. Enseguida.

Y esa misma tarde la acompañan hasta un coche de policía que está esperando y que va a devolverla a casa. Lasse Nyman ha asegurado durante el interrogatorio que ella no tiene nada que ver con los hechos. Él es el único responsable. Para los policías no hay motivo alguno para dudar de lo que ambos han dicho. Los datos coinciden, el indignado hermano del hombre muerto tampoco ha dado otra descripción de lo ocurrido. Sólo hay una pregunta a la que ella no ha contestado con sinceridad. Es cuando el agente que la interroga le pregunta por qué entró ella sola en casa de los dos hermanos. Ella no dice lo que le había ordenado Lasse Nyman que hiciera, sólo se encoge de hombros.

–¿Para que la llegada de él causara más sorpresa? –sugiere el policía y ella asiente.

–Sí, por eso.

Él sigue tomando notas en el papel con rayas amarillas que tiene delante en la mesa de madera, y formula su siguiente pregunta. Ella responde facilitando todos los detalles que puede, pero cuando le pide que describa el momento de la muerte, ella empieza a llorar.

Sin embargo, al final ha dicho todo lo que tenía que decir. Es como si hubiera hablado de otra persona. No comprende que se trata de ella. ¿Lo hará alguna vez?

En el coche de policía se duerme, y cuando han pasado Örebro la despiertan, ya que pronto van a llegar. Además del hombre que está sentado al volante les acompaña un policía. Le pregunta si quiere que le deje un peine, si quiere arreglarse, pero ella sacude la cabeza.

–Te acompaño arriba –dice él–. No tienes que preocuparte. Ya ha pasado todo.

–¿Lo saben ellos? –dice ella.

–Denunciaron tu desaparición ayer –contesta él–. Antes no sabíamos lo que había ocurrido fuera de Mariestad. Bueno, saben que llegas a casa esta tarde. ¿Tienes miedo?

–No.

–Ya ha pasado todo.

Erik no está en casa. Elna le ha pedido que no esté presente y él se ha ido con el coche a conducir por las carreteras. Ella espera junto a la ventana y ve llegar el coche de policía.

Cuando Eivor aparece por la puerta, pálida y cansada, se echa a llorar y Elna la atrae hacia sí, y el policía que la ha acompañado las empuja discretamente hacia dentro para poder cerrar la puerta. Ha visto que las puertas de los vecinos de la escalera están entreabiertas.

Cuando Elna ha dejado de llorar y el alivio de que Eivor haya vuelto sana y salva ha convertido las lágrimas en alegría, le pregunta al policía si quiere una taza de café. Él dice que no, tiene que volver a Uppsala, es un viaje largo.

–Cuida a la muchacha –dice en tono amistoso.

Elna malinterpreta sus palabras.

–No he hecho otra cosa en mi vida –contesta–. He dedicado mi vida a cuidar de ella.

–Está bien –responde él–. Entonces no ha pasado nada. Hasta la vista.

Cuando se va y oyen desaparecer el coche calle abajo, Elna se sienta al lado de Eivor en el sofá y la abraza.

–¿Quieres algo? –pregunta. Eivor sacude la cabeza. No, no quiere nada, sólo desea dormir.

–¿Dónde está Erik? –dice extrañada.

–Llegará enseguida. ¿Estás segura?

–¿Cómo? No, no quiero nada. Y no me preguntes nada tampoco. Ahora no. Luego. Mañana.

–No diré nada.

En ese momento suena el timbre de la puerta. Ambas se sobresaltan. Eivor se pregunta por un momento si el policía habrá cambiado de idea, si estarán aquí para llevársela de nuevo.

Pero sólo es el viejo Anders, que está en la puerta con los ojos inyectados de sangre.

–No he podido evitarlo –dice–. Sólo quería saber si todo está en orden...

Se tambalea, ha bebido como un poseso desde que Eivor desapareció. Cuando supo por medio del aterrado Erik lo que había ocurrido y, dando tropezones, emprendió el camino hacia el quiosco para comprar periódicos, se apoderó de él una fuerte sensación de culpa. ¿No fue él quien metió una vez a ese loco en su casa? ¿No le dio cama, dinero, zapatos y Dios sabe qué más, en vez de enviarlo a la cárcel lo antes posible? No puede negarlo, y lo peor es que se imaginaba todo el tiempo que iba a ocurrir algo terrible. Se ha sentado junto a la mesa de su cocina, le ha dado una patada al gato, enfadado porque ni siquiera en sus últimos días puede aprender a juzgar una situación de un modo correcto. ¿Por qué tiene que ser tan condenadamente bueno? El mundo no retribuye la bondad, sólo paga con maldad...

Pero nada resulta fácil. Cuando oye en las noticias de la radio que Lasse Nyman ha sido detenido después de haberse saltado un control de carretera al norte de Uppsala, no puede sentir alivio alguno. Es como si todos sus agitados sentimientos se transformaran súbitamente, como si hubiera cambiado de religión o hubiera pintado su casa de negro. Entonces le embarga una pesada y corrosiva tristeza, y se lamenta de la vida perdida de Lasse Nyman. ¿Qué posibilidades ha tenido ese miserable en realidad? Ninguna, desde que nació su cabeza ha estado siempre bajo el hacha, y en los tiempos que corren en que todos creen que la vida va a mejor, para él tiene que ser como una burla continua. No, su dolor no se alivia.

Cuando está sentado en la oscura cocina y ve llegar a Eivor en el coche de policía, Anders no puede evitar ir a preguntar cómo se encuentra. Tal vez no sea la pregunta en sí lo que le interese, ni siquiera la respuesta. Lo que quiere ver es la cara de ella, es ahí donde él puede comprobar cómo le han afectado esos días que deben de haber sido una pesadilla demasiado prolongada. Se da cuenta de que ella está seriamente dañada, pero ¿de qué forma? Eso es lo que intenta comprender cuando está de pie en la entrada sobre sus doloridas piernas, tratando de aclarar sus enrojecidos ojos para poder distinguir la cara de Eivor, que está sentada en el sofá floreado.

–Está bien –dice Elna–. Está bien.

Él asiente con la cabeza. Asiente aunque en realidad quiere acercarse, pero se da cuenta de que Elna desea estar a solas con ella. Lo comprende, como es natural, y se marcha. Puede que ella no esté tan mal a pesar de todo.

«Lo averiguaré de algún modo antes de morir», piensa mientras baja con cuidado la escalera y se dirige a su solitaria casa. La noche es clara, las estrellas palpitan con su luz destellante. Se pone a mirarlas, pero al cabo de un instante se siente mareado y está a punto de caerse cuando llega titubeando a los últimos escalones de su casa. Se siente tan tremendamente cansado. Ya no puede más. Es la desolación, y ahora este desánimo y el dolor que siente como cargas añadidas.

–Por ti, pobre diablo –dice en voz alta para sí mismo brindando por la sombra invisible de Lasse Nyman–. Por ti, pobre desgraciado...

Cuando Erik llega a casa, Eivor se ha dormido. Elna le dice en voz baja en la cocina que hay que dejar a la muchacha en paz. Erik asiente en silencio. Claro que lo entiende.

–¿Cómo está?

–No lo sé. Cansada. Y excitada.

–¿Ha dicho algo?

–¿De qué?

–Bueno...
–Te digo que la dejemos en paz ahora.
–Sí, claro.
–¿Dónde has estado?
–En ningún sitio. Me he limitado a dar vueltas por ahí. Por ningún sitio en particular.

Por la noche, cuando Erik se ha dormido, Elna se levanta de la cama de matrimonio y va a la oscura habitación y se sienta con cuidado en el borde de la cama de Eivor. Ella se ha tapado la cabeza con la colcha, sólo se ve el pelo oscuro sobre la almohada. Pero respira tranquila.

Aun así, Elna se sienta allí hasta que empieza a amanecer.

En ese momento, cuando amanece también en Uppsala, Lasse Nyman toma impulso y golpea su cabeza contra la pared de la celda. Cuando llega corriendo el guardia que ha oído el golpe, se lo encuentra tendido en el suelo sin conocimiento. Pero no tiene el privilegio de morir. Todavía no ha sonado la hora en su reloj. La fisura de su cabeza va a curarse a tiempo para el juicio.

Va a vivir el tiempo suficiente para recibir su castigo. No le está permitido escaparse.

Una mañana, a mediados de noviembre, Anders se despierta en el suelo de la cocina, y con sus ojos amodorrados e inflamados ve que hay nieve sobre los árboles al otro lado de la ventana. Se queda tumbado sin moverse y cae en la cuenta de que el invierno le ha pillado por sorpresa, a pesar de que es lo único que estaba esperando. ¿Pero es tal vez precisamente por eso por lo que le ha pillado tan desprevenido? ¿Porque ha esperado con demasiada constancia? ¿Ha mezclado las cartas tan mal que ha confundido esperar con prepararse? Sí, habrá sido eso. Siente el frío del suelo de linóleo bajo su espalda, los pantalones están tiesos de los orines de la noche (hace más de un mes que abandonó sus pañales de plástico) y las piernas son como dos troncos entumecidos. Al despertar cada mañana sólo tiene ganas de seguir tumbado, inmóvil, resignado. Pero aún no ha llegado su hora, la sed de aguardiente siempre puede más, y se arrastra con dificultad hasta su silla junto a la mesa de la cocina.

El suelo está blanco. Una capa fina de nieve. Aquí y allá asoman las hojas marrones de otoño.

Su último invierno.

El gato llega de la calle y entra tranquilamente por la puerta entreabierta. Se sienta en medio del suelo de la cocina, justo donde Anders estaba tumbado hace un momento, y empieza a lamerse las patas delanteras con minuciosidad.

«Hacerse viejo», piensa Anders sirviéndose con manos temblorosas el primer combinado del día; «hacerse viejo es horrible. Pero es aún peor que sea imposible vivir más tiempo sin hacerse viejo. Salud.»

Es domingo por la mañana. O algún día de fiesta, una cosa o la otra. Lo ve en las cortinas cerradas de la casa de enfrente. Nadie ha ido a su trabajo, nadie excepto el pobre hombre que tiene turno de mañana en el ferrocarril. Reina una inmensa y silenciosa calma.

«¿Me moriré hoy?», piensa con indolencia. Lo hace cada día cuando se despierta, asombrado de estar todavía vivo. El corazón se queja y titubea detrás del esternón. A veces se lo ha imaginado como un trabajador vestido de rojo que sube arrastrando un saco enorme por una escalera interminable. Un hombre vestido de rojo al que lo que más le gustaría es echarse sobre el saco y dormir, dormir...

Pero curiosamente no lo hace, sólo sigue aguantando, obligándose a seguir, paso a paso.

No sabe lo que contiene el saco. Un corazón transporta sangre pero el saco contiene algo sólido. ¿Granito? ¿Chatarra? ¿Trozos de huesos?

Por la puerta de la calle entra aire, pero no se molesta en levantarse para cerrarla. El invierno puede olisquearle los pies. Él se las arreglará para engañarlo con el botín...

Esa mañana le duele la garganta. Traga intentando localizar el dolor. ¿Se habrá resfriado al estar en contacto con el frío suelo? (Por cierto, ¿cómo ha ido a parar allí? ¿Se tumbó él o sencillamente se desplomó? No lo recuerda.) Traga oprimiéndose con los dedos las amígdalas y la laringe. No, no hay infección de garganta, sin duda sólo se trata de una molestia de garganta común...

No deja de extrañarse de que se interese tanto, casi se preocupe por que le duela la garganta o tenga un pequeño hematoma. ¡Él, que está aquí matándose a beber! «Pero debe de ser eso», piensa, «que la muerte es demasiado grande para que podamos entenderla. Un hematoma o un dolor de garganta son otra cosa, suficientemente pequeña para ser inteligible.»

Está exhausto. Las horas pasan, bebe y dormita al lado de la mesa, vuelve a despertarse, se llena otro vaso, se queda dormido. El gato se encuentra a veces dentro cuando despierta, otras está durmiendo, a veces se lava, otras juega solo, caza una pelusa de polvo o lucha con una mosca muerta que hay en el marco de la ventana.

–Eivor se encargará de ti –le dice al gato–. Seguro que sales adelante.

El gato no contesta, no hace ninguna objeción.

Él se pone a pensar, otra vez, desde el principio. Saca las imágenes del fondo de su memoria, ve y oye que distintas personas y situaciones empiezan a interpretarse a sí mismas con movimientos bruscos, casi de forma involuntaria. Miriam está ante él, lleva su sombrero blanco con la cinta de seda azul. Sonríe y sostiene con una mano el sombrero para que no se lo lleve el viento. ¿Dónde están...? Le parece ver la iglesia de Masthugg... Sí, tiene que ser eso...

Luego vuelve a dormirse con la cabeza colgando sobre el pecho, la boca abierta, roncando, quejándose inquieto.

Cuando se despierta, Eivor está sentada enfrente de él en la silla de varillas, al otro lado de la mesa. Ha puesto ante sí un gorro rojo con borla. Anders lo reconoce del verano, pero entonces lo llevaba Erik.

Pero aparte del gorro, ella está como siempre. Tiene el mismo aspecto que cuando llegó de Uppsala en el coche de policía, una tarde de octubre hace un mes. El rostro se le ha endurecido, las facciones suaves e infantiles se han vuelto más serias. Como ahora, que lo mira con curiosidad.

–Estabas durmiendo –dice.

–Me lo imagino. No hago otra cosa.

–¿Molesto?

Él no contesta porque los dos saben que la pregunta es innecesaria. Aun así, cada vez que llega es como si tuviera que hacerla.

Lo de cada vez puede discutirse. Eivor ya no tiene tiempo tan a menudo. Desde hace dos semanas toma el tren a Örebro por la mañana, y cuando vuelve a casa por la noche está cansada. No sólo porque las jornadas de trabajo en casa de la costurera Jenny Andersson requieren toda su concentración y atención, sino también, y en igual medida, debido al espantoso viaje con Lasse Nyman. Aunque quisiera hacerlo, aún no le permiten olvidar, borrarlo todo, porque al menos dos veces por semana viene alguien de la policía que quiere completar alguna información, y otras veces llega alguna dama entrometida del Tribunal Tutelar de Menores que quiere verla y hablar con Elna y Erik. La pesadilla sólo ha empezado, se da cuenta de que va a pasar mucho tiempo antes de poder deshacerse de ella, si es que alguna vez logra hacerlo.

Ahora sólo puede borrar una parte de la pesadilla. La más difícil, la que le produjo más angustia, un temor que no ha podido confiar a nadie. Hoy está segura. Cuando se despierta por la mañana, hay sangre en la cama. Así que no se quedó embarazada en el asiento trasero del Saab. Y esas manchas rojas de la sábana representan un alivio tan enorme que casi se adormece de felicidad. Siente una felicidad silenciosa, un éxtasis abrasador.

Cuando está sentada en casa de Anders siente deseos de contárselo. Pero ¿por qué iba a hacerlo? ¿Por qué a él y no a Elna? Debe sobrellevarlo ella sola, no tiene con quién compartir su alivio, tendrá que ser un secreto involuntario...

No puede quedarse en la cama, tiene que salir afuera, a la nieve blanda, y va a casa de Anders.

–Me advertiste que tuviera cuidado con él –dice ella–. Pero no quise escucharte.

–¿Por qué habrías de hacerlo?

–Porque tenías razón.

–¿La tenía?

Ella lo mira con un indicio de asombro en la cara, y él intenta concentrarse en algo que en el mejor de los casos puede ser una explicación.

–Sólo quería que lo vieras tal como él era. Un muchachito infeliz que en toda su vida nunca había sido otra cosa más que un prófugo. Quería que descubrieras eso antes que nada, para que luego pudieras ver las partes buenas de él.

–Él no tiene partes buenas –le interrumpe ella contundente.

«Cielo santo», piensa él. «Tan joven y ya esa amargura. Dios mío...»

Él lo intenta de nuevo:

–Todas las personas las tienen.

–Hablas como un sacerdote. Él no tiene ninguna.

–Sacerdote o no. Hasta yo tengo mis partes buenas. Aunque no lo creas.

Le hace un guiño y ella se ríe. «Ya tiene la suficiente madurez como para entender la ironía», piensa él.

Realmente ha cambiado.

–Es una mierda enorme de principio a fin –continúa–. ¡Maldito sea! Si supieras. Si te contara...

–¡No lo hagas!

Él no quiere oír lo que ya sabe. Y se da cuenta de que no va a conseguirlo, es demasiado inexperta aún, demasiado joven para entender y apreciar la explicación que puede darle acerca de que también en la ortiga hay belleza necesariamente, que hay un aspecto redentor en el diablo.

–¿Cómo lo llevas? –pregunta en vez de eso. Es la más descolorida de todas las banderas que puede izar, pero no se le ocurre otra cosa que decir.

¿Que cómo lo lleva? ¿Pero qué se cree? De mil demonios, como es natural. Todas las miradas con las que se topa, el cuchicheo en la escalera. La sonrisa forzada de Elna, su amabilidad y consideración, que no parecen naturales. Las miradas evasivas de Erik y su campechana interpretación de hacer como si no hubiera pasado nada. Las viejas del Tribunal Tutelar de Menores y los policías... Sí, ¿qué cree él en realidad? Pero lo peor de todo es, naturalmente, que nunca va a poder superar que lo que ha ocurrido no es un sueño, sino algo real. Ella no tiene la culpa, ella sólo creía que iba a dar una rápida vuelta en coche por el cielo, pero él, sin previo aviso, la tiró abajo desde un puente negro, Lasse hizo su santa y aturdida voluntad. No, lo que más le duele es que de repente se ha quedado sin ilusiones para el futuro, sin sueños y sin anhelos. Viaja a Örebro y al taller exclusivo de Jenny Andersson sin el menor rastro de alegría. ¿Cómo va a poder vivir con eso?

–Se te pasará –dice él.

–Suena como si no creyeras en ello.

–Pero lo hago.

Ella se levanta y empieza a dar vueltas por la cocina. Se pone en medio y mira a su alrededor con asco, un gesto que no disimula en absoluto.

–Esto está asqueroso –dice.

–Sí –contesta él en voz baja.

–Y tú apestas. ¿No te lavas nunca?

Enseguida le pide perdón. No quería decir eso.

–Sólo dices las cosas como son –masculla él–. Pero hay algo que es peor aún.

–¿Qué?

–Que no me importa.

Ella lo entiende.

–No te estás muriendo, como tú te crees –dice ella.

–¿Por qué no?

–Porque yo no quiero.

–Hablas como una chiquilla.

–Sólo tengo quince años.

–Vas a ser una buena costurera, ya lo verás.

–No estábamos hablando de eso.

–¿Vamos a seguir hablando de que huelo mal?

–Si quieres puedo ayudarte a limpiar.

–No, gracias. Pero ¿podrías preparar un poco de café?

Siente que le pica y le arde la garganta cuando sorbe el café que ella torpemente ha logrado hacer. No sabe qué puede andar mal en la garganta...

–¿No estaba bueno? –pregunta ella cuando le ve gesticular.

–Sí, claro. Pero me duele la garganta.

–A mi madre también. Debe de ser algo pasajero.

–¿Ah, sí?

–¿No se resfría todo el mundo alguna vez?

–Sí...

–¿Quieres que me marche?

–¿Por qué iba a quererlo?

–No sé. Pareces tan... No, no lo sé...

–¿Amargado?

–Sí, tal vez. ¡Pero lo has dicho tú!

–¡Pero no lo estoy!

–¿Seguro?

–Maldita sea, mocosa...

Ella se queda sentada viendo cómo él va emborrachándose cada vez más. Está preocupado y no sabe los motivos. ¿Es el invierno que le ha empezado a mordisquear los dedos de los pies, como si quisiera recordarle la decisión que ha tomado? ¿O es otra cosa? No lo sabe, pero bebe más de lo habitual. No sólo aviva la borrachera diaria que siempre está ahí, sino que acrecienta el fuego y las brasas más incontroladas.

–¿Hoy es domingo? –pregunta confuso.

–Tú ya lo sabes.

–No sé nada.

–¡No bebas más!
–¿Por qué no iba a hacerlo?
–¡Ya estás borracho!
–Eso es bueno.
La conversación avanza dando tumbos. Ella se sienta y lo observa con ojos inquisitivos y parece que tenga todo el tiempo del mundo. Él no se escapa de los ojos de ella, y la preocupación está siempre en su interior, sin que él sepa qué es.
Es un domingo infernal. Inclemente.
–¿Has estado en la iglesia alguna vez? –pregunta él.
–Me confirmé el año pasado. ¿Lo has olvidado?
–Sí, lo había olvidado.
–Me diste dinero para que me comprara un helado. ¿O es que no te acuerdas?
–¿No fue cuando terminaste la escuela?
–Entonces también.
–Entonces..., parece que soy un viejo amable.
–¡Basta ya!
–¿Crees en Dios?
–No lo sé... Sí, tal vez. Un poco.
–¿Qué aspecto tiene?
–Eso no lo sé. ¿Tú crees en Dios?
–No, no creo en él. Sólo le tengo miedo.
–Es al demonio al que hay que tenerle miedo.
–Y sin embargo te vas con uno de sus hijos...
–Estás tan borracho que ya no sabes lo que dices. ¡No existe ningún demonio!
–Por supuesto que sí. Sin demonio no podría haber ningún dios. Entonces no tendría sentido. A propósito, ¿tú quién crees que creó a quién?
–Ésas son sólo historias que hay en la Biblia. ¿Pero se puede creer en Dios por eso?
–Por supuesto. Se puede creer en cualquier cosa. Pero son las personas las que crean los dioses. No al contrario.
–El sacerdote lo dijo al revés.
–Para eso le pagan.
–Él también cree en ello.
–Quién sabe... Pero me preguntaba en qué creías tú.
–¡Ya te lo he dicho!

–¿Lo has hecho?

–Estás tan borracho que no sabes lo que dices...

Sí, claro que está borracho, como una cuba. El mundo se balancea, le arde la garganta y los ojos le supuran. Pero en medio de esa incomparable decadencia de domingo por la mañana se ve afectado por una energía repentina e inexplicable. Intenta ponerse en pie, pero las piernas se le doblan y vuelve a caerse en la silla. Tiene que pedirle ayuda a Eivor y le dice que entre en la habitación y saque la maleta gastada que hay debajo de la cama.

–¿La que tiene una cuerda alrededor?

–Ésa. ¡Tráela!

–Retira algunas botellas vacías de la mesa y le pide que ponga ahí la maleta.

Quiere enseñarle algo. En el fondo de la maleta hay un pequeño estuche con unos pinceles sucios, colores, bigotes postizos, pelotitas de algodón pegajosas y un agrietado espejo de maquillaje.

Va a mostrarle cómo era él antes, cuando aún era una persona con vida.

–¿Qué prefieres ver? –pregunta–. ¿A un recluta divertido, a un faquir, o a Anders de Hossamåla?

–Lo último...

Ella siente curiosidad, él se da cuenta, y eso le da la fuerza que necesita bajo sus decrépitas y malolientes alas. Con manos temblorosas se abalanza sobre los colores y los pinceles inertes, tratando de transformar el rostro descompuesto que vislumbra en el espejo grasiento en el del loco joven y sonrosado que una vez, hace mucho tiempo, podía provocar la risa de la gente. Va despacio, los dedos apenas son capaces de sostener los pinceles, los colores se han secado y la saliva apenas puede disolverlos. Pero no se rinde y, poco a poco, va transformando su rostro. Ella está sentada mirándolo, con la cabeza apoyada en las manos. No sabe lo que quiere demostrarle a ella en realidad, pero no quiere borrar simplemente la inesperada energía y convertirla en algo sin sentido.

La máscara no le sale bien. Las pinturas tienen grumos, las líneas le quedan titubeantes, los contornos borrosos. No consigue que el bigote se pegue y cuando se introduce las pegajosas bolas de algodón entre los dientes inferiores y los labios para conseguir abultarse la mandíbula, le dan náuseas. Pero la máscara ya está terminada, no puede salir mejor, y se levanta con cuidado, agarrándose con firmeza al borde de la mesa. Se pone el apolillado chaleco floreado y da unos pasos vacilantes sobre el suelo de la cocina. Eivor gira la cabeza sin retirar las manos y lo mira con ojos interrogantes.

¿Qué diablos va a hacer ahora? Está intentando recordar alguna de los cientos de canciones que cantaba en sus actuaciones, pero parece que se han ido para siempre. Sólo recuerda fragmentos imprecisos, sin sentido, a veces ni siquiera la melodía. Nada, la máscara no le ha ayudado... Pero algo... Sí, ¡Kalle P, Kalle P!

«¿Quién es...? Sí, es Kalle P... ¡Kalle P!», entona con voz cascada. Cada palabra le araña en la garganta, pero él repite las dos primeras estrofas varias veces, una y otra vez mientras intenta recordar cómo continúa.

–Tendría que haber llevado un bastón –dice excusándose–. Y luego tendría que haber fingido que estaba borracho, no estarlo. ¿La reconoces?

Ella sacude la cabeza. Pero él es terco. ¿De verdad no la has oído alguna vez? ¿En la radio?

No, no la ha oído.

–¿Qué te parece? –pregunta él dándose cuenta de que se ha quedado sin aliento por estar tanto tiempo de pie sin apoyarse.

–¿Era así?

–Exactamente igual.

–¿Cuando actuabas?

–Sí.

–Parece un poco raro...

–¿Raro en qué sentido?

–Bueno..., como anticuado. De otra época.

–¡También lo era!

Él está a punto de caerse, las piernas le duelen tanto que quisiera llorar en vez de cantar, pero aprieta los dientes y vuelve a la silla dando traspiés. El gato se ha metido debajo de la cocina y maúlla amenazante a la extraña figura.

–¡Cállate, gato maldito! –ruge él soltando de golpe la maleta en el suelo. El gato desaparece por la puerta de la calle como una flecha negra.

–¿Por qué has hecho eso?

–Ese maldito gato...

–¿Por qué estás tan enfadado? A mí me ha parecido divertido. Sólo que tienes un aspecto tan raro...

–Ya puedes irte –replica malhumorado.
–¿Por qué te enfadas?
–No estoy enfadado. Sólo quiero estar solo.
Ella se encoge de hombros y se levanta.
–¿Estás seguro de que no quieres que limpie esto?
–Sí.
–En tal caso...
Cuando ella va a desaparecer por la puerta, él la detiene con un grito.
–¿Te encargarás del gato si muero?
–Por supuesto.
Y luego se marcha.
No se desmaquilla. Permanece sentado, sin fuerzas. No está enfadado y no sabe qué pretendía que viera ella. Además le duele la garganta, como si se hubiera quemado o hubiera bebido algo demasiado caliente.
–Dios santo –gime–. Dios de los cielos...
Oscurece, se hace de noche. El frío es cada vez más intenso y por fin se da cuenta de que tiene que cerrar la puerta de la calle si no quiere morirse de frío durante la noche. Su energía ha vuelto a desaparecer, va arrastrando los pies por la cocina apoyándose en la silla. Vuelve a ser como es habitualmente: débil, resignado. El maquillaje le oprime el rostro, ha escupido el algodón en el suelo. ¿Cómo diablos va a tener ganas de quitarse esa porquería de la cara? Atraviesa el umbral arrastrando los pies, en dirección a la entrada...
No sabe por qué se le ha ocurrido salir. No lo sabe, no lo sabe, siempre lo mismo... ¿Cuándo fue la última vez que supo por qué hacía algo? ¿Lo ha sabido alguna vez? ¿Ha sido toda su vida una cadena sin fin de casualidades enganchadas unas con otras? ¿Una vida en la que ha saltado entre los témpanos mientras la corriente le arrastraba inexorablemente hacia el inmenso mar negro? Una vez fue artista, es cierto, pero toda la vida ha tenido que mantener el equilibrio y una caída habría significado, implacablemente, entrar a formar parte de los ajados ejércitos de locos y vagabundos. ¿Ha sido feliz alguna vez? Claro que sí, muchas veces, durante cortos segundos, y el tiempo con Miriam. Debería preguntarse también si ha sido alguna vez realmente desgraciado. Dispone de piernas para andar, orejas, nariz. Un cuerpo duro y resistente, la herencia campesina que nunca le ha abandonado antes de que él empezara a combatirla. Ha escapado de la gran

desgracia que siempre ha temido, nadie le ha golpeado hasta morir, nadie ha matado a su esposa, nadie le ha traicionado. Como un terco topo, se ha abierto un camino en el que poder transitar por la vida. ¿De qué puede quejarse?

Fuera. Quiere salir afuera. A falta de otra cosa, tal vez la luna tenga la amabilidad de alumbrar sobre él como un foco débil, medio quemado. ¿Quién sabe? Tal vez un día rebote un mosquito contra la superficie de la luna y la aniquile, igual que las sensibles lámparas del estudio de rodaje a las afueras de París. ¿Quién sabe? ¿No se dice que el hombre ha enviado recientemente pequeñas bolas de hierro que dan vueltas en el oscuro espacio?

Tiene que salir. Respirar, intentar atraer al gato, ver la luna. Con paso cauteloso atraviesa el umbral de la puerta y siente que el frío le atenaza la garganta. Duele y le atormenta, pero no se vuelve, sino que baja los dos escalones hasta el suelo. La fina capa de nieve silencia las pisadas, se aleja unos pasos de los escalones y levanta la cabeza para mirar a la luna.

Y ahí muere, en la oscuridad, con la primera nieve del año bajo sus gruesos calcetines. No se ha puesto los zapatos, se le ha olvidado. Al levantar la cabeza y doblar la nuca hacia atrás se rompe la arteria de la laringe. El punto desencadenante está en la garganta, donde las mucosas han ido desgastándose lentamente de tanto beber. Siente de pronto que tiene que toser y, bajo la pálida luz de la luna, ve con perplejidad que empieza a salirle sangre por la boca. La hemorragia es considerable, todo va tan deprisa que no le da tiempo a asustarse. Durante unos pocos segundos, que retumban en su cabeza como martillazos, se da cuenta de que se está muriendo y lo último que ve antes de caer es que la nieve a su alrededor se tiñe de un color oscuro. Cae, y el gato que está viéndolo todo se esconde dando un salto, como impulsado por la caída de un árbol.

Él yace con el rostro contra la nieve, y está muerto.

A la mañana siguiente lo encuentra un trabajador del ferrocarril que va de camino al trabajo. La cara maquillada reluce en la nieve como una máscara de teatro oriental. Los ojos están abiertos y opacos, la sangre se ha coagulado formando una costra marrón alrededor de su rostro. El aterrorizado trabajador ferroviario baja corriendo al piso inferior del edificio de apartamentos y llama con desesperación a la puerta más cercana.

Quienes le ven muerto sobre la nieve, con las mejillas violáceas y las líneas negras alrededor de los ojos, apartan la mirada, como si hubieran presenciado una ejecución y ahora vieran únicamente la cabeza solitaria congelada en la nieve manchada de sangre. A pesar de que el médico provincial al que llaman, que también se sobresalta al ver al muerto, puede constatar rápidamente que no se ha cometido delito alguno, que todo indica que se trata de un vómito de sangre repentino, es como si hubiera algo sobrenatural en él y en su muerte.

Cuando Eivor se despierta, ya se lo han llevado y Erik, que quiere evitarle el mal trago, ha cubierto con nieve el gran charco de sangre. Él le cuenta a Elna lo ocurrido, y ella ve desde la ventana de la cocina cómo se llevan el cuerpo en una camilla y lo meten en el taxi que se usa también para transporte de enfermos. Han descubierto el cuerpo por la mañana temprano, justo al amanecer, y Elna está medio dormida cuando ve cómo se llevan a Anders.

–¿Qué le digo a Eivor? –pregunta.

–Sólo que ha muerto.

–Sin embargo, tiene que saber qué ha pasado... El aspecto que tenía él...

–Sí, claro que tiene que saberlo. Dile lo que ha ocurrido. Será lo mejor.

Pero Elna no le dice a Eivor lo que ha ocurrido hasta que vuelve de Örebro por la tarde. Ahora, mientras espera que se cuezan las patatas, le dice que Anders ya no está. Eivor escucha en silencio. Cuando Elna ya se lo ha contado todo, ella va a la ventana y mira hacia abajo, a la casa de madera, a la ventana de la cocina.

–Fui la última que lo vio –dice–. Es extraño...

–¿A qué te refieres?

–Cuando iba a salir, me pidió que cuidara del gato si él moría. Es como si supiera que estaba cerca...

–Tal vez lo sabía.

–Creo que no.

–¿Por qué no?

–No lo sé, sólo creo que no.

Erik se acerca por la tarde a buscar al gato perdido. Eivor no quiere acompañarle, ahora que Anders ya no está, la casa le asusta. Nadie le dice nada sobre lo de encargarse del gato, ni Elna ni Erik.

Entierran a Anders el domingo, antes de la misa mayor. Aparte del sacerdote y el organista sólo acuden a la iglesia Elna, Eivor y Erik.

El féretro es grisáceo y el sacerdote habla del caminante que ha dejado a un lado su bastón y ha entrado en el reino del que nadie va a regresar.

El órgano ruge, Eivor piensa en Lasse Nyman, en la casa de madera, le resulta imposible imaginar que Anders está dentro del féretro delante de ella, a unos metros. Piensa que lo que ha ocurrido es algo que nunca va a olvidar, nunca mientras viva...

Cuando salen de la iglesia, el suelo está limpio de nieve. Las primeras nieves se han derretido. Erik tiene prisa y va delante, se ha tomado sólo una hora libre de su trabajo. Eivor y Elna vuelven a casa atravesando el pueblo con paso lento.

–Le echo de menos –dice Elna.

–Yo también.

La última voluntad de la hermana expresa que casa y bienes muebles sean destinados a la Misión Sueca si Anders no dejara testamento de su puño y letra. Y él, naturalmente, no lo ha hecho, y ha dejado sólo ropa gastada y pasada de moda, una maleta rota y otra que apenas ha usado, y una cocina llena de una cantidad increíble de botellas vacías. Cuando la Misión Sueca toma posesión de su propiedad lo tira todo, sin piedad. El nido de pecado que huele a decadencia y a anticristo empedernido se limpia fregándolo con lejía. Anders de Hossamåla desaparece con el olor a jabón sin dejar rastro, y es como si nunca hubiera existido. Alguna vez, en un futuro lejano, quizá se encuentre en la historia de los cómicos con una nota al pie de una foto, pero, por lo demás, no queda nada.

Un hueco inmenso, exactamente como él suponía.

Ha regresado a la oscuridad de la que llegó una vez, y su última trama fue engañar al invierno. Pero aparte de eso... Nada.

Pero eso es algo a lo que la vida no presta demasiada atención. Por supuesto, el mundo sigue lanzándose hacia el futuro que, de modo exasperante, siempre evoluciona más deprisa que cualquier movimiento humano. El que crea que va a alcanzarlo en la carrera es un vanidoso.

Sin embargo, para Eivor forma parte de lo desconocido. Ella ya tiene bastantes problemas con levantarse y llegar a tiempo al tren que sale de Hallsberg a las siete y tres minutos; y a las ocho menos cinco sube las escaleras del taller de costura de Jenny Andersson, que se encuentra bajo el tejado de un edificio en Örebro, con vistas al palacio y al teatro viejo. Allí tiene su mesa, cuando no se la requiere para ir a hacer algún recado o acompañar a la señora Andersson a la casa de alguna de sus clientas a que se prueben la ropa o tomarles medidas. Ella es perseverante y posee evidentes aptitudes, la señora Andersson no tiene casi nunca nada que objetarle, todo lo contrario, a menudo recibe elogios. Cuando le pregunta a Eivor si le resulta ameno, ella responde que sí. ¿Pero es realmente así?

El tejado está muy cerca de su cabeza, ella necesita calma, un mundo inmóvil. La impaciencia se ha transformado en un enorme deseo de tranquilidad. Hay algo que tiene que alcanzar, algo que está dentro de ella. Hay tantas cosas inciertas, confusas... Que ella es la que es puede verlo en el espejo o en la sangre que gotea cuando se pincha alguna vez con una aguja. Pero no es suficiente, hay algo más, algo que suena como el eco de un pensamiento que tuvo cuando era pequeña.

¿Qué tiene que hacer ella realmente en el mundo?

¿Por qué está aquí? ¿Por qué precisamente ella?

Apenas le queda tiempo para pensar en ello. Cose o va a buscar tela a la estación, o la mandan a los mejores barrios de la ciudad a dejar vestidos y blusas que están terminados. Pero ahora no soporta que nadie levante la voz. Sólo puede ser indulgente con el gato de Anders cuando se pone juguetón. Todo lo demás debe ser discreto, el mundo tiene que tratarla con cuidado, ¿o acaso no ven que es tan frágil que el menor golpe puede hacer que se rompa?

Algo debe acabarse, algo debe cicatrizar. Los sueños y la alegría, las ganas de conquistar el mundo están escayoladas por el momento.

Un poco más tarde aprenderá a andar de nuevo.

Hasta ese momento, cose y trabaja bien. Tan bien que consigue un aumento de sueldo justo a tiempo para la Navidad. Hace reverencias y da las gracias, pero no siente alegría hasta que llega a casa y lo cuenta y ve lo contentos que se ponen Elna y Erik. Entonces siente un alivio interior.

En el tren entre Hallsberg y Örebro suele pensar en Lasse Nyman. Es necesario, aunque duela. Porque sabe que mientras no entienda qué había en él que la arrastró con tanta fuerza, que la sedujo, que la hizo sentirse bien, no puede encaminar su propia vida.

Finales de otoño de 1956.

Cuando Elna la despierta cada mañana, preferiría volverse a dormir, pero no llega tarde al tren ni una sola vez...

Unas semanas después de la muerte de Anders, a Erik lo pasan al horario diurno. Ha estado en la lista de espera mucho tiempo y de repente le ha llegado el turno. Ahora no tiene que matarse a trabajar por las noches con vagones de mercancías congelados, ahora puede irse a dormir a la misma hora que Elna. Pero cuando Eivor se levanta, él ya se ha marchado, empieza a las seis y cuarto y siempre es puntual. Haga lo que haga, siempre tiene que levantarse el primero...

Por lo tanto, Elna se queda sola durante el día. El apartamento está tranquilo y nota que se alegra de que el deslucido gato de Anders esté ahí, un corazón vivo en el silencio.

Con frecuencia se pone delante de la ventana del dormitorio a mirar hacia la casa oscura, helada y abandonada en la que vivía Anders. La Misión Sueca ha echado el cerrojo a la puerta de la calle, hasta la primavera no se decidirá qué uso se le dará. Ella mira la ventana de la cocina, a veces le parece ver la sombra de él allí dentro. Pero él ya no está, ella no cree en aparecidos.

A veces se pregunta si él lo sabía. Que ella era consciente de que él se sentaba a mirarla cuando se quitaba la ropa. Que lo descubrió cuando él sólo llevaba unas semanas viviendo allí.

Eso le produce también un sentimiento de culpa, de haberlo engañado fingiendo. Pero tal vez quede compensado con lo que le dio a él, sea lo que fuera. ¿Una sensación de poder, de ver sin ser visto? ¿Un cuerpo de mujer que se descubre, noche tras noche?

Sin embargo, tiene que haber habido algo, pues siempre estaba sentado ahí, siempre instalado al amparo de la sombra.

También puede darle la vuelta a todo. ¿Por qué lo hacía ella? ¿Por qué no corría la cortina? ¿Qué recibía de él? Tal vez, en el mejor de los casos, despertar en un viejo el deseo, medio dormido, de vivir le producía una sensación de importancia...

El gato se ha metido de un salto en el armario de la ropa blanca y se ha hecho un ovillo. El apartamento está en silencio, sólo se oye un leve murmullo procedente de las tuberías de agua. Son las diez de la mañana. Ya no queda nada por hacer, ahora puede emplear el día en lo que ella quiera.

Lo que pasa es que no quiere nada. Mejor dicho, no sabe lo que quiere. Todas las personas quieren algo, pero ella forma parte de los que no saben qué. Tejer, leer revistas, es matar el tiempo, sin embargo eso es lo que ella hace.

Hasta el momento.

Porque, a pesar de todo, el verano pasado, durante los días que pasó con Vivi, se acordó de algo. Sabe que sólo tiene treinta y dos años, que apenas ha alcanzado la mitad de su vida. En cuanto Eivor pueda mantenerse sobre sus propios pies, lo importante será su propia vida. Con Erik o sin él.

Erik, sí, sabe muy bien por qué se casó con él. Era un modo de irse de casa o, al menos, de organizar en parte su vida. Pero también sabe que no se habría casado con él si no hubiera tenido a Eivor, y la cuestión es si Erik no lo sabía también.

Le gusta acostarse con él. Es bueno y leal. ¡Pero tan insoportablemente conformista! Su eterna satisfacción con el devenir de las cosas: todo va a mejor, su trote lento arrastrando los pies un día tras otro, sin retos, sin deseos...

No, eso está mal, no es justo. Ella sabe que él quiere tener hijos pero, por el momento, ha conseguido que vaya con cuidado, se lo ha exigido, siempre ha controlado que se ponga preservativo. Pero ¿durante cuánto tiempo va a conformarse él con eso?

A veces se viene abajo de rabia e impotencia por lo que pasó hace unos quince años, maldice al que la dejó embarazada y desea que esté muerto. Claro que está contenta de tener a Eivor, pero a veces estalla...

Aunque últimamente con menos frecuencia, era peor hace unos años. Ahora parece que es más cautelosa con ella. Recuerda cuando tenía su edad, era hipersensible a todo y, por supuesto, para ella no es fácil tener un padre desconocido, aunque Erik sea bueno y no se comporte como un padrastro malvado. Aun así...

¿Tuvo Eivor relaciones sexuales con Lasse Nyman? Gracias a Dios no se quedó embarazada. Pero lo que sucedió en realidad...

«Está tan sola como yo», piensa. «Y, por mucho que quiera, no voy a superar las barreras que hay entre nosotras. Naturalmente, las cosas están mejor que cuando yo tenía quince, dieciséis años. Sin embargo... ¿Por qué resulta tan difícil hablar de lo evidente, compartir la experiencia, transmitírsela a tu propia hija?»

¿Qué le ha contado a Eivor de sí misma en realidad, de lo que piensa, de sus sueños, desde que ha empezado a ser adulta? No mucho, casi nada.

A veces saca las cartas que recibió hace tiempo de Vivi. Las guarda en un cajón, dos gruesos montones, atados con cintas rojas. Son los pensamientos de Vivi, pero también los suyos propios. A veces las lee, pero a veces interrumpe la lectura, no tiene ganas de recordar. Pero ¿por qué no se las enseña a Eivor?

«Pronto», piensa. «Pronto se las arreglará sola. Hasta entonces tengo que estar aquí. Pero no más tiempo del necesario...»

Erik está de pie con algunos compañeros de trabajo mirando uno de los nuevos vagones frigorífico que se han puesto en funcionamiento. Van llenos de carne congelada que llevan de Escania a Estocolmo. En Hallsberg van a engancharlos a un tren de mercancías en el apartadero. Le gusta mirar el vagón. Cada vez que ocurre algo nuevo en el ferrocarril tiene una fuerte sensación de estar participando en algo importante, de ser una parte del gran cambio. Y cada vez que ocurre algo nuevo piensa que tiene que contárselo a Elna cuando llegue a casa, a ella y a Eivor si tiene ganas de oírlo.

Ahora que tiene turno de día se siente con renovadas energías. Es hora de decirle claramente a Elna que le gustaría tener hijos, un hijo propio, mejor aún una pareja. Es, sin duda, la razón de la vida, eso será lo que utilizará como argumento. Y ella no podrá quejarse de cómo trata a Eivor. No tiene nada de que quejarse. Nada...

Lasse Nyman está en prisión preventiva en Estocolmo. Debido al asesinato no le han vuelto a enviar a Mariefred, está a la espera de juicio en Skövde. Le rodea la impenetrable aversión que sienten sus guardianes hacia él. Los demás presos que encuentra en el patio sienten pena por él, silenciosos y compasivos. Es tan joven, pobre diablo... La única persona en la que puede confiar es el abogado que le han asignado. Es joven y hasta habla con acento de Estocolmo.

Pero ¿qué tiene que decirle en realidad? ¡Claro que se arrepiente! Claro que sí... Sólo con que alguien tuviera la amabilidad de decirle lo que implica. Contesta de buena gana todas las preguntas que le hacen, pero por lo general no las entiende.

Vienen de un mundo en el que él siempre ha sido un intruso. Un mundo del que le hubiera gustado formar parte, pero que se ha dedicado a dejarlo de lado. Un mundo al que ha intentado derrotar sin lograrlo, un mecanismo de relojería que ha intentado parar. Como si hubiera intentado derribar el país entero con sus propias manos...

Las paredes de la celda son grises. Otros presos anteriores han dejado grabados saludos en el enlucido.

El juicio va a empezar por Año Nuevo. Raras veces piensa en ello, o en que vayan a castigarlo con una dura condena. Cuando se pone a pensar, y no sólo se adormece en la litera, se le cruzan por la cabeza otros pensamientos completamente distintos. Cómo salir, cómo arreglárselas para escapar...

Está convencido de que la huida sólo ha sido interrumpida. La reanudará lo antes que pueda. Está tan seguro de ello como de que el diablo está en el techo de la cárcel saludándole. ¡No se rendirá nunca!

Nunca, por todos los diablos...

Lejos de allí, sobre el caballete de un tejado hay un pájaro. Eivor se ha quedado sola unos instantes en el taller, Jenny Andersson ha salido un momento. Se queda sentada mirando los inquietos ojos del pájaro, la cabeza que se mueve sin parar hacia todos los lados, observando continuamente, explorando, vigilando...

Vuelve a ponerse a trabajar cuando oye que Jenny Andersson abre la puerta.

Cuando mira hacia arriba, el pájaro ha desaparecido.

1960

Viajar de Hallsberg a Borås no es difícil. Sólo hay que adquirir un billete y subir a alguno de los muchos trenes que se dirigen a Gotemburgo, hacer transbordo en Herrljunga y luego, más o menos a la altura de Frufällan, prepararse para bajar al andén después de pasar el edificio de tejas de color granate. Eso exactamente es lo que hace Eivor un día de enero de 1960, poco después de Año Nuevo. Cuando baja del tren en la ciudad textil hace frío, además está anocheciendo, pero ella sube deprisa la cuesta que va del Instituto Técnico al Park Hotel, luego cruza el puente del contaminado río Viskan y entonces la calle Stora Brogatan se abre frente a ella. Camina deprisa, sabe adónde va, es su segunda visita a la ciudad. La vez anterior fue unos días antes de Santa Lucía, hace un mes escaso. Entonces estaba insegura, le pareció que la ciudad era inmensa. Dios santo, a pesar de todo es la novena ciudad del país en cuanto a tamaño y comparada con Hallsberg es una confusa aglomeración de calles, tiendas y, sobre todo, de personas. No obstante, al final encontró la fábrica Konstsilke muy cerca de una de las salidas de la ciudad. En la entrada la envían a la oficina de personal, donde la recibe un hombre menudo y rechoncho que parece algo sorprendido, se presenta como asistente de personal y le da la bienvenida. Bienvenida a la ciudad, a Konstsilke y, sobre todo, al tercer turno del departamento de hilado. Es por lo que ha venido. Se ha tomado el trabajo de contestar a un anuncio del *Nerikes Allehanda* en el que solicitan personal para la fábrica. Se busca personal tanto masculino como femenino y prometen ayuda con la vivienda, y eso último es lo que la lleva a tomar la decisión. Preferiría haber ido a Algots, la leyenda del tejido, la legendaria fábrica textil, pero para empezar puede servir Konstsilke, más adelante ya buscará en Algots. No duda que va a arreglárselas bien en esta ciudad textil, aunque le da un poco de miedo la realidad que pueda haber detrás de los coloridos catálogos de Algots, de Hobbyförlag, o de alguna de las otras empresas de venta por correo.

El hombre menudo y gordito la trata con cortesía, como a una persona adulta e independiente. Le habla de usted y le hace una breve introducción a la historia de la fábrica de Konstsilke.

Entonces se disculpa diciendo que tiene mucho que hacer, la fábrica se expande, los puestos vacantes deben llenarse tan pronto como sea posible. Pero le da la bienvenida y le asegura que ha hecho una feliz elección. Konstsilke es un buen lugar de trabajo, la plantilla de trabajadores es estable y ella seguramente se adaptará a las rutinas sin problema... No habrá turno para empezar, sólo el horario diurno habitual. Si pudiera estar en la puerta de entrada el 10 de enero a las 6.45, él se encargará de que alguien vaya a su encuentro y la acompañe al departamento de elaboración del hilo.

–¿No tendría que recibir formación antes? –interrumpe ella con cierta vacilación, pero es lo que ponía en la carta que le llegó.

–No es necesario. El trabajo no es complicado. Aprendes sobre la marcha.

¿De verdad puede ser un trabajo tan fácil? ¿Y aun así merecer la pena? Ha estado pensando en ello durante las navidades. Pero la tensión y la emoción ante la mudanza han prevalecido. Erik la ha animado, opina que ha tomado una decisión sensata. Elna, por el contrario, cree que debería haber esperado hasta conseguir un trabajo en Algots, además le resulta difícil hacerse a la idea de que los productos de Konstsilke se destinen en primer lugar a la fabricación de neumáticos.

–¿Qué es eso? –pregunta–. ¿Neumáticos de coche, de tractor? ¡Si vas a coser, lo que tienes que coser es ropa!

–No voy a coser. ¡Voy a hilar algodón!

–Tejer o hilar. ¿Qué diferencia hay? Sin embargo, yo creía que ibas a ser costurera.

Elna parece que se ha resignado. No es culpa de ella, la muchacha hace lo que quiere. En el fondo es consciente de que le tiene cierta envidia. Eivor goza de una libertad con la que ella soñaba hace tiempo, pero que perdió cuando se quedó embarazada. No obstante, como es natural, le desea a su hija que tenga buena suerte. Es su vida, aunque esperaba que Eivor hubiera terminado al menos la secundaria. Ése es, sin duda, el único derecho que tenemos, aprender por nosotros mismos, aprender de los propios errores.

Pero hay una preocupación añadida. Una preocupación que guarda en su interior, que le hace revivir el verano de la guerra.

Una tarde entre Navidad y Año Nuevo, en la que Erik ha salido deprisa hacia el apartadero y Eivor está sentada escuchando a Elvis, se pone de pie en la puerta y alza la voz por encima de la música.

–Hagas lo que hagas, no te quedes embarazada –grita.

–¿Qué?

–Y si fuera necesario, asegúrate de que él usa protección, por lo que más quieras.

–¿Qué quieres decir con «si fuera necesario»? ¿A quién te refieres?

–Al chico con el que salgas.

Y luego sale y Eivor vuelve a estar sola con su música...

No, claro que no va a quedarse embarazada. ¿Quién quiere verse en la misma situación que su madre? Ahora que está a punto de alejarse, casi puede sentir ternura por ella. Pronto habrá dedicado veinte años de su vida a cuidarla. Veinte años en vez de vivir su propia vida. Pobrecilla...

Elna y Erik están en el andén diciéndole adiós con la mano.

–Iré a verte. Iremos los dos.

–Todavía no.

Y así, por fin, Hallsberg es un capítulo concluido.

En la esquina de EPA y el ayuntamiento ella gira a la derecha en dirección a la plaza Sur. De allí parte el autobús que va hacia Sjöbo, el suburbio en el que Konstsilke le ha conseguido un pequeño apartamento. Una habitación amueblada que va a dejar alguien que ha logrado mudarse a un apartamento mayor. La vivienda, de una habitación, es un recinto cerrado, y esperan que no se acomode y se busque algo propio, según le ha aclarado el rollizo asistente de personal con amabilidad pero de modo tajante.

Se detiene a respirar hondo delante de la tienda de comestibles. La maleta pesa bastante aunque sólo lleva en ella lo imprescindible. ¿Cómo puede pesar tanto la manta? Se queda sin aliento y nota que el frío le raspa en la garganta. Tiene la cara tan helada que parece que los labios vayan a estallarle al moverlos. Por supuesto, no es conveniente ir tan maquillada un día de frío como éste. Toma la maleta y sigue caminando, cruza en diagonal la plaza y busca el autobús en el que pone Sjöbo. Es la hora punta, de todos lados llegan corriendo personas heladas de frío que se apretujan y empujan para entrar al calor del autobús lo antes posible. Eivor se siente incómoda de pie, rozando a los demás con la maleta. Como es natural, se nota que no es de ciudad, que no está acostumbrada. Le preocupa pensar en el día siguiente, pues tendrá que retirar las otras dos maletas que ha dejado en la consigna de la estación. ¿No podría haber ido en taxi? ¡Pero si no tiene ni idea de lo que vale ir hasta Sjöbo! ¡No sabe nada! Al final logra entrar en el autobús, paga su billete y la gente la empuja hacia atrás según van entrando. Por suerte va a la última parada, la plaza de Sjöbo, donde el autobús da la vuelta. ¿Cómo podría bajar si no fuera así?

El autobús emprende la marcha y ella se agarra a un pasamanos. A su alrededor, la gente está pálida y callada. Nadie parece reparar en ella. Entre todas las cabezas distingue el rostro de una muchacha que parece ser de su misma edad. Lleva el pelo recogido en un moño. El peinado al estilo Farah Diba. Eivor aún no se ha atrevido a hacérselo, aunque empieza a tener el pelo lo suficientemente largo. ¿Cómo tendrá que ir vestida en el trabajo? ¡Qué asco de vida, siempre tan complicada!

La plaza de Sjöbo. Una solitaria superficie de cemento entre dos torres de apartamentos de color rojo y ocre. Se equivoca de dirección, pero no se atreve a preguntar por la calle y trata de encontrarla por sí misma, mientras siente que la maleta se hace cada vez más pesada. Cuando está a punto de estallar en lágrimas por el frío y el cansancio, encuentra por fin el sitio. Dentro del portal espera un momento, quiere tranquilizarse antes de tocar el timbre del piso del encargado de la vivienda, que le entregará las llaves de su apartamento.

Quinto piso, con vistas a los oscuros e infinitos bosques de Västgöta. Una habitación con cocina empotrada y recibidor. Huele a humedad, y, naturalmente, no es como ella había imaginado. Se maldice porque nunca va a aprender que no debe hacerse ilusiones.

En la habitación hay una cama plegable destartalada con un colchón lleno de manchas, un sofá que tiene uno de los brazos sujeto con cinta adhesiva, una mesa, una papelera y una lámpara colgando del techo que alumbra a través de una vieja pantalla. Sobre la cocina hay varias naranjas podridas, el fregadero está lleno de colillas. Todo el apartamento está sucísimo y cuando da la vuelta al colchón por si el otro lado estuviera menos manchado, cae al suelo una revista porno. En vez de ventilar y sacar las cosas de la maleta, se deja caer en el sofá y empieza a hojear la revista. Es la primera vez que ve de cerca una revista de esas, anteriormente sólo ha atisbado distintas portadas en estancos y quioscos.

Ésta se llama *Raff* y, bajo la imagen grisácea de una negra de pechos grandes, le sorprende leer que la revista ha sido impresa en Borås en unos talleres gráficos llamados Sjuhäradsbygden. ¡No sabía que se publicaran tales revistas en esta ciudad! Pasa las hojas deprisa y mira las imágenes, leyendo de vez en cuando algunas frases. Las imágenes son similares unas a otras, sólo los cuerpos y las caras varían. En cada imagen las mujeres van quitándose más ropa, apoyadas en escaleras, medio tumbadas en sofás. Y todas le sonríen, como si estuvieran viéndola.

Dos páginas están pegadas. Cuando intenta despegarlas y se da cuenta de por qué están adheridas, tira la revista a la papelera y se dirige a la ventana para mirar hacia fuera. Es una tarde de invierno, y en los altos edificios que hay a su alrededor ve hileras de ventanas iluminadas. Un termómetro que cuelga torcido fuera de la ventana marca diecisiete grados bajo cero.

Se estremece y se da cuenta de que es la primera vez en su vida que está realmente sola. Ése es el punto de partida, ella sola rodeada de lo desconocido.

Y va a salir adelante...

Sopesa entre ponerse a llorar o sacar las cosas de la maleta. Llorar es lo más fácil, así que se obliga a abrir la cerradura de la maleta con cuidado. Después de hacer la cama y colgar su ropa va al cuarto de baño y se queda mirando su cara en el espejo. Éste es su aspecto actual, cuando va a cumplir dieciocho años el día diecinueve y acaba de llegar a Borås, la gran metrópoli textil: una melena negra ondulada que le llega hasta los hombros y se ha peinado hacia los lados, recogiéndosela por encima de las orejas y fijándosela con laca. Base de maquillaje clara, ojos muy marcados, cejas depiladas. Labios de rosa chillón y muy perfilados.

Ése es su aspecto físico, y se pregunta con ansiedad si encajará en esta ciudad y en este mundo. ¿Tendrá el aspecto que debe tener? Sabe bien que no es bonita, pero cuando sonríe y enseña los dientes le parece que puede resultar sexy. Y no es sólo la cara lo que cuenta. Por suerte tiene unos pechos bastante grandes; si los resalta con un sujetador adecuado y se pone un suéter bien ajustado, nadie puede quejarse. Tiene una cintura razonablemente estrecha y el trasero en forma de pera no está nada mal. Pero, para echar un vistazo de control, se sube encima de la tapa del retrete, se pone de rodillas y se da la vuelta para verse el culo en el espejo del armario. Lleva unos pantalones muy ajustados. Le aprietan tanto que casi le duele la entrepierna, pero no le desagrada lo que ve. Las curvas están en su sitio, no resaltan por atrás ni mucho ni poco. Ése es su aspecto, el de Eivor Maria...

Cuando se ha acostado y ha apagado la única lámpara de techo, descubre que la noche alberga muchos ruidos. Siente el borboteo del agua al pasar por las cañerías, le llega de la escalera el eco de unos pasos y oye los gritos de un niño al otro lado de la pared donde está la cama. Acerca la oreja y puede escuchar el llanto con claridad. Se pregunta por qué no va nadie a calmar al niño. ¿No estará solo allí dentro? Empieza a preocuparse cuando, de pronto, el llanto cesa bruscamente. Antes de sumergirse en una inquieta modorra, piensa que, en realidad, la diferencia entre ella y el niño que lloraba no es tan grande.

Se levanta a las cuatro, se viste y bebe un vaso de agua como desayuno. Luego, en el diminuto cuarto de baño, dedica más de media hora a arreglarse para su primer día de trabajo. Lleva tiempo, tiene que llevar tiempo. Sin atusarse la cara y el pelo se siente totalmente indefensa. A las cinco y cuarto sale, están a veintiún grados bajo cero y tiene que esperar el autobús. Al principio está ella sola junto a la parada, luego surgen de la oscuridad sombras que gruñen. Hombres y mujeres, jóvenes y viejos, casi todos con una bolsa pequeña en la mano. Ninguno dice nada, todos dan patadas en el suelo y se defienden del frío en su propio mundo. Nadie parece darse cuenta de que Eivor está ahí. A pesar de que es nueva parece integrada en la pesada rutina. Siente un frío terrible en las orejas, pero qué va a hacer, no tiene ningún gorro que le quede bien, nada que pueda ponerse sin estropear enseguida el cardado del cabello que tanto trabajo le ha costado hacer...

Junto a la verja de la fábrica, un hombre bajo y delgado sale a su encuentro. Lleva un polvoriento mono de trabajo y está temblando de frío.

–¿Eres tú Eivor Skoglund?

Sí, es ella.

Le pide que lo acompañe. Hace un tiempo horrible, ¿verdad?

Sí, así es.

Entran en la fábrica y atraviesan interminables pasillos y escaleras. Hace frío y detrás de las pesadas puertas se oye un enorme estruendo. Eivor, de pronto, se da cuenta de que va a convertirse en obrera de una fábrica, nada más. «Pero sólo al principio», piensa. «Sólo para empezar...»

–Vamos a entrar aquí –grita el hombre–. Mi apellido es Lundberg. ¡Ten cuidado!

Al abrir la puerta sale a su encuentro un ruido ensordecedor. Es como si hubieran soltado un montón de animales salvajes enfurecidos y se lanzaran sobre ella. Retrocede, pero Lundberg le tira del brazo y luego la puerta vuelve a cerrase con fuerza tras ellos.

–Ésta es la sección de hilado –le ruge al oído presionando el pelo de ella. Ahora vamos a saludar a Pelle «Sin Rabo».

¿Pelle Sin Rabo? ¿Es un gato?

No, se refiere al capataz Ruben Hansson. Mucho después, durante el descanso del desayuno, le explican a Eivor el porqué del apodo. Al capataz Hansson se le quedó atrapada una vez la parte de atrás del pantalón entre los rodillos de una vagoneta de la hilandería y se seccionó una de las nalgas. Así que lo más natural es llamarle Pelle Sin Rabo. Sobre todo teniendo en cuenta que le gustan mucho los perros...

–¡Así fue, maldita sea! Pero no lo digas en voz alta, porque entonces se desvelaría el secreto...

El capataz está sentado dentro de una pequeña cabina de vidrio con vistas estratégicas a la enorme sala de máquinas y los lavabos. Cuando Lundberg ha metido a Eivor en la cabina y ha cerrado la puerta tras de sí para seguir trabajando a destajo en su máquina, el ruido apenas disminuye. Ruben Hansson está sentado con su mono de trabajo gris claro, mirando un muestrario enorme de telas que indican el tipo de hilo que esperan que llegue de la hilandería durante el día.

Él la mira entornando los ojos.

–¡Skoglund! –grita él.

–Sí.

–¡Bienvenida! Te he hecho una tarjeta para que fiches. Luego voy a buscar a alguien que pueda enseñarte. En realidad vas a trabajar con una finlandesa que tenemos aquí, pero hoy no ha venido. Seguramente tiene resaca. Así que salgamos.

De nuevo en medio del ruido. En el reloj para fichar que está junto a la puerta de la calle, Hansson garabatea con su bolígrafo que Eivor Maria Skoglund ha llegado a las 6.45 el 10 de enero de 1960. Luego mete la tarjeta en la casilla de la letra S y le grita que debe fichar también cuando vaya y vuelva de comer. Ahora es cuestión de encontrar a alguien que pueda enseñarle...

Esa persona es Axel Lundin. El capataz Hansson lo encuentra en un extremo de la gran sala de máquinas. Acaba de poner bobinas nuevas en una máquina, ha subido los hilos y los ha colocado en los carretes nuevos, y va a accionar el interruptor cuando llega Hansson cojeando levemente, con Eivor detrás de él. Indica hacia atrás con el dedo y Axel Lundin inclina la cabeza en silencio para saludarla.

–Ya puedes empezar –grita el capataz, y luego desaparece.

Axel Lundin tiene cuarenta y tres años y ha trabajado desde los treinta en la sección de procesado de hilo. Puede poner en marcha siete máquinas por turno y por ello es el operario de mayor producción a destajo, el que le sigue en eficiencia sólo puede preparar, como mucho, cinco máquinas, y para conseguirlo hay que acortar los descansos. A Eivor le parece que tiene aspecto de maestro de escuela, lleva barba y tiene las manos blancas y delgadas. Pero pronto se da cuenta de que él ha elevado su capacidad de trabajo al nivel de destreza técnica. Alimentar y encargarse de una máquina de hilar es más cuestión de técnica que de fuerza, aunque se requiera de ésta para lanzar a la vagoneta las últimas paletas con el hilado terminado cuando hay que preparar una nueva máquina.

Le enseña mientras ella va a su lado mirando lo que hace. Después de algo más de una hora, Eivor considera que puede hacer el trabajo sola. Una hora de formación y después ya es capaz de llevar a cabo el trabajo sola toda la vida. Luego es cuestión de incrementar la velocidad, nada más.

Una máquina se compone de más de cien bobinas. De la fábrica llegan distintas clases de hilos que hay que hilar en los carretes vacíos que se hallan en el borde superior de la máquina. Poner en marcha una máquina implica vaciar una que ya haya terminado, traer un carro con hilos, poner husos nuevos a la máquina, fijar las hebras tirando de ellas por medio de lazadas y torniquetes, encender la máquina y luego ir rápidamente a por otra que ya esté lista para vaciarla. Pero de vez en cuando hay que volver y arreglar los hilos que se han salido. La enorme sala de trabajo está llena de máquinas hambrientas. Cuando se ha terminado con una hay que buscar rápidamente otra que haya acabado. El ciclo es interminable.

A las ocho y cuarto, Axel Lundin señala su reloj de pulsera sin decir nada. Es la hora del desayuno, fichan y bajan un par de pisos hasta el comedor. Ahí acuden a toda velocidad trabajadores de distintos lados, hombres y mujeres, uno detrás de otro, para llegar antes y ponerse en la cola menos larga. Hay veinte minutos de descanso, así que no pueden perder en la cola la mitad del escaso tiempo del que disponen. Eivor compra por muy poco dinero una taza de chocolate y un bocadillo de queso. Pero la mayoría de los que se aprietan alrededor de las mesas han traído sus propios bocadillos y leche y se conforman con pedir una taza de café o de chocolate. Alex Lundin no compra nada, sólo se sienta junto a una mesa y saca comida de su bolsa. Guarda un sitio para Eivor mientras ella hace cola.

–Después del descanso voy a buscar una máquina para ti –dice mientras mastica un bocadillo–. Y estaré observándote. Puedes preguntar si es necesario. Pero no suele haber ningún problema. Recuerda sólo que hay inspectores alrededor mirando el hilo que ya está procesado. Si tiene manchas, habrá deducción. Tienes que escribir tu nombre en cada tarjeta que va junto al hilo. Si no tienes bolígrafo puedes decirle a Moses que te preste uno. Es el que está cambiando los calcetines...

Sí, ella aprende. Cambiar los calcetines es poner fundas a los carretes de madera, tirar los usados a un cajón, sacar uno nuevo y limpio de otro cajón. Ella aprende, y cuando acaba la jornada laboral ha sido capaz de preparar una máquina ella sola, empezando por ir a traer el hilo, buscar una máquina que se haya parado, cargarla de nuevo, prepararla y ponerla en marcha. De vez en cuando, Axel Lundin surge de no se sabe dónde, de repente está de pie a su lado, asintiendo con la cabeza, y luego vuelve a desaparecer.

A las cuatro y cuarto ficha para salir, se le indica el camino al vestuario de las hiladoras y trenzadoras y allí se deja caer sobre un banco de madera. Le retumban los oídos y le duele la espalda porque aún no ha aprendido a levantar las paletas correctamente.

El vestuario está lleno de mujeres quitándose los monos de trabajo y los delantales. Parece que la mayoría son finlandesas, sólo de vez en cuando sobresale alguna palabra sueca en medio del ruidoso murmullo. Todas tienen prisa, ninguna la ve cuando se sienta. Ninguna hasta que el vestuario queda vacío y entra una limpiadora con cubo y bayeta.

–¿No tienes taquilla? –pregunta.

Eivor sacude la cabeza.

La limpiadora la mira con cara de asombro.

–¿No te has quitado tu ropa de trabajo? –Y luego agrega indignada–. ¿No pueden decirles a las nuevas dónde están los monos de trabajo y los delantales? ¡Mira ahí!

Le indica un hueco diminuto que hay detrás de las duchas oxidadas.

–Usa lo que necesites y tíralo en aquella caja cuando esté sucio. Y utiliza el armario de esa esquina. Es de una que ha dejado de trabajar, lo sé.

Al salir al frío exterior, Eivor está decidida a no volver. ¿Cómo demonios va a poder aguantar un solo día más en la polvorienta y ruidosa sala de máquinas? No ha viajado a Borås para eso. Va a ser costurera. Coser ropa con otras muchachas, conocer gente, encontrar un apartamento, comprar lo que quiera. Vivir. Esto no.

De camino hacia el autobús entra en una tienda a comprar comida.

Y un paquete de algodón para los oídos.

Por la tarde limpia con rabia todo el apartamento y luego está tan cansada que se queda dormida encima de la cama.

Pero al día siguiente, como es natural, vuelve a bajar a la parada del autobús, se queda de pie entre las sombras temblorosas y espera.

Cuando está cambiándose en el vestuario, se le acerca Sirkka Liisa Taipiainen.

–Ayer no vine –dice con marcado acento finlandés–. Tú debes de ser Eivor, la nueva; yo soy Liisa. Vamos a trabajar juntas. Tenemos que hacer ocho máquinas al día para que el trabajo a destajo sea rentable. ¿Cuántos años tienes?

–Diecinueve.

–Yo veintitrés. ¿Subimos?

Liisa es pelirroja y pecosa, está delgada pero tiene brazos fuertes. Trabaja con coraje y obstinación. Cuando recibe un hilo malo, del que se rompe todo el tiempo, Eivor la ve mover los labios al proferir incesantes y mudas maldiciones.

Pero de vez en cuando sonríe. Por lo menos una vez al día...

Como es natural, Liisa dirige. Sabe qué tipo de hilos hay que evitar y qué máquinas suelen romperse. Eivor acerca los carros con las nuevas paletas, tubos y cargas, mientras que los dedos ágiles de Liisa enrollan los hilos en su sitio.

El destajo, el ritmo de la vida. En todos los aspectos, no importa lo que Eivor haga o piense, todo tiene que ver con el trabajo a destajo. Todo se mide, el rendimiento es la norma. Es como si su corazón y su pulso quedaran atrapados en esa persecución, a un ritmo cada vez más rápido e intenso... Sí, ¿qué? Empuja los carros con tal fuerza que está sudando, obedeciendo las manos de Liisa que hacen señales hacia distintos lados, haz esto, trae eso, no, eso no, ¡AQUELLO! Ella ficha al entrar por la mañana, espera a que Liisa se recoja el pelo en una cola de caballo y luego se pone a correr como un caballo desbocado por la gran sala de máquinas. El corazón le late con fuerza, le duele la espalda, las manos le tiemblan de tal modo que apenas es capaz de garabatear su firma en las tarjetas. Nunca está en un sitio concreto, se pasa todo el tiempo yendo hacia alguna parte, sin poder pensar nada sensato antes de que haya descanso.

Trabajar, dormir, comer. Transcurre la primera semana, el sábado fichan las dos a la salida. Liisa está en los vestuarios y le pregunta a Eivor qué va a hacer por la tarde, adónde va a ir.

¿Adónde va a ir? A ninguna parte. Va a dormir...

–Eso puede hacerse en la tumba –dice Liisa. Pero no dice nada más y Eivor no logra saber lo que piensa.

Cuando ha preparado la comida y se ha echado sobre la cama para descansar antes de fregar los platos, se queda dormida y se despierta catorce horas después, en la misma posición, completamente vestida. Son poco más de las ocho de la mañana del domingo. El tiempo ha cambiado, el termómetro indica cuatro grados.

De pronto se siente llena de energía y le entran ganas de aprovechar este primer día libre. Ahora va a saber por fin cómo es la ciudad. Se come un bocadillo y bebe un vaso de leche, y después de la media hora obligatoria en el cuarto de baño sale y toma el autobús que va al centro. Tiene que esperar un buen rato porque es domingo por la mañana y hay pocos pasajeros que vayan al centro tan temprano. Sólo hay unas pocas viejas, y ella piensa que seguramente van a alguna iglesia del centro. Se apea en la estación de autobuses, vacía a esas horas de la mañana, y se dirige al quiosco de prensa a comprar un chicle, pero aún no han abierto.

¿Qué va a hacer ahora? ¿Por dónde va a empezar? Aquí está la plaza Sur, un buen punto de partida para una vuelta de reconocimiento por la ciudad textil de Borås. Aquí llegan los autobuses rojos por la mañana y descargan a sus pálidos y cansados pasajeros que luego se dispersan hacia distintos puntos, engullidos por tiendas y fábricas. Y desde aquí regresan por la tarde a las zonas residenciales que se encuentran en las afueras de la ciudad, igual de cansados, igual de agobiados. A un lado de la plaza corre el perezoso Viskan, allá a lo lejos se extiende el Stadsparken, alrededor del viejo edificio blanco del teatro. Al otro lado de la plaza hay un cine, el Saga, y en el edificio contiguo la pastelería Cecil. Eivor va a mirar la cartelera. Aún no ha cobrado, calcula que el próximo jueves el capataz Hansson llegará con un sobre para ella también. Un sobre en el que se vislumbren los billetes, tentadores, ganados honradamente...

Pero hasta que no llegue el momento, no es cuestión de pensar en ningún cine, aunque ¿qué le impide ir a ver qué película dan?

La hora final. Con Gregory Peck, Ava Gardner, Fred Astaire y, sobre todo, Anthony Perkins, tan dulce con su mirada suplicante y su sonrisa...

Deambula por el centro y cuenta hasta seis cines. ¡Santo cielo, seis películas distintas para elegir cada tarde! Se alegra sólo de pensarlo. Es imposible acordarse de Hallsberg mientras va caminando. ¿Cómo ha podido vivir allí tantos años sin asfixiarse?

Se encamina hacia el ayuntamiento y la plaza Grande, tratando de decidir si siente nostalgia o no por volver a casa. Puede ver a Elna y a Erik sentados en la cocina, o tal vez hayan salido a dar su paseo de los domingos. Si él no está trabajando, claro... No, ya hace tiempo que terminó con eso, consiguió turno de día fijo y no ha tenido que bajar nunca más al apartadero los domingos. Es extraño lo rápido que olvida las cosas... ¿Y la nostalgia por volver? No, no ahora, No cuando la ciudad y las calles están tan vacías. Ahora se siente segura y cada día que pasa también se encuentra más como en su casa en el sector de hilado. Liisa es una buena compañera de trabajo, aunque tenga un humor cambiante, y ella misma le ha advertido que los lunes por la mañana suele tener resaca. Pero le ha prometido que de todos modos no se quedará en casa. Además, no puede permitírselo, ahora que ha decidido comprar tantas cosas...

No, todo resulta más fácil después de una semana. Y cuando Eivor piensa que ya dispone de dinero, que al volver a casa cada tarde una suma de dinero se ha apartado para ir a parar poco a poco al sobre de su sueldo, la idea le da una sensación de libertad. ¡Claro que va a ser capaz de hacerlo! En cuanto se haya acostumbrado un poco más a la ciudad y a su gente, no duda de que podrá colarse también en Algots. Está claro que *sabe* coser, Jenny Andersson le ha dado un certificado que cualquiera envidiaría...

«Aplicada, minuciosa, puede recomendarse como costurera.» ¿Cuántas pueden hacerlo realmente?

Muchos pensamientos, muchas calles. Intenta aprenderse los nombres. Allégatan, es grande, como Stora Brogatan y Lilla Brogatan. Ahí está la plaza y allá el ayuntamiento, oscuro y melancólico, con la comisaría en el sótano. La iglesia Carolikyrkan, Stengärdsgatan, subiendo a la parte alta de la ciudad. Allí está el consistorio, un alto edificio blanco de piedra... «¿Qué diferencia hay entre el ayuntamiento y el consistorio?», piensa... Sube hacia la iglesia Gustav Adolfskyrkan, de ladrillos amarillos y rojos, pasando por delante del colegio femenino y la biblioteca, ahí está la Escuela Pública Superior y más allá está... No, no sigue más allá, parece ser sólo la zona residencial, grandes chalets con jardines enormes. «Seguramente los ingenieros y los dueños de las fábricas viven allí», piensa...

De nuevo hacia el centro, pero por otro camino, Södra Kyrkogatan, casas viejas, inmundas. Menuda diferencia. Bloques de apartamentos sin pintar, derruidos, y esas colosales mansiones de piedra.

«¿Pondré alguna vez en mi vida los pies en una casa así?», se pregunta. «En tal caso sería como sirvienta. Como lo que me ha contado mi madre, en Sandviken, en la casa de aquellos nazis. O al menos la señora de la casa...»

¿Cómo era...?

No, lo mejor es darse cuenta de nuestros límites y saber dónde está nuestro sitio. Dejemos que vivan en sus mansiones, ella está satisfecha con su ruidosa habitación en las afueras de Sjöbo. Por el momento...

Cuando hace cuatro años pasó aquel día fatídico junto a Lasse Nyman, fue como si una lanza la hubiera atravesado y todos sus sueños se hubieran escapado a través de la herida, todas las ilusiones que se había hecho. Todo lo que había oído y visto, leído y pensado. Para empezar, sabía lo que no quería. No quería que le ocurriera como a su madre. Tener un hijo colgando de su cuello antes de haber cumplido los... Sí, ¿cuántos eran? ¿Dieciocho o diecinueve? Vivir en una casa aburrida en Hallsberg, más aburrida aún. Ama de casa, la vida llena de platos para fregar y una sartén siempre caliente. Una sartén que no se enfriará hasta su muerte...

Nada de eso. Lejos de la tranquilidad del campo, para no convertirse en una vaca que mastica la misma brizna de hierba eternamente. A la ciudad, en busca de un trabajo bien pagado, de una vida propia. ¿Cómo tiene que ser esa vida? Más o menos como ésta. Con una casa nueva detrás de cada esquina, una persona nueva en cada casa, esperando a que ella la descubra, una cosa tras otra. Y si en realidad no existen los príncipes azules, habrá alguien que no tenga que ir a un apartadero todas las mañanas...

Ahora ha dado un paso adelante. La calle por donde avanza está en Borås, no en Hallsberg. Ella ha dado un salto magistral con las botas de las siete leguas. Y nada le impide dar el siguiente, y luego el siguiente, y luego...

Otra vez Allégatan, otra vuelta por la ciudad. Más gente en movimiento, más coches... Como aquel gran coche americano que, una y otra vez, da vueltas en torno a la estación de autobuses donde ella ha ido a parar de nuevo. Va andando a lo largo del río Viskan en dirección a la fábrica Algots, que sabe que se encuentra cerca de ahí.

De pronto, el gran coche americano frena, empieza a rodar a su lado y se baja una ventanilla.

¿Cómo demonios va a salir de ésta? No puede echarse a correr ni saltar a las aguas sucias... Ve una cara pálida tan parecida a la de Lasse Nyman que se sobresalta, además no aparta la mirada de ella. Se da cuenta y acelera el paso, pero el coche avanza siempre a su lado, a la misma velocidad. Un giro del volante y ella quedaría atrapada contra la valla. Mira con timidez y ve que hay por lo menos cinco personas en el coche, dos delante y tres detrás. ¿Qué querrán...? Y, como era de suponer, el coche se detiene en ese momento, cuando ella no sabe qué hacer, y además debería cruzar la calle para ir a Algots. Si continúa todo recto, poco a poco llegará a Varberg...

–Tú. Ven.

Ella sacude la cabeza y sigue caminando.

El coche arranca con brusquedad y vuelve a alcanzarla.

–Ven, así podremos hablar un poco.

–No –balbucea ella y nota que está sonrojándose. ¿No entienden que es demasiado pronto? ¿Que todavía no se atreve? ¿Se habrán dado cuenta de que acaba de llegar? No pueden estar ciegos...

–¡Podrías contestar! ¡Ven a hablar un poco!

Entonces ella da media vuelta y regresa por el mismo camino que ha venido. Y eso no pueden hacerlo los rockers que van en el coche, no pueden seguirla porque es una calle de sentido único.

Lo último que oye antes de que el motor dé un acelerón y el coche salga derrapando entre chirridos de ruedas es que le gritan que es una maldita presumida, una estrecha.

Ella vuelve andando todo lo deprisa que puede a la estación de autobuses y tiene suerte, en la parada hay un autobús que va a Sjöbo. Después de pagar el billete y sentarse, ve el coche circulando otra vez a lo largo del Viskan.

En ese momento está segura de que no va a volver a atreverse a salir sola en esta ciudad. Lo primero que consigue deambulando por la calle esa mañana de domingo es crearse enemigos, que le griten...

A su casa de Sjöbo. Si se le puede llamar casa. En la puerta de la calle alguien ha vomitado la noche anterior, salchichas sin digerir con mucha mostaza y ketchup. En la escalera huele a orín de perro y tras las delgadas puertas se oye a niños gritando y se escapa el olor a comida. Si eso es un hogar...

Tiene que pensar. No puede dejar que las cosas sigan así. ¿Por qué no se detuvo, fue hacia el coche y preguntó qué querían? Aunque, como es natural, sabe la respuesta. ¿No le habían preguntado ya unos rockers en Hallsberg si quería dar una vuelta en el coche cuando fue a comprar un chicle al quiosco de prensa? ¿Por qué no contestó? ¿Cómo va a arreglárselas aquí siendo tan cobardica? ¿De qué otro modo va a conocer gente?

Ha visto asesinar a un anciano, ha sido violada por un asesino en el asiento trasero de un Saab robado. Y huye cuando unos rockers le hablan en el centro de la ciudad una inocente mañana de verano... *Estrecha...*

¡La culpa es de ella, de nadie más!

Y el resultado es que está sentada en casa, de mal humor, sin haber podido ver siquiera el rótulo del grupo de empresas Algots, conocido en todo el país, encima de la entrada principal de una fábrica de verdad.

No, debe serenarse. Si no lo hace, es mejor que haga las maletas y regrese a Hallsberg a retomar el trabajo con Jenny Andersson. Si no es capaz de contestar a un par de rockers que van en coche, no tiene nada que hacer en el mundo.

Una pequeña mierda de campo...

Lunes por la mañana. Sirkka Liisa Taipiainen aparece con una resaca terrible, tal como había anunciado. Tiene los ojos inyectados de sangre y suspira y se queja. Pero está de buen humor y en el descanso del desayuno distrae a Eivor contándole sus proezas. Primero baile en el Parken y luego una fiesta en Rävlanda, Dios sabe dónde... Pero ¡qué bien se lo pasó!

–¿Y tú? –pregunta.

–Me quedé en casa –contesta Eivor evasiva. Liisa la mira con recelo.

–Yo he vivido también en una de esas ratoneras –dice–. Vaya mierda... Te quedaste en casa porque no tenías otra cosa que hacer. Porque no conoces a nadie aquí en Borås. ¿Verdad?

Eivor asiente.

–Bueno. ¡Se acabó! El próximo sábado vendrás conmigo.

–¿Adónde?

–Yo qué sé. Sólo estamos a lunes. –Y luego, como una triste confirmación de que es lunes, dice–. Debería volver a Finlandia. ¿Qué estoy haciendo aquí? En Borås...

–¿Por qué no vuelves?

–No hay trabajo. Pero aquí sí. Y ahora debemos ponernos manos a la obra. Tendrás que hacerlo tú. Yo hoy no aguanto nada...

El tiempo pasa rápido y las conversaciones se ven interrumpidas de golpe. Hay aglomeración en las escaleras y el estruendo les da la bienvenida y los devora. Una máquina tras otra. Eivor trabaja y se agota, maldice cuando se rompen los hilos o cuando se sueltan. Axel Lundin está de pie gritando algo al oído del capataz Sin Rabo, que sacude la cabeza y se encoge de hombros. En su zona de la sala de máquinas está Moses cambiando los calcetines a las bobinas a una velocidad increíble. Parece un pulpo con sus ocho brazos, calcetines de distintos colores ondean en el aire y él, aturdido por el ambiente, de vez en cuando golpea con furia a moscas invisibles. Eivor entiende al cabo de un rato que es asmático y que lo que golpea es el polvo. En contadas ocasiones, algún ingeniero vestido de blanco atraviesa la sala de máquinas, como sombras de médicos de urgencias que hacen la ronda. Liisa no deja pasar a ninguna de esas sombras blancas sin proferir una fuerte maldición a sus espaldas. Luego, satisfecha, hace una señal a Eivor con la cabeza y sigue trajinando enérgicamente con sus obstinadas bobinas.

«Yo hilo», piensa Eivor. «Miles de metros diarios. Un día alguna máquina me engullirá, desapareceré entre los hilos...»

Pero las cosas son como son. Después de dos semanas, Eivor sólo piensa en dos cosas: en el salario que percibe cada jueves y en que debe irse de ahí tan pronto como pueda. El trabajo es rutinario y ha empezado a percibir las particularidades de cada máquina. Ésa es mejor evitarla, es pesada y lenta. Ésa está demasiado lejos, ésa es buena, ésa es...

Llega el sábado. En los vestuarios, Liisa le aprieta con un dedo sobre el pecho.

–¡Ven a mi casa a las seis!

–¡Pero si no sé dónde vives!

–Ponte a gritar en medio de la plaza. Acudirá un policía o alguien que te dirá dónde vivo...

–No puedo hacer eso...

–¡Claro que puedes! Engelsbrektsgatan, número diecinueve. En el patio. ¿Sabes dónde está?

Sí, Eivor ha ido por esa calle, la recuerda de su malogrado paseo del domingo.

–Sí –dice.

–Adiós. Y si no vienes, que se te lleve el diablo. Podemos ir al Parken...

Y luego desaparece. Como llevada por el viento...

Liisa comparte con Ritva, otra chica finlandesa, un apartamento antiguo de dos habitaciones en un edificio en ruinas. Mientras Eivor busca a tientas el interruptor de la luz en la oscura escalera, oye *Blueberry Hill,* de Fats Domino, a través de las paredes. Liisa y Ritva viven en la planta baja, han garabateado su nombre en un trozo de papel y lo han clavado con una chincheta. El timbre no funciona, Eivor llama a la puerta y, como nadie viene a abrir, golpea con más fuerza. Liisa aparece en la puerta con un vaso en la mano.

–Hola –grita–. Bienvenida a este manicomio. Entra...

Liisa y Ritva beben aguardiente con gaseosa. Se sientan en la habitación de Ritva, pues tiene una cama que por el día se convierte en sofá. El papel de la pared está descolorido y sucio, los muebles son sencillos y, sin embargo, Eivor nota enseguida que ahí hay vida. No está muerto y estéril como el apartamento de Sjöbo.

Eivor saluda a Ritva, que es de la misma edad que Liisa. Pero ahí terminan todos los parecidos, Ritva es regordeta, con el pelo rubio a la altura de los hombros. Trabaja en una empresa de confección que se llama Lapidus y lleva en Borås más o menos el mismo tiempo que Liisa.

Sobre un taburete junto al sofá hay un pequeño tocadiscos cuya tapa es el altavoz, y encima de la manchada mesa de caoba han esparcido un montón de singles y de elepés. Eivor no ve las fundas de los discos. La aguja araña el vinilo y el volumen está al máximo.

En el suelo hay un radiador eléctrico encendido. Liisa llena un vaso y se lo pasa a ella.

–Salud –dice.

Está fuerte y Eivor se estremece al tragarlo. Pero ninguna de las otras dos parece notar que no está acostumbrada, porque en ese momento termina *Blueberry Hill*. El disco va a parar al montón que hay encima de la mesa, Ritva alcanza otro y lo introduce en el plato sin mirar qué es. Un disco amarillo, *Living Doll*, de Cliff Richard.

Ya son las siete. Ritva y Liisa empiezan a deliberar sobre lo que van a hacer ese bendito sábado por la tarde. Eivor deduce que ninguna de las dos tiene pareja, a pesar de que en la conversación surgen distintos nombres masculinos. Ella toma un sorbo de su vaso e intenta seguir el desarrollo de los planes para la noche. Pero parece que todo está decidido de antemano. En realidad sólo es cuestión de ir primero hasta el Cecil a ver si allí hay alguien que pueda llevarlas en coche al Parken. De otro modo, irán en autobús.

Cecil o no. Al final decide el reloj. Se ha hecho muy tarde. Tiene que ser Cecil. Por encima de la mesa van y vienen peines y cepillos, barras de labios y espejos de bolsillo.

–¿Estoy bien? –pregunta Liisa volviéndose hacia Eivor.

Ella asiente con la cabeza. Nota aliviada que su aspecto no se diferencia demasiado. El maquillaje es básicamente el mismo, igual que la ropa. Blusa o suéter, falda tableada o pantalón.

El Parken está de camino hacia Sjöbo. Eivor lo ha visto al pasar con el autobús. En la sala de baile hay mucha gente, ella paga su entrada y le ponen un sello muy curioso en la mano cuando pasa al lado del enorme portero al que entregan las entradas. El sello sólo es visible si se pone la mano bajo una lámpara con una luz espectral de color azul.

Qué mundo tan raro...

«¿Seré capaz de hacerlo?», piensa Eivor. «¿Con quién tengo que bailar, a quién decirle que no? ¿Dónde tendré que estar de pie, dónde sentada? ¿Qué voy a decir? ¿Cuándo tendré que callarme? ¿Qué está bien o qué está mal, qué es verdad o mentira...?»

Se ha mareado un poco por el aguardiente, pero no tanto como Ritva y Liisa. Están tan borrachas que dan traspiés. Ritva se lleva el aguardiente que queda y mete la botella en el bolso. Se dirigen al servicio para acabársela cuando de pronto alguien invita a Eivor a bailar.

–¡Nos veremos aquí! –grita Liisa, y luego ella y Ritva desaparecen entre el gentío.

El que la ha invitado a bailar es por lo menos quince años mayor que ella. Tiene poco pelo y huele a cerveza, pero no parece demasiado borracho. Y respecto al olor, ¿es mejor el olor a aguardiente? No, no encuentra ninguna excusa para rechazarle, así que lo sigue hasta la congestionada pista de baile. Es música lenta, él la aprieta, le pincha con la barba sin afeitar y huele a sudor, pero ella no se inmuta y procura concentrarse en seguir el paso.

–Se está bien aquí –dice él entre un baile y otro.

–Sí –contesta Eivor.

–Aunque el sábado pasado estaba mejor.

–Sí, mucho mejor.

Y luego música de nuevo, *Twilight Time.*

Un gran globo plateado flota en el techo y brilla por el reflejo de diferentes focos de luz. Hay poco espacio, resulta difícil moverse y el hombre, que no baila especialmente bien, la empuja todo el tiempo. Eso la irrita y le agrada a la vez, pues hay personas que bailan peor que ella. Ha aprendido a bailar con sus amigas en Hallsberg, sobre todo con Åsa. Åsa, que desapareció cuando se fue a la escuela secundaria de Örebro y a partir de entonces también desapareció como amiga. Ya no tenían nada que decirse, ni siquiera cuando Eivor trabajaba en la misma ciudad en el taller de costura y a veces viajaban juntas en el tren. Se sentaban una frente a la otra como si fueran dos extrañas, ya nada las unía. ¿Habrá obtenido Åsa el título de bachiller? Bueno, es su vida. Si es feliz así...

El baile termina, él le pregunta si quiere seguir bailando y ella pone la excusa de sus amigas, entonces él la acompaña hasta la escalera que hay que subir para salir de la pista de baile. Pero aún no ha dado con Liisa y con Ritva cuando vuelven a invitarla a bailar, y continúa hasta el descanso. Entonces encuentra a Liisa, que está sentada hablando con un muchacho finlandés junto a una mesa.

–¿Has visto a Ritva? –grita Liisa.

–No.

–Yo tampoco. ¿Has bailado todo el tiempo?

–Sí, casi...

–¡Ya ves!

–¿A qué te refieres?

–La diferencia entre salir conmigo o quedarte en casa.

–Sí.

Liisa reanuda la conversación con su amigo. Hablan finlandés y

Eivor no entiende ni una palabra. Se dirige a los servicios para retocarse la cara. Además tiene ganas de orinar. Los servicios están llenos y hay mucho barullo. Una chica ha vomitado y se está mojando la cara debajo del grifo. Parece borracha perdida, las piernas se le doblan. A Eivor le parece que está terriblemente pálida. ¿Cómo puede haber ingerido tanto alcohol y quién la habrá arrastrado hasta aquí? Ella apenas lanza una rápida mirada al espejo, se arregla el pelo y sale de los servicios. En ese momento vuelve a tocar la orquesta de Sven Eriksson y enseguida la invitan a bailar. Ya ha bailado antes con el que le pone la mano en el hombro. Es alto y delgado, de pelo canoso y unos dientes casi excesivamente blancos al sonreír. No es demasiado bueno bailando, pero al menos no la aprieta hasta romperla y mantiene las manos donde deben estar, nunca las baja y juguetea por debajo de la cintura.

Cuando termina el baile, él le pregunta si puede invitarla a tomar algo y ella le dice que sí.

–Me llamo Tom –dice cuando encuentran un par de sillas vacías y se sientan cada uno con su botella de Coca-Cola.

–Eivor.

–¿Vienes a menudo por aquí?

Ella le cuenta las cosas como son, alguna vez tenía que ser la primera. No, no había estado antes. Él pregunta y ella habla, de Konstsilke, de Liisa, de Sjöbo. Pero cuando le pregunta de dónde es, no puede evitar decir que de Örebro. Hallsberg le parece demasiado insignificante. ¿Y Tom, que tiene unos dientes increíblemente blancos, qué hace? Pues él vive en Skene, que está en las afueras de Borås, y allí trabaja con su padre en el taller de coches de la familia. Tiene veinte años y va al Parken todos los sábados, a veces también los miércoles.

–¿Te gustan los deportes? –pregunta él.

–No lo sé. ¿Por qué?

Él quiere hablarle de una de las experiencias más importantes de su vida. Fue hace dos años, en Hindås, entre Gotemburgo y Borås. Allí tenía su cuartel general Brasil durante el campeonato mundial de fútbol. Y él estaba allí, trabajando durante el verano en el hotel en el que se alojaba la selección brasileña.

–Tengo los autógrafos de todos –dice–. Pelé, Garrincha, Didi, Vava... Todos.

Como es natural, ella sabe que ha habido un campeonato mundial de fútbol en Suecia. Erik lo seguía por la radio. Tan tonta no es, además, Ingmar Johansson tampoco le resulta desconocido. Pero esos nombres brasileños que menciona Tom no le dicen nada.

–No creo que haya mucha gente que los tenga –murmura.

–No –contesta él–. Casi nadie.

Siguen bailando durante toda tarde, al final la pista está abarrotada, pero no hasta el punto de que le resulte incómodo a Eivor. Al menos él no trata de toquetearla...

Al acabar el último baile, Eivor no encuentra ni a Liisa ni a Ritva y, después de un momento de duda, accede cuando él le pregunta si puede llevarla a casa en el coche. No cree que haya motivo alguno para tener miedo de él, no parece obstinado.

Tiene un Amazon, y es evidente que le ha dedicado mucho trabajo y cariño. Está reluciente y la tapicería es de felpa roja, y Eivor nota que en el coche huele a loción de afeitado.

–Conozco bastante bien la ciudad –dice–. Sólo tienes que decirme la dirección.

Gira delante de la puerta de la casa, después de conducir directamente, sin dudar por dónde ir.

–¿Puedo subir contigo? –pregunta.

–No –contesta Eivor.

–¿Podemos vernos mañana? ¿Ir al cine?

–Sí...

–En el Skandia ponen una que tiene que ser buena. *El barco fantasma.* Es alemana. Con... ¿Cómo se llama ese actor...?

–¿Horst Buchholz?

–Exacto. Ése. Puedo venir aquí a buscarte. O podemos vernos en la ciudad.

–Lo prefiero.

–Entonces, ¿nos encontramos en el Cecil?

–Sí.

–¿Vamos a la primera o a la segunda sesión?

–Me da igual.

–¿Vamos a la segunda entonces? Así podremos tomar café antes. ¿A las siete?

–Sí.

–¿No quieres que vaya a buscarte?

–Prefiero ir al centro.

No sabe bien por qué no quiere que vaya a buscarla. ¿Para no mostrarse demasiado interesada y mantenerlo a distancia? Seguramente es eso.

La cafetería Cecil está en el edificio que hay junto al cine Saga. Eivor tropieza en la escalera que conduce a la planta superior del local y se da un golpe en la frente. No es un modo muy afortunado de empezar la tarde. Durante unos instantes se queda de pie en la escalera dudando si volver a casa, pero entonces llegan unos que van a salir y, al no poder titubear más, continúa subiendo.

Es, sin duda, una especie de café de rockers. Eivor, al menos, se siente enseguida como en casa. El aspecto de las jóvenes que hay allí se parece al suyo, llevan chupas de cuero y pantalones ajustados, suéteres de cuello vuelto encima de sostenes que realzan el busto, teñidas de rubio y pintadas, los ojos de negro y las bocas de rosa. Se oye retumbar una máquina de discos, es Elvis, naturalmente –incluso una canción que ella tiene, *King Creole*–, y Eivor busca a su alrededor a Tom el mecánico de coches, pero evidentemente no ha llegado aún, y en el reloj de la pared no son más de las siete. Se sienta a una mesa después de pedir una taza de café y un paquete pequeño de cigarrillos. No fuma con frecuencia, por mucho que se esfuerza nunca le ha sabido bien. Pero hoy no puede resistirse a comprar un paquete de John Silver.

El café está tibio y el sabor de los cigarrillos no le gusta, como siempre. Son las siete pasadas, pero no aparece ningún Tom. «Llegar con algunos minutos de retraso forma parte del asunto, ya seas de Skene o del sur de Estocolmo», piensa ella. «No hay que aparentar nunca que estás demasiado interesada, por más que lo estés.» Las chicas tienen que esperar y Eivor, por supuesto, no es ninguna excepción. En el local hace calor y no es excesivamente bullicioso, la máquina cambia de disco sin cesar, y él llegará de todos modos a tiempo para la película. ¿Cuánto tiempo se puede tardar en ir al Skandia? Cinco minutos si se anda deprisa y se toma un atajo a lo largo del Viskan, no más...

Pero él no llega, son las siete y media, las ocho. Una hora. ¡Así que la ha dejado plantada, se lo ha pensado mejor y no valía la pena! Ni se enfada ni se siente ofendida, sólo está triste. ¿Por qué no viene? ¿Se mostró tan despectiva la noche anterior, como una chica que no quiere, se cerró como una puerta blindada, como una estrecha...?

¡Demonios! ¡Después de bailar diez, once piezas en el Parken no puedes llevarte a casa a cualquiera! ¿O sí se puede? ¿Se tiene que poder hacerlo?

Se ha equivocado de nuevo. Se lo piensa bien y...

¿Tal vez ella lo ha entendido mal? ¿Tenían que encontrarse en la puerta del cine quizás? Estaba tan mareada y tan cansada que puede haber olvidado lo que acordaron. Maldice y se pone en marcha. Diez minutos antes de que empiece la película llega jadeante al cine, que se halla en una de las calles cercanas al puente. Pero no lo ve en el vestíbulo de entrada. Ya han empezado los anuncios, van por el de Colgate... Si compra la entrada y pasa, tal vez él la vea... Pero nadie le hace señas con la mano ni la llama cuando avanza a tientas por la oscura sala. Se sienta en el extremo de una fila, hay mucho sitio y, cuando hace media hora que ha comenzado la película comprende el motivo, es una película malísima, ni siquiera Horst Buchholz está bien. No es emocionante ni romántica ni descarada. ¡Es simplemente una estupidez!

Cuando va hacia la estación de autobuses hace frío y se siente frustrada. Si al menos supiera por qué motivo no se ha presentado, lo podría soportar. No saberlo es peor, es preferible que le confirme que ella es una de esas mierdas secas que ni siquiera sirven como compañía para una pésima película alemana...

El autobús ya ha salido, falta media hora para que llegue el próximo. Para no quedarse congelada de frío empieza a andar y, sin darse cuenta, al menos de modo consciente, de repente está enfrente del gran rótulo de Algots, que cuelga fuera de un edificio de ladrillo rojo. Pese a ser domingo está en pleno apogeo, Eivor ve moverse las sombras de los trabajadores al otro lado de las ventanas.

Es aquí donde ella quiere estar, piensa. Aquí y en ninguna otra parte. Aquí se fabrica ropa, no hilos para neumáticos. Aquí va a demostrar su capacidad con la máquina de coser, tal vez incluso algún día en el futuro pueda participar en el diseño de la ropa que se produce...

Vuelve deprisa a la parada para no perder el autobús otra vez. Es el último de la tarde. No tiene necesidad de quedarse de pie en la calle oscura mirando a la fábrica. Ella ya lo sabe...

Va a la parada del autobús caminando a paso ligero, pasa por delante de la fábrica de cerveza y llega justo a tiempo, antes de que se cierren las puertas del autobús.

Tom se perdió por el camino, la película era aburrida, pero Algots estaba donde tenía que estar... Y mañana de nuevo será lunes. Le pedirá consejo a Liisa. ¿Y por qué tiene que trabajar como una esclava en Konstsilke? ¿No sabe coser? ¿No quiere hacer algo en la vida? No puede conformarse con beber aguardiente con gaseosa los sábados, ni siquiera una finlandesa que habla demasiado...

Una semana después, según les han comunicado de parte del capataz Sin Rabo, Eivor y Liisa van a entrar en el tercer turno. Entonces ganarán más, pero, por otro lado, van a tener que levantarse de vez en cuando a medianoche.

El lunes también llega a su fin y, cuando termina de trabajar, Eivor tiene previsto irse de compras por primera vez. Tempo está en una esquina que da a la plaza Grande, Epa en uno de los lados más largos de la plaza, y Domus más abajo, en la calle Brogatan. Empieza en Tempo, mira la ropa y los zapatos, se queda un buen rato en la sección de perfumería, pensando y mirando. Le gustaría tener tantas cosas, aquellos zapatos, los pantalones, tal vez incluso ese suéter... Vamos a ver qué tiene Epa para ofrecer... Epa tiene también muchas cosas atractivas, aunque la mayoría se parecen a las que acaba de ver en Tempo. Pero no del todo, el color podría haber sido otro, la abertura de la falda *un poco* más insinuante...

¡Pero ese suéter! Amarillo con hilos plateados entretejidos. Es...

–¿Puedo ayudarla en algo?

La vendedora es de su edad, amable pero aburrida.

–Sólo estoy mirando –masculla Eivor.

–No hay inconveniente...

¡Cuarenta y dos coronas por el suéter! Una cuarta parte del sueldo, pero podría comprarlo. Es...

Queda Domus, ¡no puede tomar una decisión antes! Y también allí hay muchas cosas que le gustan. ¡Pero el suéter! Vuelve a Epa, la vendedora no parece acordarse de ella.

–¿Puedo ayudarla en algo?

–¿Lo tienen en mi talla?

–Claro que sí. ¿Quiere probárselo?

El dinero por fin adquiere su valor detrás de la cortina del probador. Le queda perfectamente, piensa que incluso aparenta algún año más. Quién sabe, quizá le permitan comprar alcohol en el establecimiento de bebidas si lleva ese suéter. Por sólo cuarenta y dos coronas...

La vendedora mete la cabeza entre las cortinas.

–Le queda muy bien.

–Sí... Me lo llevo.

Paga, se lo dan en una bolsa, y luego concluye esa tarde gloriosa comiendo fuera. En la cafetería de Tempo, para fomentar la competencia. Hamburguesa, leche y pan incluidos. De camino al autobús entra en un estanco a comprar papel de cartas, sobres y sellos, y el *Bildjournalen.* El periódico es para ella, el papel de cartas para Hallsberg. Ellos se preguntarán por qué no escribe...

Cuando, acurrucada en la cama, lee lo que está escribiendo, la carta casi le parece bochornosa. Todo está bien, el trabajo, el apartamento, Liisa, la ciudad, las tiendas. No es verdad, pero tampoco es mentira. Pero de algún modo quiere tranquilizarlos. Ella se las arregla bien, no tienen que preocuparse. ¿Y por qué iba a hablarles de lo del aguardiente con gaseosa y de un tal Tom que no apareció? Ojos que no ven, corazón que no siente, además no estaba borracha, tampoco sobria, pero... No, esta carta tiene que enviarla. Saludos al gato. Eivor.

Martes. Otro día de trabajo, Eivor mira el termómetro que hay al otro lado de la ventana, pero apenas puede abrir los ojos. Otra vez a Konstsilke, otra vez a las máquinas, a esos perros aullantes que nunca están satisfechos, hambrientos de hilos que engullen con avaricia como tenias sin fin. Todo sigue igual...

¡No, en absoluto! Porque junto al reloj para fichar está el capataz Sin Rabo vociferando en medio del ruido que ha habido un fallo en la hilandería. Por lo tanto, hoy pagarán por horas, tal vez mañana también, durante toda la semana...

Luego se aleja rápidamente en dirección a su cubículo de cristal antes de que la gente comience a protestar. Pero Liisa va detrás de él, le hace un gesto a Eivor para que la siga, y después, uno tras otro, vienen más, Evald Larsson «el Flaco», Viggo Wiberg. Pero de nada sirven las protestas, el capataz Sin Rabo ha recibido órdenes directas del ingeniero.

–¿Cómo puede haber sido un imprevisto si se ha tomado la decisión durante la noche? –dice Evald Larsson mordiéndose el labio inferior–. ¿Lo han descubierto acaso durante la noche?

–El ingeniero ha dicho lo que ha dicho.

–Sí, no hay duda. ¡Pero es inaceptable!

–Ahora tenéis que volver al trabajo. Yo no puedo hacer nada...

–Llama al delegado.

–No podéis convocar una reunión sindical en horas de trabajo.

–No, pero puede venir al comedor a la hora del desayuno. Y si se prolonga, vas a dar tu aprobación.

–No, no puedo...

–Claro que puedes, viejo del demonio –interrumpe Liisa.

Los trabajadores textiles se agrupan dentro y fuera del cubículo de cristal. Sólo Moses sigue trabajando sin inmutarse. Los calcetines le marean y el polvo se le queda en la garganta... No ve ni oye otra cosa que sus calcetines, pronto habrá estado miles de años en su puesto de trabajo...

El delegado Nilsson viene resoplando de la tintorería. Aparece con las manos manchadas de negro y su escaso y fino pelo gris. Se mete enseguida en medio de la multitud enfurecida, y entonces se descubre el hecho sorprendente de que ni siquiera ha sido informado, a pesar de que es el sindicalista jefe de la fábrica.

–No podemos aceptar esto –le ruge alguien directamente en la oreja.

–No –contesta él–. Pero... ¡Espera un momento! Voy a tratar de hablar con Levin para que me diga qué pretenden.

–¡Y dile que vamos a mantener el trabajo a destajo!

–Sí, demonios. No grites. No estoy sordo...

Nilsson sale rápidamente y ellos pueden empezar a desayunar.

–¿Por qué están todos así de exaltados? –pregunta Eivor.

–Porque los ingenieros creen que pueden empaquetarnos como ellos quieran.

–¿Empaquetarnos?

–Quiere decir que hacen lo que quieren. Por cierto, ¿estás afiliada al sindicato, pequeña? –le pregunta Evald Larsson.

El huraño de Larsson, que desayuna por lo menos tres tazones diarios de chocolate hecho en casa. Se lo ha preguntado con serenidad, pero Eivor percibe en sus palabras una decidida advertencia. Así que dice la verdad sin ocultar nada. No. No lo está. No se lo han pedido. Nadie le ha dicho nada.

–Debes afiliarte al Sindicato Textil –dice–. No podemos tener a gente que no está organizada. Porque no piensas dejar de trabajar aquí mañana, ¿verdad?

–No, no exactamente.

–Se lo diré a Nilsson.

Durante el descanso del almuerzo, el delegado Nilsson consigue, con gran dificultad, acceso al despacho del director, donde reside, entre otros, el ingeniero Levin. Sólo se trata de suprimir el trabajo a destajo hasta que la producción haya vuelto a normalizarse. Y esperan que sea muy pronto, en breve.

Eso es lo que el delegado sindical puede comunicar a los trabajadores del hilado.

-En ese caso, no nos queda más remedio que cruzarnos de brazos -dice Evald en tono triste.

-No creo que pueda aconsejaros que lo hagáis -dice el delegado en el mismo tono.

Las armas del delegado Nilsson: las maniobras ilegales. Sabe perfectamente que es lo único que puede ayudar. La paz laboral es un fenómeno asombroso y sagrado.

-¿No podríais tranquilizaros hasta mañana? -suplica-. Levin ya ha dicho... Esperad al menos hasta mañana para que tenga tiempo de averiguar lo que ha ocurrido en realidad.

Pero nunca logra saberlo. Es un secreto que se queda en la cámara de los ingenieros, lejos del estruendo ensordecedor de las salas de máquinas. Porque puede que no sea conveniente que los trabajadores sepan que hay dos contratos sin concluir que, de repente, han sido anulados casi sin previo aviso. Sólo concierne a la dirección de la empresa, que debe dar la impresión de ser emprendedora y de que dirige con mano segura. Además no viene mal quitar de vez en cuando el acuerdo de trabajo a destajo a los trabajadores para reblandecerlos ante las negociaciones del convenio... En la cámara reina una sinceridad que no es más que un secreto encubierto. Entre el ingeniero jefe Levin y la pequeña Eivor Maria Skoglund, natural de Sandviken, criada en Hallsberg, hay un laberinto vertical. Un laberinto para ella, una estructura de poder para él. Ella sabe quién es él, al menos su nombre, pero para él, ella es sólo alguien que ha caído en las garras del emprendedor jefe de personal...

Por la tarde, el ingeniero jefe Levin es informado de que en el hilado hay disturbios. Da instrucciones inmediatamente al departamento de nóminas para que reduzcan el sueldo a los que están participando, el capataz Hansson tiene que ir a controlar que la medida no afecte a ningún inocente. El tal Moses, naturalmente, se queda fuera, como de costumbre, y sigue dándole duro a sus calcetines. Es curioso que no se haya vuelto loco todavía... Alguna vez, por puro placer, alguien del departamento de nóminas tendría que dedicarse a intentar calcular cuantos calcetines ha tenido ese hombre en sus manos durante todos estos años...

El ingeniero jefe Levin tiene treinta y siete años. Está al día de los cambios que se producen en la industria y sabe qué productos tienen futuro y cuáles que no, aparte de los que van a desaparecer.

Como ocurre ahora en Konstsilke. En seis, siete años, Levin sabe que tendrá que buscarse un trabajo nuevo, porque poco después Konstsilke cerrará con toda seguridad. Él ya lo sabe. Así que cuando los augurios se vuelvan realidad para los trabajadores, él y los demás ingenieros lo verán desde sus casas. Así es, así ha sido siempre y así continuará siendo siempre. Cuando el mundo da vueltas más tranquilo es cuando no se desvía innecesariamente del principio que dice que el primero que muele es el que está más cerca del molino...

Durante la última hora de trabajo se quedan sentados, sólo concluyen las máquinas que ya habían empezado. En un rincón de la sala de máquinas hay unas cajas enormes con tejido para nuevos calcetines y restos de los que se han desechado. Es el único sitio que tienen para sentarse, aparte de los retretes, cuyas puertas no se pueden cerrar, como es natural. El capataz Hansson va preocupado de un lado a otro, sacudiendo la cabeza como si fuera testigo presencial de un acto profundamente inmoral. Y a sus ojos lo es.

El delegado Nilsson llega a toda prisa con la cara encarnada. A él tampoco le gusta esto, ya que implica reprimenda de Levin, y ese maldito es capaz de reñirle hasta hacerle sonrojar...

–¿No podíais haber esperado hasta mañana? –refunfuña.

Evald Larsson sacude la cabeza.

Pero luego señala a Eivor.

–¡Aquí tienes a una que se va a sumar! –grita–. Controlar que los nuevos paguen la cuota es tarea tuya.

–Sí, lo sé... ¡Pero hay tal renovación de personal que no da tiempo!

¿Renovación? En los oídos de Eivor resuenan de pronto algunas palabras de su primera entrevista con el jefe de personal. «Plantilla de trabajadores estable.» ¿Cómo puede ser cierto? ¿Y por qué no trabajan?

«Esto tiene que explicármelo Liisa», piensa. «Quiero entenderlo...»

El único modo de atrapar a Liisa, que siempre tiene prisa para salir volando de los vestuarios cuando la jornada laboral termina al fin, es actuar con decisión y agarrarla del brazo sin darle la oportunidad de que empiece a poner excusas.

–No tengo tiempo –dice.

–¿Qué tienes que hacer?

–No...

–Te invito a tomar café.

–¿En el Cecil?

–Es muy bullicioso. ¿No hay un café al lado de la Casa del Pueblo?

–No he estado nunca allí.

–Ni yo, vayamos.

Café, galletas de almendra y bollos.

–¿Cómo van las cosas? –pregunta Eivor una vez que han dado buena cuenta de las galletas–. ¿Habrá de nuevo trabajo a destajo?

–Veremos qué pasa mañana. Que se vayan al infierno...

–¿No puedes explicármelo?

–No. Pero puedo hablarte de mi abuelo.

Siempre hay un momento en la vida en el cual las personas cambian. Como ahora Liisa, al nombrar a su abuelo. Entonces se pone taciturna y mira a Eivor como si estuviera viendo un recuerdo lejano. Y en parte es así. En su abuelo tiene sus nudosas raíces en Finlandia. De él y de su vida ha heredado la desconfianza de todo lo que sean ingenieros y capataces manipuladores. Por más que cambien los tiempos, las palabras de Olavi Taipiainen siguen siendo válidas para ella.

–¿Qué sabes de Finlandia? –pregunta.

–No mucho –contesta Eivor–. Casi nada. La bandera es blanca y azul...

Y entonces Liisa le cuenta. Por lo mucho o poco que entiende Eivor, Liisa cae en el común error de creer que el que escucha tiene más conocimientos de los que tiene ella, pero una vez que empieza a hablar es imposible interrumpirla.

–Mi abuelo –dice– se llama Olavi y nació en 1889. Y después de todo lo que ha tenido que pasar en la vida, me resulta extraño que esté vivo todavía. A los nueve años trabajaba desde las seis de la mañana hasta las ocho de la tarde en una fábrica en Tammerfors. Su padre trabajaba como labrador a varios kilómetros de distancia, por lo que mi abuelo tuvo que vivir en un... ¿Cómo se dice...? *Asylmi...* Hospicio. Apenas le daban comida, sólo patatas y algo de pescado y requesón. ¿Puedes imaginarte lo que es trabajar a los nueve años hasta caer rendido? No me extraña que se volviera socialdemócrata. Y debes saber que un socialdemócrata en aquella época era distinto de lo que es hoy, no puede compararse. Querían hacer estallar todo por el aire; y cuando Finlandia fue independiente, después de la Revolución bolchevique en Rusia, hubo una guerra civil. Empezó en enero de 1918, los socialdemócratas crearon la guardia roja y luego hubo una guerra total entre ellos y los de derechas, los carniceros, como les llamaban. Pero perdieron los rojos, estaban muy mal organizados y tal vez habían elegido un mal momento. Y al acabar la guerra civil, los carniceros se volvieron unos salvajes. Ejecutaron a hombres y mujeres e incluso a los niños socialdemócratas. Mi abuelo pasó dos meses en la celda de la muerte y cada mañana llegaban los blancos y sacaban a la gente para matarla. Podía oír los disparos y los gritos... No, no gritaban, cantaban. Todavía no sabe por qué a él no lo mataron, pero fue condenado a muerte y se le conmutó por cadena perpetua y algo que se denominaba pérdida de la confianza cívica para el resto de su vida. Él se libró finalmente, pero dice que la guerra civil sigue aún. Ha trabajado en todo. Ha sido albañil y herrero y... ¿cómo se llaman los que ponen esas cosas debajo de las patas a los caballos...?

–¿Herrador?

–Sí, exactamente, herrador. Y muchas cosas más. Ahora ya es viejo, pero sigue enfurecido. Vive en nuestra casa en Tammerfors, y cuando yo era pequeña me contaba todas estas cosas. Si no hubiera sido por él, yo habría sido una idiota. Sin él no habría entendido que esos ingenieros nos despluman como a gallinas. Aquí hacen lo mismo que en Finlandia, aunque tal vez no sea tan evidente. Si quieren quitarnos el trabajo a destajo tendremos que... ¡No se puede vivir del salario por horas! Sí, tal vez si dejas de comer y vives en una tienda de campaña... Si no quieren pagar a destajo dejaremos de trabajar. Es lo único que podemos hacer. Y lo hemos hecho hoy. Y lo haremos mañana si no volvemos al acuerdo de trabajo a destajo...

–Pero si ellos... ¿Y si tenemos que dejar el trabajo?

–¡Bueno! ¿Y entonces quién va a trenzar su condenado hilo? ¿Ellos mismos? No, cada uno debe saber lo que vale. Quien no lo sabe, no vale nada. Y entonces ellos pueden hacer lo que quieran. No puedo explicártelo mejor. Puedes preguntar si quieres...

Eivor pregunta y Liisa responde. Sus preguntas son ingenuas, pero a Liisa no le molesta e intenta contestarlas lo mejor que puede.

–No sabes nada –dice riendo–. ¿Qué has estado haciendo antes de venir aquí?

–He vivido en Hallsberg.

–¿Vivías sola?

–No, pero una vez estuve en la manifestación del Primero de Mayo. Ahora lo recuerdo. Con un anciano que se puso enfermo.

–¿Eso es todo? ¿Un anciano que se puso enfermo?

–Sí... Casi.

–Tienes mucho que aprender.

–Seguro que sí.

–Pero yo también. ¡Demonios! A veces echo de menos a mi abuelo. Más que a mi padre, a mi madre y a mis hermanos. Tiene una constitución increíble... Pero este verano viajaré a casa y lo veré.

El café cierra temprano, a las seis. Las dos se sorprenden cuando se dan cuenta de que han transcurrido casi dos horas.

–Mañana debemos estar descansadas –dice Liisa cuando se hallan de pie en la acera al frío de la tarde–. Hay que estar preparadas por si se les ocurre hacer más jugarretas. Nunca se sabe. Ahora es mejor que te vayas a casa...

Pero al día siguiente el capataz Hansson está al lado del reloj para fichar y comunica que el acuerdo de trabajo a destajo va a seguir como de costumbre, según ha notificado el ingeniero jefe.

–¿Y qué pasa con lo de ayer? –pregunta Evald Larsson.

–Ya lo veréis en el sobre del salario –contesta Hansson, dirigiéndose luego a su cubículo de cristal.

–¡Y una mierda! –grita Liisa detrás de él, pero, como es natural, no la oye.

El delegado Nilsson llega resoplando justo antes de empezar el primer descanso y promete que hará lo que esté en sus manos si en el departamento de nóminas deciden descontar la hora que no trabajaron. ¿Pero cómo va a solucionar lo del día que trabajaron por horas? Sin duda va a resultar difícil. Pero hará lo que pueda.

–¿Realmente lo hace? –pregunta Eivor.

Liisa no contesta.

–Bueno... –dice Evald Larsson.

–Y una mierda –le increpa Liisa.

–En fin, tan malo no es –masculla Evald.

–¿Quieres que apostemos algo?

–No puedo permitírmelo.

–No, no puedes permitirte perder. Sabes tan bien como yo que no se atreve a contradecir a los de arriba.

–Bueno –contesta Evald–. Ya veremos...

Y esta vez es él quien tiene razón. Cuando por fin llega el sueldo de ese día, se demuestra que no se le ha descontado nada a nadie y que se ha pagado a destajo.

–Bien hecho –dice Liisa sin darse cuenta de que el delegado Nilsson se ha quedado perplejo cuando ha visto que no se ha realizado ninguna deducción. ¿Puede tratarse de un error?

Pues sí, así es, y al día siguiente, en el despacho del ingeniero superior Levin, le echan un buen rapapolvo al contable del departamento de nóminas. Naturalmente, ahora ya no puede hacerse nada, descontar el dinero de los sueldos posteriores sería demasiado vergonzoso. Pero es terrible que las directrices de la deducción no se hayan aplicado. No volverá a ocurrir, después el contable puede marcharse.

No es un invierno largo y duro. Ya a mediados de febrero va cediendo, como si no pudiera más. Eivor cabecea satisfecha cuando intenta ver con ojos adormecidos la pequeña columna de mercurio. Es más fácil salir a la calle de madrugada cuando el frío no te golpea en cuanto abres la puerta. Especialmente ahora, que trabaja por turno y a veces debe levantarse a las tres de la mañana...

Un día recibe un comunicado de la oficina de personal en el que le dicen que tiene que encontrar otra vivienda lo antes posible. Que ya hay gente que necesita su apartamento. Lee los anuncios en los periódicos *Borås Tidningen* y *Västgöta-Demokraten,* y un sábado, el último de febrero de 1960, va a ver un apartamento. Ha llamado desde el comedor de la fábrica y ha acordado la hora con una mujer mayor. Sin embargo, cuando va atravesando la ciudad, no tiene demasiadas esperanzas de conseguir el apartamento, la mujer sonaba reticente por teléfono. Pero tiene que intentarlo.

Es un edificio viejo que se encuentra detrás del Juzgado, no lejos de la vivienda de Liisa y Ritva. Se queda en la acera mirándolo. Tiene un aspecto oscuro y lúgubre comparado con el bloque de apartamentos de Sjöbo. Pero ¿y vivir tan en el centro? Podría ir andando al trabajo. Valdría la pena.

Se mira en el cristal de la ventana de una tienda de comestibles que hay justo al lado y sube al segundo piso como le han indicado. Tiene que ser la vivienda de la izquierda. No hay ninguna placa en la puerta y ella aprieta con su dedo el timbre negro y oye que suena dentro del apartamento. Pero no es una mujer quien abre la puerta, es un muchacho de su misma edad, que viste un ancho abrigo marrón, bufanda y guantes de ante. Va calzado con botines.

–¿Eres Eivor Skoglund? –pregunta.

Así es.

Le explica que su madre ha tenido un contratiempo y que es él quien va a enseñarle el apartamento.

–Me llamo Anders Fåhreus –se presenta–. Entra, por favor. Aquí dentro hace frío, pero no tiene sentido calentarlo mucho cuando no vive nadie. Mi madre pone mucho cuidado en eso. Ella es la propietaria del piso.

Él le enseña el apartamento y le explica cómo funciona todo, parece que está habituado a ello. Habla en un tono levemente nasal y tiene prisa.

El apartamento consta de una habitación y cocina, está deteriorado, pero por lo menos tiene cuarto de baño con una bañera agrietada. Eivor nota que por las rendijas de las ventanas entra aire. Las placas de corcho del suelo están abombadas y el papel de la pared es de color amarillo chillón. Sin embargo, viviría tan cerca del centro, y el alquiler es *barato,* según el anuncio del periódico *Borås Tidning.*

–Cuarenta y cinco coronas al mes –dice él como si hubiera leído sus pensamientos. Se ha encendido una pipa y está sentado en uno de los marcos de las ventanas. Las luces de la calle iluminan su pálida cara, revelando algunas espinillas en la frente. «Es normal que tenga prisa», piensa Eivor. «Es sábado por la tarde, querrá irse por ahí. Una fiesta o lo que sea.» Ella tiene entendido que las dos plazas de la ciudad forman dos territorios distintos. La estación de autobuses es el entorno de los rockers, por allí circulan dando vueltas con sus coches, allí está el Cecil. En la plaza Grande se reúnen los jóvenes de la escuela secundaria, alrededor de los bancos que hay junto al busto de Gustavo Adolfo II, el que dio los privilegios a la ciudad. Allí se liga sin coches. Una vez que sus tropas se han reunido para acudir a alguna de las fiestas secretas, la gente generalmente desaparece en taxi. El Cecil equivale a la confitería Spencers, y entre los dos grupos reina una abierta enemistad. Todo esto, ella no lo ha visto, una parte se la ha oído contar a Liisa, que parece que sabe todo lo que ocurre en la ciudad.

–Bueno –dice él–. Tengo algo de prisa. ¿Lo quieres? Hay muchos interesados, así que debes decidirte rápidamente. Ahora mismo.

–Sí –dice Eivor–. Sí, gracias.

–De acuerdo. Tres meses por adelantado, luego trimestre a trimestre. Si vas a casa de mamá el lunes, podemos hacer el contrato y se te darán las llaves en ese momento. Deberás llevar el dinero. Mi madre es muy puntillosa con esas cosas.

»¿Nos vamos? –pregunta él–. Seguro que también tienes prisa.

–No demasiada.

Él cierra con llave y salen a la calle.

–¿Hacia dónde vas? –pregunta él con cortesía pero sin interés.

–Tengo que coger el autobús que va a Sjöbo.

–¡Uf, mierda!

–¿Qué pasa?

–No, bueno, entiendo que te mudes. Allí no hay quien viva.

Eivor percibe que él se está poniendo nervioso. ¿Qué tiene que ver él con esas personas? ¿Con qué derecho está ahí lanzándoles mierda? Mientras va andando a su lado por la acera, el abismo del que le ha hablado Liisa se vuelve totalmente evidente.

–La gente que vive ahí no tiene nada de malo –dice ella.

Pero las cosas se tuercen, y él parece que no es consciente de su evidente arrogancia.

–He estado allí una vez. Íbamos a una fiesta. Pero allí sólo nos encontramos con finlandeses y trabajadores borrachos. Nos fuimos enseguida.

–Yo también soy trabajadora.

–¿Qué?

–Te refieres a personas como yo.

En ese momento, él se da cuenta de que ella está enfadada y enseguida la coge del brazo con amabilidad.

–No te lo tomes así –se disculpa él–. No quería decir eso, como es natural. Lo que pasa es que... la gente es distinta. ¿Hacia dónde vas? ¿A la plaza Sur? Puedo acompañarte hasta la iglesia. Luego seguiré hacia arriba.

–¿Ah, sí?

Ella sabe que se dirige al baile en el salón del instituto. Seguro que con esa música tan incomprensible que llaman jazz.

Pero no lo dice.

–¿Te lo pasas bien allí?

–Claro que sí. ¿Me acompañas?

La pregunta surge de modo tan repentino que ella se detiene de puro asombro. Pero parece que él habla en serio, lo dice con amabilidad.

–No –responde ella–. Creo que no.

–¡Vamos, anímate!

–No.

–¿Por qué?

–No me apetece. No conozco a nadie.

–Yo tampoco. Al menos no a demasiados.

–No y no... Adiós.

–Adiós.

Y se marcha cada uno en una dirección distinta. Cuando Eivor ha llegado a la altura de la biblioteca, se detiene y mira hacia atrás. Allí arriba, detrás de la iglesia, está el edificio de ladrillo rojo oscuro del instituto. La gran entrada está iluminada, igual que el salón. Jóvenes que van hacia allí pasan por su lado. Siente cierta atracción por entrar en un sitio desconocido, pero enseguida llega la reacción en contra, la percepción de peligro. Ella no tiene vínculo alguno con lo que hay allí arriba. Su amiga Åsa habría podido entrar por esas puertas, habría conocido los rituales, el idioma y las personas. Eivor presagia el peligro. Lo que le atrae es menor que la amenaza que emana del rumiante edificio y de las personas que se encaminan hacia allí. Si va a ir esta tarde a algún sitio, tendrá que ser al Cecil o al Parken. Allí está en su ambiente.

Cuando se dirige hacia la estación de autobuses, piensa que el mayor descubrimiento que probablemente ha hecho hasta el momento es que las personas de un sitio y otro son diferentes en *todos los aspectos*. En la ropa, en el modo de hablar, de reír, de pensar. Sí, hasta fumamos de forma distinta. Imaginemos que un chico aparece por el café Cecil con una pipa en la boca. Todos le mirarían y se burlarían de él al instante.

Pero, como quiera que sea, va canturreando, baja corriendo las escaleras que llevan a la calle Allégatan y dobla hacia Hemgården y la estación de autobuses; ha conseguido un apartamento. ¡Al primer intento! ¿Quién es capaz de hacerlo? Y además en el centro. A diez minutos andando del trabajo. Podrá dormir media hora más por las mañanas y ahorrarse el dinero del autobús, y tampoco tendrá que pasar frío en medio de la noche, o discutir con los borrachos que vuelven a sus casas en el último autobús nocturno. (Pero ello no implica que ese imbécil presumido tenga razón en lo de vivir en Sjöbo. Que lo sepa. Y la dueña de la casa es su madre... Entonces, ¿qué posee el padre? La calle por la que va caminando...) Se detiene un momento en la estación de autobuses dudando si echar un vistazo en el Cecil para ver si están Liisa o Ritva. No, está cansada. Además no lleva dinero. Y ahora es cuestión de ahorrar lo poco que tiene. Por lo que ha visto del apartamento, va a necesitar alguna que otra cosa. Llega a tiempo para subirse a un autobús que está parado, y de camino hacia Sjöbo empieza a planear la mudanza.

Inmediatamente toma una decisión. Es el momento de que su madre venga a verla. Además así podrá serle de utilidad...

El lunes por la tarde llega corriendo a la parada del autobús, como de costumbre, pero hoy no va a ir a Sjöbo sino en una dirección completamente distinta, hacia una zona apartada, de aspecto bastante más lujoso que Sjöbo. Pasa junto al edificio amarillo del hospital, la calle Ulricehamnvägen, hacia Brämhult. Allí va a ver a la señora Fåhreus, firmará el contrato y pagará el alquiler de los tres próximos meses; todo para poder meter en el bolso un par de llaves de una casa propia.

El edificio es de color blanco y está elegantemente aislado. Pero es aquí, una gran placa de bronce le indica que está ante la puerta de la residencia de los Fåhreus. Ella sube por el camino de gravilla sintiéndose más pequeña a cada paso que da, y se pregunta si el hijo que ha conocido habrá salido a su madre...

Pero no es la señora Fåhreus la que está en la puerta, sino su hijo Anders, al que ella conoció el sábado. Él abre, lleva una chaqueta deportiva azul, camisa blanca con cuello levantado y una estrecha corbata a cuadros escoceses.

–Entra –dice él con el mismo tono amable que cuando Eivor se enfadó con él el sábado pasado.

Eivor entra en el recibidor, y le parece más bien una sala de columnas. Él le ayuda a quitarse el abrigo y le pregunta si le ha resultado difícil encontrar el sitio.

–No, en absoluto –responde ella y mira alrededor en busca de la madre.

–Podemos entrar aquí –sugiere él indicando una sala de estar, con mullidos sillones, una chimenea, cuadros y espejos de relucientes marcos dorados–. Siéntate, por favor –dice él, y se sienta en el borde de un sofá de piel marrón–. Lamentablemente, mamá ha tenido que ir al médico –dice–. Pero yo puedo encargarme de esto con mucho gusto.

Señala un libro amarillo con las cuentas de los alquileres, que está sobre una mesa de cristal.

–¿Quieres tomar café? –pregunta él.

–No... Bueno, ¿por qué no?

Él se levanta y se dirige hacia una puerta que está entreabierta y pide café en voz alta. Así que en la casa hay más gente. ¿Tendrá hermanos?

–Enseguida llega el café –dice él arrellanándose en su sillón–. Es una pena que no me acompañaras el sábado –continúa–. Nos lo pasamos muy bien.

–¿Ah, sí? –contesta ella echando un vistazo por la habitación. Él sigue su mirada.

–Esto es bastante bonito –comenta él sin interés. Entonces señala con la mano hacia una estatua que está sobre una columna negra–. Es de Roma. Papá la compró hace algunos años. Es uno de los dioses helenos. Muy raro.

–¿Qué quieres decir?

–Bueno. Me refiero a encontrar un dios heleno en Italia. Es sólo una copia, pero muy antigua. Fue allí a un congreso –continúa–. Mi padre, claro, no el dios.

–¿A qué se dedica?

–¿El dios o papá? En fin, es el jefe de cirugía de aquí. Pero actualmente ocupa una plaza de profesor invitado en una universidad de California. Es especialista en tumores cerebrales inoperables. Iré a verlo este verano cuando acabe el curso.

Una criada trae una bandeja con café y la deja sobre la mesa. A Eivor le parece reconocer esa cara. ¿Dónde la ha visto? ¿En el Cecil? ¿En el Parken?

–¿Azúcar? –pregunta él una vez que ella ha salido.

–Sí, gracias. Dos terrones.

–Me dijo mamá que trabajas en Konstsilke. ¿Qué tal es?

–No está mal...

–¿Qué haces allí?

–Trenzar hilo...

–¡Oh, maldición!

–¿Y tú?

–Todavía me queda un año para acabar el instituto. Es muy complicado...

Le ofrece un paquete de cigarrillos que hay sobre la mesa. Ella coge un cigarrillo y él se lo enciende con un pesado mechero de mesa.

–Sería divertido que me contaras cómo es trabajar en una fábrica –dice mientras se pone la pipa en la boca. Ella observa que él se muerde las uñas hasta la cutícula. Si no hace los deberes...

–Pregunta lo que quieras –dice ella.

–No creo que tenga tiempo ahora –contesta él–. Esta tarde debo estudiar. Dentro de un par de días me examino por escrito de inglés. Estoy a punto de conseguir un notable, y no quiero perderlo. Mi madre me da cincuenta coronas cada vez que saco una buena nota.

–¿Te pagan por las notas?

–Sólo como incentivo.

«¿Cincuenta coronas? Más que el alquiler de un mes... Cielo santo... ¡Cómo vive esta gente!»

–Podríamos vernos –dice él jugando con el libro de cuentas–. Por ejemplo, el miércoles por la tarde. Entonces habré terminado el examen, y el jueves tenemos educación física. Pero me la saltaré. Me meteré en la cama y diré que estoy enfermo.

–Vaya –dice ella.

–Podríamos ir al Ritz a tomar una cerveza. ¿Tienes ya dieciocho años?

–Sí, pero nunca he estado en el Ritz.

–Pues ya va siendo hora. ¿Desde cuándo vives en esta ciudad? ¿De dónde eres?

–Desde hace dos meses. De Hallsberg.

–Oh, cielos. Sí, he pasado por ahí... ¿Qué te parece? ¿Un par de horas? Te invito.

Eivor está indecisa. No sabe qué es el Ritz. Sólo ha pasado por delante y ha visto que es un restaurante. Pero ¿de qué van a hablar? Además, un miércoles por la tarde. Ella no tiene ningún día educación física, no puede acostarse y decir que está enferma. Debe levantarse y trabajar para ganar algo de dinero. Pero, por otro lado, el jueves por la tarde no empieza hasta las dos.

–Vale, un par de horas –dice ella, y en ese momento se arrepiente. Va a ser un fracaso, no puede resultar de otro modo. Pero él la atrae y no lo puede evitar.

–De acuerdo. Nos veremos allí. ¿A las siete y media? ¿En la entrada?

–Sí.

Luego ella escribe su nombre en el libro amarillo, él le da una factura por el dinero que ha recibido y un manojo de llaves.

–Será divertido –dice él en el recibidor mientras la ayuda a ponerse el abrigo (Es la primera vez que le pasa y a ella casi le parece ridículo. Puede vestirse sola...)–. Sale un autobús dentro de cinco minutos –agrega–. Llegarás a tiempo si te das prisa.

El miércoles le cuenta a Liisa que va a ir al Ritz por la tarde con el hijo de la dueña de la casa. Liisa se queda mirándola con las cejas enarcadas antes de contestar.

–Haz lo que quieras –dice.

Nada más.

¿Se habrá enfadado? ¿O estaba ironizando tal vez? ¡Que se vaya al infierno...!

Al llegar, se siente tan desorientada como temía. Él va a su encuentro en la entrada, deja el abrigo en el guardarropa y la lleva a una mesa junto a la ventana. Antes de que hayan llegado siquiera a la mesa, él se detiene a hablar con algunos de los que están allí, y Eivor nota en sus miradas inquisitivas que ella es un bicho raro en ese ambiente. Un polluelo de cuco fuera del nido.

–Dos cervezas fuertes –dice él cuando llega la camarera. Ésta mira a Eivor–. Tiene dieciocho años –afirma Anders–. Doy fe de ello.

Eivor se pone roja de rabia. Sabe perfectamente que aparenta tener más de dieciocho años.

–No te había visto antes –aclara él mientras enciende su pipa–. A veces son un poco puntillosos.

–¿Cómo te ha ido hoy? –pregunta ella para dejar de lado lo ocurrido lo antes posible.

–Creo que bastante bien. Sin duda obtendré nota suficiente.

Les traen la cerveza, y alguien que dice llamarse Sten se acerca a la mesa y repite casi literalmente la pregunta que ella ha formulado antes. Pero la respuesta es totalmente distinta.

–No lo sé. Podría haber ido mejor. Por cierto, ésta es Eivor.

–¿Vas al colegio femenino?

–Ha alquilado uno de nuestros apartamentos.

–¡Ah! Ya entiendo. Bueno, nos veremos mañana. Adiós...

Cuando se marcha, Anders inclina la cabeza.

–Va a ser médico –dice–. Lo decidió cuando tenía siete años y no ha cambiado de opinión.

–Entonces supongo que su padre será médico.

–Y su madre también.

–¿Y tú?

–No sé. Tal vez abogado. Si es que no logro ser escritor. Todavía no me he decidido. ¿Quieres otra cerveza?

–Creo que no.

–Claro que vas a tomar otra cerveza. Señorita...

Pide otras dos cervezas fuertes.

Médico. Abogado. Escritor. ¿Qué pinta ella aquí? ¿Era de eso de lo que Liisa se reía con tanto desprecio? No puede negar que tenía razones para hacerlo...

–¿En qué piensas? –dice él.

–En nada –contesta.

–Entonces, ¡salud!

–Sí, salud.

Luego le pregunta a ella si le apetece acompañarlo a casa un momento. Van a venir unos cuantos amigos y van a tomar el té y escuchar un poco de música. Nada especial.

Ella no quiere, pero está cansada de decir que no todo el tiempo.

–¿Hay algún autobús?

–Iremos en taxi, naturalmente –dice él.

–Me refiero para ir a mi casa –aclara ella.

–Ya se arreglará –dice él–. Pero bebamos otra cerveza antes de marcharnos.

–Gracias –dice ella.

Él pide al encargado del guardarropa que pida un taxi por teléfono y cuando salen a la calle el coche ya está esperando. Él sigue siendo cortés, le abre la puerta y luego entra por el otro lado. Es la primera vez que ella va en taxi desde que llegó a Borås, pero no lo dice, como es natural. Si no lo hace, se debe a que él nunca podría entenderlo.

–Tengo coche propio –dice él–. Un Morris. Pero en este momento está en el taller.

Cuando llegan, ella ve que el viaje ha costado once coronas. Es más de lo que ella percibe por dos horas de trabajo duro. Además deja dos coronas de propina y ello supone casi una hora más de trabajo.

La casa está vacía, ni siquiera está la criada.

–¿Cuándo vienen los demás? –pregunta ella.

–Enseguida –dice, ayudándola a quitarse el abrigo.

Le va enseñando la casa. Ella no había visto antes una casa tan grande.

En una habitación sólo hay flores, en otra sólo libros. En la planta superior está la habitación de él. Abre una puerta y le enseña que tiene su propio cuarto de baño. Hay fotos de mujeres regordetas colgadas en las paredes.

–Zorn –dice él–. Ése es Charlie Parker. –Señala la foto de un negro tocando el saxofón–. Es el mejor. Todavía. Tengo todo lo que ha grabado.

–Sí –dice ella.

Van a la planta baja, entran en la gran sala de estar. Sólo hay unas pocas bombillas encendidas y él le pregunta qué quiere para beber.

–¿Cuándo vienen los demás? –vuelve a preguntar ella.

–En cualquier momento –contesta él sacando botellas y vasos de un gran globo terráqueo del que se puede levantar la parte superior–. Toma lo que quieras. Yo voy a beber ginebra y pomelo. Hay tónica si lo prefieres.

–Sí, gracias –dice ella.

Pone el tocadiscos en marcha y suena como si estuvieran tocando la melodía en la habitación.

–Dizzy –dice él–. ¿Supongo que te gusta?

–Prefiero a Elvis Presley –contesta ella, y entonces él se ríe. No de modo desagradable, sólo indulgente.

–No tengo nada de él –dice sentándose al lado de ella en el sofá.

–¿Cuándo vienen los demás? –pregunta ella por tercera vez.

–Los oiremos cuando lleguen –dice él–. Ahora cuéntame cosas.

–¿De qué? –inquiere ella.

–De ti misma –dice él–. De la vida y la muerte. ¿Lees a Hemingway?

–No...

–Tendrías que hacerlo –dice él.

La bebida es fuerte y ella se estremece, cruza las piernas y se desliza hasta el rincón opuesto del sofá. Él no la sigue inmediatamente. Pero Eivor sabe ahora que la casa está vacía y que no va a venir nadie.

–Salud –dice él rellenando su propio vaso–. No tengas tanto miedo –añade después.

–No tengo miedo –replica ella. Y es verdad, no lo tiene. Además, él es bueno y no puede evitar comportarse de un modo tan estúpido. Naturalmente, no sabe hacer otra cosa.

Él pone otro disco y le dice que tiene que prestar mucha atención porque ahora es Charlie Parker el que toca. Ella intenta concentrarse en la música, pero no encuentra ninguna melodía y le parece que sólo es ruido.

–Escucha este solo que viene ahora –dice él.

Luego él se desliza más cerca de ella en el sofá y la rodea con el brazo.

Ella lo deja estar, no tiene miedo. Pero no puede evitar preguntar cuándo vienen los demás.

Él no hace caso a la pregunta. Finge que está totalmente absorto en la música.

Pero empieza a manosearle la espalda y ella siente la mano de él a través de la blusa, siguiendo el tirante del sujetador.

«Es culpa mía», piensa ella. «No tendría que haber venido. Ni siquiera tendría que haber salido con él.»

Él se le acerca aún más, y cuando se inclina hacia ella y quiere besarla, ella deja que lo haga. Pero cuando empieza a desabrocharle los botones de la blusa, ella le retira la mano.

–Puedes quedarte hasta mañana –dice él.

–No –dice ella.

–¿Por qué no? –pregunta él, y ella nota que está un poco borracho.

–No quiero –contesta ella.

Luego él vuelve a besarla, apoya una mano en uno de sus pechos y ella le deja que lo haga.

–No me dejes marcas –dice cuando él la besa en el cuello.

Cuando él empieza a desabrocharle la blusa de nuevo, ella le empuja hacia un lado.

–¿Por qué haces eso? –pregunta él.

–Porque no quiero –contesta ella.

–¿Tan mala opinión tienes de mí? –dice él.

–No te conozco –contesta ella.

Luego se sientan tranquilos a escuchar música. Cuando el disco va terminando lentamente, él se abalanza de repente sobre ella. Caen al suelo y él se queda tumbado encima de ella con las piernas entre las de ella, apretándolas hacia fuera. Todo ocurre tan deprisa que a ella no le da tiempo de defenderse, pero cuando nota que él le oprime los genitales con la mano, reacciona como si le quemara. Logra sacar una de sus manos y darle un golpe en la cara.

Luego se suelta y se arregla la ropa.

–¿Por quién me tomas? –grita encolerizada, como si fuera ella la que ha sido golpeada.

A pesar de que la habitación está en penumbra, puede ver la marca que le ha dejado en la mejilla. Él se levanta y se sienta en el sofá.

–Por una rocker de esas.

–Con la que se puede hacer lo que quieras –contesta ella poniéndose de pie.

–Fuera de aquí –dice él–. Vete al infierno.

Le tiembla la voz, llena de desprecio e inseguridad.

–¿Cuándo vienen los demás? –pregunta ella en tono sarcástico. No le tiene miedo aunque la casa sea grande, tenga coche propio y mucho dinero–. Sí, ya lo sé.

–Fuera de aquí –vuelve a decir él–. ¡Lárgate!

–Sí –dice ella.

Se pone el abrigo y lo último que oye al abandonar la casa es que él ha vuelto a poner el disco. No sabe si la misma cara o si le ha dado la vuelta...

Le toca esperar casi una hora a que llegue un autobús y se pone a tiritar de frío.

«Vaya mierda», piensa cuando entra por fin en el calor del autobús. «Es un mierda de lujo. ¿Serán todos así, sin excepción?»

Por un momento le preocupa el contrato de alquiler. Pero no, él no va a contar en casa que ha traído a una chica que trabaja en Konstsilke. Ni siquiera una que da la casualidad que alquila un apartamento que es propiedad de ellos.

«Vaya mierda», piensa de nuevo. «Me imagino lo que tiene que ser vivir con alguien así...»

Liisa finge que no está interesada, pero Eivor se lo cuenta, sin omitir ningún detalle, menciona la habitación en la que sólo había flores y cómo se lanzó él sobre ella.

–¿Ves? –dice Liisa–. ¿Qué te dije?

–No dijiste nada –responde Eivor.

Y luego se pone en pie, sacudiendo la cabeza. La pausa para el desayuno ha concluido, tienen mucho que hacer y parece que hoy está llegando de la sección de hilado material de mala calidad. Va a ser un día realmente malo. Si empieza mal, es raro que mejore.

Así de simple.

Cuando Elna llega a Borås, Eivor está esperándola en la estación. Se produce un alegre reencuentro. No tienen tiempo de sentirse incómodas, pues inmediatamente se dirigen al nuevo apartamento de Eivor. Son poco más de las cinco de la tarde de un martes cuando ellas van andando a través de la ciudad, turnándose para llevar la maleta de Elna.

–¿Cuánto tiempo vas a quedarte? –pregunta Eivor mientras atraviesan la plaza Grande y Elna se queda mirando la gran fuente.

–Toda la semana –contesta ella.

–¿Va todo bien por casa? –pregunta Eivor.

–Erik te manda recuerdos –dice Elna.

Y luego siguen andando por la ciudad, madre e hija, y Eivor no puede evitar su satisfacción cuando casualmente se encuentran con uno de sus compañeros de trabajo en la calle Stengärdesgatan. Ambos se saludan con una inclinación de cabeza.

–¿Quién era? –pregunta Elna al cabo de unos minutos.

–Uno del trabajo –contesta Eivor.

–¿Cómo se llama?

–No lo sé –responde Eivor–. Hay tantos trabajando allí.

–¿Así que ni siquiera sabes sus nombres?

–Ya hemos llegado –dice Eivor–. Es aquí.

Ahora que está aquí, junto a su madre, ve lo abandonada y deteriorada que está la casa. No puede dejar de pensar en el palacete de Brämhult y en la señora Fåhreus, la dueña de la casa a la que aún no ha visto.

–¿Aquí? –dice Elna sin ocultar su disgusto.

–Está algo mejor por dentro –dice Eivor.

–Eso espero.

Elna da una vuelta por el pequeño apartamento sin decir una sola palabra. Los muebles que Eivor, con la ayuda de Liisa y de uno de sus amigos finlandeses, ha trasladado hasta allí no son nada del otro mundo. Los ha comprado por muy poco dinero en la Oficina de Subastas. Por lo que sabe, los muebles eran de una casa de huéspedes que ha cerrado. Cama, sofá desvencijado, mesa de teca, lámpara de pie, unas sillas de madera, una mesa de cocina en la que alguien ha grabado una gran cabeza de diablo. Eivor se sienta en el sofá y deja que Elna deambule por el apartamento. Le recuerda al gato de Anders cuando llegó por primera vez al apartamento de ellos en Hallsberg, ese modo de oler con cuidado metro a metro antes de avanzar, y luego empezar de nuevo desde el principio...

–¿Cómo está el gato? –le grita a Elna, que se ha metido en la cocina y por tanto no la ve.

–Está bien. ¿Por qué?

–Sólo quería saberlo.

Elna sale de la cocina y parece satisfecha. El rictus severo y sospechoso ha desaparecido. Se sienta en una de las sillas que hay junto a la estufa.

–Está en el centro de la ciudad –dice Eivor–. Como te escribí en la carta. Sólo se tardan siete minutos en ir andando al trabajo si se va deprisa.

–¿Qué tipo de vecinos tienes? –pregunta Elna.

Eivor no tiene ni idea, sólo ha estado allí dos noches.

–Es gente normal, supongo.

–Todos son normales –dice Elna.

–No en una ciudad tan grande como ésta –responde Eivor.

Elna la mira, reflexionando, pero no la interroga más.

–¿En qué puedo ayudarte? –pregunta.

Eivor le enseña el libro amarillo con las condiciones del alquiler. En la página de las *cláusulas especiales* está escrito con tinta negra que tiene derecho a empapelar las paredes o pintarlas por sus propios medios.

–La cocina –dice–. Está horrible. Si pudiéramos pintarla. Y luego hacen falta cortinas.

–Las cortinas son caras –dice Elna.

–No en una ciudad textil –contesta Eivor–. Hay tiendas de retales donde cuestan muy poco.

A Elna también le parece que la cocina tiene un aspecto triste.

–Blanca –dice Eivor.

–Azul –dice Elna.

–Las cocinas tienen que ser blancas –insiste Eivor.

–Aquí iría mejor el azul –sugiere Elna–. Un tono azul claro.

–Mamá, es mi cocina. ¡Y la quiero blanca!

Luego ya no hablan más. Eivor prepara la comida y por la tarde van a dar un paseo por el centro y Eivor la lleva hasta la fábrica de Konstsilke, de cuyas chimeneas brota humo.

–¿Te gusta? –pregunta Elna.

–Más o menos –responde Eivor–. Pero voy a buscar trabajo en Algots en cuanto haya puesto orden en todo. Está claro que yo soy costurera.

–Jenny Andersson decía que eras muy aplicada –recuerda Elna.

Su respuesta es algo ambigua, aunque Eivor no acaba de entender a qué se refiere. ¿Querrá decir que la valoración de Jenny Andersson sobre su capacidad no va a tener importancia cuando busque trabajo en Algots? Allí seguro que también buscan buenas costureras...

Por la tarde, Eivor quiere que Elna le cuente cómo le va por Hallsberg, pero su madre no tiene mucho de que hablar. Todo sigue igual. Parece que casi se irrita cuando se ve obligada a reconocer que no hay noticias, y el rostro se le ensombrece.

–Sin embargo, tengo noticias de tu abuelo –dice ella–. Está mal de las piernas. Tal vez no pueda trabajar hasta la jubilación.

–¿Qué le pasa en las piernas?

–Tiene problemas circulatorios. Y hernias.

–¿No se puede hacer nada?

–Ya está tan agotado después de todos estos años en la fábrica que no hay mucho que hacer. Pero te manda recuerdos. La abuela también, naturalmente.

–Ella no tendrá ningún problema, ¿verdad?

–Nunca lo ha tenido.

Elna arregla el sofá para dormir. Se ha traído las sábanas con el fin de dejárselas a Eivor.

Como Eivor tiene que levantarse temprano al día siguiente, se acuestan sobre las diez. A través de las ventanas sin cortinas entra la luz de una farola. Eivor se duerme en cuanto se acuesta, pero Elna se queda despierta escuchando la respiración de su hija...

Al día siguiente, cuando Eivor vuelve del trabajo ya hay cortinas en todas las ventanas y Elna ha pintado también la cocina. Ha tenido el tiempo justo para terminar y la cocina resplandece de color azul claro, que no está seco aún.

Eivor ve que el color azul queda bien, pero no es capaz de reconocerlo.

–Dije que blanca –le reprocha enfadada.

–Estás viendo con tus propios ojos que queda mejor de color azul –contesta Elna, y Eivor se da cuenta de que está dispuesta a defenderse, a discutir si es necesario. Se lo plantea durante unos minutos silenciosos y tensos, pero desiste, no puede empezar a discutir. Entiende de repente el contenido real de algo que antes creía que era sólo sensiblería. Descubre el miedo de Elna y por primera vez en su vida le da lástima; ella, que la ha parido, la ha criado, que no ha tenido tiempo para vivir su propia vida. Tal como está ahora con la brocha en la mano, se vuelve indefensa y pequeña, gris y disculpable, como una especie de personaje femenino de Chaplin. Eivor se da cuenta de que ha crecido más que ella, que el azul de la cocina es un intento desvalido de mantener por encima de ella una determinación que ya no es posible. Si Eivor hubiera dicho azul ayer, tal vez hoy tendría una cocina blanca...

Le resulta difícil mirarla a los ojos, sentir lástima por alguien implica casi siempre también una sensación de incomodidad.

–Realmente tienes que haber trabajado duro –dice evasiva, pensando que en realidad debería darle un abrazo. Pero eso también le resulta difícil.

–Me he divertido –contesta Elna–. ¿Qué te parecen las cortinas? ¿A que no sabes cuánto me han costado?

–Voy a preparar la comida –dice Eivor quitándose el abrigo y entrando en la cocina mientras Elna se dirige al cuarto de baño a limpiar la brocha y lavarse las manos. Alubias negras con carne de cerdo. Eivor las sirve en platos desportillados que también proceden de la casa de huéspedes que ha cerrado. Cuando acaban de sentarse llaman a la puerta, y cuando abre Eivor, se encuentra a Liisa en la puerta.

–Ha llegado mi madre –anuncia Eivor.

–Se me había olvidado –dice Liisa entrando.

Eivor saca un plato más cuando Liisa no declina la invitación a comer con ellas, como Eivor esperaba que hiciera. Tiene sentimientos contradictorios. Por una parte quiere mostrarle a Elna su nueva vida, pero a la vez quiere mantenerla fuera. Como si tuviera miedo de que alguien le dijera que son parecidas, cosa que es cierto...

Y, como es natural, va tan mal como ella temía. Elna parece insegura en presencia de Liisa y comete el error que, según opina Eivor, es el peor de todos: la locuacidad. Un torrente de palabras que no significan nada, que sólo crean desconcierto y ansiedad. Eivor percibe como adulación la amabilidad de ella hacia Liisa, su modo de contestar anticuado. Pero Liisa enseguida se siente cómoda. Eivor se queda al margen. Picotea la comida y nota cómo la ira contra Elna crece y crece.

–¿Por qué estás tan callada, Eivor? –le pregunta Liisa, y se sirve más leche de la jarra de la casa de huéspedes.

–¿Te parece que lo estoy? –responde ella.

–Claro que sí –dice Elna, y si las miradas mataran...

Pero Elna sobrevive y no cesa de preguntar, sobre Finlandia y sobre Tammerfors, sobre los fríos inviernos y los miles de lagos. Liisa parece estar pasándoselo muy bien y termina preguntando, a su vez, cosas de Hallsberg. Eivor empieza a quitar la mesa y se queda en la cocina todo el tiempo que puede, entre las paredes azules...

–Y ahora vamos a tomar café –propone Elna.

–Yo tengo que irme –dice Liisa–. Sólo pasaba por aquí.

–Pero tendrás tiempo de tomar un poco café –dice Elna.

–No, gracias –dice Liisa–. He de irme a casa.

Y luego se marcha.

–Una chica agradable –comenta Elna.

–Hay que ver la de tonterías que has dicho –le reprende Eivor.

Elna se queda paralizada de camino a la cocina con una bayeta en las manos.

–¿Qué quieres decir? –pregunta, y Eivor nota su sorpresa. Pero es normal. ¿Qué va a entender ella?

–Ya me has oído. Has estado a punto de marearla de tanto hablar.

Elna se queda de pie un momento mirando a su hija. Luego entra en la cocina y no contesta hasta que vuelve.

–¿Sabes una cosa? –dice–. No creo en absoluto que la haya mareado de tanto hablar. Seguro que ella no se lo ha tomado así. Pero tú sí. Tú no has logrado articular ni una palabra. Y no podías soportarlo.

–Estás loca –dice Eivor apretando los puños.

–No vuelvas a hablarme de ese modo. Te lo advierto.

–Yo hablo como me da la gana.

–No cuando te dirijas a mí.

–¡Maldita vieja!

La calma no es lo mismo que el silencio. Cuando las palabras se han disipado en el aire es como si otras corrientes de sentimientos allanaran el camino. Igual que ahora, cuando Elna está de pie y parece que alguien le haya golpeado en la cara, un bofetón de una persona de la que se esperaba un abrazo, una caricia o un ramo de flores. Y Eivor, que está de pie mirando el sucio papel de las paredes, en silencio, pero temblándole todo el cuerpo, es quien rompe el silencio al final, en voz baja, apenas audible.

–Madre –dice–. Quiero vivir aquí en paz. Es mi vida, mi apartamento. Mi amiga...

–Tú fuiste la que me pidió que viniera –contesta Elna.

–Lo sé –responde Eivor–. Pero... no funciona.

–¿Qué es lo que no funciona?

Eivor la mira mientras contesta.

–Siempre terminamos discutiendo. Quiero estar en paz. Algunas de las cosas que dices me parecen muy raras. Es como si estuvieras...

–¿Como si estuviera qué?

–De alguna forma celosa.

–Y lo estoy –contesta Elna–. Sinceramente, sin duda alguna. Creía que lo habías entendido. Estar aquí pintándote la cocina es como entrar en mi propio sueño perdido. Cuando tenía tu edad. No la he pintado de azul para demostrar que yo soy la que decide. La he pintado de azul porque yo soñaba entonces con tener una cocina azul... Cuando creía que mi vida sería distinta. Pensaba que lo habías entendido. Pero evidentemente me he equivocado. –Se sienta y continúa–. Sólo tengo treinta y seis años. No es que tenga *ya* treinta y seis años. Es natural que me dé envidia lo que haces. Y entonces me remuerde la conciencia, aunque sé que no debería hacerlo. Pero no sólo es el recuerdo de un sueño frustrado lo que tengo que soportar. También estoy tremendamente impaciente porque en *mi* vida no ocurre nada. Ahora que no tengo que pensar en ti. Es como si hubiera perdido la capacidad de pensar *Mío, Mi, Mis...* He deseado que llegara este día durante veinte años. Desde que naciste. Para ver que puedes valerte por ti misma. He esperado durante veinte años, miles de días, miles de noches. Y ahora parece que hubiera olvidado cómo comportarme. ¿Sabes? Voy por ahí, por Hallsberg, y de repente siento que he empezado a ver a ese gato asqueroso como..., casi como un hijo. Sé que esto tengo que solucionarlo yo sola. Pero hasta ahora ha sido sólo terriblemente...

–¿Y Erik?

–Él... Bueno... Él no entiende mucho de esto...

–¿Has hablado con él?

Elna sacude la cabeza.

–No, todavía no. También eso me da miedo. Me da miedo todo. Pero, naturalmente, me alegro de que te vaya bien. Si no fuera así, no tendría envidia, ¿verdad?

–No –responde Eivor lentamente.

Ahora comprende.

La madre se transforma en Elna y Elna se transforma en persona. No es ninguna idea descabellada que fuera ella la que viviera aquí, la que trabajara en Konstsilke, la que tuviera a Liisa como amiga.

–¿Puedo ayudarte? –pregunta.

–No –contesta Elna–. Ahora no, aún no. Pero gracias de todos modos. Ha sido bueno que hayamos podido hablar de esto. Aunque desearía que no me volvieras a llamar «maldita vieja», por muy enfadada que estés. Dime lo que sea, pero eso no.

–No era mi intención.

–Sí, claro que lo era. Puedes enfadarte cuando quieras. Pero utiliza simplemente otra palabra...

–Bueno... ¿Quieres tomar café?
–Sí, gracias. No hablemos más de esto.
Y así lo hacen. Ninguna de ellas tiene nada que añadir. Cuando ya se ha dicho lo que se tenía que decir, hay que dejar que los pensamientos rueden en paz.
Cuando Eivor se despierta a la mañana siguiente, Elna no está. Las sábanas están dobladas encima del sofá y hay una carta sobre la mesa, una carta escrita a lápiz en una bolsa de papel.

«Eivor:
»Me he pasado toda la noche en vela. Y he llegado a la conclusión de que es mejor que hoy mismo me marche a casa en el tren de la mañana. Todo está bien. Veo que te las arreglas estupendamente. Saluda a Liisa de mi parte. Viajo a casa para ocuparme de mí. No estoy enfadada y espero que tú tampoco (ilegible) lo estés.
»Saludos,

»Elna.»

La palabra mamá está tachada, pero con una sola raya y se puede leer.
Eivor lee la carta y se pone triste, casi sentimental.
«Vuelve, madre», piensa. «Vuelve, por lo que más quieras...»
Y luego sale corriendo hacia la fábrica. Pasa el cuartel de bomberos y el balneario. La Casa del Pueblo a la izquierda, por la vía férrea, y se introduce en el estruendo de las máquinas.
Cuando ficha a la entrada, piensa que ha llegado el momento de hacer realidad sus sueños de buscar empleo como costurera en Algots. Ahora ya no hay ninguna excusa para posponerlo. Tendrá que ser antes de que se derrita la nieve.
Pero ¿cómo lo va a hacer?
Sí, Annika Melander, que ha trabajado como costurera en Algots, debe de saberlo, y Eivor la conoce en el Cecil. ¿Dónde sino?
Es sábado por la tarde a principios de marzo, el Cecil está lleno, la fiesta ha empezado y las mesas y las sillas se mezclan y cambian continuamente de ubicación. Eivor quiere fuego para su cigarrillo y por casualidad Annika Melander tiene cerillas. Pero el cigarrillo no quiere encenderse, las cerillas se apagan, un intento más, se ríen y luego empiezan a hablar. A su alrededor se camuflan botellas con refrescos preparados, mitad aguardiente, mitad agua. Por el aire circulan distin-

tos planes para la tarde, chocan, se rechazan, o se agregan al montón de posibilidades. La tarde es joven aún, los chicos están de pie, como halcones medio borrachos oteando la presa adecuada. Comparten información y experiencias, los comentarios sobre las chicas son groseros, pero no despiadados. La que se deja con *demasiada* facilidad no es necesariamente la más solicitada, y la que es considerada una estrecha incita a la lucha...

Las muchachas se inclinan sobre sus botellas de Coca-Cola, vigilando cigarrillo en mano sus posibilidades, preocupadas porque *él* no ha llegado o demostrando un llamativo interés por otro, o, simplemente, aparentando desinterés. De la máquina de discos sale un continuo crujido, cuando terminan los Streaplers llega el Rey en persona con *Won't you wear my ring...*

El sombrío dueño del café le dice a alguien que no grite tanto.

–Trabaja en el almacén –dice Annika Melander–. Se altera un poco cuando bebe. Pero es buena persona.

–¿En qué almacén? –dice Eivor.

–En Algots.

–¿Trabajas tú allí?

–Sí. ¿Tú también?

–No, pero me gustaría hacerlo.

Annika Melander tiene diecinueve años, vive en Gånghester y lleva más de un año cosiendo para Algots. Se siente más o menos cómoda allí, el ritmo de trabajo es muy rápido, los capataces son meticulosos, y a menudo resulta monótono pasarse un día tras otro cosiendo las mismas costuras de un lote grande de pantalones o blusas. Pero cuando Eivor le ofrece un cigarrillo y muestra tanto interés en empezar en Algots, ella no puede evitar describirlo como el mejor lugar de trabajo...

–Sólo tienes que subir a la oficina de personal –dice ella–. Necesitan gente. Han empezado a aparecer por allí yugoslavos y todo tipo de gente.

Eivor trata de averiguar cuánto sabía cuando empezó en Algots, pero es interrumpida sin cesar.

Entonces alguien llama a Annika desde otra mesa y ella desaparece. Apenas se levanta de la silla ya hay un chico sentado en ella. No uno, sino dos compartiendo la silla.

–¿Conoces a Annika? –pregunta uno de ellos, el que tiene el pelo largo peinado hacia atrás y le cae por la nuca.

Eivor los conoce a todos y no conoce a ninguno, pero está a punto de fundirse con esas personas que sólo viven para sus coches grandes, para las tardes de los sábados, para las escapadas a Gotemburgo o a Kinna, Dalsjöfors o Bollebygd. Ella ya no es ninguna cara extraña y, como va sola, siempre la invitan a tomar algo o a ir en coche de acompañante.

Cuando Annika vuelve poco después a la mesa y le pregunta si quiere acompañarlos, Eivor se levanta enseguida, no necesita saber adónde. Evidentemente ha llegado el momento de la partida y entonces todo sucede a una velocidad increíble, no hay tiempo para dudar, es hora de vivir en serio la noche del sábado...

Se desliza con Annika en el asiento trasero de un Ford pintado de blanco, de fabricación americana, y ahora elevado en Borås al rango de coche de rockers, después de haberlo utilizado un chatarrero en Hedared durante algunos años como si fuera el automóvil de un ejecutivo. En el asiento delantero van tres chicos apretujados; en el trasero, Annika y Eivor con otros dos flanqueándolas. Hay poco espacio y mucho humo. En el portaequipajes hay un tocadiscos a pilas que salta y reproduce bandas sonoras extrañas. El coche se pone en marcha meciéndose lentamente, alguien más quiere entrar pero lo apartan, van al completo.

–¡Avanza de una vez, joder! –grita el que va sentado al lado de Eivor.

El coche da una sacudida y se ponen en marcha. Nueve vueltas alrededor de la plaza, lentamente, con un aire que puede parecer dignidad. Los típicos vehículos de los rockers van pegados unos a otros, un Volkswagen se mete dentro de la serpenteante fila pero está perdido, no tiene nada que hacer allí. Vueltas y vueltas, hablan por las ventanillas acerca de alguien que se ha fracturado el hombro, de los controles de tráfico en la carretera que va a Gotemburgo, de alguien que ha dejado de fumar...

–¿Quieres? –pregunta el que está sentado al lado de Eivor ofreciéndole una botella. Ella bebe un sorbo, es vodka, seguro, mezclado con algo de naranja, está más bien templado, pero ella bebe, como es natural. No sabe el nombre del que le ha dado la botella. Sí, ahora recuerda, le llaman Nisse. Nisse Talja.

A la décima vuelta se salen de la fila y echan anclas en el quiosco de salchichas que está frente al teatro. «Si alguien no quiere, que lo diga.» Las chicas compran. «Y recuerda que yo la quiero con pepinillo, no con cebolla y porquerías de esas...»

Junto al quiosco estalla de repente una pelea, alguien ha cometido el gran error de intentar colarse y eso sólo puede acabar de un modo. Las bandejas de puré vuelan por los aires y los dos que se pelean ruedan por la nieve fangosa y sucia, dando patadas y rugiendo. De todos los coches sale gente, y unos y otros están de acuerdo en que la pelea es mala, fallan todos los golpes. Pero la lucha cesa cuando suena la sirena de un coche de policía. Acabar con la nariz sangrando y una ceja rota es, sin duda, un mal asunto. Los policías se bajan del coche, se quedan vigilando sólo un momento y luego siguen su marcha. La cola vuelve a organizarse, las salchichas y las monedas cambian de dueño y es entonces cuando alguien lanza la consigna de que va a haber un concierto en Gislaved a medianoche. Nada menos que The Fantoms, que no son nada malos, qué demonios, y el bajista ha tocado antes en The Rockets. Gislaved no queda lejos, es un poblacho de mierda al otro lado del linde con Småland, vamos allá. Pero antes unas vueltas más alrededor de la plaza, otra vez dentro de la fila de coches marchitos. De una ventanilla a otra se difunde la noticia de Gislaved, los que aún no llevan chicas en el coche frenan y tratan de seducir a las que deambulan junto a la barandilla del Viskan. Aquí no cabe ni una mosca, pero deberíamos haber traído remolque, porque aquellas dos no están nada mal. Además son hermanas...

A la novena vuelta alrededor de la plaza hay suerte. Algunos dixies con su maldita ropa de lona y sus gestos altivos se han despistado y entrado en la zona prohibida. Naturalmente se les expulsa con insultos y amenazadores frenazos. No se puede con las sabandijas, si no se escapan raudo siempre hay riesgo de peleas. Pero parece que éstos mantienen el juicio y desaparecen rápidamente por una calle transversal. ¿Quién no recuerda a aquel loco que hace un año rasgó un póster de un concierto de rock? No debía de tener muchos conocimientos de cómo funcionan las cosas, pero los adquirió cuando le metieron a empujones en un coche y, con una caravana detrás, lo llevaron hasta una zona propicia y aislada del bosque, donde a la luz de los faros de los coches le dieron tal paliza que no pudo ir al instituto durante mucho tiempo... Sí, ése es un buen recuerdo.

Sobre las nueve parten para Gislaved, y después de llenar el depósito el Ford enfila por las oscuras carreteras. Eivor nota un brazo a su alrededor, vuelve la cabeza inmediatamente y alguien la besa. El chico huele a aguardiente y a tabaco, pero seguro que ella también, así que puede considerarse que es lo mismo. Pero aún no sabe cómo se llama...

En Gislaved, como era de esperar, el desbarajuste es total. Los coches se amontonan en los aparcamientos, hay que repostar continuamente, allí llegan dos Chevrolet de Huskvarna y, ¡cielos!, ¿no es Gånge-Rolf, el de Smålandsstenar, quien llega derrapando en su Packard, repleto de chicas dando alaridos...?

El local está abarrotado. Alguien ha vomitado en un rincón, pero los vigilantes se mantienen al margen, entrar e intentar sacar a alguien de allí podría acabar en una masacre y arruinar el parque público en sólo una hora. ¿No podrían afinar deprisa sus malditas guitarras y ajustar los amplificadores? Van a estallar, el suelo cruje bajo la muchedumbre excitada.

The Fantoms, de Gotemburgo, tocan durante una hora exacta. El cantante no da demasiados alaridos, pero el de la batería está descontrolado, ha aprendido que hay que tocar con brazos y piernas. Al final hacen dos bises, *Ghostriders* y un popurrí de Presley. Pero luego se acaba inmediatamente, por más quejas que haya. Entonces vuelve el jaleo a la calle. Se ve a chicas perdidas buscando sus coches, y a otras intentando encontrar a alguien que las lleve a casa, pues con quienes han venido están armando follón. Se forma la caravana, Gislaved contiene el aliento y en el club deportivo cuentan la caja. Poco después cae el silencio de la noche, se ven los últimos destellos de luces traseras y los guardias jurados hacen el recuento: trece sillas rotas y cuatro ventanas destrozadas. Es un buen resultado, el club deportivo va a tener ganancias. The Fantoms ya van de regreso a Gotemburgo. Una chica ha insistido y ha logrado acompañarlos. Va encajada en el asiento de atrás en el autobús del grupo y el guitarrista, Lasse «Dedo Inquieto», haciendo honor a su nombre, ya ha metido la mano izquierda en los pantalones de la muchacha. Van a soltarla en Götaplatsen, luego que se las apañe por su cuenta...

La caravana regresa deslizándose a lo largo de las carreteras oscuras. The Fantoms han dado vida a la noche del sábado, y nadie piensa en terminar aún. En el coche hace calor, siete personas resoplan de satisfacción. Pero, naturalmente, no es bueno que sólo vayan dos chicas con ellos en el coche. Por eso nadie protesta cuando uno del asiento delantero se acuerda de repente de que conoce a alguien que da una fiesta en Sexdrega. No están muy lejos de allí, treinta minutos conduciendo y no son más que las dos.

La fiesta tiene lugar en una vieja casa en ruinas y es un caos total. Hay tres tocadiscos lanzando una alocada música discordante. Mesas, sillas y alfombras están amontonadas en los rincones, todavía hay gente bailando, pero la mayor parte o están tumbados durmiendo en un estado más o menos inconsciente, o están metiéndose mano en la oscuridad.

Nisse Talja sigue aferrado a Eivor cuando entran. Ella quiere bailar pero él tiene otro tipo de necesidades y la lleva a un rincón, detrás de un sofá que hay tirado en el suelo.

–Ahora vamos a follar –dice él tirando de ella hacia la alfombra.

–De eso nada –replica ella.

–¿Qué diablos pasa? –pregunta él.

–Tengo la regla –dice ella.

Y ya está. No tiene la regla, pero es el modo más efectivo de prevenir una situación de la que puede ser difícil salir. Ha estado invitándola a aguardiente toda la tarde, es uno de los propietarios del coche, le ha pagado la entrada en Gislaved; no ha sido fácil negarse, sobre todo cuando ya estaba preparado con el preservativo en la mano. Pero no se libra de frotarle la entrepierna con la mano, fuerte y decididamente, él la dirige. Mientras no tenga que mirar no le importa gran cosa...

Cuando se despierta al amanecer, Annika está tiritando frente a ella con la cara pálida, cansada después de la larga noche.

–Nosotros nos marchamos –dice–. Date prisa si quieres acompañarnos...

Cuando llegan a Borås, ha empezado a clarear. El que conduce tiene la amabilidad de dejarla en la puerta.

–Hasta la vista –gruñen los que van sentados en el coche. Lo último que ve Eivor es el rostro de Annika, durmiendo apoyada contra una de las ventanillas del asiento trasero.

Vuelve a ver a Nisse Talja, pero entre ellos no surge nada. Sin embargo, sale durante un mes con Jörgen, uno de los que iban sentados en el asiento delantero y al que ella en realidad sólo le vio la espalda. Es bastante callado, excepto cuando bebe. Entonces vocifera más que nadie. Pero no es demasiado beligerante, su chulería sólo le ayuda a ocultar que es tímido y vergonzoso, siempre le sudan las manos. Pero a ella le gusta y a veces, cuando tiene tiempo –trabaja como repartidor de pan–, va a buscarla a la puerta de Konstsilke.

Un sábado por la tarde se quedan en casa de Eivor y, aunque ella no quiere, terminan haciéndolo. Él lleva condón, pero resulta un fracaso, ella no siente nada y después están tan avergonzados que al final a él le parece que lo mejor es marcharse. A pesar de que llevaba preservativo, los catorce días siguientes está ansiosa, un continuo darle vueltas a las cosas: ¿Y si? ¿Y si aun así? Aunque...

Pero al final le baja la regla, como era de esperar, y ello hace que se sienta más segura. Sólo hay que tomar precauciones, no tiene por qué ocurrir nada. Si luego ella no siente nada es debido a su propia incapacidad. Pero resulta extraño que ella no se derrita por dentro, como hundiéndose en colchones de plumas..., según pone en las revistas.

Dios la libre de ser tachada de boba, como si fuera una estrecha. Antes que eso prefiere acostarse con ellos. La preocupación por quedarse embarazada no es mayor que la de quedarse sola, no poder acompañarlos, que la dejen fuera de los coches, fuera de la comunidad. Porque hay una comunidad, la mayoría de las personas con que se relaciona, tanto chicas como chicos, esconden bajo las frías y maquilladas máscaras sentido del humor y sensibilidad. Las chicas hablan de niños, los chicos tienen sus sueños. Y si alguno no tiene dinero una tarde, siempre hay algún otro que se lo presta. Si alguien va a mudarse, acuden todos los que pueden a ayudarle a trasladar cosas. Pero, naturalmente, también hay ovejas negras, pendencieros y figuras oscuras con las que nadie quiere relacionarse. De todos modos, Eivor considera que está creciendo y, después de pocos meses, formará parte de esta ciudad que una vez percibió como una fortaleza inexpugnable...

Abril, el tiempo es cálido y ventoso. De Skagerack y Västgötaslätten ya llegan aires de primavera. El humo de la fábrica apunta hacia el cielo azul. El día que Eivor decide pasar de ir al trabajo por primera vez hace buen tiempo. Bueno, no es así del todo. El viernes avisó al capataz Sin Rabo de que tenía que ir al dentista y él simplemente asintió, ella no se había ausentado ni una hora hasta el momento. Liisa y Axel Lundin harían juntos el trabajo a destajo durante la jornada. Pero ella no va a ir a ningún dentista, aunque tal vez lo necesitaría. A veces le duele por la parte izquierda de la mandíbula inferior. Tendrá que ser en otra ocasión, ahora le urge un asunto más importante. Va de camino a la oficina de personal de Algots a buscar trabajo. A veces duda, pensando que lo mejor es que se quite todos esos planes de la cabeza. En Konstsilke está a gusto, aunque el ruido es atronador y sólo pueda aspirar a ser una simple trabajadora de fábrica. Pero no hacerlo sería traicionar su propio sueño, y ese sueño ha sido constante, casi valiente...

Pero mientras sube la escalera hacia la oficina de personal va tranquilísima, se siente segura de sí misma.

La puerta se abre y sale una mujer de pelo oscuro y piel morena. Se acuerda de lo que le dijo Annika Melander acerca de que Algots había empezado a emplear mujeres de Yugoslavia. Parece que ahora ya no es suficiente con las finlandesas. Sin duda, Eivor va a ser capaz de coser igual de bien que una de ésas...

Llega su turno. El asistente de personal es joven y se llama Hans Göranson. No debe de tener más de veinticinco años, pero ella ya percibe una barriguita incipiente debajo del chaleco.

Encima de su escritorio tiene la carta que ha enviado Eivor. Lee los certificados que ha recibido de Jenny Andersson en Örebro y asiente con la cabeza.

–No está mal –dice mirándola–. ¿Cuándo podrías empezar?

–En cualquier momento –contesta ella.

–No, no puedes irte así como así de Konstsilke –dice él–. Pero ¿qué te parece dentro de un mes? ¿El 15 de mayo?

Ella asiente.

–¿Trabajas a destajo en Konstsilke? –pregunta él, y ella asiente de nuevo–. De acuerdo –dice él poniéndose los brazos detrás de la nuca–. Porque puedo prometerte una cosa, y puedes tomártela como quieras, como una promesa o como una amenaza, pero aquí se trabaja. Quien no echa el resto no tiene nada que hacer. El trabajo es duro, pero está bien remunerado.

–No dudo de que seré capaz de hacerlo –contesta ella, a la vez que se pregunta a qué se refiere con lo de bien remunerado. Los sueldos de Algots no son mejores que los de Konstsilke, según le ha contado Annika. La única diferencia es que ellos fabrican y que no hay el mismo ruido ensordecedor en el puesto de trabajo.

–Está bien –añade él–. Queremos chicas jóvenes. Chicas que trabajen. Pero no puedo prometer nada por el momento. Te llegará una carta. ¿Es ésta tu dirección?

–Sí –contesta ella–. ¿Cuándo me contestarán?

–Pronto –dice él.

Él no se levanta cuando Eivor sale.

–Dile a la siguiente que pase, por favor –le indica.

Hay otra mujer de piel oscura esperando. Parece tener miedo y mira asustada a Eivor. Pero al final comprende que ha llegado su turno y se santigua antes de entrar...

No ha sido tan difícil. Ella atraviesa el centro y está segura de que obtendrá el trabajo. En realidad no tiene ganas de volver a la fábrica, sólo le apetece andar, salir del centro, moverse, respirar. Pero mata esas ganas rápidamente, cada corona es necesaria. Apenas tiene lo imprescindible...

Un sábado por la tarde del mes de abril parece que el mundo se hubiera parado. No ocurre nada, nadie sabe de ninguna fiesta. En el Parken tocan orquestas aburridas y... No, ¿qué demonios pasa? ¡Qué asco de sábado! ¿Qué hacemos?

Eivor viaja con Unni y el chico de ésta, Roger, que tiene un Borgward. La serpiente automovilística de costumbre se desliza alrededor de la plaza, pero todo está terriblemente tranquilo. Van los tres sentados en el asiento delantero. Unni, a la que Eivor ha conocido en una fiesta, ha apoyado la cabeza en el hombro de Roger y mastica su chicle con frenesí. Eivor tamborilea con los dedos en la manija de la puerta del coche y piensa en Lasse Nyman. ¿Se podrá enviar una carta a una cárcel? Pero ¿qué le va a escribir...? Y, además, ¿dónde está?

–Creo que me voy a casa –dice ella impaciente.

–¿Por qué? –pregunta Unni.

Ella se queda sentada y, a la siguiente vuelta, Roger detiene el coche en el mismo sitio y alguien entra y se sienta en el asiento trasero.

–¿Conoces a Jacob? –pregunta Roger mirando a Eivor.

Ella se da la vuelta y saluda con la cabeza al chico que ha entrado.

–Eivor –dice ella.

–Jacob –responde él.

Roger ha cerrado las cortinas de las ventanillas traseras, así que a Eivor le resulta difícil ver la cara de Jacob en la oscuridad. En realidad lo único que distingue es que tiene el pelo rubio.

–¿Qué hacemos? –pregunta Roger–. ¿Sabes de algo?

–No –contesta Jacob.

Una vuelta más, pero la tarde les da la espalda, no ocurre nada.

No sabe de dónde le viene la idea, pero de repente ahí está, y, como de costumbre, ella actúa por impulso, sin reflexionar apenas.

–Podemos ir a mi casa –dice ella–. Aunque no tengo nada. Sólo café, claro, pero nada más.

–Pero yo sí –dice Roger, acelerando tanto para sacar el coche de la caravana que los neumáticos chirrían. Eivor le da la dirección y él asiente, sabe dónde está, ha nacido en la ciudad.

Tiene una botella casi llena de aguardiente, y Eivor prepara café para mezclarlo con el alcohol. Pone el tocadiscos a pilas que ha comprado y elige entre los discos que le ha prestado Liisa. Luego brindan con el sonido de fondo de Cliff Richard y *Living Doll* y, por primera vez, ve el aspecto de Jacob. Pelo rubio, algo pecoso, grandes ojos azules y una cicatriz que se desliza a partir de una de las comisuras de sus labios. Es unos años mayor que ella, tal vez tenga veinticuatro.

Eivor sube el volumen, quiere demostrar que sólo tiene en cuenta a sus vecinos en la medida en que ella decide. Pero arriba vive una solterona que atiende en la panadería y a Eivor le resulta difícil imaginar que pueda atreverse a hacer algo más que dar golpes en el suelo...

Unni y Roger se acurrucan en el sofá, Eivor se sienta en un cojín junto al tocadiscos y Jacob está sentado en el sillón con los pies colgando.

–Vaya noche –dice Roger cuando ya están haciendo efecto los primeros cafés.

Unni, que va a tener el gran privilegio de conducir de vuelta a casa, no dice nada. Jacob masculla algo confuso, así que es Eivor la que contesta.

–Sí, vaya mierda –dice.

–Habría que mudarse a Gotemburgo –dice Roger.

–Sí –dice Eivor.

Y la tarde habría quedado reducida a la nada si de repente no se hubiera producido un jaleo infernal en la calle. Dos coches tocando el claxon de tal modo que aúllan como sirenas entre las paredes de los edificios; alguien que da voces y gritos es seguido rápidamente por un coro de rugidos. Todos han ido corriendo a la ventana. Dos grandes turismos interceptan la calle.

–Es Kalle Fjäder –dice Roger–. ¿Cómo diablos sabe que...?

–Habrán visto el coche –dice Unni.

–No quiero que entren aquí –dice Eivor.

Pero es demasiado tarde, fuera de los coches se amontona la gente. Es increíble que puedan caber tantos.

–¡Roger! –gritan–. Roger...

–No quiero que entren aquí –dice Eivor, y ahora tiene miedo. Al otro lado de la calle han empezado a encenderse las luces de distintas ventanas. Pero ya están en la escalera, se oye el tintinear de las botellas y ella siente que el corazón deja de latirle–. ¿Quiénes son? –pregunta agarrando a Roger por el brazo.

–Tranquilízate –dice él, y luego se dirige a abrir la puerta.

–No hagáis tanto ruido, joder –grita–. Entrad.

Son once, seis chicos y cinco chicas, sólo los dos que conducen están sobrios. Entran de golpe como un montón de vacas locas y Eivor no puede hacer absolutamente nada, y menos aún cuando Roger parece convencido de que hay que dejarlos entrar. Ella siente que va a echarse a llorar, pero cuando ve que Unni la mira con interés, como si estuviera esperando esa reacción, aprieta los dientes y vigila que al menos cierren la puerta de la calle.

–Hola pequeña –dice uno agarrándola–. ¿Eres tú la que vive aquí?

Ella no contesta y se suelta del brazo. Los gritos se suceden, hay cosas que caen al suelo, gente bebiendo y dando voces, que pierden el control y caminan con el paso vacilante de los que tienen alcohol en las venas en vez de sangre. Ella no puede hacer nada, la barra de una cortina se viene abajo cuando alguien pierde el equilibrio; el tocadiscos se rompe por culpa de un tipo que hace tonterías, el único jarrón que ella tiene sólo sobrevive unos minutos antes de caer al suelo y romperse en pedazos. Y Unni la mira todo el tiempo, mascando su chicle y esperando una reacción por parte de ella.

En ese momento Eivor empieza a odiarla.

No sabe cuánto tiempo transcurre hasta que ve a cuatro policías en la entrada. Puede ser un cuarto de hora o media hora. Pero ahí están y lentamente cesa el jaleo.

–¿Qué pasa aquí? –pregunta un policía ya mayor.

–Hay una fiesta –contesta uno, y a sus palabras les sigue un estruendo de carcajadas.

–¿Quién vive aquí? –pregunta el policía.

–Yo no –contesta otro.

Unni masca y mira a Eivor.

–Yo –dice Eivor.

–¿Sabes la hora que es? –pregunta el policía.

–No –contesta ella.

–Se os oye en toda la manzana –dice él mirando alrededor–. Hemos recibido cuatro quejas cuando veníamos para acá.

A Eivor le gustaría explicar cómo ha sucedido todo, pero no lo hace. Tienen que permanecer unidos contra la policía, prescindiendo de lo que ocurra. De lo contrario sería rechazada, sería excluida de inmediato, abandonada.

Uno de los policías, que es algo más joven, se ha acercado a una muchacha que está sentada en el suelo meciéndose todo el tiempo, con el pelo colgándole sobre la cara.

–¿Cuántos años tienes? –pregunta.

–Vete al infierno –contesta ella.

–Se llama Kristina Lindén –dice uno de los policías que se habían mantenido en silencio hasta ese momento–. Tiene trece años –añade.

–Así que es menor de edad –dice el policía mayor.

–Tengo diecisiete –balbucea Kristina Lindén.

–Tú te vienes con nosotros –dice el policía y empieza a levantarla del suelo. Se oye un sordo gruñido de sus compañeros, pero el policía mayor les grita que se callen y se impone el silencio.

–Fuera de aquí –ordena mientras se llevan a Kristina Lindén entre dos policías–. Y cerrad la boca en la escalera. Al que diga algo lo encerramos.

–*Algo* –dice alguien inmediatamente.

Luego se marchan.

El policía mayor espera hasta que han desaparecido. Luego se vuelve hacia Eivor y entonces ella empieza a llorar. En ese momento regresa el que se llama Jacob a buscar un encendedor que se ha dejado. Se lo lleva y desaparece a toda velocidad.

–Tendrás un nombre, ¿no?

–Eivor Maria Skoglund –dice ella sollozando.

–¿Y vives aquí?

–Sí.

–Esperemos que no te echen –dice él–. ¿A quién se lo alquilas?

–A Fåhreus.

–Ya –dice él–. Sí, bueno..., no lo vuelvas a hacer. Y deja de llorar. Con eso no arreglas esas cortinas. Tendrás que volver a colgarlas.

–Yo no quería –dice ella.

–Ya me doy cuenta –dice el policía–. Me voy ya. Cierra con llave. Ellos no volverán. Pero tal vez algún vecino esté furioso.

Sola. Irremediablemente sola.

Empieza a limpiar mientras le resbalan las lágrimas. Ve todo el tiempo delante de ella la boca de Unni mascando chicle y su exasperante mirada.

Y la señora Fåhreus. Ahora no podrá evitar encontrarse con ella.

Lo último que hace es colgar las cortinas. Tienen un gran rasgón y alguien se ha limpiado en ella los dedos llenos de grasa. Pero las deja colgando y se mete en la cama, encogiéndose todo lo que puede. Es la única forma que conoce de evadirse, y de pronto recuerda que también lo hacía cuando intentaba esconderse en el asiento trasero del coche durante su viaje infernal con Lasse Nyman. Sin embargo, algo ha cambiado desde entonces. Entonces ella podía regresar a casa, buscar refugio en brazos de Elna y Erik. Pero ahora no puede, ahora sólo se tiene a sí misma. Cuando la señora Fåhreus, cuyo rostro es aún una incógnita para ella, esté en la puerta exigiéndole que le devuelva las llaves no va a aparecer Elna para ayudarla. Nadie va a hacerlo, sólo se tiene a sí misma.

Siempre y cuando su desconocido padre no sea un ángel vestido con un traje impecable que por fin quiera responsabilizarse una pizca de su hija, claro. Si llegara ahora, le perdonaría el tiempo que ha estado ausente y no le pediría que cortase sus alas. Una vez que la hubiera ayudado y ella hubiera visto cómo es, podría volver a hacerse invisible...

Eivor se despierta al sonar el timbre de la puerta. Se incorpora bruscamente y se sienta en la cama. Su primer pensamiento se parece a un carámbano pinchándole el corazón: se ha quedado dormida. Pero ¿por qué se ha acostado vestida...?

Vuelven a llamar y ella va hacia la entrada dando traspiés, pero se detiene justo antes de abrir. Ahora recuerda. En el suelo, delante de ella hay un perchero roto como prueba irrefutable. Pero ¿cómo puede haber llegado ya algún mandatario del imperio de los Fåhreus...? ¿Qué hora es...? Domingo por la mañana...

Vuelve a sonar el timbre, insistente, y ella sabe que la están viendo como una sombra borrosa a través del cristal biselado de la puerta de la calle. Tiene que abrir y lo hace.

Es Jacob, Jacob Halvarsson, aunque ella todavía no sabe cómo se apellida. Él se retira el pelo rubio de la frente y no dice nada, sólo está ahí y parece perdido.

–No me he dejado nada –dice al fin, sacudiendo la cabeza por la frase sin sentido.

Eivor está tiritando, le llega el aire frío desde la escalera. Algo querrá cuando ha vuelto. ¿Vendrá a seguir rompiendo las cortinas? No, ella recuerda que él no hizo nada durante la tumultuosa noche, se quedó sentado en su silla y no hizo nada...

–Estaba durmiendo –dice ella y nota que está temblando de frío–. ¿Quieres seguir ahí de pie o quieres entrar?

–Entraré, gracias –responde él, y Eivor percibe asombrada que Jacob se ruboriza.

Él se sienta en el sofá y ella se acurruca en una silla con las piernas dobladas y sentada sobre sus pies. Ninguno de los dos dice nada. Él recoge preocupado los discos y ella se pregunta por qué habrá venido. Al final, él hace un esfuerzo y la mira.

–Lo de esta noche ha sido lamentable –masculla él–. Sí, lo ha sido.

–¿Quiénes eran?

–Los compinches de Roger. Bueno, sólo algunos. Malditos animales. Habrán visto el coche. Por pura casualidad.

–Yo no conocía a ninguno.

–Vienen de Fritsla. Excepto la chica aquella, que vive aquí, en la ciudad.

–¿La que tenía trece años?

–Sí, ésa.

Una vez que ha roto el hielo, a él le resulta más fácil. Mira por la habitación, ve los trozos del jarrón.

–De todos modos no fue tan grave.

–¿Tú crees?

–Sí... Podrían haber prendido fuego a la casa. Me refiero a que... Sigue todavía en pie. –Al verlo tan impotente, Eivor no puede evitar sonreír, por más cansada que esté.

–¿De qué te ríes? –dice preocupado.

–De nada. ¿Qué hora es?

Él mira su reloj de pulsera. Se queda mirándolo con creciente asombro.

–Se ha parado –dice–. Pero serán más o menos las nueve...

Acepta una taza de café, y cuando ella está en la cocina esperando a que hierva, oye cómo él recoge los pedazos del jarrón roto. Antes de entrar con las tazas y la cafetera, se arregla el pelo y la ropa en el cuarto de baño. Al salir se da cuenta de que alguien ha vomitado allí dentro por la noche, sobre la tapa del váter y el suelo.

–¿Te gusta limpiar vomitonas? –pregunta ella después de servir el café.

–No –contesta él mirando extrañado.

–Es una pena. Si no fuera así, podrías limpiar el cuarto de baño.

–¿Has vomitado?

–Yo no. Alguno de los compinches de Roger.

–Ya me encargo yo de eso –dice levantándose.

–¿No es mejor que bebas el café ahora que está caliente?

Él mira el café y espera a que se enfríe.

–Trabajo en la tienda de deportes Valles –dice con aspecto extrañamente alegre.

–¿Ah, sí? –dice ella–. ¿Dónde está?

–¿No sabes dónde está la tienda de deportes Valles? –Casi parece consternado.

–Sí, ahora me acuerdo –dice ella para tranquilizarlo. Pero no tiene ni idea de dónde está.

–Lo suponía –dice él–. Todos lo saben.

Luego da unos cuantos sorbos y va a limpiar el cuarto de baño. Ella oye que al terminar se lava las manos durante un buen rato.

Eivor está cansada y prefiere ir a acostarse, pero hay algo en ese Jacob tranquilo, casi vergonzoso, que empieza a interesarle de repente. Esa timidez que enseguida se transforma en asombro. No es especialmente guapo, con su rostro afilado, y la cicatriz en la comisura del labio no le favorece. Pero posee una calma que la tranquiliza, y eso es algo que no ha encontrado desde que llegó a Borås. No parece que le afecte la excitación, casi crispación, que caracteriza las relaciones que mantienen en los coches y alrededor de los mismos. Mientras no grite al hablar...

–Se me ocurrió venir y ver cómo estabas –dice él–. Vivo cerca de aquí.

–¿Dónde?

Él menciona una calle que está al otro lado de la ciudad.

–Espero que no te molestara.

–¿En qué sentido?

–No lo sé.

Lo último suena como si lo hubiera dicho el más inocente de los niños. Es notablemente distinto a otras personas que ha conocido. Desde Lasse Nyman a... Sí, es distinto a todos.

Toman el café y en esta apacible mañana de domingo comienza su vida con Jacob. Son cerca de las once y las campanas de la Carolikyrkan se unen al tañido de las de la Gustav Adolfskyrkan. No hablan mucho, pero poder estar sentada en silencio con alguien, sin sentirse obligada a decir nada, es como poner algodones calientes alrededor del recuerdo de la noche anterior. Siente que es la primera vez que puede descansar desde que llegó a Borås, puede sentarse sin la presión del trabajo ni la preocupación por lo que vaya a ocurrir la tarde siguiente. Pero no tiene nada que ver con que estén enamorados. A él le resulta difícil saber por qué ha ido a verla, y ella no puede ni siquiera imaginarse formar una pareja con él. En esa mañana de domingo no hay sentimientos ni emociones importantes. Aquí sólo hay tranquilidad y conversaciones breves que cesan enseguida.

Él se marcha a las doce.

–Ya nos veremos –dice–. La ciudad no es tan grande.

–Pues a mí, cuando me vine a vivir aquí, me pareció demasiado grande –dice ella.

Él la mira asombrado y pregunta:

–¿Entonces de dónde eres?

–Tendrías que ser capaz de adivinarlo.

–No.

–De Hallsberg.

–¿De Hallsberg?

–Sí, exacto. Adiós.

En el entorno en que ellos se mueven al principio casi ni se nota que salen juntos. Ellos mismos también se asustan de ello, no les mueven sentimientos vehementes y no hubo ningún testigo de su encuentro el domingo. Pero empiezan a ser inseparables, se sientan uno al lado del otro en el Cecil, van al cine juntos, van en el mismo coche, bailan la mayoría de las veces juntos. Eivor se siente segura teniendo a Jacob a su lado y se alegra cuando llega la tarde de los sábados. Además él no bebe demasiado y nunca alborota ni se pone obstinado. Es una persona comedida. Nunca es el primero en reírse, nunca el que llega el último, siempre está en alguna zona intermedia. A veces a Eivor le asaltan dudas sobre él. ¿Quién es realmente? ¿Qué opina, qué piensa él aparte de lo que *todos* opinan y piensan?

Inician una relación que en realidad nadie toma en serio, pero, naturalmente, tienen relaciones sexuales. Él se baja con ella del coche cuando la acompañan a casa los sábados bien entrada la madrugada, y una vez en el apartamento ya no hay vuelta atrás. Ella se tumba en la oscuridad y le escucha discretamente pero con gran atención mientras está sentado en el borde de la cama trajinando con el condón. Pero ella nunca tiene que decírselo, parece que él se lo toma como algo obvio. Cuando está con él, por primera vez en su vida puede sentir también algo de placer y satisfacción. No mucho, pues él suele ir muy rápido, sin embargo no es algo que a ella le desagrade. Además no es bruto, la acaricia con cuidado. No, no es algo que le preocupe, aunque tampoco lo echa de menos. Pero una cosa forma parte de la otra...

Un día, él le pregunta si le apetece ir a su casa a comer. Es un sábado, han desayunado y están fumando sentados en los muebles baratos que ha comprado Eivor. Lo único que ella sabe de él es que vive en casa de sus padres en uno de los barrios que hay al oeste de la ciudad, en Norrby.

–Los sábados –dice él– solemos comer a las cinco.

–¿Quién va a estar? –pregunta ella.

–Mi padre y mi madre –dice–. Y nosotros. Mi madre es la que ha querido que nos acompañes.

–¿Y tu padre?

–Él...

–¿Qué quieres decir?

–Él opina como mi madre.

Viven en un apartamento de alquiler de tres habitaciones. Dentro del apartamento huele a comida y a perro. Un terrier peludo sale disparado hacia Eivor cuando entra en el recibidor detrás de Jacob. Él echa el perro afuera y ahí están los padres de él en la puerta, mirándola.

–Maldito perro –dice el padre extendiéndole la mano–. Me llamo Artur. Bienvenida.

Una zarpa auténtica se extiende ante ella, y su mano casi desaparece en el violento apretón. Artur Halvarsson es también un hombre de grandes dimensiones, de más de un metro noventa de estatura, con una enorme barriga cervecera que se balancea por encima de un cinturón muy apretado. Por encima del vientre lleva los botones de la camisa sin abrochar y calza zapatos sin cordones. Pero el rostro que la mira es amable, aunque no se haya afeitado y desprenda un inconfundible olor a borrachera de día festivo.

–Bienvenida –dice la madre inclinando la cabeza–. Me llamo Linnea.

Al lado de su marido parece pequeña, el vestido marrón le aprieta su cuerpo regordete. Eivor piensa que si hubiera llevado un delantal blanco podría habérsela encontrado en una carnicería o una pescadería.

–¿Está lista la comida? –pregunta Artur mirando a su esposa.

–Enseguida –dice ella–. Entrad y sentaos mientras tanto.

El salón es alargado. Las ventanas están llenas de macetas. Cerca de la puerta de la cocina hay un viejo órgano de pedales. El sofá está raído y en un rincón se vislumbra uno de los muelles a través del tapizado.

–Maldito perro –vuelve a decir Artur–. Pero se porta bien.

–¿Qué vamos a comer? –pregunta Jacob.

–Filetes empanados –contesta Linnea desde la cocina.

A Eivor le parece que de la cocina sale un olor estupendo. Un olor que reconoce de Hallsberg. Un olor que aún no ha conseguido en su apartamento.

–Quizá no te gustan los perros –dice Artur.

–Claro que sí –dice Eivor–. Aunque yo tengo un gato. O lo tenía. No lo tengo aquí.

–O te gustan los perros o te gustan los gatos –dice Artur.

–No tiene por qué ser así –grita Linnea desde la cocina–. Sólo tú lo crees. Los gatos son agradables.

–Nunca me lo habías dicho –dice Jacob intentando mezclarse en la conversación.

–¡Es que el gato está en Hallsberg!

Artur escucha con atención, enarcando sus enormes cejas. Eivor no sabe muy bien cómo valorar a esa figura enorme que casi ocupa la mitad del sofá. ¿Es rudo o es sólo su tamaño lo que produce esa impresión?

–Hallsberg es una estación de enlace –dice él–. En la época en que era luchador siempre había que cambiar de tren en Hallsberg.

Luego se levanta del sofá con inesperada ligereza y los exhaustos resortes y muelles vuelven a su posición de reposo. Artur señala hacia un pequeño armario con las puertas de cristal cuadriculado.

–Los trofeos –dice él–. ¡Ven y verás!

–Tal vez no esté interesada –dice Jacob con una mueca en la cara.

Pero Eivor ya se ha levantado y él abre las puertas de cristal del armario y exhibe placas y copas. Son del campeonato de la ciudad, del campeonato local, de concursos del distrito y encuentros amistosos entre el BBK y el de Klippan. En una de las pequeñas copas de estaño, ella lee que el trofeo se lo han concedido al tipógrafo Artur Halvarsson.

–¿Ha sido tipógrafo? –pregunta ella volviendo a poner la copa en su pequeña base de terciopelo.

–*Soy* tipógrafo –contesta él–. Imprenta de Sjuhäradsbygdens, no sé si la conoces.

–Ya lo creo –dice Eivor–. He oído hablar de ella.

Ella recuerda la revista porno pegajosa que se cayó de la cama cuando iba a darle la vuelta a su primer colchón, nada más llegar a Borås...

–¿Qué has oído? –dice Artur frunciendo sus grandes cejas.

–Déjala ya –dice Jacob.

–Sólo pregunto qué ha oído de mi sitio de trabajo una muchacha que acaba de llegar de Hallsberg –dice él rascándose la barba–. Supongo que estará permitido, ¿no?

–Sólo sé que hay una imprenta con ese nombre –responde Eivor, preocupada por el lío en el que se ha metido.

–Sabrás que imprimimos revistas porno –dice Artur clavando sus ojos en los de ella.

–Sí –dice ella.

–Ah, bueno.

Artur vuelve a sentarse, Linnea está en la puerta de la cocina y Jacob tamborilea con los dedos irritado.

–Como es de suponer, preferiría no hacerlo –continúa Artur–. Pero tal como están las cosas ahora, por mucho que una imprenta esté ligada a un partido político, siempre son las leyes de mercado las que mandan. No es especialmente divertido imprimir el programa del partido socialdemócrata un día y *Piff* o cualquier otra porquería al día siguiente. Pero así son las cosas y hay que amoldarse a la situación.

–Es una basura horrible –dice Linnea con determinación, escuchando desde la puerta de la cocina.

–¿El programa del partido o las revistas? –dice Artur en tono severo.

–No seas tonto ahora –contesta Linnea volviendo a entrar en la cocina.

¿Se ha ofendido ella? Eivor mira rápidamente a Jacob, pero él sacude la cabeza discretamente.

–Siéntate –dice Artur, y Eivor se da cuenta de repente de que es un hombre que da por supuesto que es él quien decide, y espera ser obedecido inmediatamente.

Por un instante, le dan ganas de quedarse de pie o ir a la cocina a ayudar a Linnea con la comida. Pero no duda más, estar en la oposición es algo a lo que nunca aspira. Al menos entre sus iguales, como aquí, en la casa de la familia Halvarsson.

–Un viejo socialdemócrata como yo, que estaba cuando corrían tan malos tiempos que se manifestaban las chinches porque la gente estaba demasiado delgada, también tiene que darse cuenta de que los tiempos cambian –dice Artur, y a Eivor, de repente, le parece que suena como Sträng, el ministro de Economía–. Pero vosotros sois demasiado jóvenes para entender –continúa–. Ahora hay coches y música rock, y la gente rechaza un trabajo si no le conviene. Cuando yo tenía vuestra edad limpiaba con gusto la mierda de quien fuera para que me pagaran.

–Ahora no –dice Linnea–. Vamos a comer enseguida.

–Bueno, no fastidies. Sólo estoy contando cómo eran antes las cosas.

–Sin duda lo habrán oído hasta el hastío.

–Sólo digo las cosas como son –dice Artur.

Se quedan en silencio a la espera de la comida. Jacob se acurruca en su silla y Eivor se pregunta si se habrá arrepentido. Él podría haber ido solo a casa y haber dicho que ella no tenía tiempo de acompañarle. Podría haber dicho cualquier cosa.

Pero cuando se sientan a la mesa de la cocina, Eivor nota que empieza a sentirse a gusto. Se da cuenta de repente que estar en un apartamento corriente, sentada a una mesa corriente, comiendo un almuerzo que *sabe* realmente a almuerzo, es algo que echaba de menos. Aunque en esa mesa de la zona de Norrby, en Borås, haya más conversación que en su casa de Hallsberg, se reencuentra con una parte de sí misma, algo que la une a Elna y Erik...

–¿No te gusta? –pregunta Linnea acercándole la fuente.

–Claro que sí... Sólo estaba pensando.

–No es bueno para la digestión –dice Artur en tono autoritario–. Hay que pensar *después* de la comida. Entonces se puede pensar en serio...

–Entonces es cuando sueles quedarte dormido –dice Linnea guiñándole un ojo a Eivor.

–Es sólo una forma más elevada de actividad mental –dice Artur, que nunca se queda sin respuesta–. Cuando Lenin dormía, siempre resolvía problemas. Al despertar sabía exactamente qué iba a hacer.

–Lenin y tú os parecéis –dice Linnea.

–Sí. Exactamente. Lenin. ¿Me pasáis la salsa?

Jacob la acompaña a casa. Atraviesan la ciudad. Es primavera.

–¿Se te ha hecho pesado? –pregunta él.

–No –dice ella–. Al contrario. Me hay gustado. Pero ¿cómo les habré caído yo a ellos?

–Bien.

–¿Cómo lo sabes?

–Esas cosas se notan.

–Sí, supongo que no es la primera vez que invitas a alguien a almorzar.

Él no contesta.

Se quedan un momento en la calle abrazándose. Cuando él restriega su espalda con la mano, ella sabe que luego va a rozarle levemente la oreja con su uña.

Cuando lo ha hecho, se marcha.

Pero vuelve, y cada vez están juntos con más frecuencia. Como ese miércoles por la tarde a principios de mayo. Han decidido ir al cine; y cuando Jacob aparece no lleva ningún periódico, ya sabe qué van a ver.

–*Ataque* –dice él–. En el Skandia. Seguro que es genial.

De repente, a ella no le interesa que sea él quien decida, como hace normalmente, como siempre.

–Hay otra película en el Röda Kvarn –dice ella y percibe el disgusto de él. ¿Cómo se llamaba la película esa? Evald Larsson, que nunca va al cine, les contó durante una pausa del trabajo que uno de sus hijos le había dicho que fuera a verla. Y que se rió mucho...

–¿Qué película es? –dice él en tono de repulsa.

–No me acuerdo del título.

–No podemos ir a ver algo que no sabemos qué es. *Ataque* está bien.

–¿La has visto?

Él la mira asombrado. Y ella puede entenderlo, nunca la ha visto enfadada antes.

–¿Estás enfadada? –pregunta él.

Ella no contesta. ¿Cómo demonios se llamaba la película? ¿Algo de ratones? Un ratón... Sí, ahora ve a Evald ante sí, con la pipa en la mano, ahora recuerda lo que dijo.

–*El rugido del ratón* –dice ella.

–No me suena –dice él.

–Pero a mí sí –replica ella–. Y ya estoy cansada de todas esas películas de vaqueros.

–Ésta es una película de guerra.

–También estoy cansada de las películas de guerra.

–¿Qué te pasa? –pregunta rabioso.

–¿Nos vamos? –pregunta ella poniéndose de pie. Se ha sentado a esperarlo sin quitarse el abrigo, para poder marcharse directamente...

Cuando va hacia el centro al lado de él siente unas ganas crecientes de estar sola, ir sola al cine, ver lo que le venga en gana sin tener que pedirle permiso. Le lanza una rápida mirada y lo ve andar con las manos metidas en los bolsillos laterales de la chaqueta de cuero y la barbilla hundida en el cuello. Nota que está enfadado porque anda muy deprisa...

Primero está el Skandia. Para ir al Röda Kvarn se continúa por esa calle una manzana más, pasando por la tienda de música Waideles, atravesando el puente, y a la izquierda está el cine. Enfrente hay un cartel triangular de Kroshallstorget que da vueltas. Se detienen en la puerta del Skandia sin haber intercambiado ni una sola palabra en todo el camino. Eivor ve en el cartel que Gregory Peck está con... «Sí, sí, parece que va a ser ésta», piensa ella. Como de costumbre, es él quien decide las películas...

–Yo me voy al Röda Kvarn –dice ella.

¿De dónde han salido esas palabras? ¿Las ha dicho ella realmente? ¿No deja a Jacob en segundo plano? Santo cielo... Ahora se hundirá el mundo. Él la mira extrañado, mordiéndose los labios como si no fuera capaz de decidir qué decir, pero sólo dice algo impreciso y desaparece metiéndose en el cine.

¿Irá ella tras él?

No, por extraño que parezca no lo hace. Se dirige con paso decidido al Röda Kvarn, y se queda la mayor parte de la película aunque, como es natural, piensa todo el tiempo en Jacob, en lo que va a ocurrir ahora. ¿Va a cortar con ella? ¿Va a darse cuenta Jacob de que Eivor ha traspasado la línea que establecía que es él quien decide? Con un padre como Artur no puede ser de otra manera. La madre está siempre en la cocina, generalmente callada, sólo contesta directamente cuando se dirigen a ella...

Pero si ella vale tan poco para él, si no significa más que la elección de una película un miércoles, prefiere saberlo ahora. No vale tan poco... Claro que no.

Pero no entiende qué pudo causarle tanta risa a Evald Larsson. No es una película para ella, le cuesta concentrarse... Pero si Jacob le pregunta, le mostrará su cara más sonriente. Y él podrá quedarse ahí con su película de guerra...

En la calle, la gente echa mano con torpeza de sus cigarrillos y se pone los abrigos. Jacob no está esperándola. La película del Skandia ha terminado ya, cuando Eivor llega no lo encuentra.

Vuelve a casa y, como es natural, le remuerde la conciencia. ¿Por qué no pudo ir a ver esa película si él tenía tantas ganas de verla? ¿Qué importancia tiene la recomendación de Evald Larsson? Él suele reírse de cualquier cosa, para una vez que va al cine...

¿Por qué se ha puesto tan terca? Una película es una película y seguro que no pretende molestarla al decidir siempre él. Simplemente es así...

Tampoco se trata de eso. Es su tono de voz, lo incuestionable de que sea él quien decide, dirige, lleva. Y no sólo él. Todos son iguales. ¿Quién ha oído en el Cecil a una chica que proponga algo que no provenga en el fondo de alguno de los chicos? Los hombres engendran planes y decisiones, las mujeres engendramos hijos...

En el Parken hay un día en que son las mujeres las que sacan a bailar a los hombres, y es para que el varón pueda confirmar que es a él a quien la mujer quiere...

¿Por qué ha de crear problemas? No se siente nada bien por ello, todo se va a la mierda...

Cuando llega a la puerta de su casa, él surge de entre las sombras. Ella se sobresalta cuando lo tiene de repente ante sí. Está ahí, así que no se ha ido...

–¿Ha estado bien? –pregunta ella con toda la amabilidad que puede cuando ha abierto la puerta.

–Sí –contesta él con desdén. (Evidentemente...)

–La que he visto yo también ha estado bastante bien.

Él no contesta nada. Un momento de silencio puede tener el mismo efecto que si te ordenan callar y cerrar la puerta de una vez, en lugar de estar ahí toqueteando la llave con torpeza...

Los miércoles por la noche suele quedarse en casa de ella, pero cuando se quita la chaqueta de cuero y la tira encima de una silla, ella se pregunta si querrá quedarse. Sí, ahora ya tiene suficiente cargo de conciencia. Lo que ha pasado, pasado está, no hay nada de que hablar, tiene que olvidarse lo antes posible...

Están saliendo juntos, se gustan.

Está dispuesta cuando él se pone encima de ella en la cama y apaga la luz. Hacer otra cosa sería un error, transformaría una tarde de cine en un problema de tal índole que tendrían que desistir de hacerlo y tumbarse cada uno en un extremo de las dos camas que están juntas, y quedarse mirando la oscuridad preguntándose quién será el primero en romper el silencio. No, afortunadamente no son tan tontos y ella se abre y se abraza a él con fuerza.

Cuando se da cuenta de que él no lleva condón, ya es demasiado tarde. Ella nota cuando la penetra y se queda paralizada, los músculos de los muslos se ponen rígidos como si tuviera calambres. Cuando él se aparta dándose la vuelta, ella no se atreve a moverse y nota que está tan asustada y que el corazón le late con tal fuerza que parece que esté aporreando una puerta para entrar.

O para salir, para escapar...

¿Se le ha olvidado? No, esas cosas no se olvidan. Pero ¿por qué...?

Se le ocurre algo que no quiere ni pensar. Pero ahí está, claro y evidente, imposible de apartar de su mente.

¿Ha querido vengarse?, ¿tomarse la revancha?, ¿devolvérsela?

Imposible. Y no va a quedarse embarazada, naturalmente. Es la primera vez que no usa protección. Tiene que haber un límite para la mala suerte.

No puede haber ocurrido nada. Así de sencillo. No se puede pensar ni decir otra cosa.

¿O sí...?

El 18 de mayo va al consultorio del médico de la fábrica, y una semana después está de nuevo sentada allí, esperando a que le informen de lo que ya sabe, pero que quiere negar hasta el final, ya que se resiste a creerlo.

El doctor está sentado hurgándose la nariz con una cerilla cuando entra ella. Es viejo y fuma sin cesar. El cenicero está lleno de colillas, en el talonario de recetas ve manchas grises de ceniza.

–Está embarazada –dice él antes de que ella haya saludado siquiera o, menos aún, haya tenido tiempo de sentarse.

–No –replica ella.

Él la mira.

–Sí –dice él–. En enero de 1961 va a tener un niño. Me atrevería a decir que hacia finales de mes. Tal vez el primero de febrero.

–No puede ser cierto –dice ella y percibe que está temblando.

Él lanza una mirada a la ficha de la paciente.

–Eivor Maria –dice–. Si piensa detenidamente, se dará cuenta de que es correcto. ¿O no?

Cuando sale a la calle va directo a Tempo a comprar esmalte de uñas, un par de guantes y un cepillo de dientes. Está absolutamente tranquila y sabe que no está embarazada. ¿Jacob y ella iban a...? Claro que no.

Regresa a casa. Está lloviznando. Pronto será verano, pronto llegarán las vacaciones, ¡todo llegará pronto! Falta mucho, sobre todo, para el próximo invierno.

Atraviesa la ciudad pensando que está embarazada, pero que por supuesto no lo está.

En la alfombra hay una carta que han echado por debajo de la puerta. Es probable que haya escrito Elna. ¿Quién si no? Puede esperar, antes va a tomarse un café.

«Si estás embarazada, tienes que encontrarte mal.» Pero ella está estupendamente.

Se sienta con la taza de café y mira el remitente de la carta.

Es de Algots.

Puede empezar el 10 de junio, y tiene derecho a plenas vacaciones de julio.

¡Lo ha conseguido! ¡Algots! ¿Qué había dicho? ¡Nada va a poder detenerla! Otro paso más...

¿Quién afirmaba que no es capaz de valerse por sí misma?

Por unos instantes, la felicidad es casi completa. Pero cuando Jacob está en la puerta y le cuenta que le han prestado una Vespa, ella se pone a llorar.

–No es lo mismo que un coche –dice él asombrado–. Ya lo sé. Pero no creo que sea motivo para echarse a llorar...

–Estoy embarazada –le suelta ella.

–Vamos –dice él–, seguro que no lo estás.

Pero no hay viaje en Vespa esa tarde. Está ahí fuera, roja y abandonada, mientras dos personas se miran estupefactas.

Para Jacob Halvarsson, que es un habilidoso vendedor de la tienda de deportes Valles, la situación es en realidad muy simple. No entiende nada en absoluto. Oye lo que dice Eivor, la ve llorar, pero no puede entender por nada del mundo que ella lleve en su interior la semilla de un hijo. Él ha sido siempre cuidadoso, excepto en una única ocasión en la que olvidó comprar el condón, pero entonces tuvo la necesidad imperiosa de acostarse con ella. Una revancha necesaria por una tarde de cine en la que había perdido el control. Pero fue una sola vez... Él también lo dice.

–Con una vez es más que suficiente –replica ella, que de repente parece estar completamente fuera de sí.

Pero ¿cómo iba a saberlo...? ¡Maldita sea! ¡Tendría que haberse dado cuenta de que no lo llevaba! ¡Si sabía que podía quedarse embarazada tendría que haber apretado! ¿Cómo iba a poder él...?

Eivor parece haberse vuelto loca. Él nunca la ha visto mirarlo así. Aparta la mirada, no puede enfrentarse a ella.

–No va a ir bien –masculla él.

–No –dice ella.

«Si al menos se hubiera alegrado», piensa ella. Si al menos hubiera sido capaz de regalarle una sonrisa en medio del desconsuelo... Pero pensar tal cosa sólo aumenta la confusión de ella, el hombre suele arreglárselas diciendo que ha sido un accidente, y entre esas dos posiciones hay una distancia abismal. Pero lo que la hiere es que él se quede ahí sentado, agazapado bajo su preocupación, pensando probablemente en la Vespa que ha dejado ahí fuera para nada.

A pesar de todo está embarazada. ¡De él!

Cada vez que mantienen relaciones está presente la idea de que lo que están haciendo en la oscuridad puede tener como resultado el nacimiento de una persona.

Al menos ella siempre lo piensa. Incluso ahora, cuando estar embarazada es más o menos una catástrofe, siente en su interior un pequeño cosquilleo de alegría, una alegría que intenta controlar el temor...

¡Si al menos él pudiera decir algo! Si pudiera levantar la cabeza y abrir la boca en vez de quedarse ahí sentado como si hubiera recibido un mazazo en la cabeza.

Pero las apariencias engañan. Jacob no sabe qué decir, pero sí sabe lo que piensa...

Si Eivor está embarazada, como dice, significa que él no tiene que preocuparse de que lo deje, de que se junte con otro. Ha tenido que soportar ese miedo desde que la vio la primera vez, en el asiento trasero del coche de Roger. Pero, naturalmente, no se lo ha dicho a ella. Esas cosas no se dicen, son una muestra de debilidad, una forma de que se rían de ti. Pero si supiera lo celoso que se ponía, muchas veces ha estado a punto de pegarle cuando era demasiado amable con otro. Ahora al menos se librará de ello, ahora es suya, él no corre el riesgo de quedarse fuera. Convertirse en padre de un niño carece de importancia comparado con lo que significa olvidarse de los celos.

Un niño, ¿qué es eso...?

Algo que llora y gatea, que hay que llevar en brazos...

Pero también puede ser alguien parecido a ti. Alguien a quien puedes poner el nombre que tú decidas...

Tommy Halvarsson, por ejemplo. O Sonny...

Eivor dice algo que le arranca de sus pensamientos, señala una carta que hay sobre la mesa, y ya no parece estar tan furiosa, sólo triste.

Algots. Empleo. Bienvenida. ¡Ah!, vaya, nunca ha entendido bien por qué quería ir ella allí. Pero las chicas a veces son raras, eso ya se sabe...

–Enhorabuena –le dice. En esta situación cualquier otra cosa sería sin duda inconveniente.

Pero se equivoca por completo, pues ella lo mira de repente como si le hubiera dado una bofetada.

–¿Es que no lo entiendes? –dice ella–. Si estoy embarazada tendré que olvidarme de Algots. Puedo empezar a trabajar allí, naturalmente, pero ¿durante cuánto tiempo? ¿Cuánto tiempo podré permanecer? ¿Cómo voy a poder coser cuando engorde tanto que ni siquiera sea capaz de atarme los cordones de los zapatos...?

Estar preñada. Un vientre que se hincha, una señora pesada que no es capaz de moverse. Habrá que comprar un cochecito y una cuna... No, va a ser demasiado para él. Lo que desearía hacer ahora es levantarse y marcharse, poniendo como excusa que hay que devolver la Vespa o que está resfriado...

Pero la gente no suele resfriarse a finales de mayo. ¡Maldita sea! Y no puede dejarla sola, ahora que parece que va a echarse a llorar o va a tirarle algo a la cabeza...

Eso es, exactamente, lo más difícil. La responsabilidad. No poder salir pitando como sea. Si se tiene un hijo, se tiene un hijo, es algo que va a sobrevivirnos. Es exactamente eso, la responsabilidad. Y es una carga, a pesar de que el niño es, de momento, sólo una afirmación de Eivor, que le está mirando con los ojos llenos de rabia...

Hay dos cosas a tener en cuenta. Siente lástima de sí mismo y le gustaría preguntarle a ella qué prefiere que hagan. Pero le resulta difícil, no encuentra las palabras...

No dice nada. Que lo solucione ella. Si él lo hubiera sabido habría tenido cuidado...

«No quiero quedarme sola con esto», piensa Eivor. «Cualquier otra cosa, pero no el infierno de mi madre. No como ella...»

Lo mira y se pregunta si entenderá lo que ella piensa. Sea o no un descuido, es asunto de dos. Está tan abrumada por el miedo que se lo dice sin rodeos, que no puede dejarla ahora.

–Claro que no –masculla él–. No, maldita sea... No...

–En este asunto estamos metidos los dos –dice ella–. Es de ambos.

–Sí, sí... Tranquilízate. Maldita sea...

–No pienso tranquilizarme en absoluto –dice ella–. Quiero saber si es asunto de los dos o no.

–Claro que sí –dice él–. Claro...

Pero no está nada claro, lo ven todo deforme, como los rostros en los espejos de la risa. Ninguno de los dos es capaz de confiar en sus sentimientos.

Después de un momento de doloroso silencio, Jacob dice lo único que se puede decir en una situación así.

–Tendremos que vivir juntos. Y casarnos.

Y ella:

–¿Quieres hacerlo?

–Claro que sí.

–Que no sea sólo por esto. Entonces yo no quiero.

–No, no es sólo por esto.

–¿Por qué?

–Porque me gustas...

Lo peor no es siempre lo peor. El mundo es asombrosamente cambiante; la poca alegría, que está desesperantemente lejos de allí, alcanza de repente al ciclista que viste de negro y se lanza hacia la línea de meta con una sonrisa en el rostro. Y así, el miedo es vencido en los últimos metros. Porque cuando Jacob quiere ir a vivir con ella y asumir su responsabilidad, es como si la carga de antes se transformara en el peso que le ayuda a ella a recobrar la estabilidad. De pronto son capaces de sonreírse uno al otro, incómodos, pero *¡pueden!* Y poco a poco se entabla algo que de todos modos se parece a una conversación.

Además, tienen donde vivir.

Él tiene trabajo, un buen trabajo.

Y ella no ha de dejar de trabajar para siempre. Los niños crecen. (Aunque él, por supuesto, quiere que la mujer esté en casa. Si Eivor va a tener un hijo, tendrá que soportar convertirse en «ama de casa» con todas sus consecuencias. Es inevitable. ¿Y quién dice que la expresión «ama de casa» sea algo malo? ¿No se lo ha dicho su padre a Linnea siempre, como la mayor prueba de afecto que es capaz de expresar...?)

En realidad, lo más difícil va a ser decirlo. Tanto en Hallsberg como en el barrio de Norrby. No basta con llegar y soltar que vas a tener un hijo y por lo tanto vas a ser padre. Con eso no basta.

Sólo hay una cosa que puede hacerse. Casarse.

A pesar de todo, salen un rato con la Vespa. Ya que se la han prestado, van a utilizarla. Además, es agradable salir a refrescarse en la tarde de mayo, la gran noticia no es fácil de asimilar... Jacob se dirige hacia el campo, por Alingsåsvägen, y Eivor, sentada detrás de él, se agarra con fuerza a su cintura. Es agradable sentir la velocidad, aunque sólo sea montada en una Vespa. Sin embargo, es algo distinto a ir encerrada en un coche. Aquí el viento es la confirmación del movimiento, la velocidad sopla en el rostro.

Llegan a lo alto de una colina y él frena. Le indica una granja pequeña con un terreno a unos cientos de metros más allá.

–Ahí vive un primo mío –dice él.

–¿Ah, sí? –pregunta ella.

–Nos casaremos –dice él.

–Sí –dice ella.

Incluso por la iglesia. Ninguno de ellos es religioso, se ríen de la fe infantil, pero creen en silencio. Aunque ya hayan cumplido dieciocho y veinticinco años, Dios aún tiene barba y mirada de sabio, está en el cielo y no permite que se rían ni se tiren pedos en la iglesia. Casarse por el juzgado es esnobismo, pero hay algo llamado *tradición,* para emborracharse está el día del solsticio de verano, el matrimonio exige ir a la iglesia...

Es tan obvio que apenas necesitan hablar de ello. Sin embargo, cuando pasan por una pequeña iglesia de provincias de regreso a casa, Eivor le grita que pare y, sin bajarse de la Vespa, se quedan mirando la iglesia blanca...

También hay que tratar de no empeorar las cosas. Si ella va a tener el niño, éste nacerá, en cualquier caso, del matrimonio. Tendrá padre y madre y nadie podrá decir que no lo han hecho en serio. Hay gente que puede ser muy anticuada...

Jacob ya tendría que haber devuelto la Vespa, pero le resulta difícil arrancar. Ahora están juntos de un modo completamente diferente al de hace sólo unas horas.

–No digas nada en tu casa –le pide ella–. Todavía no.

–No, no –contesta él.

–Yo me encargaré de todo –dice ella.

Y lo hace. Al día siguiente lo espera en la puerta de la tienda de deportes Valles. Ella está en la calle y lo ve vendiéndole un balón de fútbol a un padre que lleva de la mano a su prometedor hijo. Se queda mirándolos y piensa que está viendo a su marido...

Él se sobresalta al salir, como si se le hubiera olvidado todo. Pero ella se dirige hacia él y le dice que ha averiguado todo lo que hay que hacer para poder casarse.

Van al Parque Municipal pasando por delante del teatro, en el que se anuncia una función muy divertida, con Percy Brandt y Anita Blom. Pero ¿qué les importa a ellos? Ella le habla del certificado de aptitud matrimonial, de las amonestaciones, de las partidas de nacimiento y de la reserva de hora.

Cuando finalmente se levantan del banco en el que se habían sentado, ya han decidido casarse la primera semana de julio. Van a tener que hacer la petición de mano lo antes posible, y si Eivor escribe una carta a su casa esa misma tarde, él podrá contárselo a Artur y Linnea al día siguiente.

–Siento algo raro.

–¿No te encuentras bien? –pregunta él preocupado.

–No es eso. No, no sé...

Cuando Jacob quiere quedarse en su casa por la noche, ella dice que no. Tiene que escribir una carta a su familia, necesita paz y tranquilidad para pensar. Él no lo entiende, sólo se trata de escribir una carta. Se nota que él no es mujer. Dios mío...

–¿Puedo decirles que eres el jefe de la tienda? –pregunta ella.

–Puedes decirles lo que quieras –contesta él–. Pero no soy el jefe de la tienda. Al menos por ahora. Pero puedo llegar a serlo. A no ser que ponga en marcha un negocio propio, claro.

–¿Una tienda de deportes propia?

–Hay que tener ambiciones.

Luego ella lo empuja para que se marche.

Pero ¿qué va a escribirle a Elna ahora? (La importante es ella, luego puede contárselo a Erik si quiere.) Pero ¿qué va a decirle? Si hubiera tenido que contarle que le han amputado una pierna habría resultado más fácil. Eivor es consciente de que esto es lo que Elna más teme. ¿Y cómo puede evocar la imagen de que en su caso no es un desastre, sino que va a tener la fortuna de estar casada con un buen muchacho que se llama Jacob cuando nazca el niño?

¿La fortuna de casarse?

Se queda mirando el papel de la carta. Eso es lo que ella ha escrito realmente, con su letra infantil y redondeada. ¿De dónde lo ha sacado? ¿Son felices Jacob y ella? Como mucho están bien y tienen posibilidades de estar mejor.

Un hijo puede unir, así debe ser. Teniendo el niño, seguramente se resuelvan todos los problemas. ¿Qué más puede pedirse? Además, él tiene un trabajo estable y ella puede trabajar mientras se encuentre bien...

Algots. Ahí lo tiene. Va a empezar la carta con Algots, para mezclarlo con todo lo demás en el contexto de su éxito. Demuestra que es capaz de cumplir lo que se propone. Después de sólo cinco meses.

Pero no lo hace así. Resulta demasiado complicado, y es cuando ha escrito todo lo que se le ocurre de Algots y empieza con lo del niño y la boda, cuando comienza la carta en realidad.

Dobla el papel, cuenta hasta cincuenta y luego lo despliega y lee la carta como si la hubiera recibido ella, como si ella fuera Elna. Pero no resulta mejor, ve a Elna ante sí, derrumbándose en una de las sillas de la cocina y tapándose la cara con las manos...

¡Maldita sea!

¡Es ella la que va a tener el niño! Es adulta, ha demostrado que se las arregla sola. Elna puede reaccionar como quiera...

O sea, papel nuevo, una vez más. Y se promete a sí misma que, salga lo que salga en este intento, quedará así y mañana lo llevará a correos cuando vaya al trabajo. Termina invitándolos a la boda, y al releer la carta ve que de todos modos ha incluido lo más importante. Algots, Jacob, la boda, el niño.

El niño. El 1 de enero de 1961.

No, no se atreve a pensar en ello. Aunque no falte una eternidad, es el doble del tiempo que ella ha vivido en Borås, y es más que suficiente... Pega el sobre, escribe la dirección y luego lo deja sobre la mesa delante de ella, el mensaje, la gran noticia, una bomba que Eivor envía a Hallsberg...

¡Pero el día siguiente resulta ser un día realmente bueno! Jacob va a buscarla sobre las siete de la tarde y van juntos a Norrby. Él no ha dicho nada, sólo ha preguntado si podía invitarla a tomar café en casa.

Dos cafés, tres, no dice nada. Eivor mira a Jacob a hurtadillas, pero él aparta la mirada rápidamente. ¿Pretenderá que sea ella la que lo diga? Sin embargo, no sería correcto...

–Hoy parece que Eivor está pensativa –dice Artur.

Ella se sobresalta. ¿Es posible que lo noten?

–Ocurre una cosa –empieza Jacob sin completar la frase.

–¿Vais a tener un hijo? –dice Artur cortante, mirando a ambos.

–Artur –dice Linnea–. Artur...

Eivor nota que se ruboriza. Y, por su parte, la respuesta ya estaría dada...

–Sí –dice Jacob–. Pensamos casarnos.

Linnea se queda con la boca entreabierta y no sabe qué decir. Pero a Eivor le parece que se alegra.

–Demonios –dice Artur–. Por todos los demonios... Nos pilla por sorpresa. Pero... Permitidme que os felicite.

–Sí. Enhorabuena –dice Linnea–. Esto... Sí, es lo que dice Artur. Nos ha pillado por sorpresa...

Eivor tiene muchas ganas de gritar que no sólo a ellos les ha pillado por sorpresa, pero naturalmente no lo hace. Casi nunca hace algo que no deba...

Artur saca una botella con restos de vodka y Linnea va a buscar vasos. Luego brindan y Eivor ve que Jacob sonríe de repente con toda la cara y siente que casi se le hace un nudo en la garganta.

–Pareces una mujer cabal –dice Artur sirviéndose las últimas gotas en su vaso y vaciándolo.

–Deja que te dé un abrazo –dice Linnea, y lo hace.

Eivor tiene una gran sensación de protección cuando se aprieta contra los pesados senos de Linnea. «Aquí podré obtener ayuda», piensa. Y de lo único que puede estar totalmente segura es de que va a necesitarla.

Artur parece emocionado y Linnea la mira con dulzura. Aquí se siente bienvenida, su presencia produce alegría. La cigüeña se ha posado en su balcón y posiblemente no haya nada que deseen más que tener un nieto...

–¿Dónde vais a vivir? –pregunta Artur.

–Tendré que preguntar a los Fåhreus si no les importa que Jacob se venga a vivir conmigo –dice Eivor–. Aunque en el contrato no pone nada.

–Es mejor preguntar –murmura Artur–. Al arrendatario hay que tratarlo con cuidado. Y la señora Fåhreus no tiene muy buena fama, te lo aseguro.

–¿Qué sabes de ella? –dice Linnea en tono de reproche.

–Tanto como tú –responde Artur furioso–. Siéntate ya y no finjas que no sabes tú también que es una vieja malvada. Todos en la ciudad saben bien el estado en que se encuentran sus casas y cómo trata a sus inquilinos. Si te descuidas, se te cae el techo encima, y si eso llega a suceder, es capaz de subirte el alquiler, por vivir allí durante el dramático suceso. No, demonios... ¡Pregúntaselo! ¡Pero con decisión!

Sí, decisión. Ni siquiera es capaz de pensar en todo lo que hay que arreglar. Queda poco más de un mes para el primero de julio. Hay que llegar, llegar...

–¿Qué dicen tus padres? –pregunta Linnea.

–Ella... Ellos no lo saben aún –contesta Eivor–. Pero les he escrito.

–Será emocionante.

–Sí.

Elna con sus revistas, Erik con sus vagones de mercancías. Y en algún rincón desconocido, vivo o muerto, borracho o sobrio, está su padre, al que no conoce. A él no va a poder enviarle el mensaje, pero Elna podrá experimentar lo que es tener un nieto... Hay muchas cosas que le gustaría preguntarle. ¿Podrá hacerlo? «Tal vez», piensa ella. «A pesar de todo, fue bien cuando ella estuvo aquí. Sí, tal vez sea posible...»

Jacob la acompaña a casa esa tarde de primavera.

–Ha ido bien –dice él.

–Excepto yo, que me he puesto coloradísima.

–¿Qué importa?

–Ya. Pero de todos modos.

Y luego hablan de todo lo que hay que hacer en el apartamento. El papel de las paredes, quitar todas las viejas planchas de linóleo, la vajilla, la cuna...

–Aún no –dice Eivor–. Falta mucho.

–Eso lo decides tú –dice Jacob.

Ella lo mira. ¿De verdad?

Le cede a ella la compra y la elección de la cuna. Pero ¿es algo obvio o es una concesión? Alguna vez se lo preguntará...

–Yo no sé nada de esas cosas –dice él.

–Yo tampoco –contesta ella.

Ella se detiene a mirar un gorrión que hay justo al borde de la calzada. Está boca arriba con las patas tiesas hacia el cielo.

–¿Qué es eso? –pregunta él.

–Un pájaro muerto –responde ella.

Tres días después, Elna se presenta en la puerta. Eivor acaba de llegar a casa de la fábrica y ha recibido la felicitación de Liisa. Precisamente hoy ha tenido la valentía suficiente y se lo ha dicho. Que lleva un hijo en su vientre. Liisa al principio la ha mirado incrédula. Pero luego la ha abrazado y ha intentado enseñarle una canción de cuna en finlandés. Se pregunta si realmente la ha *felicitado* o si sólo lo ha hecho por educación. ¿Habrá pensado que Eivor se ha caído por el precipicio? No, Liisa no. Ella no es así, ella simplemente no puede ser educada. Es un arte que ella ni quiere ni puede dominar, va contra su naturaleza y contra las palabras de su abuelo...

Pero ahora está Elna en la puerta, con su viejo abrigo de siempre...

–Como no tienes teléfono.

–¿Quién te ha dicho que tu visita es inoportuna?

–Nunca se sabe.

–El día que estorbes te lo diré. Antes incluso.

–Erik te envía saludos –dice Elna.

–Gracias.

–Ha sido tan inesperado.

–No para mí. O para nosotros.

Sea o no verdad, Eivor ha decidido tomarle la delantera a su madre. En el fondo también se esperaba que ella apareciera aquí, jadeante y horrorizada, como si hubiera venido corriendo desde Hallsberg. Y por eso se ha preparado como si fuera a defenderse ante un tribunal. Ha pensado todos los argumentos y reprimendas, las palabras tristes o desagradables que Elna pudiera decir; nada puede pillarla desprevenida.

–No sé qué decir.

–No tienes que decir nada.

–¿Eres feliz? Me refiero a si todo va bien...

¡Otra vez la felicidad! Esa palabra siempre está flotando alrededor, fugaz como una pluma. Pero ¿por qué no? Ella goza de buena salud, él también, no están en guerra, tienen trabajo, el mundo no se va a venir abajo.

–Las cosas me van bien –dice ella.

Pero, naturalmente, suena a hueco. Ha pasado cinco meses fuera de casa, acaba de recibir una propuesta de trabajo de Algots, y además está embarazada.

Hasta ahora Elna no había oído hablar de Jacob. Y, por supuesto, tiene que comportarse como si no pasara nada, Eivor habría hecho seguramente lo mismo. En esta situación su madre no sabe qué hacer, como tampoco lo habría sabido ella.

–Ha sido tan inesperado –dice Elna de nuevo.

–Pensé en daros una sorpresa –contesta Eivor.

Pero se percata de que Elna no la cree, la mira asustada. Eivor va a la cocina a preparar café, y mientras espera a que se caliente el agua, piensa que Elna cree, naturalmente, que ha sido un accidente, que no han planeado el embarazo en absoluto.

Toman café y Eivor le dice a Elna que no podrá conocer a Jacob hasta la tarde siguiente. Hoy no va a venir, va a jugar al fútbol en el descampado que hay detrás del hospital. Las tiendas de deportes tienen su propio equipo en la liga, Jacob juega de defensa. Esta tarde se enfrentan a los del matadero y van a recibir una paliza, ya que los carniceros tienen el mejor equipo de la división, delanteros de peso con un jefe de despiece finlandés que siempre se abre camino hasta la portería...

–Como es natural, me gustaría conocerlo –dice Elna–. Pero sólo si os viene bien.

–Claro que sí. Su padre es tipógrafo. Su madre es como tú.

–¿Cómo yo?

–Ama de casa. Se llama Linnea

Eivor ve en los ojos de Elna múltiples preguntas no formuladas. Pero ¿será consciente de que lo ha percibido?

Cosas no dichas, contenidas, a la espera. De repente, Eivor está cansada de toda la situación.

–Vas a ser abuela –dice tajantemente.

–Sí –dice Elna.

–Las cosas me van bien, mamá. No te preocupes. Sabes que sé arreglármelas bien.

–Estoy empezando a creerlo.

Aunque, por supuesto, no es así, Eivor se da cuenta enseguida. Elna no incluía en sus planes que Eivor se quedara embarazada unos meses después de su partida hacia el gran mundo. Pero sus planes no son los planes de su hija. Si se tiene una hija hay que contar con ser abuela. Y cuando ella se haya dado cuenta de que su hija camina con sus propios pies, entonces quizá sea capaz de alegrarse incluso de lo que está ocurriendo. Por la tarde, después de comer, dan un paseo. El gorrión muerto sigue en la calzada con las patas tiesas hacia el cielo vespertino.

Se detienen ante el escaparate de una tienda de ropa de señora.

–Tal vez tendría que comprarme un abrigo nuevo –dice Elna.

–Sí –dice Eivor–. Quizá lo necesites.

Al contrario que Liisa, Jacob puede ser educado, aunque se note algo forzado e inseguro. Pero en cuanto se da cuenta de que quien abre la puerta es la madre de Eivor (Eivor está en el cuarto de baño), apenas tarda en controlar la situación. Eivor se asombra de lo natural que parece a pesar de todo. Describe su trabajo en la tienda de deportes de Valles como variado pero, sobre todo, de responsabilidad. Parece que entiende la situación. Eivor se da cuenta de que le causa buena impresión a Elna. ¿Y por qué no iba a hacerlo? Su pelo rubio brilla, tiene los dientes blancos, es joven, está sano y fuerte. Y es educado. ¿Qué más puede pedir? ¿Que sea el dueño de la ciudad?

–Nos gustaría que vinieras a la boda –dice él al cabo de un rato, levantándose y alcanzando su chaqueta de cuero.

Y lo dice de verdad, Eivor lo nota.

–Me ha parecido muy agradable –dice Elna cuando él ya se ha marchado.

–A mí también me lo parece –dice Eivor.

Elna la mira asombrada.

–De otro modo sería una situación horrible –agrega ella.

Al día siguiente Elna vuelve a su casa. Dice que está contenta, pero Eivor se pregunta qué piensa *realmente*. ¿Está decepcionada, preocupada o sólo indecisa?

Sea como sea, es problema de ella. Pero a Eivor le gustaría que fuera tan abierta y con una alegría tan espontánea como Linnea, la madre de Jacob. No tan áspera y callada.

Pero a los padres no puedes elegirlos.

A veces ni siquiera al propio marido.

Elna debería saberlo.

Cuando Elna va sentada en el tren de regreso a Hallsberg, también piensa en ello...

Y lo hacen. Eivor y Jacob se casan el domingo 3 de julio de 1960. La ceremonia es bonita y conmovedora, nadie piensa en la lluvia que está cayendo a mares fuera de la iglesia, la Gustav Adolfkyrkan, dejando la ciudad como un trapo empapado. Johan Nordlund, pastor de la iglesia, alza sus manos afectadas de psoriasis por encima de los dos jóvenes que han decidido refugiarse en el santo matrimonio; los allegados están conmovidos por la ceremonia, y la pareja que se ha acercado al altar es una hermosa pareja. Jacob viste un traje de color marrón oscuro y Eivor va de blanco, lleva un vestido que ella misma ha cosido. En segundo plano está Artur, sentado en el primer banco y tosiendo. Es su modo de resistirse ante el molesto nudo en la garganta que no debe notarse por nada del mundo. A su lado se encuentra Linnea, que está verdaderamente guapa con su vestido granate recién comprado y ajustado al pecho. Linnea, alguna vez deberías saber lo espléndida que estás...

Al otro lado de la nave central está sentada Elna, flanqueada por Erik a un lado y al otro por el abuelo Rune, que ha bajado desde Sandviken para ser testigo de la dicha matrimonial de la nieta. La abuela Dagmar no ha podido venir, el viaje es demasiado largo, se habría mareado muchísimo y, además, todo ha sido tan rápido. La han avisado apenas un mes antes del día de la boda, y encima la chica está embarazada... No, son muchas cosas, ella es demasiado vieja... Y que la chica vaya a tener un niño... Abre viejas heridas, se pregunta si será una carga hereditaria. Elna, Eivor... Rune puede decir lo que quiera, ella se queda en casa a cuidar el apartamento y el gato. Le ha escrito una carta a Eivor que debería ser suficiente, y Rune se encargará de darle recuerdos y explicaciones. Pueden verse más adelante. No, Rune, viaja tú, ve tú por los dos...

El pastor Nordlund y sus manos. La psoriasis no suele picar, pero él parece sufrir un picor celestial. Quisiera tirar el libro de cánticos y rascarse las manos, cuya piel recuerda las escamas de un pez.

¿A quién está casando? A la costurera Eivor Maria Skoglund con el dependiente Jacob Halvarsson. Bueno, son sólo nombres, no le dicen nada. Sus rostros están serios y tensos, lo que ciertamente no le sorprende, casarse es un acto de gran envergadura, un acto sagrado con una cantidad importante de inconvenientes bajo la superficie... Y hay que seguir esa idea hasta el final. ¡Es espantoso ver cómo se separa la gente! Son tiempos difíciles para ser pastor. ¿Cómo va a poder oírse la predicación cristiana en medio del escándalo infernal de las guitarras eléctricas...?

¿Es feliz la muchacha? Tiene la costumbre de hacerse esa pregunta. Pero en el rostro maquillado de Eivor no puede leerse nada más que concentración y atención... En fin, las cosas van como van, prescindiendo casi siempre de lo que Dios dispone...

Llega el momento de la verdad y las manos le pican... Recibes tú como... El sí de él suena como un murmullo pastoso, a ella le tiembla la voz. Pero lo dicho, dicho está, y él no tiene más parejas que casar este domingo. Gracias al Dios de los cielos...

El órgano retumba y fuera llueve a cántaros. Nordlund está de pie en el porche de la iglesia despidiéndose y deseando buena suerte. Mantiene las manos en la espalda respetuosamente, siempre hay gente que cree que la psoriasis es tan contagiosa como la lepra... Se abren los paraguas, los dos taxis que han pedido están esperando y hay que bajar deprisa las escaleras que llevan a la calle...

Fuera de la iglesia hay un hombre joven que bebe cerveza sentado en la pendiente de hierba. Parece no importarle el diluvio que está cayendo, ni siquiera parece darse cuenta de ello. Nordlund cree reconocer en él a uno de los que confirmó hace algunos años y se da la vuelta refunfuñando. Cuando desaparecen los taxis, sube raudo las escaleras que conducen al pasillo y entra en la sacristía para buscar la gabardina y el paraguas. Fuera está esperando el Saab. Asta Björkman, el organista, espera dentro en silencio, mirando sus notas, sin pensar en nada...

«La vida es extraña», piensa Eivor, sentada al lado de Jacob en el asiento trasero de uno de los taxis. «Ahora estoy casada y sólo siento intranquilidad. Todo ha sido tan rápido, cuando el pastor hablaba era como si no me concerniera a mí, como si fuera otra persona la que estuviera allí. Pero ahora estoy casada con el que va sentado a mi lado y nos dirigimos a casa de Artur y Linnea para comer y celebrar la boda, y luego nos marcharemos cinco días de luna de miel a una casita de verano que está en alguna parte de Småland...»

¿Y si le pidiera ahora al taxista que parara y ella bajara en medio de la lluvia y se marchara de allí? Hacia cualquier lugar. Al Cecil a tomar una Coca-Cola vestida de blanco, con el pelo recogido y cardado, resultado de dos horas de esfuerzo con el peine y la laca.

Lo que le preocupa es que no *puede* hacerlo. Estar casada implica precisamente que hay muchas cosas que ya no están permitidas, o que ni siquiera es posible hacer...

La lluvia golpea las ventanillas y Eivor piensa que siempre puede separarse. Si no funcionara entre ellos. Pero pensarlo ahora, diez minutos después de salir de la iglesia... ¿Puede intuir él lo que piensa? No, él también parece estar inmerso en su propio mundo. ¿Piensa lo mismo, tal vez? Santo cielo...

Eivor quiere encerrarse en el cuarto de baño en cuanto lleguen. Necesita quedarse sola unos minutos. No pensar, sólo sentarse en la tapa del váter, completamente sola. Parar el tiempo. Y luego ver en el espejo que sigue teniendo la misma cara, que no se ha transformado en otra...

Luego podrá estar contenta. Sólo con que Jacob...

Él la mira de repente.

–¿Has dicho algo?

–No. ¿Por qué?

–Me pareció oír...

–No... ¡Qué forma de llover...!

–Sí...

Y ya están en Norrby, en la calle Långgatan 22, los taxis frenan en el asfalto mojado y uno de los conductores se queda atónito mirando el billete que le da Jacob de propina.

En torno al banquete hubo cierta confusión. Según la tradición, es la novia la que tiene que pagar el festín, pero ¿qué se hace cuando el padre no es más que un nombre? Elna no ha querido exigir a Erik que se haga cargo de los gastos de la fiesta, aunque él dice estar dispuesto a hacerlo. Siente mucha vergüenza cuando Artur y Linnea quieren pagar y organizar el almuerzo, pero no hay nada que hacer; cuando un día, a mediados de mayo, el abuelo Rune llama a Hallsberg desde Sandviken para decir que él quiere invitar al hotel en Borås a todos los acompañantes, es demasiado tarde, ya está todo decidido. (Elna y Erik han ido en coche un sábado a mediados de junio para conocer a Artur y Linnea. Un encuentro que, por suerte, ha terminado bien...) No, han sido unos días realmente complicados. Para casar a una hija, un mes no es suficiente. Pero ¿qué puede hacerse si todo va tan acelerado en estos tiempos modernos...?

Linnea se ha encargado de todo con eficiencia y sin mostrar agotamiento, de un modo que alguien que no la conociera podría confundir con lentitud. La colaboración de Artur se ha reducido a desempeñar el papel de consejero gruñón, y además se ha encargado de comprar todas las bebidas. Cuando llega a casa arrastrando las bolsas, Linnea se ha atrevido a preguntarle tímidamente si piensa que la fiesta va a durar mucho tiempo, quince días o así, pero Artur ha zanjado cualquier discusión afirmando que la tacañería es lo peor que hay y que ella debería saberlo después de vivir toda su vida con él. Así que ahora hay montones de botellas en las mesas y por el suelo, en el frigorífico no hay espacio suficiente, y uno de los vecinos ha tenido que prestarle el suyo durante unos días.

Son siete personas, tanto Eivor como Jacob han querido celebrarlo con los familiares más allegados. Sin duda, a Eivor le habría gustado invitar a Liisa, pero Jacob habría contraatacado inmediatamente proponiendo a alguno de sus amigos más cercanos y entonces no habrían podido parar. No, los familiares más allegados, siete personas en total, incluidos los novios. Rune llega de Sandviken como enviado. El viaje en tren ha sido horroroso, le duelen las piernas y ha tenido palpitaciones. Pero ya ha llegado. Seguro que ha estado refunfuñando en silencio porque los novios se han casado por la iglesia, y su pacífica protesta durante la ceremonia ha sido quedarse sentado golpeándose las doloridas piernas con el libro de cánticos. No entiende qué arrastra a todos hacia la iglesia. En caso de necesidad, puede aceptarse que un sacerdote tenga que echar tierra a un féretro con una pala, pero para el bautismo, la confirmación y el matrimonio hay que creerse demasiado bueno. Curiosamente, los trabajadores parecen ser los que están más pendientes de que sus hijos se confirmen, mientras que las clases sociales más altas no se lo toman con tanta solemnidad. Es muy curioso...

Lleva el viejo traje negro, el cuello de la camisa está raído pero limpio, la cadena del reloj reluce sobre el chaleco. Y nadie tiene que notar que le duelen tanto las piernas que lo que quisiera hacer en este momento es tener a mano una sierra y cortárselas...

Elna y Erik. Con sus ropas recién planchadas y bien peinados, han llegado en coche desde Hallsberg. Elna sabe que Erik se siente excluido, en su fuero interno tiene una sensación difusa de vergüenza por el hecho de no ser el verdadero padre de Eivor, sino sólo el marido de Elna. Pero se muestra amable como siempre y no dice nada. Ni una palabra en todo el viaje desde Hallsberg...

El mes ha sido arduo para Elna. No le ha resultado fácil lidiar con el primer sentimiento de tristeza por el hecho de que Eivor haya tropezado con la misma piedra que ella. Por mucho que Eivor jure que todo está planificado, bien pensado, ella sabe que el viento sopla en contra. Pero ¿qué puede hacer? No tiene por qué ser una equivocación sólo porque ha ido deprisa, puede que funcione, no es necesario adelantar acontecimientos. Pero cada mañana y cada tarde ha tenido que obligarse a verlo de modo positivo, y no ha sido fácil...

Por parte de Jacob sólo aparecen Linnea y Artur, pues los abuelos maternos y paternos ya están enterrados. No hay nadie más a quien sentar a la mesa, y al final son siete.

A Linnea le ha prestado los manteles una amiga que trabaja en la cocina del ayuntamiento, y los vecinos de la escalera le han dejado la porcelana que ella no tiene. En la calle Långgatan de Norrby hay buena vecindad, muchos han vivido en el mismo portal y en el mismo apartamento desde que se construyó la casa antes de la guerra. Y ahora todo está listo, han quitado los muebles del cuarto de estar y han preparado una mesa en medio de la habitación. Los niños del número dieciocho han recogido grandes ramos de flores estivales y ella a cambio ha prometido comprarles los helados o caramelos que prefieran. La fuente llena de comida está en la cocina y la vieja Sara, que vive en el apartamento de arriba, se ha encargado de mantener calientes las cacerolas mientras estaban en la iglesia. La vieja Sara se ha destrozado la espalda y las caderas sirviendo comida en el Alingsås Stadshotel durante muchísimos años. Pero aún puede hacerlo, y todo está listo cuando ve que frenan los taxis bajo la lluvia torrencial. El apartamento emana múltiples olores, huele a boda sueca, a arenque, a albóndigas, a una sucesión de tentaciones...

Los invitados a una boda siempre han comido y bebido hasta reventar. Pero aquí la temeridad está controlada, las personas que están sentadas alrededor de la mesa conocen sus debilidades y limitaciones y todos han prometido en silencio, cada uno por su cuenta, que van a tratar de mantenerse dentro de unos límites. Más no puede hacerse...

–¿Por qué no llevas velo? –pregunta Elna a su hija, dándole una palmadita en la mejilla.

–Pues para que veamos qué aspecto tiene la pobre muchacha –masculla el abuelo Rune sacudiendo la pierna izquierda, que se le ha entumecido y parece que sea de madera.

Y con ello van a la mesa.

Pero en el momento en que se disponen a hacer el primer brindis llaman a la puerta y llega un telegrama.

Jacob lee: «El tiempo está revuelto. Saludos desde Trandared. Enhorabuena...».

–Qué telegrama más raro –dice Artur mirando a su hijo Jacob con severidad, como si fuera él quien lo ha escrito.

–Debe de ser de Roger –dice él–. Tiene un humor un tanto extraño...

–¿Y Trandared? –pregunta Rune.

–Es un barrio de Borås –aclara Linnea–. Queda hacia el otro lado.

–¿Ah, sí...?

Pero entonces truena la voz de Artur, hace un brindis y luego por fin se puede empezar a comer.

Eivor sólo da un sorbo, lleva un hijo en el vientre y en el centro de atención médica a las madres le han dicho que no debe beber alcohol. Además ha empezado a encontrarse mal, y no quiere arriesgarse a tener que levantarse corriendo de la mesa para vomitar. Cielo santo, el cuarto de baño está tan cerca que todos los de la mesa la oirían...

Rune vuelve a llenar su copa. Tiene que ser vodka Renat, el estómago no tolera otra cosa. Piensa que es el de más edad de la reunión y que además debe dar un discurso en honor a Eivor, puesto que ella no tiene a su padre presente. Erik no va a decir nada, como es natural, no se atreve. No cabe duda de que es bueno y trabajador y ha asumido la responsabilidad de ambas, Elna y Eivor, pero es indeciso, no puede evitarlo. Y está terriblemente absorto en su coche y todos esos endemoniados vagones de mercancías... La bebida calienta y alivia la presión de las piernas. Realmente, el aguardiente es lo único que ayuda, respetando todos los medicamentos... Luego hay que soportar que se suba a la cabeza y lo enturbie todo... Elna está ahí sentada, sí, al lado de ese enorme tipógrafo, que parece un hombre cabal. Le gustaría intercambiar algunas palabras con él si tiene oportunidad... Y su mujer no es tonta. No, sin duda son buenas personas, aunque no las conozca. No parece que le den importancia al hecho de vivir en esta renombrada ciudad textil... Se pregunta qué piensa Elna. ¿Supondrá un alivio casar a la hija? No le extrañaría que así fuera. Por cierto, llama la atención que ella y Erik no hayan tenido hijos. Pero está claro que él no sirve para eso... Vaya, el viejo está portándose mal en este momento. No hay motivos para ello. Y hay que ver lo buena que está la comida... La abuela puede seguir en casa acariciando al gato, se arrepentirá...

Jacob tiene miedo de que lleguen más telegramas de sus compañeros. Y lo que es peor, que rompan el acuerdo y aparezcan por la casa. Sólo de pensarlo se horroriza. Un grupo de bandidos de pie en la entrada como una jauría de perros... El viejo que está allí, el abuelo de Eivor, parece que bebe bastante... ¿Dónde diablos está Sandviken? Tienen un buen jugador de fútbol, Arne Hodin, pero el equipo es una porquería... Sí, algún extremo es bueno, desde luego, pero además... Sandviken, ¿qué es eso? Mientras su padre no dé un discurso, porque entonces puede ocurrir cualquier cosa. A ver si termina esta comida por fin y pueden irse los dos a esa casita de verano... Casado... Sí, qué diablos... Pero Eivor es bonita y si luego resulta que el niño se le parece... No, no tiene de qué quejarse, y tampoco lo hace. Pero estar casado...

Cerveza y aguardiente, comida y habano. Sin que nadie se dé cuenta, en la mesa las conversaciones se cruzan. La única que está serena es Eivor, pero ella no puede beber, y entonces resulta pesado, según saben todos por antigua experiencia sueca...

–Veintidós céntimos –dice Artur a Rune, que le ha preguntado cuánto han cobrado los tipógrafos con el último aumento–. Para que lo entiendas, la cartera pesaba tanto que hubo que utilizar una grúa para levantarla.

Rune asiente con la cabeza. Está claro que Artur es un buen hombre, un auténtico coloso. Veintidós céntimos son una mierda, tal cual. Sí, sí, no lo ha expresado mal, una grúa para levantar la cartera...

–De todos modos cobrasteis más que nosotros –dice él–. Había un loco en el trabajo que calculó que sólo tenía que ahorrar durante ciento cuarenta y dos años para poder comprarse un bote de remos nuevo. Escribió una carta al director de *Aftonbladet* acerca de ello, pero naturalmente no se publicó.

–¿Para qué quería un bote de remos? –pregunta Artur–. ¿Y a ti? –Continúa dirigiéndose a Erik, que está masticando una albóndiga y se ha manchado la nariz de mermelada de arándanos.

–¿Qué? –pregunta Erik.

–¿Qué aumento te dieron?

–Bueno... No me acuerdo. Pero no era mucho.

«No, seguro que no», piensa Rune.

Sin embargo, él parece contento... Está fastidiando otra vez. ¿Habrá una cerveza por ahí...? Sí, Linnea descubre sus ojos suplicantes y le alarga una botella de Sandwall.

Elna mira a Rune y él inclina la cabeza. Sí, va a hablar. No debe esperar tanto, sólo un par de copas más, y luego quiere hacerlo lo mejor que pueda por el bien de ambas, Elna y Eivor. No es ningún orador, pero quién lo es, aparte de esos locos, los políticos, que parece que tengan instalada en la garganta una cinta magnetofónica infinita... ¿Lleva abrochada la bragueta? ¿Qué va a decir? ¿En qué pensaba mientras iba sentado en el tren durante el espantoso viaje?

Mira a Eivor, ella percibe su mirada y sonríe. De repente, se le hace un nudo en la garganta, él la quiere tanto...

El nudo en la garganta es una señal de alarma que no debe pasarse por alto. Que los hombres mayores se pongan sentimentales es algo espantoso que debe evitarse a toda costa...

Da unos golpecitos en el vaso de cerveza y enseguida se hace el silencio. Al parecer todos lo esperaban, pero no sabían de qué lado vendría.

Se pone en pie y, en medio del silencio, oye el tamborileo de la lluvia contra la ventana que tiene detrás. ¿Qué diablos voy a decir ahora? ¿Y cómo se llama el muchacho? Jacob, creo que era...

–Querida Eivor –empieza, y entonces suena el timbre de la puerta y llega otro telegrama.

Naturalmente es de Sandviken, de la abuela y de los tíos de Eivor. Es un telegrama corriente, sin nada raro en el texto. Pero cuando ya ha leído el telegrama, Rune no recuerda nada de lo que había pensado decir. Ni una palabra...

–Veintidós céntimos –dice–. Veintidós céntimos le aumentaron a tu suegro el sueldo en las últimas negociaciones. Pero quiero deciros que no debéis dejaros engañar por las apariencias. Aunque se diga que en Suecia estamos atravesando momentos dorados, éstos pueden cambiar rápidamente. Y cuando el aumento no es más que dos monedas de diez céntimos, todo ese resplandor más que dorado es de mica amarilla. Ambos sois hijos del pueblo. A ti, Eivor, te conozco como a una chiquilla auténtica, como alguien que ha aprendido un oficio. Eres costurera y tienes que estar orgullosa de ello y no dejar que te pisoteen nunca. De ti, Jacob, lo poco que sé es que eres dependiente. Pero no eres el propietario de la tienda, así que estás en la misma situación que... tu esposa, Eivor... Sí... Con todo mi viejo corazón os deseo buena suerte y os pido que no olvidéis nunca quiénes sois... Sí... Salud a los novios.

Rune bebe y se sienta. ¿Qué diablos ha dicho en realidad? ¿Lo ha estropeado todo? Mira a Elna, pero ella parece satisfecha, sonríe y asiente con la cabeza. Y Artur y Linnea... No, parece que no ha metido demasiado la pata. Pero ¿no es terrible que no pueda acordarse de lo que acaba de decir? Veintidós céntimos. ¿Qué más?

No le da tiempo de pensar más, pues acto seguido Artur levanta su gigantesco cuerpo de la silla y se aclara la garganta. Se hace el silencio inmediatamente. Cuando está levantándose, se da cuenta de que todos le miran.

–En realidad sólo voy al retrete –dice–. Luego hablaré. Cuando estemos tomando café.

Y eso hace. Las fuentes de comida de Linnea parece que no van a vaciarse nunca, la conversación salta por encima de la mesa. Llegan más telegramas, del primo de Jacob, que trabaja como sastre en Bergkvara; de la tía Tilda, que vive en Alundavägen en Trollhättan –es raro que se haya acordado, ya que a veces le falla la memoria de tal manera que no recuerda ni su propio nombre–. Más comida, continuamente, pero por fin ocurre algo que permite levantarse de la mesa sin tener que disculparse para ir al retrete. En la puerta hay un joven pálido y con granos en la cara, cargado de bolsos y trípodes y sujetando bajo los brazos unos paraguas de color gris claro. Se le ve tan afligido que podría pensarse que se ha equivocado de sitio, pero es justo por el hecho de haber llegado al lugar acertado por lo que está tan apesadumbrado. Nunca ha fotografiado anteriormente a una pareja a domicilio, él es sólo el asistente del fotógrafo Malm, que tiene su estudio en la esquina de las calles Kvarngatan y Allégatan. Pero hoy a Malm le ha dado un ataque de lumbago y se ha visto obligado a quedarse tumbado en el sofá de terciopelo granate de su oscuro estudio, y su torpe asistente tendrá que demostrar alguna vez que sirve para algo. Norrby, calle Långgatan, segundo piso en el numero veintidós, es la información que le ha dado, y mientras preparaba lo que iba a necesitar recibía reprimendas de Malm, que se había puesto de rodillas en el sofá, con la vana esperanza de que le doliera menos.

–Ten cuidado de que no entre nada de luz por los lados, para que no tengamos que estar luego retocando toda la semana –dice entre quejidos y colocándose a cuatro patas–. Y procura dar una impresión de profesionalidad. ¿No puedes pasarte el peine por el pelo...? Vete ya. Maldita espalda...

Quieren que los fotografíe de pie, y el único sitio adecuado que parece haber en el apartamento, junto a la puerta del balcón, implica que hay que apartar la mesa del comedor, así como una mesita llena de botellas. Toda la habitación tiene que moverse en función del rincón del balcón, y cuando todos están dispuestos a ayudar, se produce el caos. Rydén, que es el apellido del asistente (su jefe no se dirige a él de otro modo y está acostumbrado a que lo llamen así), enreda y toquetea con torpeza lámparas y trípodes, y cuando el anciano Rune quiere ayudarle y pone un enchufe, se funden los plomos y la lámpara. Artur tiene que subirse a la destartalada escalera y cambiar los fusibles en el armario que hay encima del perchero en el recibidor, y mientras tanto Rydén desenchufa el frigorífico para tener una conexión a tierra. Cuando parece que por fin todo está preparado ven que, como es natural, entra luz por todos los huecos imaginables, se bajan las persianas y se cambia de lugar a la novia unos centímetros, pero entonces se le ve la cara completamente a rayas, y Rydén está sudando tanto que los paraguas se le resbalan de las manos.

Sin embargo, al final parece que todo está preparado, se ha combatido la luz lateral con súplicas, palabrotas, pantallas y puertas medio cerradas. En medio del piadoso silencio por parte de los invitados y los desesperados intentos de los novios de parecer naturales tras el visor, él sólo puede apretar el botón y enrollar el carrete. Vuelve a controlar la intensidad de la luz, rectifica un punto el diafragma y trata de recordar agobiado si ha olvidado algo. ¿Qué número ASA tiene la película? Claro que lo sabe... Demonios... Y vuelve a pulsar el botón y luego se acabó. Después baja a la calle en medio de la lluvia torrencial y termina empapado mientras carga sus trípodes y sus bolsos en el Volkswagen. Pero ahora está completamente tranquilo. Si no salen bien esas fotos, dejará la fotografía. Entonces el sueño de futuros libros artísticos de fotos se quedará en eso, un sueño, y él será panadero o lo que se tercie...

Cuando Artur da su discurso al fin –no hay mucho de que hablar, está borracho pero mantiene el control de sí mismo y sólo dice cosas amables a los dos, palabras sencillas, nada chocante pero tampoco nada para recordar–, llega el momento de acercarse a la mesa donde están tapados los regalos que les han traído a los novios.

Reciben un juego de café de parte del abuelo Rune, la abuela y los tíos. Rune ha viajado a Gävle para comprarlo personalmente en una tienda de porcelana. El juego de café es blanco con el borde azul. Sencillo, sufrido, un juego que puede durar toda la vida si no se rompen demasiadas piezas. De parte de Linnea y Artur reciben dos albornoces con sus iniciales bordadas. Las ha bordado Linnea, en azul para él y en rojo para ella. Y, finalmente, Elna y Erik les han dado una tarjeta de regalo por valor de doscientas cincuenta coronas de una empresa de muebles que tiene una cadena de tiendas en el sur de Suecia, y tanto Eivor como Jacob saben que la filial de Borås está al lado de Tempo.

Jacob y Eivor agradecen emocionados los regalos. Ella está cansada y le duele la cabeza, él ha bebido demasiado y las piernas no le responden del todo. Pero el alcohol le ha ayudado a traspasar el umbral de la preocupación, en este momento se siente bien por haberse casado. Eivor no está nada mal, y ¿quién dice que hay que vivir de modo distinto sólo por estar casado? Eso tiene que depender de uno mismo.

Retiran las cosas de la mesa y aparece la vieja Sara y empieza a fregar los platos. En el cuarto de estar, los muebles recuperan su ubicación habitual y el perro de la familia sale de algún sitio. Ha estado en casa de Sara, pero ahora lo dejan suelto. Sin embargo, Artur lo agarra del collar con resolución, sin darle ninguna posibilidad de saltar alrededor y darse a conocer, tiene que quedarse quieto.

–Pierde mucho pelo –dice Artur como explicación y, naturalmente, nadie tiene nada que objetar.

Eivor se encierra en el cuarto de baño para tener unos minutos de libertad, Erik y Jacob hablan de coches, Elna y Linnea están junto a la ventana mirando caer la lluvia. Linnea habla de su propia boda con Artur y Elna escucha recordando aquel verano en la frontera noruega hace muchos años.

Y como quiera que sea, al final se sientan Rune y Artur uno al lado del otro, cada uno con su vaso de combinado en la mano. Artur respira con dificultad y está sentado con los ojos entreabiertos y sudando. Rune lo mira de reojo, convencido de que no debe iniciar ninguna conversación. Está tan borracho que ha pasado el límite más allá del cual no siempre es capaz de mantener el tipo. Ha bebido más que suficiente para que un razonamiento inocente pueda transformarse en una fuerte y, sobre todo, inesperada detonación. No, debe permanecer quieto y cerrar la boca. Es la boda de Eivor y está en compañía de gente agradable, sería vulgar dar rienda suelta al corroído espíritu de la cerveza...

Pero tiene muchas ganas de arañar un poco en la piel del tipógrafo y ver qué esconde. ¿Cómo si no puede saberse algo acerca de lo que piensa y opina la gente...? ¿Y quién ha dicho que las cosas tiene que acabar siempre en pelea? ¿No ha evitado también montar en cólera cuando tenía un poco de aguardiente en el cuerpo? Aunque, por otro lado, tal vez sea ése el motivo de que la esposa se haya quedado en casa en Sandviken, por miedo a la explosión y al mal ambiente que se genera...

Pero siempre se puede charlar...

–Salud –dice, y Artur levanta los párpados y le mira casi asombrado, como si hubiera estado a punto de dormirse–. Bueno –continúa–. Sólo queda esperar que les vaya bien a los novios.

–¿Por qué no iba a irles bien? –dice Artur–. Con los tiempos que corren... ¡Ya hubiéramos querido tener nosotros estas oportunidades!

Ahí es donde le duele a Rune. Su cerebro no está tan aturdido como para no poder registrar que Artur, según parece, es uno de los fáciles de contentar, de los que no se dan cuenta de que la realidad es tan siniestra como siempre. Y, naturalmente, tiene que decirlo. No hacerlo sería traición.

–Cuanto más alto creemos que podemos subir, mayor es la caída –dice clavando sus ojos en Artur.

–¿Qué?

–Cuando era joven sabía, en cualquier caso, que me explotaban y pagaban mal –añade Rune mirándole con los ojos rojos–. Pero hoy parece que toda la gente cree que vivimos en el mejor de los mundos.

Artur le mira, pero no contesta.

–Y si no estamos preparados, cuando caigamos el golpe será mucho peor –añade Rune.

–Eso es pura palabrería –dice Artur dándole la vuelta a su enorme cuerpo–. Sólo palabrería. ¿Qué crees que seríamos actualmente si no hubiéramos tenido a los socialistas? ¿Eh?

–Soy socialdemócrata, por supuesto –contesta Rune asombrado–. ¿Qué creías?

–No lo parecía.

–Pero, aun así, se puede estar en guardia, ¿no?

–Claro que sí, por supuesto que se puede.

–Tomemos otro trago –dice Artur.

No, Artur se salva. Es Jacob quien saca de quicio a Rune, pero nadie se da cuenta, porque está cansado y se queda dormido en la silla, mientras siente pinchazos en las condenadas piernas entumecidas. Él sólo percibe que el esposo de Eivor va volviéndose más risueño y sus conversaciones son más estridentes conforme avanza la tarde. No es que la gente no pueda comportarse así cuando bebe, pero ¿hay que ponerse *tan* ridículo? Ni siquiera es capaz de saber qué le irrita de él. Es algo relacionado con su personalidad... Quizá se ha vuelto así por estar vendiendo trastos en una tienda.

Pero puede que sea él quien está totalmente equivocado. Tal vez, a pesar de todo, estén en el mejor de los mundos. Puede que sea él quien no lo ha entendido...

Se despierta cuando Elna lo zarandea.

–Nos vamos ya –anuncia ella–. Son las doce y Eivor y Jacob están pidiendo un taxi.

¿Así que se ha quedado dormido allí sentado? ¡Es el colmo, por todos los demonios! Pero así van las cosas cuando la esposa no lo acompaña y le va dando codazos...

Se levanta y nota que está muy cansado. La fiesta ha terminado. Él, Elna y Erik van a dormir en un sitio que se llama Pensión Hagbergs, y en ese momento lo único que él desea es una cama... Y luego poder volver a su casa en Sandviken.

Están despidiéndose en el diminuto recibidor, Rune estrecha la mano de Jacob y abraza a Eivor. Le parece que ella está pálida, pero no es de extrañar. Quien ya se ha casado sabe que la noche de bodas tal vez no sea lo más fácil de pasar... No, está embarazada, entonces no está pálida por eso... En fin, cielo santo...

–Buena suerte, pequeña –dice abrazándola con fuerza–. Que te vaya todo bien y no te olvides de los que estamos allí arriba en Sandviken...

–Iré a visitaros –dice ella–. Saludos a la abuela...

–Se los daré.

Y luego desaparecen ella y Jacob en el primer taxi que llega.

–Son personas agradables –dice Rune a Elna, que va sentada a su lado en el asiento trasero del segundo taxi. Delante va sentado Erik, en silencio.

–Sí –dice ella.

–¿Cómo crees que les irá? –pregunta él.

Elna no contesta, sólo le mira y sonríe levemente.

Eivor y Jacob Halvarsson pasan los cinco días de vacaciones que tienen en una casita junto al lago Hären, a varios kilómetros de Anderstorp, bajo una lluvia torrencial y con tal humedad y frío que ni la chimenea ni el amor de ellos logra aplacar. Es como si tuvieran que buscarse uno al otro, y esa inseguridad empezó ya la noche de bodas, cuando llegaron a casa de Eivor. Ella estaba cansada, pero él estaba animado por todo lo que había bebido durante la noche, y cuando ella le dio la espalda en el dormitorio, él no quería que se negara. ¿Una noche de bodas sin follar? ¿Qué es eso? Pero no se lo dice, como es natural, y en vez de eso primero intenta ablandarla, luego darle la vuelta, cada vez con más insistencia. Por un momento, ella tiene ganas de volverse voluntariamente y acabar de una vez, pero no, ella *no tiene* ganas, está cansada, y ¿cómo va a terminar si desde el principio cede ante los deseos de él y no se aferra a sus propios sentimientos? Prefiere que él se enfade, cosa que hará seguramente. Pero al final se duerme y cuando ella se estremece al oír sus fuertes ronquidos y se pone a llorar de repente, él no la oye, y a partir de ahí surge el primer secreto entre ambos...

La casita está muy bien ubicada junto al lago, sus vecinos más cercanos son una pareja de granjeros a quienes compran la leche. Jacob está de pie en las resbaladizas rocas de la orilla con su caña de pescar bajo la pesada lluvia que parece que no va a cesar nunca. Eivor se ha sentado dentro junto a la ventana y lo ve allí abajo en la playa, un hombre con un impermeable oscuro y chaleco de pescar, y ella piensa que ése es su marido, ella es ahora la señora Halvarsson, Skoglund es su apellido de soltera, Jacob y Eivor... Con sello y firma, bendiciones y apartamento propio. La señora Fåhreus se limitó a encogerse de hombros y responder a su pregunta diciéndole que no le importaba que se casara mientras pagase el alquiler puntualmente. Además tiene pensado subírselo en un futuro próximo. Los gastos...

Ella también deambula por la hierba húmeda, a veces se queda totalmente inmóvil y levanta la cara para sentir cómo rebotan las gotas de lluvia contra su piel. Le asombra estar allí, que todo sea todavía tan inusual y extraño. Es emocionante, sin embargo...

Aunque ninguno de los dos lo diga, ambos están deseando volver a casa. La primera confidencia de su vida en común se transforma en silencio...

Pero también hay momentos de ternura, naturalmente. Como cuando ella está preparando la comida en la estrecha cocina y él se queda mirándola desde la puerta, no puede evitar reírse... La oscuridad de las noches, que lo hace todo más fácil, el roce, la conversación, un primer y torpe intento... Y precisamente las noches son el mejor momento para ellos, entonces es cuando se siente como si el matrimonio significara algo de verdad, más allá de todas las ceremonias, telegramas y promesas. La sensación de ser uno, un puente con dos puntos de apoyo.

–Si es niño –dice él de repente, cuando están juntos en la cama en la clara noche de verano.

–Si es niña –dice ella.

Jan. Stefan. Magnus. Anette. Mia. Louise... Se lanzan nombres como si jugaran a la pelota, se ríen, rechazan las propuestas del otro, juegan...

Eivor es feliz durante esos breves momentos. Se siente segura, y se alegra de volver a casa. Cada día que transcurre se conocen más; son pequeños avances, casi imperceptibles, de acercarse uno al otro, reconocer una reacción, ser capaz de predecir la respuesta del otro.

«En eso consiste la felicidad», se dice a sí misma. «Jacob es lo mejor que puedo conseguir. Es ordenado, guapo... Ahora estamos juntos y no se sabe si podría habernos ido mejor. En cambio, hay muchas cosas que podrían haber ido peor...»

Días de julio junto al lago Hären. La última tarde hacen un pequeño agujero en la playa y queman los desperdicios. Se sientan muy juntos bajo uno de los impermeables, y Eivor descubre de repente lo agradable que puede ser estar sentada en silencio con otra persona.

–Mañana volveremos a casa –dice él, y ella asiente y piensa en la fábrica...

La fábrica de hilado a la que no va a volver. ¿Y Algots? ¿Será ella alguna vez una de las que cosen las famosas prendas de vestir...?

Eivor recordará el otoño y el invierno siguientes como *la época feliz*. A pesar de que era ingenua e ignorante y vivía con una venda en los ojos, negaría cómo se sentía entonces realmente si dijera otra cosa. *Quería* ser feliz, quería crear un hogar para los dos del que poder decir: ¡éste es mi hogar! Pero con la calma y la sensación de protección llegó también la costumbre y la rutina: desayuno en la mesa para Jacob cuando salía del cuarto de baño cansado, sin decir una palabra y dando traspiés. Entonces ella ya llevaba levantada más de una hora. Tenía que vestirse, maquillarse, tal vez cepillar incluso los zapatos de él... Cuando Jacob se marchaba, ella ventilaba y limpiaba la casa, salía a comprar y alargaba el tiempo de modo que todo el día tenía cosas por hacer. Cuando él volvía a casa poco después de las seis, la cena estaba sobre la mesa, y sólo cocinaba cosas que ella sabía que le gustaban a él. Por las tardes veían la televisión (hablaban mucho también, pero periódicamente), y si él quería tener relaciones por la noche, ella naturalmente también quería, mientras que el embarazo no lo impidiera o empezara a producir desinterés por parte de él.

Hubo un tiempo en que todo estaba enquistado en una gran quietud; todo excepto el niño que crecía dentro de ella. Por supuesto, a menudo ella se sentía sola. A veces tenía miedo cuando estaba en el apartamento vacío: por el niño, por la vida al otro lado de las paredes. No se lo decía a nadie, claro. No era nada con lo que tuviera que preocupar a Jacob. Él era el que se encargaba del sustento, gracias a él podían vivir la vida que vivían, y aunque a veces no le daba suficiente dinero para la casa, ella nunca decía nada, y en vez de eso suprimía alguna de las revistas que le gustaba comprar. Entonces prefería sentarse y mirar a su alrededor. Cuando él llegaba a casa diciendo con una mezcla de orgullo y satisfacción que había vendido tres bicicletas ese día, a pesar de que ya estaba acercándose el invierno, se alegraba con él y escuchaba con paciencia todos los detalles: quién había comprado cada bicicleta, de qué color era, qué accesorios había incluido en la compra...

Habían creado un calendario conjunto: Antes del nacimiento del niño y Después del nacimiento del niño. Todo lo que ocurría antes no era más que espera. Pero cuando hablaban de todo lo que vendría después, por lo general cuando el único canal de televisión no tenía nada que ofrecer, era una orgía de planes y sueños. Jacob –siempre tomaba la palabra él– decía que primero tendrían que buscarse un apartamento mayor, preferiblemente en Sjöbo, donde Eivor había vivido durante su primera época de Borås, y luego construirían su propia casa. Pero primero comprarían un coche, naturalmente, y Jacob se sentaba con bolígrafo y papel y hacía cálculos y a veces desaparecía por las tardes para ver algún coche que estuviera en venta. Mucho antes de que naciera el niño ya habían comprado el cochecito y los accesorios, y ella fue quien lo eligió, aunque por supuesto siempre pensaba que lo que le gustaba a él era lo mejor. Llevaba una vida de Bella Durmiente, una princesa que estaba despierta pero dormida, que se preguntaba cada día si era feliz y nunca se molestaba en contestar. No solía leer el periódico –decía que no tenía tiempo– y era Jacob quien le informaba de lo que ocurría en el mundo, aparte de las centelleantes imágenes del televisor, naturalmente.

El hombre de pelo gris y bigote que con indulgente sonrisa le informaba continuamente de las guerras que al parecer siempre tenían lugar. Imágenes del joven futuro presidente de Estados Unidos, con sus altos hombros, su espalda rígida y sus dientes blancos: la seguridad, el invencible, el Guerrero siempre a punto. Y su contrario, el hombre del Este, con su pelo ralo y aspecto salvaje. Era como una prueba viviente de lo que todos sabían: que los comunistas son poco de fiar y *feos*.

Jacob llegaba a casa sobre las seis, excepto los sábados, que trabajaba hasta la una, y mientras estaban comiendo en la mesa le relataba a Eivor los incidentes del día, como si estuviera sentado a la mesa en la que se decidía el destino del mundo. A veces sentía lástima por él, cuando estaba sombrío porque había tenido un mal día, no se habían vendido las mercancías y los clientes se habían resistido a comprar desde las primeras horas. Pero los días buenos abundaban, las bicicletas desaparecían, igual que los balones de fútbol, raquetas de ping-pong, zapatillas de tacos... Cuando decía que algún día podría llegar a ser jefe de tienda, para poder dar luego el gran salto y abrir su propia tienda, ella estaba convencida de que era cierto. Claro que iba a ser capaz de hacerlo...

–La gente cada vez tiene más tiempo libre –decía él–. Y nosotros les vendemos lo necesario para que no se aburran.

A finales de octubre, Jaco tenía que viajar a Hindås a un curso. Estaría fuera del sábado al domingo y el propósito era que aprendiera la diferencia que hay entre *convencer* y *persuadir* a un cliente. Cuando le propuso a Eivor dormir en casa de Artur y Linnea la noche del sábado para evitar que se quedara sola, ella contestó que se las arreglaría bien, que no era necesario. Sin embargo, cuando él ya se había ido y llegó el sábado por la tarde, le entró tal ansiedad que sintió que tenía que hablar con alguien. Pero en vez de telefonear a Linnea marcó el número de Liisa, y tuvo suerte, estaba en casa. Sobre las cinco de la tarde, Liisa llamó a la puerta de la casa de Eivor y entonces bajaron a la calle para admirar juntas el coche que Liisa se había comprado con su propio dinero. Era un Ford oxidado, pero era suyo y ya lo había pagado...

Mientras tomaban café, Liisa se quedó mirando el vientre de Eivor.

–Apenas se nota –dijo.

–¡Claro que se nota!

Eivor y Liisa se veían cada vez menos desde que Eivor se casó, en realidad después de que ella y Jacob formaron una pareja estable. De repente, ella se sentía insegura ante la mirada escudriñadora de Liisa.

–¿Qué miras? –preguntó.

–¿Por qué estás tan asustada?

–Sólo te he preguntado qué miras.

–¿Qué iba a mirar?

–No lo sé.

–¡Sólo te miro a ti! Si es que te reconozco.

–¿Lo haces?

–No lo sé... Sí, sí te reconozco.

Liisa va por el apartamento mirando, murmurando.

–Se nota que ahora vive un hombre aquí –dice finalmente.

–Claro, y así es.

–Sí, sí... Ya lo sé. ¡No pongas esa cara de miedo!

–No tengo miedo.

–¡Entonces sólo lo parece! Aunque se me había olvidado...

La conversación avanza poco a poco y es muy tensa. Como si Eivor creyera todo el tiempo que Liisa intenta atacarla. Cada pregunta, cada comentario, por más inocente que sea, parece ocultar un ataque.

–Sólo pregunto –dice Liisa una y otra vez, cada vez más irritada.

–Creía que *querías* decir algo...

–Sólo quiero decir lo que digo. Nada más. ¿Has olvidado por completo cómo soy?

Y luego, con un repentino énfasis, como si hubiera entendido lo que pasa:

–¿Cuánto tiempo hace que no sales?

–¿A qué te refieres?

–¡Salir! ¡Estar fuera!

–Ya no salgo. Ahora no puedo...

Entonces Liisa propone que den una vuelta con el coche. Eivor no quiere, dice que no puede, pero Liisa no se rinde. «¿Por qué no ibas a poder?» Casi tiene que tirar de Eivor para que salga y empujarla dentro de su Ford oxidado.

–No voy a entrar en ningún sitio –dice Eivor.

–Ni vamos a hacerlo –dice Liisa–. Al menos hasta que lleguemos al Parken.

Eivor se queda mirándola como si le hubiera amenazado con un hacha. ¿No estará diciendo que van a ir al Parken a bailar? Tiene que darse cuenta de que es imposible...

–Ya lo entiendo –dice Liisa con ironía–. ¡Tranquilízate! No vamos a entrar en ningún sitio. Sólo voy a darte una vuelta con el coche para que veas que el mundo todavía está ahí...

Y luego se ríe, y Eivor se siente aliviada y estúpida a la vez.

Liisa la lleva a dar una vuelta alrededor de su antiguo mundo. A pesar de que Borås es una ciudad con un núcleo urbano concentrado y bien comunicado, para Eivor es como si participara en una expedición a un país lejano y aislado... Pero ahí ve Konstsilke al atardecer, con el vapor emanando de los muros... ¿Quién está ahora de turno en la fábrica? ¿A quién le toca trabajar este sábado y maldice y lamenta no poder estar bebiendo como todos los *demás*? Liisa contesta y Eivor pregunta cómo les va a los antiguos compañeros de trabajo. De repente, Eivor no sólo siente al niño que lleva en el vientre, sino que también siente preocupación y nostalgia de los compañeros de trabajo perdidos, incluso del ruido espantoso que hay en la sala de máquinas...

Pregunta si el capataz Sin Rabo sigue todavía ahí, y Liisa le lanza una mirada de asombro. Para que el capataz dejara de trabajar alguna vez en Konstsilke, tendría que estar muerto...

Liisa da una vuelta con el coche por la ciudad. Es sábado por la tarde, todavía es pronto, pero se meten en la caravana alrededor de la plaza Sur. Todo sigue igual, la caravana avanza en medio de grupos de jóvenes, pasando por delante del cine Saga y de la cafetería Cecil. Alguno se sale, otros se apresuran a meter sus coches. Aceleran cuando doblan entre la cervecería Sandwall y una vieja casa de madera pintada de amarillo. Es El Camino Muerto. Allí no ocurre nada, una callejuela solitaria de cien metros, antes de que el Viskan y la esquina de la plaza surjan otra vez... El quiosco de prensa, las chicas que van y vienen a lo largo de la barandilla, los gritos desde los coches, la caravana da un tirón hacia delante y luego empieza la vuelta de nuevo... Todas las caras que Eivor quiere y a la vez no quiere que la reconozcan..., como si fuera vergonzoso. Ella ya no pertenece a ese mundo, está en zona prohibida, y ya después de la primera vuelta hubiera deseado que Liisa se saliera de la caravana y la llevara a casa. Pero no le dice nada y en vez de eso intenta hacerse invisible... ¿Qué ocurriría si la viera alguno de los amigos de Jacob? La ciudad no es tan grande...

–Parece que estuvieras viendo... ¿Cómo se dice...? ¿Un fantasma? –dice Liisa.

–Qué va...

–¿Por qué no puedes decirme qué te ocurre? Me doy cuenta perfectamente...

Finalmente la lleva a casa, y luego Eivor vuelve a estar sola. Se deja caer en una silla y se pregunta por qué le cuesta contarle las cosas; por qué tenía miedo de que Liisa descubriera que había perdido su modo de vida anterior, que nunca podría regresar aunque un día quisiera hacerlo. Lo pasado, pasado está, no hay vuelta atrás, y ahora se ha dado cuenta de ello. Pero ¿por qué lo había negado si a Liisa no podía engañarla?

¿Por qué?

No lo sabe, y a pesar de que hace todo lo posible por no pensar en ello, olvidar que se ha sentado en el coche de Liisa, incluso que la ha visto, la preocupación no se va. Además tiene mala conciencia por Jacob, como si le hubiera engañado por volver a la caravana alrededor de la plaza Sur. No hay nada que le sirva de ayuda, ni siquiera sentarse y llorar.

Pero cuando Jacob regresa el domingo, repleto de enseñanzas (a partir de ahora va a convencer, nunca a persuadir a nadie para que elija un artículo...), y le pregunta cómo le ha ido, ella contesta, como es natural, que todo ha ido bien, ¡que todo *va* bien! Los días pasan y la preocupación desaparece poco a poco. El encuentro con Liisa ha sido una excepción. Una amenaza que se acercaba, pero que el tiempo se encargará de cubrir con la gruesa capa de las rutinas cotidianas.

Cuando a veces teme que el niño nazca con algún defecto, ahí está Jacob tomándola de la mano de ese modo suyo, torpe y vergonzoso. Pero ahí está y eso es lo único que importa.

Muchos años después, Eivor pensaría que no sabía *nada* de cómo vivió él esa época, desde que se casaron hasta el nacimiento de Staffan. No podía recordar que él hubiera hablado alguna vez de lo que *sentía.* Por no hablar de las veces que él había salido con sus amigos y volvía a casa borracho. Entonces podía soltar cualquier cosa, sensiblero y sentimental, sin revelar ninguna verdad más profunda. Cuando se emborrachaba, ella siempre tenía miedo, aunque nunca se ponía agresivo. Era tan sencillo como que se sentía sola. Cuando estaba borracho se convertía en un desconocido, y ella sólo se sentaba y esperaba a que él se acostara y se quedara dormido...

En diciembre ella empezó a despertarse con más frecuencia. Una noche, de repente estaba completamente espabilada, sin saber por qué. No la había despertado ninguna pesadilla, ni se sentía mal, nada. Entonces abrió los ojos en la oscuridad y oyó los ronquidos de Jacob a su lado, y aunque todo debería haber sido como de costumbre, no lo fue. Despertarse sin saber el motivo produce casi siempre angustia, y Eivor no era ninguna excepción. Después de quedarse un rato inmóvil en la oscuridad, se levantó, cogió las zapatillas y la bata y se fue de puntillas al cuarto de estar. Encendió la lamparita de pantalla roja que estaba junto a una de las ventanas. Luego se acercó al sofá, dobló las piernas y se sentó sobre sus pies. La habitación estaba a oscuras, las sombras no se movían...

Recordó que hacía un año que llegó a Borås, y que entonces la ciudad le pareció enorme. Que hacía un año fue a la oficina de personal de Konstsilke, que le temblaban las piernas y tenía mucho miedo de no encajar en ese mundo grande y extraño. Hacía un año ella pensaba vivir su propia vida, con un empleo en Algots como primera meta. Pero ahora estaba embarazada, al comienzo del octavo mes. Grande y pesada, torpe y rígida, y a menudo le salían erupciones en la cara. En enero nacería el niño y para entonces ella aún no habría cumplido los diecinueve... Mientras estaba sentada en la oscuridad escuchando el sonido del silencio, le asombró pensar que todo hubiera discurrido como lo había hecho. No se había imaginado nada de eso, en absoluto...

Después de esa primera noche en la que de repente se quedó insomne, volvió a ocurrirle con frecuencia, y entonces tenía que levantarse y sentarse en el sofá. A veces se acercaba a la ventana a mirar la calle vacía, miraba y se asombraba...

Celebraron Navidad y Año Nuevo con Linnea y Artur, tranquilamente. El plan era que Eivor y Jacob fueran a Hallsberg los días intermedios, pero Elna estaba en cama con gripe y sólo hablaba con Eivor por teléfono por temor a que se contagiara. Empezó 1961 sin que el invierno hubiera llegado propiamente, los días eran grises y lluviosos. Jacob regresó al trabajo y para Eivor comenzó la última e interminable etapa de la espera. Era evidente que Jacob también empezaba a ponerse nervioso, porque cada vez más a menudo encontraba una excusa para desaparecer un rato por las tardes. Pero no estaba fuera mucho tiempo y casi nunca bebía más de un par de cervezas. Eivor acudía a los últimos controles y *el día* estaba fijado para el 22 de enero. Cuando miraba el almanaque por las mañanas, veía que la fecha estaba cada día más cerca, cada día le parecía más irreal...

El 27 de enero es sábado por la tarde. A pesar de que ella ha salido de cuentas –o tal vez precisamente por eso–, Jacob está con sus amigos. Eivor se ha sentado a escuchar la radio (el televisor se les averió unos días antes) y se ha quedado dormida en el sofá. Se despierta de repente y nota que empiezan los dolores y grita llamando a Jacob: «Ya viene, ya viene...». Pero él no contesta, y cuando vuelve a gritar, se da cuenta de que no ha regresado a casa. Ella mira la maleta que tiene preparada en el recibidor y le da pánico estar sola. ¿Dónde se habrá metido Jacob? ¡*Ahora* debería estar en casa! ¿Qué puede hacer? ¿Llamar a Linnea? Pero ¿qué puede hacer ella? Nada... ¿Por qué no viene él...? Nota que el corazón le late con fuerza y está enormemente asustada. ¿Va a tener que estar sola *ahora...*? Cualquier otro momento de su vida, pero ¡no ahora! Vuelve a llamar a gritos a Jacob y, con piernas temblorosas, se dirige al teléfono y llama a un taxi. Escribió el número en un papel hace varios meses y lo clavó en la pared con una chincheta. Claro que se lo sabe de memoria, pero ya no confía en sí misma y marca el número mientras lo va leyendo... Está ocupado. Es porque es sábado... Dios mío...

¿Dónde está Jacob? Eivor vuelve a marcar el número, sigue comunicando, y empieza a temblar y a rezar una confusa oración, a la vez que piensa que debe tranquilizarse. No va tan deprisa, es su primer parto, y además hay vecinos a los que podría pedir ayuda... Por fin atienden su llamada, pero no hay ningún taxi disponible, tienen muchas llamadas en espera y la mujer de la centralita le dice que debe esperar. Pero cuando Eivor grita que ha roto aguas y que está sola, es evidente que al otro lado hay una mujer, porque le ruega que espere un momento y Eivor oye que pide el primer coche libre... «*Alguno que esté en el centro...*» «*Un coche libre en el centro*», y luego le dice que ya va un coche de camino. Eivor empieza a escribir una nota a Jacob en el cuaderno que hay junto al teléfono, pero de repente siente una intensa decepción por el hecho de que él no esté ahí asumiendo su parte de responsabilidad y tira el bolígrafo, se pone el abrigo, que ya no se puede abrochar por la parte del vientre, agarra la maleta y sale a la calle con cuidado. El coche ya ha llegado, es un taxista ya mayor que sabe de qué se trata. Coge la maleta, la ayuda a entrar y le dice que todo va a ir *muy* bien, que no llore... ¿Llorar? ¿Cuándo se ha puesto a llorar? Ni siquiera lo ha notado, pero las lágrimas corren mejillas abajo, y cuando el coche se pone en marcha ella mira una última vez por encima del hombro, pero Jacob no está ahí...

La noche se hace larga, ella está ahí tumbada esperando que empiece todo. Cuando ven en sus papeles que está casada, a pesar de que ha venido sola a la Maternidad, le preguntan si hay que llamar a algún sitio, pero ella sacude la cabeza. Jacob no estaba allí cuando ella lo ha necesitado y ahora no quiere verlo... No, no tienen que llamar a nadie. Va todo bien, y luego no le preguntan nada más. Está sola en una habitación blanca, de vez en cuando entra alguien a mirar y dice que todavía no ha dilatado suficiente, así que faltan algunas horas todavía. Luego no recuerda nada de lo que pensó durante todas esas horas. Ni siquiera está segura de si pensó algo. Sólo recuerda las paredes blancas, los ruidos de los lejanos pasillos, la puerta que se abría de vez en cuando. La luz brillante, los latidos de su propio corazón. Y la enorme decepción de que Jacob no estuviera allí... La desolación y el desamparo que sentía...

Entre las diez y la una del día 28 de enero de 1961, Eivor lleva a cabo la mayor lucha de su vida. No sabe cuántas veces piensa que no va a ser capaz, que ya no puede más. Sólo es consciente de las mujeres que se inclinan sobre ella, las comadronas seguramente, y las palabras que se abren paso hasta su mente acerca de que *su marido* está ahí fuera, y todo el tiempo esa terrible presión. Pero unos minutos después de la una, ese sábado de invierno sin nieve, todo ha pasado, cortan el cordón umbilical, Eivor ha dado a luz un niño. Cuando entra Jacob, primero él solo, luego acompañado de Linnea y Artur, está tan cansada que lo único que quiere es dormir. Un sueño largo y profundo, y luego despertar y hacerse cargo del hijo que duerme a su lado, colorado, arrugado y completamente incomprensible...

(En algún momento durante esas horas extenuantes también es consciente de que Jacob intenta explicar balbuceando por qué no estaba en casa. Algo de un coche que se ha estropeado, un reloj que no indicaba la hora correcta. Y él, que no podía imaginar que iba a ir todo tan rápido. Una excusa dicha entre dientes que ella rechaza, que ni puede ni quiere recibir. Él no estaba allí cuando tendría que haber estado y eso es algo con lo que tendrán que vivir tanto él como ella... No hay excusa que valga, otra cosa sería que se hubiera muerto, que se hubiera caído por la calle... A ella no le interesan las explicaciones, puede guardárselas para sí y su mala conciencia...)

Ya llevaba en casa más de tres semanas con Staffan (iba a llamarse así, lo había decidido con antelación, era el único nombre que había sobrevivido tanto a las propuestas que se habían dicho en broma como a las que se habían dicho en serio), estaban a finales de febrero cuando una mañana, después de cambiar, amamantar y dormir al niño, decidió enfrentarse a esa parte de la montaña de ropa para lavar que *no* pertenecía al niño. Puso la ropa sucia en el suelo de la cocina y se agachó con cuidado (se había desgarrado mucho y sentía aún un fuerte dolor de los puntos) y empezó a clasificarla. Alcanzó una de las camisas blancas de nailon de Jacob, preguntándose enseguida cuándo la habría usado, y en ese momento se cayó del bolsillo un pequeño paquete de preservativos. Pero ¿para qué los quería? Desde hacía diez meses sabía que estaba embarazada y no necesitaban usar preservativos. Abre el paquete y ve que sólo queda uno de un envase de cuatro. Se lo queda mirando y piensa que es imposible, no puede ser que esté ocurriendo, y menos a ella. Eso forma parte del mundo de las revistas y de las películas, y que ese mundo no es real ya lo aprendió durante su traumático encuentro con Lasse Nyman en una época pasada y nebulosa.

Deja la ropa sucia en el suelo y empieza a dar vueltas por el apartamento... ¡No puede ser verdad! ¿Infidelidad? Cuando... Se detiene por fin junto a una ventana y mira hacia la calle. Se arma de valor para atreverse a pensar con claridad, y lo que ve es un engaño enorme. Desde que llegó a la Maternidad hace tres semanas, él ha vuelto a casa corriendo cada día después del trabajo, se ha quitado la chaqueta y se ha puesto junto a la cuna del niño. Los únicos días que ha tenido la posibilidad de ser infiel son, sin duda, los días y noches que ella estaba en la Maternidad. Y el sábado por la tarde, cuando rompió aguas mientras estaba sentada en el sofá y se dio cuenta aterrada de que él no estaba, que no había regresado a casa... ¿Cuándo volvió él en realidad? Un coche que no arrancaba (¿qué coche y de quién?). Un reloj que estaba estropeado... Se queda mirando por la ventana y el engaño le parece tan grande que no cree que pueda soportarlo. Sin embargo se arma de valor. ¿Puede alguien ser tan miserable como para serle infiel a su esposa mientras está ingresada para dar a luz al hijo de ambos...? Nadie...

En un arrebato de cólera vuelve a meter la ropa sucia en las bolsas de papel. Deja el paquete con el único preservativo que queda sobre la mesa del cuarto de estar, exactamente donde él suele poner su taza de café, para que pueda tenerlo a mano cuando se siente a ver la televisión.

«No diré nada», piensa ella, y luego lo repite en voz alta. «Pero voy a mirarlo a la cara. Voy a mirarlo y no apartaré la mirada.»

Apartar la mirada. Le parece copiado de una de esas novelas de las revistas. ¡Pero qué más da, demonios! Dejemos que, por una vez, la realidad se corresponda con todo lo que ella ha estado leyendo en su excesivamente prolongado periodo de espera.

Va de un lado a otro. La angustia y la ira pugnan en su interior, un montón de úlceras sangrando. Piensa que, de ser cierto, va a llevarse a Staffan. A donde sea. Él no merece ni siquiera estar cerca del niño. Jacob ha perdido todos sus derechos...

Se queda mirando un cuchillo que hay encima de la tabla de cortar pan. Se lo clavará a él directamente en el vientre, en el sitio exacto donde ella llevaba a su hijo mientras que él...

Agarra el preservativo y lo tira a la basura. Pero unos minutos después vuelve a sacarlo y lo pone de nuevo donde estaba...

Él vuelve a casa después de pasar por una pastelería y comprar unos pasteles. «Los que a ti te gustan.» Ella parece totalmente tranquila, totalmente fría. Lo ve ahí de pie, mirando a Staffan, le oye decir que se parece a su abuelo paterno (el día anterior era igual a Eivor). Ella prepara la comida y, cuando están comiendo, él le pregunta cómo ha ido el día. «Cómo le ha ido *al niño»,* piensa ella. Y ella dice que todo ha ido bien. La erupción de la cabeza ha desaparecido, la pomada que le dieron en la Maternidad parece que ha ayudado... ¿Que si llora? ¡Claro que llora! Pero a ella ya no le da miedo. Poco a poco ha empezado a interpretar sus llantos. Le ayudó que Linnea estuviera con ella durante la primera semana, y poder llamarla después en cualquier momento es un alivio. Pero si no hubiera estado Linnea... ¿Te acuerdas de los miedos que tenías? Claro que me acuerdo. No hace más que un par de semanas. La primera vez que tuve que cambiar un pañal creía que iba a desmayarme. O que se me iba a caer. O que el niño moriría bajo mis torpes manos. Nunca había tenido un niño en brazos. Pero estoy aprendiendo, ¿no es verdad? Que parece que estoy enfadada... Seguramente estaré cansada. No he dormido una noche entera desde que llegué a casa y no lo haré durante muchos meses más... ¡Cómete lo que queda! El niño se despertará enseguida...

Ella cambia los pañales y amamanta al niño, él friega los platos y se queda a su lado mirando mientras ella levanta, lleva, pone, deja, sostiene las cosas. Hasta hoy le gustaba cuando él tomaba al niño en brazos, pero ahora, cuando él tiende los brazos, ella se da la vuelta y le dice que lo hace mejor sola... El niño ha vomitado sólo porque otra vez ha comido demasiado. No, ahora le duele menos cuando amamanta. Al principio era distinto, cuando ni ella ni el niño sabían y ella se ponía nerviosa, y empezaba a gritar... Tener un hijo recién nacido es una bendición celestial y un infierno en la tierra... «Sal para que pueda dormirse...»

De momento el niño nunca ha tenido problemas para dormir y ella lo mira mientras descansa tumbado boca abajo, caliente y fragante, y odia el pequeño paquete que hay sobre la mesa. Es como si Jacob hubiera dirigido el hacha más hacia el niño que hacia ella... Cuando oye el tintineo de las tazas sale al cuarto de estar y se sienta en una silla. En realidad no puede perder el tiempo, hay pañales y toallas por toda la casa. La tarde es el momento en que ella prepara las cosas para el día siguiente. Pero ahora se sienta. Él aparta la cafetera y le pregunta si sabe lo que dan por televisión. (No lo sabe, naturalmente. ¿Cuándo iba a tener tiempo de leer un periódico? ¿Y qué periódico, además? ¿Iba a salir a la escalera a birlar el *Borås Tidning* del vecino? Santo cielo...) Él se acuerda de los pasteles y va otra vez a la cocina. Cuando vuelve a entrar en el cuarto de estar, los ha puesto en una fuente que les regalaron cuando se casaron. Enciende el televisor cuando va hacia el sofá, pero cambia de idea y vuelve a apagarlo.

–Sólo hay programas infantiles –dice él–. Es una pena que no den el circo de Sigge. Es bueno. He visto en el periódico que sólo daban algo de una persona que hacía eso... Sí..., con marionetas.

Así que él sí ha echado un vistazo al periódico. ¿Entonces por qué pregunta? ¿Por qué no se sienta de una vez y mira el regalo que Eivor le ha dejado en la mesa...?

Y justo entonces lo descubre. Cuando la mano de él está a mitad de camino hacia la taza. Se sobresalta, se queda rígido y ella se da cuenta de que está intentando encontrar una salida. Entonces, en ese instante, ella se siente completamente segura, deja la taza de café sobre la mesa con tanta fuerza que la rompe. Luego se va corriendo al dormitorio y cierra por dentro. Se sienta en el borde de la cama con una calma absoluta, la batalla se libra en su interior, y ella se queda *escuchando*. En el cuarto de estar hay un absoluto silencio. «Está planeando la mentira», piensa ella. ¡Tendría que saber que ella no soporta eso! La verdad puede tener el aspecto que sea, ella es capaz de soportarla. Pero si intenta escaquearse con una mentira... Entonces sí que se irá. Fuera, lejos de allí. A cualquier sitio...

De repente, él se acerca a la puerta e intenta abrirla. Ella no sabe cuánto tiempo lleva sentada a oscuras en la habitación.

–Abre –dice él–. ¿Por qué has cerrado?

Sí, ¿y por qué ha hecho él eso? Cerramos cuando hay algo que nos da miedo. Al oír su voz, ella tiene la necesidad de mirarlo, igual que ha estado pensando durante todo el día, directamente a la cara.

Ella abre la puerta y pasa por delante de él hacia la sala de estar. Él ha retirado los trozos de la taza sin que ella lo haya oído. Y luego ve que él se ha comido también su trozo de pastel...

Se lo queda mirando cuando él se sienta.

–¿Qué te ha pasado? –pregunta, ¡y hasta suena como si estuviera realmente *molesto!*

–¿No tienes otra cosa que decir?

–¿A qué te refieres?

–Lo sabes perfectamente.

–Si te refieres a aquello... Sí, ¿de dónde ha salido?

¿Se lo pregunta a ella? Y está completamente tranquilo... ¿Cree de verdad que ella es tan...?

–Maldita sea. ¡Qué mierda de hombre eres! –suelta ella sin perder el temple.

–¿Qué diablos estás diciendo?

–¿Crees que soy tonta?

–No entiendo por qué has dejado ese... condón encima de la mesa.

–Lo he encontrado por casualidad en tu camisa.

–¿Qué camisa?

–Una que has usado recientemente. Y como la habías echado a la ropa sucia, iba a lavarla.

–¡Será alguna que estaba allí hace tiempo! ¿Y yo qué demonios sé? ¿Qué te pasa?

–¿No me lo puedes contar?

–¿Qué quieres que te cuente?

–Lo que hiciste cuando yo estaba ingresada en la Maternidad. Pariendo a tu hijo...

–¿Qué quieres que estuviera haciendo?

–¡Seguro que te lo pasaste bien! Si no puedes compartirlo conmigo...

–Estaba trabajando... ¡Maldita sea! ¿Crees que podría haber estado con otra chica? ¿Qué te pasa?

–Cuenta...

–¡Cómo! No puedo hacer nada si has encontrado un condón viejo en una de mis camisas. Basta ya.

Ella ve las grietas, ve cómo se abren, y mete dentro sus cuñas con toda la fuerza que nace de la ira y el dolor.

–No sé cómo te atreves a mentir.

–No estoy mintiendo...

–Estás mintiendo y lo sabes...

Ella va acorralándolo para que al final salga la respuesta de él, emerja desde lo más profundo de un pozo.

–¡Cállate y vete a la cama! No quiero oír una palabra más...

–No...

–¡He dicho que te calles!

–¿Cómo era ella?

–No es nadie que... ¡Demonios!

Lo ha puesto entre la espada y la pared, el humo que sale de las grietas le persigue, y en un arrebato de furia se lanza sobre ella y le pega. Ella grita.

–¡Te he dicho que te calles! No sé de qué estás hablando. ¡Maldita sea! Me has provocado hasta el punto de... ¡Maldita mujer!

¿Le ha provocado ella?

¿Maldita mujer?

Se queda mirándolo y en ese momento se despierta Staffan. Ella se levanta y, cuando entra en el dormitorio, lo hace con una sensación de que va a quedarse allí dentro con su hijo el resto de su vida...

Pero el niño ha vuelto a dormirse y él está sentado en el sofá llorando y llamándola a gritos. Ella se tapa los oídos y no acude... Él la ha pegado, como si tuviera ella la culpa de que él haya... Cielo santo... De repente él está sentado a su lado, tira de ella y la aprieta con tanta fuerza contra él que a ella le duelen los pechos. Él solloza y pide perdón. No da ninguna explicación, y si ella empezara a preguntar de nuevo, las lágrimas podrían transformarse en más bofetadas. Cuando él considera que ya ha dicho lo suficiente, sin que realmente haya dicho nada en absoluto, levanta sus ojos hacia ella.

–¿Me perdonas?

¿Es una amenaza o una petición? Ella no contesta. ¿Qué ha dicho él en realidad que le sirva a ella como fundamento para perdonarle? ¡Nada! La respuesta de él ha sido un bofetón en medio de la cara. Y luego va a perdonarlo...

–Tengo que ordenar las cosas para mañana –dice evasiva mientras se levanta. Pero él tira de ella de nuevo hacia el borde de la cama, con tanta fuerza que ella vuelve a tener miedo...

–¿Me perdonas...?

«Si no lo hago, volverá a pegarme», piensa ella. «Es lo que he aprendido esta tarde.» Pero si no recoge y arregla las cosas para el día siguiente, quien sufra las consecuencias será la pequeña criatura que está durmiendo... A partir de ahora va a tener que pensar que ella *siempre* estará en segundo lugar.

–Sí –masculla ella–. Ahora déjame en paz...

Al volver a levantarse nota que él ya no trata de impedírselo. Pero ella tiene miedo hasta que sale del dormitorio. Se mueve en silencio por temor a que el menor ruido vuelva a encender su ira...

Recoge los pañales mientras piensa que él seguramente ya se siente liberado y habrá empezado a olvidarlo todo. Su maldita mujer, que va a cumplir diecinueve años dentro de unas semanas, ya ha aprendido...

Pero, poco a poco, Eivor se da cuenta de que no sólo no puede vivir con aquello, sino que tampoco puede *olvidar* lo ocurrido. A veces le asalta incluso la idea confusa de que lo ha soñado todo. Al fin y al cabo, no tiene marcas de la bofetada en el rostro y una taza rota es una taza que no ha existido nunca... Cuando se da cuenta de que, por el bien del niño, tiene que seguir como si nada hubiera ocurrido, trata de simular que en ese juego le han repartido buenas cartas. Habrían de transcurrir muchos años antes de que pudiera reconocer que lo que ocurrió mientras ella estaba en la Maternidad fue un disparo mortal a la relación de ellos. Muchos años después, ella también sería capaz de asumir las consecuencias de aquello, pero sólo entonces. Hasta ese momento, los días, las noches, fueron un continuo desafío con el agotador día a día, que, además de trivialidades, a menudo también depara felicidad. El niño que creía, y que dependía de ella para poder crecer era, naturalmente, el acontecimiento más determinante en la vida de ella. Ser madre implicaba que por primera vez ella se sentía *siempre* necesaria. Durante esos años era irreemplazable, y aunque a menudo, cuando estaba cansada, lo sentía como una responsabilidad demasiado grande, sólo se necesitaba un poco de ánimo para que las brumas se disiparan. Ver sus progresos diarios, desde la primera vez que esbozó una sonrisa que desvelaba que tenía una vida afectiva aún sin explorar, hasta los primeros pasos titubeantes que terminaron con una caída contra una mesa y un berrido, mezcla de dolor, rabia y obstinación. Ella siempre tenía algo que hacer, nunca se quedaba libre de trabajo, siempre dependía de esa dependencia. Naturalmente, muchas veces la ayudaba Linnea, a veces Elna también, cuando iba a verla, pero mientras paseaba por la ciudad o se sentaba en un café (una vez fue también a ver una obra de teatro al Parque de la Ciudad, sin saber por qué, y además la representación le pareció terriblemente aburrida), no podía apartar a Staffan de su mente *del todo.* ¿Y si la atropellara un coche? Y si ella, y si ella... Pensaba a menudo en la muerte, en que no *podía* morirse. Todavía no... Su vida estaba garantizada mientras él viviera. Las veces que tenía algunas horas para sí terminaba por lo general llegando a casa mucho más temprano de lo que había pensado y hubiera necesitado. Cuando deambulaba por la ciudad sin el cochecito del niño se sentía más aislada aún. Ahora que él existía, ella estaba aislada en aquella dependencia mutua: él de ella y ella de él. Él era la excusa para que ella perdiera completamente el contacto con los pocos amigos que había tenido tiempo de hacer en la ciudad antes de casarse con Jacob. No había estados intermedios en los que pudiera relajarse y comportarse como si él no existiera. A veces pensaba que ni siquiera Jacob era necesario. Podía arreglárselas también sin él. Suecia ya no era un país en el que se *permitiera* que la gente se muriera de hambre; el sueldo de él, su dinero, no era insustituible. Esa idea no significaba que ella deseara que él no estuviera ahí; sólo era su modo de ver la situación tal como era, y a partir de ahí motivarse para levantarse también a la mañana siguiente y dedicar todo su tiempo al niño...

La relación de Eivor y Jacob se convirtió en una serie de costumbres entrelazadas. Tuvo que pasar un tiempo hasta que ella pudo volver a acostarse con él sin sentirse traicionada, pero su resistencia también ponía límites; ella también tenía necesidad y, al fin y al cabo, estaba casada con Jacob.

Cuando a veces él salía por las noches, a ella simplemente le daba igual. Había algo, dentro de ella, que había muerto, sin que nadie pudiera hacer nada al respecto. No sabía si él lo notaba, casi nunca hablaban de sus sentimientos y la luz siempre estaba apagada en el dormitorio... Pero por supuesto se alegró de que le aumentaran el sueldo y dispusiera de más libertad en la tienda de deportes, y además se le veía realmente contento con su hijo. Lo más importante de todo, tal vez, era que él nunca criticó su modo de educar al niño. Aunque ella a veces estaba insegura e indecisa, él siempre le daba la razón. Alguna que otra vez, generalmente cuando había bebido, podía decirle también que pensaba que era *buena...*, muy buena...

Cuando Staffan tenía diez meses, Eivor volvió a sentir desasosiego. El desasosiego, cuando se ponía junto a la ventana, de ver a las personas que pasaban apresuradas por la calle, hacia distintos destinos, pero libres... Ella no entendió inmediatamente qué le ocurría, primero pensó que sólo estaba cansada, ya que Staffan había tenido un resfriado después de otro desde el inicio del otoño y eran raras las noches en que conseguía dormir más de tres horas seguidas. Durante un tiempo había sido tan agotador que Linnea había tenido que instalarse en su apartamento, mientras que Jacob dormía en casa de sus padres. Pero pasaron los días, el desasosiego volvió, y al final se dio cuenta de que la dependencia con la que había vivido hasta entonces ya no era suficiente, de que la juventud reclamaba sus derechos. *De repente volvió a sentir que tenía diecinueve años.* Staffan pronto dejaría de depender tanto de ella y empezaría a hacer notar su voluntad. Al mismo tiempo, ella ha comenzado a pensar que también es importante que el niño aprenda a relacionarse con otras personas. Como es natural, ella es todavía la que está más horas con él, pero en el camino hacia la vida de adulto tiene que pasar por los brazos de muchas personas que le consuelen y jueguen con él...

Pero para empezar no va más lejos de ahí. Es suficiente para incrementar su mala conciencia. El mero hecho de pensar en volver a trabajar y a tener una vida fuera de las paredes de la casa, el matrimonio y el niño, aunque sólo sean unas horas diarias, es suficiente para que sienta vergüenza. Son pensamientos ingratos e irresponsables que llevan el sello de la juventud. La juventud *fue* corta, tan corta que apenas tuvo tiempo de empezar a florecer, pero ahora es demasiado tarde para volver a algo que ya no existe...

Sin embargo...

En un repentino acceso de curiosidad, una tarde le pregunta a Jacob qué diría si ella empezara a trabajar de nuevo. Naturalmente sólo algunas horas *de vez en cuando*... Él está tumbado en el sofá viendo la televisión (dan un programa sobre el proceso de producción de fertilizantes artificiales) y no la oye. Ella repite sus palabras y entonces él gira la cabeza y la mira con ojos entornados.

–¿Por qué ibas a hacerlo? –dice él.

–Para variar un poco...

–¡Tú siempre dices que tienes más que suficiente con lo que haces en casa!

–He dicho que quería variar. ¡No más cantidad!

–¡Tienes un hijo!

–¡Tenemos!

–Sí, sí, demonios... ¿Y quién lo cuidaría?

–Linnea se ha ofrecido muchas veces.

–Pero ¿por qué?
–¡Ya te lo he dicho!
–¿No es suficiente con mi sueldo?
–¿No crees que sabríamos qué hacer con algunas coronas extra?
–¿Quieres decir que no gano lo suficiente?
–¡No estoy diciendo eso! ¿No escuchas lo que digo?
–Estoy viendo la televisión.
–¿Entonces qué?
–Yo qué sé...
–Tal vez podríamos viajar a algún sitio...
–¿Adónde?
–¡No lo sé! ¡A donde sea! ¡A donde nos apetezca! Hablamos de ello con frecuencia, pero siempre termina con que no tenemos dinero. Si tuviéramos dinero...
–¡Supongo que entenderás que no puedes hacerlo!
–¿A qué te refieres?
–¡A que dejes al niño!
–¡Pero yo no estoy diciendo eso!
–Vamos a quitar esto... ¿Cómo pueden poner programas tan malos?

Y nada más. Acaba la conversación y ella se resigna. Pero sólo por el momento. La transformación de ese vago desasosiego en una necesidad imperiosa culmina con el cambio de año, y un día de enero de 1962 le pide a Linnea que se encargue de Staffan durante unas horas antes del mediodía. Al llamarla le ha dicho que tiene que ir al dentista. Simplemente no ha podido evitar la tentación de utilizar la misma excusa que aquella vez en que se escapó de Konstilke para ir por primera vez a la oficina de personal de Algots. Así que se dirige de nuevo hacia allí, andando deprisa a pesar de que tiene tiempo de sobra. Pero si ha llegado tan lejos como para tomar la decisión de informarse sobre las posibilidades –una decisión solitaria que no ha comentado con nadie–, puede permitirse también tener prisa. *Vuelve a ser joven.* Mira a las personas que caminan agachadas a causa del gélido viento y piensa que nadie tiene una meta tan importante como la suya...

¡Ahí está de nuevo la entrada de la fábrica! ¡Sigue ahí, gracias a Dios! Y el cartel, con la recargada «A», las letras que componen la palabra que adorna catálogos y prendas de vestir. En la puerta ve a algunas chicas de pelo oscuro que hablan un idioma extranjero. Las oye reír y acelera el paso aún más. ¡No puede llegar con retraso y encontrarse con alguien lamentándose por ello! «Has tenido tu oportunidad, pero ya hay otra persona ocupando la silla que estaba reservada para ti.» El mundo no espera, y aún menos en esa parte del mismo que se llama Algots. Corren buenos tiempos, y pobre del que no llegue a tiempo de tomar el tren... Sube las escaleras deprisa, oye el rumor de las prensas de ropa a vapor, gira y toma un largo pasillo y ¡ahí está! El mismo despacho. Pero la recibe otro asistente de personal y él ni siquiera ha leído la carta que ella escribió en la soledad de una noche de diciembre. Él busca entre las apretujadas carpetas que hay en los estantes, se queda un momento mirando el teléfono, como si fuera el que se ha apropiado de la valiosa carta de Eivor. Pero luego se encoge de hombros y, echándose hacia atrás en la silla, pide a Eivor que le diga qué motivo la ha llevado hasta ahí.

Naturalmente, ella se pone nerviosa. Nadie le ha enseñado a hablar. Puede tener dificultades para escribir una carta, pero para eso no le apremia el tiempo, pero transmitir sus deseos de viva voz...

Tartamudea y balbucea, sin entender ella misma lo que dice. Palabras aisladas que no consigue ordenar y formar frases coherentes. ¡Maldita sea! Dice para sus adentros. Ni siquiera eso puede hacer.

–Entonces puede ser jornada completa o parcial –dice el asistente de personal cuando *cree* que ella ha concluido. Para él, por supuesto, no es ninguna novedad estar sentado frente a una mujer joven que tartamudea y se ruboriza al decir lo que quiere. Está acostumbrado a recibir a finlandesas, griegas, turcas, yugoslavas y Dios sabe qué más. En realidad es notable que haya una muchacha de Borås que quiera sentarse en una máquina de coser en estos tiempos...

Eivor asiente.

–Tengo un niño –dice débilmente.

–Ya lo ha dicho.

–¡Pero estoy casada!

–¡Qué bien!

Ella percibe ironía en el tono de voz de él, pero en ese momento lo único que le importa es la respuesta que pueda darle...

–Dice que sus certificados y... En fin, ¿están aquí?

Eivor asiente. *Eso* sí sabe hacerlo: asentir y aparentar alegría... Maldito mundo que le obliga a sentirse como una imbécil...

El asistente de personal, que lleva chaqueta cruzada a rayas y camisa de nailon con cuello levantado, cierra la carpeta y la mira. Ella piensa, de repente, que él es muy joven.

–Bueno, ya la llamaremos –dice.

–¿Me darán algo?

«¿Me darán algo?» Ella oye sus propias palabras. Parece que esté pidiendo limosna. Si el que está sentado al otro lado del escritorio pudiera imaginarse lo miserable que se siente, y, a la vez, lo importante que sería que hubiera un sitio para ella...

–¡Lo dicho! La llamaremos.

Nada más.

Cuando vuelve a casa en medio del gélido viento de Borås, oye la voz de él en su interior. ¿Qué habrá querido decir? ¿Se atreverá ella a albergar esperanzas o no? Eivor cavila intentando explicárselo, pero el asistente de personal es escurridizo. Su respuesta es secreto y privilegio de él...

Pero la respuesta llega una semana más tarde, y cuando ella abre el sobre, saca el papel con manos temblorosas y lo pone ante sus ojos, ve que lo que puede ofrecerle la empresa es una jornada parcial de cinco horas diarias tres días a la semana.

Y por segunda vez tiene una sorpresa preparada para Jacob. Encima de la mesa, donde él suele poner su taza de café...

Jacob Halvarsson. Lee la carta que ha recibido su esposa de la prestigiosa empresa. (Bueno, *todos* no están de acuerdo en eso...) Él lee y luego le pregunta si se ha vuelto loca. Ya le ha dicho... ¿Qué demonios se trae entre manos? ¡A espaldas de él! Si él hubiera sabido que *quería decirle* algo cuando tenía sus insoportables épocas de parloteo... *¡Siempre hay algo!* Si no es una cosa es otra... Nunca un momento de tranquilidad. Y precisamente esta tarde en la que esos malditos ineptos han conseguido poner una *película* en la televisión... ¡Está cansado cuando llega a casa! Si ella cree que los patines se venden solos está equivocada... Nunca tiene un minuto de descanso, *¿y qué pretende en realidad con esto?* Tres días a la semana... ¿Qué días? ¡Si al menos pudiera decirle el porqué! ¿No está a gusto en casa? *¿En qué se ha equivocado él...?*

Ella escucha pacientemente, ha decidido no interrumpir. La respuesta de Algots le ha dado fuerza. Pero cuando parece que él ha acabado de hablar y ella se dispone a dar explicaciones, la interrumpe al instante.

–Ni se te ocurra –dice él–. *¡Lo sabes de sobra!*

Ella está a punto de responder, entonces se arrepiente. No, no va a decir nada más esta tarde. Lo dirá mañana, y pasado mañana. Pone que puede empezar cuando quiera en el plazo de dos meses, y de nada sirve apresurarse y estropearlo todo. Es natural que él tenga que hacerse a la idea...

Ella lleva a cabo un plan, pero la respuesta de él siempre es la misma, y siempre termina con que él se niega a hablar de ello. A veces él acaba dando voces, a veces ella y a veces los dos. Después de algo más de una semana interminable de excavar trincheras, a Eivor le parece que él la mira con otros ojos, como si a pesar de todo empezara a entender que ella va en serio. Entonces él cambia de actitud, habla suplicante, como desde el fondo de una gran tristeza. Él pone a Linnea y a Artur de su parte, y Linnea piensa que es, sin duda, *demasiado* pronto. La postura del viejo Artur nunca llega a entenderla por completo. Sobre todo parece estar interesado por el desenlace...

La gran y decisiva batalla comienza en un momento que sorprende a los dos. Es un sábado por la noche, cuando ambos están cepillándose los dientes en la cocina. De pronto, Jacob le tira a Eivor el tubo de pasta de dientes. Sin hacer ningún comentario, sin que esté enfadado. La agarra con fuerza, la obliga a tumbarse en el suelo y empieza a quitarle el camisón diciéndole que quiere acostarse con ella. *¡Aquí y ahora, inmediatamente!* Antes de que ella tenga tiempo de reaccionar, él ya está dentro de ella, y cuando empieza a oponer resistencia todo ha pasado. La agarra tan fuerte que a ella le duele y entonces le dice que tiene miedo de que lo deje. Para él ésa es la gran amenaza. Si ella vuelve a trabajar será el primer paso en una dirección que la aparta de él. Eivor siente el frío suelo bajo la espalda, y la humillación de que a él no le haya importado si ella tenía ganas o no le produce asco. Las palabras de él no la conmueven, aunque contienen una especie de explicación. Si lo hubiera dicho cuando estaban sentados en el salón, o en la cama, antes de apagar la luz, entonces le hubiera escuchado. Pero ahora no, no aquí sobre el suelo de la cocina, después de derribarla por la fuerza y demostrarle sólo lo débil que es...

–¿Has disfrutado? –le pregunta él cuando ya se ha levantado.

–Por supuesto que no –contesta ella.

–Entonces, perdóname...

–Sí... Claro...

Ella recoge el tubo de pasta de dientes y lo deja en la repisa.

–¿En qué piensas? –pregunta él.

–En nada...

–¡Veo que estás pensando en algo!

Nota cómo él empieza a enfadarse, pero en vez de asustarse, Eivor se acerca a él de repente y lo mira a la cara.

–No pensaba dejarte –dice ella–. Pero si no comienzo a trabajar puede que lo haga.

Ella se sienta en el sofá del salón y él va detrás y se enfada y llora alternativamente. Pero a ella no la conmueven sus reacciones, se ve en el suelo de la cocina y piensa que él no va poder detenerla nunca. Por más desdichado que declare ser (y tal vez lo sea), por mucho que insulte, suplique y amenace. Eivor está sentada mirándole, oyendo lo que dice, pero sabe que va a ir a Algots tan pronto como se haya puesto de acuerdo con Linnea. O con otra persona si fuera necesario. Ahora no puede echarse atrás. Es demasiado tarde. Se ha dado cuenta de que sólo tiene diecinueve años...

Después de muchas horas, Jacob comprende que no puede hacer nada.

–Creo que ya ni siquiera te gusto –dice echando por tierra su último reducto de defensa.

–Claro que sí –dice ella–. No se trata de eso.

–No quiero hacerte daño.

–No...

Ella desea que él se acueste y él, como si hubiera leído sus pensamientos, murmura buenas noches y desaparece en el dormitorio. Se queda sentada durante un buen rato, a pesar de que le duele la cabeza del cansancio. Es como si necesitara tranquilidad a su alrededor...

Unos días después Eivor coge el cochecito de Staffan y va a casa de Liisa. Antes la ha llamado y ésta le ha dicho que le va bien, ya que tiene turno de noche. Ritva se ha mudado al distrito de Druvefors con un carnicero, y Liisa vive sola en el apartamento. Toman café y van hablando, pero Staffan las interrumpe todo el tiempo con sus incursiones por la casa y sus pasos vacilantes. Liisa lo mira y dice que ella nunca habría podido, que no habría tenido paciencia...

–Claro que habrías podido –contesta Eivor–. ¡Cuando tienes niños descubres que eres capaz de hacer muchas cosas!

–¡Yo no! Jamás...

–¡Tú también!

Eivor le habla de su nueva visita a Algots y de la carta que ha recibido. Es consciente de que ha ido a ver a Liisa para que ésta le confirme que tiene razón. Liisa tal vez no sea la persona más indicada para darle lo que ella desea, ya que ella no tiene hijos (yo habría huido, dice Liisa una y otra vez, mientras mira consternada el derroche de energía de Staffan intentando arrasar su apartamento...). Pero Eivor no conoce a nadie más con quien poder hablar. Y tal vez acude a Liisa también porque está segura de recibir su aprobación...

Para Liisa es también incuestionable. Ser independiente, vivir de su propio sueldo, poder comprarse un coche, es a lo que las mujeres tienen que aprender a aspirar. Y ella cree que hay señales en el camino que indican que los tiempos venideros van a pertenecer a las mujeres. No porque ella tenga ilusiones desmesuradas, ya que sólo queremos casarnos y tener niños, pero pone sus esperanzas en las nuevas generaciones.

–¿Te habrías casado hoy si hubieras sabido todo esto de antemano? –le pregunta a Eivor.

–No lo sé –responde Eivor indecisa–. Sí, ¡lo habría hecho si no hubiera podido tener a Staffan de otro modo!

–Pero ¿es necesario ir a la iglesia para quedarse embarazada?

Las dos se echan a reír. Las palabras de Liisa suenan tan cómicas, a la vez que descubren algo que por supuesto es cierto. Ser madre soltera llama menos la atención cada año que pasa. Viven en un momento de transición respecto a ese tema. Por un lado, la exigencia de virginidad es igual de fuerte que antes, pero a una mujer ya no se la considera una perdida si tiene un hijo sin estar casada...

Está claro que Eivor va a empezar a trabajar de nuevo, ¡lo antes posible!

¡Naturalmente! Preguntas innecesarias son preguntas tontas...

Eivor se siente eufórica cuando vuelve a casa empujando el cochecito. Así es como quiere sentirse: eufórica, llena de energía, con fuerzas suficientes para *todo*.

Pero ¿cómo le iban las cosas a Liisa? Olvidó preguntárselo...

Es el 30 de marzo, y dos días después Eivor va a empezar a trabajar en Algots, el mismo día del Stora Ljugaredagen. Como han acordado, Linnea va a encargarse de Staffan durante su ausencia, y Jacob puede decidir por su cuenta cuándo dejar a un lado su cara de ofendido. Eivor está de buen humor y se siente como un niño la mañana de Navidad. Nunca hubiera podido imaginarse que todo iría tan rápido y sin ningún tipo de problemas. Pero quizás hayan cambiado las cosas y al fin soplen vientos que la empujan *a ella* hacia delante por primera vez...

Así que es el 30 de marzo, antes de mediodía, cuando suena el teléfono y Eivor levanta el auricular y contesta con voz alegre.

Una semana antes se había hecho la revisión médica que exige la empresa.

Y le informan de que está completamente sana.

Sólo una cosa. Está embarazada.

–No –dice Eivor.

–Sí lo está –dice la voz femenina al otro lado.

–No –repite Eivor y cuelga el teléfono.

No llora ni golpea la cabeza contra la pared. Tampoco puede hacerlo, no le está permitido: Staffan está de pie agarrado a una de sus piernas, pletórico por descubrir cosas. Ella no hace nada, no reacciona en absoluto hasta que Staffan se ha dormido y ella puede llamar a Linnea y decirle que no necesita ir pasado mañana. Ni ningún otro día. No va a hacerlo... ¿Que por qué? Es sólo que no va a hacerlo... Ella... ha cambiado de idea.

Eivor piensa que *eso* es lo que él quería en el fondo cuando la derribó sobre el suelo de la cocina. Cuando ya no había más argumentos, tuvo que usar su último recurso y fue suficiente. Ella se ha quedado embarazada. Naturalmente, podría intentar abortar, pero meterse en ese mercado precario y humillante... No, no puede. Está derrotada. Esta vez tampoco va a entrar en Algots. Dentro de poco más de ocho meses todo va a empezar de nuevo: las noches en vela, la casa llena de pañales y ropa sucia que parece multiplicarse. Y cualquier día de estos puede volver a empezar el día vomitando. ¿Por qué no el 1 de abril...? Sería lo más correcto, evidentemente...

Después de llamar a Linnea es el turno de Algots. Debe cumplir con su obligación, aunque sea amarga. Pero no puede impedirle a otra persona que se siente en la silla vacía. Está derrotada... No sabe con quién habla, pero le dice las cosas como son, ella no irá como habían decidido. ¿Por qué? Porque está embarazada...

Los días siguientes ni siquiera se deprimió, como si ni eso tuviera sentido alguno. Sólo sentía angustia y resignación. Y no podía decírselo a nadie, ni siquiera a Liisa, que un día apareció por la puerta llena de alegría y curiosidad por saber cómo se sentía al haber vuelto a trabajar... Intentaba que su relación con Staffan fuera la de siempre, él no tenía que sufrir el gran hastío e indiferencia que ella padecía. Cuando unos días después de enterarse le dijo a Jacob que estaba embarazada, lo hizo de pasada, justo en el momento en que él se levantó de la mesa después de comer. Ella miró hacia otro lado para no ver la expresión de *alivio* de él mientras le decía que se alegraba. Y, por supuesto, la dejó en paz, no le importó que volviera la cara. Estaba embarazada...

Cada mañana se despertaba a oscuras, pero cuando Staffan, balbuceando y feliz de vivir, se ponía en pie y saltaba sobre ella, Eivor se obligaba a ver la luz y entonces volvía a surgir la luz...

Ya no pensaba en que se había reencontrado a sí misma como una recién nacida de diecinueve años. La verdad es que ella, durante ese tiempo, no pensaba absolutamente en nada.

A principios de mayo de ese año, Elna llamó un día desde Hallsberg y le dijo que su abuelo Rune había caído enfermo y que tenía que guardar cama. Naturalmente, a Eivor no le pilló por sorpresa, ya que él había tenido problemas cardiacos y de pulmón durante muchos años. En realidad nadie entendía que viviera aún. Pero ahora parecía que estaba llegando su hora y Elna le dijo que a su abuelo le gustaría mucho verla a ella y a Staffan. Y también a Jacob, por supuesto... Elna le dijo que no hacía falta que fuera a Sandviken enseguida. Que no era urgente. Pero tal vez podrían ir juntas...

Cuando Elna llamó en mayo, ya sabía que Eivor estaba embarazada de nuevo. Eivor no lo había guardado en secreto, pero no había dicho nada acerca de si fue o no planeado. Sólo dijo que estaba embarazada, y había algo en el tono de su voz que sugería que evitaran hacer más preguntas. Todos los que la veían y la conocían notaban que había cambiado, pero nadie podía precisar en *qué*. Probablemente estaba más pálida de lo habitual... Tal vez también más silenciosa, aunque nunca había sido de las que hablan sin necesidad... No, ella no era *la misma de siempre*. El futuro demostraría qué había ocurrido realmente...

Elna volvió a llamar diciéndole que Rune estaba cada vez peor y decidieron viajar juntas. Eivor se llevaría a Staffan y Elna tomaría el tren en Hallsberg. De ese modo tendrían algunas horas para hablar las dos, cosa que, según Elna, tenía muchas ganas de hacer. Ella viajaría sola, ya que Erik no podía dejar su trabajo en el apartadero del ferrocarril. Pero durante los meses siguientes Rune mejoró temporalmente y postergaron el viaje hasta principios de agosto. Entonces él volvía a estar postrado en la cama y ya nadie creía que fuera a restablecerse...

Jacob no puede o no quiere pedir permiso en el trabajo para acompañarlas a Sandviken. Eivor no está segura de si es por antipatía o por otra cosa. Sabe que Jacob le tiene miedo a la muerte, tanto que evita cualquier contacto con ella. Pero su abuelo todavía no ha muerto.

Ella no viaja para ir a un entierro, sino para ver a un enfermo que está en cama. Tal vez por última vez. Pero no se molesta en intentar razonar con su marido, si no quiere, que no vaya. Ella no se siente dolida, ya que Jacob sólo ha visto a Rune el día de su boda, y no le dio tiempo de establecer una relación especial con él. No, que haga lo que quiera. Como de costumbre.

–Yo ordenaré un poco la casa –dice él.

–No necesitas disculparte. Que lo sepas. ¿Nos acompañarás mañana a la estación?

Lo hace, naturalmente. Es domingo y no tiene que ir al trabajo, aunque por supuesto debe renunciar al ritual sagrado de dormir todo el tiempo que le apetece. A las ocho están en la estación. Jacob ha llevado a Staffan a hombros desde la parada de autobuses. Staffan está excitado, ya es lo suficientemente mayor como para darse cuenta de que ese día hay algo especial. Eivor está cansada, el abrigo de verano de color claro le oprime el vientre, y los zapatos recién comprados le quedan estrechos. Mientras va junto a Jacob y Staffan le parece que anda como un pato. Por las mañanas se asusta al verse en el espejo, tiene la cara muy pálida y esos desesperantes granos no quieren desaparecer. Cada día que pasa utiliza más maquillaje, pero la palidez sigue notándose. Además está ese persistente calor que la irrita y produce malestar. A veces se pregunta cómo puede aguantarla Jacob. Pero, al fin y al cabo, ella lleva dentro al hijo de él.

Si al menos no estuviera tan silencioso. ¿O es sólo indiferencia, ahora que ha impedido que ella vuelva a trabajar?

Están en la estación y acaban de anunciar por el altavoz que el tren que va hacia Herrljunga está entrando. Apenas se ven viajeros. Un solitario mozo de estación llega tirando de un carro de equipaje.

–Espero que os vaya bien el viaje –dice él.

–El tren no ha llegado aún.

Ella misma percibe su malhumor. Está enfadada, irritada, lo que él prefiera. Sin querer evitarlo, intenta fastidiarle siempre que puede.

–¿Entiendes lo que significa llevar a un niño? –dice de repente.

Él la mira sin entender. ¿No lleva él a Staffan a hombros?

–Aquí dentro –dice ella señalando.

Pero él no entiende a qué se refiere, como es natural. ¿Cómo iba a hacerlo? Ni él ni ningún otro hombre...

Sube con ellos al tren, hay muchos asientos libres y después de darle a ella unas torpes palmaditas en la mejilla, baja deprisa al andén.

Cuando el tren se aleja de la estación y ella sostiene a Staffan en la ventanilla para que le diga adiós con la mano, piensa que es muy probable que Jacob, en el fondo, esté contento de quedarse solo unos días. Tal vez sea ése precisamente el motivo de que no haya querido acompañarles. ¿Para poder tumbarse en el sofá en el apartamento vacío y silencioso y no tener que preocuparse de nada? ¿O...? No, no se atreve a pensar en ello... Cree que él evita cualquier esfuerzo para poder disfrutar de los hijos. Ella siempre está agotada, mientras que él se concentra en la diversión.

Bosques, postes de teléfono, campo abierto y estaciones de tren pasan formando un remolino. Staffan sigue fascinado con todo lo que ocurre al otro lado de la ventanilla.

En un repentino ataque de tristeza, ella recuerda el frío día de enero en el que iba en sentido contrario para empezar a trabajar en Konstsilke. Pero ¿qué pensaba entonces? Intenta recordar, pero tiene la cabeza vacía. Y tal vez sea mejor así. De todos modos no se puede hacer nada, la vida es como es. Casualidades más o menos planeadas. Por un lado es justamente ese desconocimiento lo que hace que la vida sea soportable y emocionante, pero, por el otro, no podemos defendernos.

En Hallsberg todo pasa tan rápido que Eivor sólo tiene tiempo de saludar a Erik y preguntarle cómo está.

–Pregúntale a Elna –grita como respuesta–. ¡Hasta la vista!

Y ahí está sentada ella, la madre. ¡Justo enfrente! La ve igual que siempre. Pero Eivor no puede entender que siga llevando su habitual y viejo abrigo de verano. ¿No tienen dinero para comprar ropa nueva? Y también debería haberse puesto un poco de color en los labios. Pero no se lo dice, como es natural. Sólo permanece sentada en su rincón, mirando cómo Staffan se encarama y trepa por encima de su abuela.

¡Abuela! ¡Cielo santo, qué idea! Elna tiene treinta y ocho años y ya es abuela. Y si las cosas van mal, ella misma puede convertirse en abuela a su misma edad, si Staffan tiene un hijo siendo joven. La idea le parece terrible. ¿Cuándo le va a tocar vivir? ¿Cuándo va a dejar de ser mamá o esposa y poder vivir sin más?

Pero ¿qué implica eso?

Tal vez sea sólo un sueño inútil y sin esperanza.

Pero si es así, la vida es realmente incomprensible...

–¿Va todo bien?

Eivor sale de su ensimismamiento y ve que Staffan se ha quedado dormido, como un gatito que se ha cansado de repente y se ha hecho un ovillo. Duerme en el asiento con la cabeza sobre las rodillas de Elna.

Eivor no ha oído nada, y Elna repite la pregunta.

Por supuesto que todo va bien. Tanto con el niño como con su marido. No hay ninguna novedad. Todo sigue como de costumbre.

Elna, por el contrario, tiene novedades para contarle.

–Vamos a irnos de Hallsberg –dice.

–¿Por qué? ¿Adónde?

–¿Te acuerdas de Vivi?

–Sí, claro que me acuerdo.

Elna le cuenta y Eivor puede percibir en el tono de su voz que está ilusionada con el gran cambio. Van a irse a vivir a Skåne, más concretamente a Lomma. Lomma se encuentra en las afueras de Malmö. Vivi está casada con el jefe de prensa de Skandinaviska Eternitfabriken, y Erik ha conseguido un trabajo allí que es bastante mejor que el que tiene ahora como empleado de los ferrocarriles suecos. Y van a obtener un préstamo para comprarse una casa propia con la ayuda de la empresa.

–Nos mudamos en septiembre –dice Elna.

Eivor no contesta de inmediato. Antes quiere saber si está celosa. Sí, se ha puesto un poco celosa. Todos los que llevan a cabo un cambio en su vida, los que se atreven a algo, le dan envidia. Es una sensación incómoda de la que se avergüenza, pero haga lo que haga sigue estando ahí. Sin embargo, también se alegra de ello. Elna resplandece mientras se lo cuenta, como una niña que hubiera estado guardando un enorme secreto mucho tiempo.

–¿Y tú? –pregunta Eivor al final.

–Yo también puedo conseguir trabajo si quiero.

–Creía que un trabajo de ferroviario era lo más seguro.

–Ahora corren otros tiempos.

–Pueden volver a cambiar.

–¿Te parece?

No tiene respuesta para eso. Parece que sobran puestos de trabajo. ¿Si no fuera así, por qué iban a entrar a raudales griegos y yugoslavos por las fronteras del país? Hoy en día no tener trabajo en Suecia es difícil a menos que seas un vago. O le tengas fobia al trabajo, por decirlo de algún modo.

–Y, además, voy a estar cerca de Vivi –dice Elna.
–¿No dijo que no iba a casarse nunca?
–Puede haber cambiado de opinión. Además él es jefe de prensa.
–Creía que era una especie de comunista.
–Ya te he dicho que puede haber cambiado de opinión.
–Lo ha hecho, ¡sin duda!
La conversación suena a hueco. Y Elna tiene que saberlo mejor que nadie, al fin y al cabo se trata de su amiga...
–Entonces, ¿qué va a hacer Erik ahora?
–¿Supongo que conocerás Eternit? En estos días todos ponen planchas Eternit en sus casas.
Sí, sabe lo que es. Pero ¿en Skåne? ¿Cómo se llama el sitio? ¿Lomma? Sí, Dios mío...
–Suena divertido –dice ella.
–Aún no he acabado.
¿Tiene más que contar? ¿Les ha tocado la lotería?
No, nada de eso. Es algo que Eivor nunca podría imaginarse.
–Vas a tener un hermanito –le dice.
Tarda en comprender. Apenas se da cuenta de que el tren se ha parado en Skövde, pero ¿qué ha oído? ¿Puede ser cierto que Elna esté embarazada, igual que ella? ¿Que lleve a un niño bajo su anticuado abrigo? La idea es tan asombrosa que casi le resulta insoportable.
–¿Vas a tener un niño? –pregunta al fin.
–¿Te has enfadado?
–No, sólo estoy asombrada. ¿Enfadada?
–Me lo ha parecido por el tono de tu voz.
–¿Por qué iba a enfadarme?
–No lo sé.
Elna está de tres meses. No sabe realmente por qué no se lo ha dicho antes a Eivor. No ha surgido la ocasión. Pero puede revelarle el motivo de estar embarazada. En parte es, por supuesto, porque Erik desea tener un hijo propio, cosa comprensible. Lo contrario no habría sido natural. Pero ¿quién sabe si él podría dejarla algún día a ella por alguna otra, alguna más joven, justo por ese motivo? Además ella misma ha empezado a desear tener otro hijo. De repente la sensación estaba ahí y ella ha tenido que darse prisa antes de que fuera demasiado tarde. Tal vez esté relacionado con el hecho de que Eivor haya tenido al niño, es difícil poner en claro todo lo que siente. También ha dudado, como es natural, volver a tener un hijo implica que

debe quedarse en casa otra vez. Pero... No, ahora está muy contenta de que haya sido así. Por no hablar de Erik.

–Así que estoy igual que tú, aunque aún no se note.

–No sé qué decir.

–Puedes darme la enhorabuena, ¿no?

–Claro que sí. Claro que lo hago. Es sólo que resulta un poco difícil imaginárselo. A tu propia madre, es...

Pero es así. Lentamente, Eivor va comprendiendo que Elna le ha dicho las cosas tal cual. Y que está contenta por ello. Lo que desconcierta a Eivor es, sobre todo, esa alegría no disimulada. ¿Cómo puede relacionarla con los recuerdos que ella tiene de su madre, siempre insatisfecha, siempre enfadada con su hija? A veces se ha quejado de haberla tenido, de haber perdido toda su vida por el desafortunado embarazo durante la guerra. No encuentra ninguna lógica, lo negro se convierte en blanco, sin previo aviso, sin explicación alguna. Y se lo dice a ella abiertamente, en algún sitio a la altura de Södertälje, justo cuando Staffan despierta, y al cambiarle el pañal tienen que interrumpir la conversación varias veces.

–No entiendo cómo puedes estar tan contenta de tener un niño, cuando a mí me echabas broncas todo el tiempo cuando era pequeña por haber nacido. No lo comprendo, pero tal vez sea problema mío.

Por la tarde llegan a Sandviken. Una suave lluvia de verano cae sobre la estación. Nils, el hermano de Elna, esta esperándolos. Tiene coche, un PV, en el que se sientan todos apretujados.

–Espero que no vomite en el coche –le dice Nils a Eivor mirando hacia Staffan.

–No suele hacerlo.

–No quisiera estar presente.

–Si te preocupa, podemos ir andando. No debes preocuparte.

Elna va sentada en el asiento delantero y comenta con alegría todos los cambios que ha habido en la comunidad. Eivor está cansada y Staffan le aprieta el vientre. Cuando Nils enciende un cigarrillo, ella le pide que lo apague. O que abra al menos la ventanilla lateral.

Y entonces ya han llegado.

–¿Habéis pintado la casa? –pregunta Elna asombrada.

–Por fuera y por dentro –contesta Nils.

Rune yace en la cama en su habitación, en su lado habitual. Tanto a Elna como a Eivor les afecta mucho ver cómo ha adelgazado y el color grisáceo de su cara. Hace tiempo que sabían que la enfermedad acabaría finalmente con él, en realidad es extraño que haya podido resistir tantos años, aferrándose con terquedad a la vida. Pero ahora no cabe duda de que está muriéndose.

Cuando llegan, él duerme. El tren se ha retrasado (al pasar Hosjö ha estado parado más de media hora), y de repente a Rune se le han agudizado los dolores y no ha podido evitar tomar las pastillas, que lo dejan dormido como si hubiera recibido un mazazo en la cabeza. Elna y Eivor se quedan de pie junto a la cama de él, mirándolo en silencio.

Madre e hija. Dos mujeres embarazadas.

Rune se despierta al día siguiente por la mañana. Abre los ojos en la débil luz del amanecer y no sabe dónde se encuentra. Ha estado soñando y el sueño persiste de tal forma una vez despierto que al principio no reconoce el dormitorio en el que ha despertado cada mañana durante más de cuarenta años. Vuelve a la vida lentamente. Sin tener que girar la cabeza, sabe que su esposa Dagmar ya se ha levantado, y cuando presta atención, le llega la voz de ella desde la cocina. Pero ¿con quién está hablando? Él se esfuerza por escuchar, a la vez que se palpa las piernas para ver si aún hay vida en ellas, si le duelen. Continúa ese extraño picor en sus delgadas piernas, pero no siente dolor. Si se queda inmóvil en la cama, tal vez pueda estar tranquilo algunas horas antes de que empiecen a dolerle de nuevo... Pero ¿con quién habla Dagmar? ¿Qué hora será? Por la claridad que se cuela bajo el estor, deduce que no pueden ser más de las siete, tal vez más temprano aún.

Qué curioso... Quizás Ester, con sus inflamadas piernas, ha subido la escalera desde el piso de abajo para preguntar cómo se encuentra...

Ha estado soñando. Yace con la cabeza vuelta hacia la ventana, mirando el tenue rayo de luz, y poco a poco emerge de las profundidades del sueño.

Gira la cabeza y vuelve a escuchar las voces en la cocina... No parece Ester... Y, además, se oyen varias voces...

Ahora recuerda. Elna y Eivor. Hija y nieta... Iban a llegar ayer... Sí, ahora lo recuerda. El tren que se retrasa, las pastillas que al final tiene que tomarse, y luego parece que se ha quedado dormido. ¡Por todos los demonios! Han venido a verle. Pero ¿no iba venir también Staffan? ¿Por qué no oye al niño? Seguro que duerme todavía... Levanta una mano con cuidado y se la pasa por la cabeza. Por el poco pelo que le queda, piensa disgustado. En su día tuvo el pelo negro y espeso. Pero ahora sólo le quedan unas greñas grises en las sienes, resignadas, como una corona funeraria cubierta de nieve. Si hubiera podido llorar por tal desgracia, no habría hecho otra cosa...

Enfadado, frunce el entrecejo. ¡No vale! Él no quería ver a Elna y a Eivor y Staffan para compartir con ellos su decadencia. Ahora debería entrar Dagmar a ventilar, para que él pueda saludarlos. Pero no antes de que la ventana haya estado abierta de par en par durante unos minutos para alejar el acre olor de la decrepitud...

Empieza a toser y ella entra en la habitación.

–¿Te has despertado ya? –pregunta, sonriendo.

–Ventila –dice él con dificultad.

Ella asiente y abre la ventana. Luego se lo queda mirando, pero él sacude la cabeza. No, no le duele. Todavía no.

–¿Ha venido el niño? –pregunta él preocupado.

–Claro que sí –contesta ella–. Pero está durmiendo.

–¿Qué aspecto tengo?

–Muy bueno...

Y después ya está preparado para recibirlos. A su familia, al bisnieto que lo mira con ojos interrogantes. El dolor acecha, pero él se niega a tomarse las pastillas. Si el precio de estar medianamente lúcido es tener dolor, lo pagará...

Después del mediodía, cuando Staffan está durmiendo en el banco de la cocina, Eivor se queda a solas con él. Le pregunta si le duele mucho y él hace un gesto como respuesta...

–¿Cómo te va a ti? –pregunta él–. Staffan está estupendamente...

Sin haberlo pensado previamente, y sin que él sepa en realidad por qué, ella empieza a explicárselo todo. Por la mañana Eivor y Elna, una detrás de la otra, le habían contado que estaban embarazadas. Había tardado un momento en creérselo, pero cuando pudieron convencerlo, preguntó gruñendo amablemente si no podían haberlo repartido un poco. Entonces Eivor ya no dijo nada más, pero ahora que está sentada junto a la cama, a solas con él, le cuenta que había pensado volver al trabajo, pero que Jacob estaba en contra de ello y que ahora en vez de eso va a tener al bebé. Ella nota que su abuelo la escucha e intenta no dejarse un solo detalle. Lo único que excluye es el humillante y fatídico momento en el suelo de la cocina.

–Es una lástima –admite él cuando ella se queda en silencio, y Eivor se da cuenta de que él lo dice de verdad.

–A veces resulta muy difícil –continúa ella.

–Sí –dice él lentamente–. Y lo único que puede hacerse es resistir. Eso es quizá lo único de lo que podamos jactarnos. De haber resistido...

Se interrumpe a mitad de la frase como si hubiera hablado demasiado. Pero es sólo porque se acuerda de todo lo que ha estado pensando durante los días y noches de insomnio y dolor que parecían alargarse hasta el infinito. Él es consciente de que lo único que le queda por delante es el final (aunque no cree que vaya a ocurrir *justamente* ahora, a pesar de que tanto Dagmar como el médico, que a veces se acerca un momento por la casa, parecen estar seguros de ello). En esta cama va a empezar su último viaje, en la cama que lo ha recibido durante cuarenta años de esfuerzo demoledor. Sin pretenderlo realmente recuerda su vida, y a menudo aparece Dagmar. Ha vivido con ella más de cuarenta años. Ha sido su mujer, le ha seguido durante todos esos años, ha parido sus hijos, le ha preparado la comida, ha estado continuamente creando un hogar para él que ha hecho que valiera la pena su esfuerzo. En los pensamientos la ha visto llevando cubos de agua, lavándole las camisas de pie en medio del frío, sólo para que él pudiera ponerse su camisa blanca limpia los domingos. Ella le ha dado las mayores alegrías de su vida, y luego se quedaba despierta en la oscuridad y él siempre era el primero en dormirse. Pero cuando se despertaba, ella ya se había levantado y le había preparado el café...

Ella está en todas sus imágenes, callada, cada vez más encogida. Se ha acostado en su cama asombrado de todo lo que *ella* es capaz de hacer, y se ha preguntado con creciente inquietud qué le ha dado él a ella en realidad que pueda compararse con el desgaste diario que ella sufría para lograr llegar desesperadamente a fin de mes... Como cuando se encerraba en el dormitorio en cuanto él se encendía demasiado y montaba en cólera, como... Todos esos años, siempre, siempre. Desde la oscura adolescencia, cuando ella iba a algún puesto de control que había en el bosque, andando con dificultad a través de la nieve, y cuando con un reloj prestado controlaba el tiempo que él tardaba en pasar a toda prisa por el carril de esquiar. Cómo a él le daba siempre la impresión de ser el mejor, aunque nunca llegó a pisar el podio en ningún campeonato del pueblo... Tal vez sea entonces cuando la ve con más claridad. Helada de frío, sola, esperando en el bosque a que llegue él, moqueando y jadeante, deslizándose sobre los esquís...

Mira a Eivor, que está sentada en el borde de la cama. Dagmar también fue así de joven una vez. Pero ¿qué pensaba ella entonces? ¿Tendría ella también sueños que él ahogaba sin piedad con su atronadora voz y su incuestionable modo de ser, pataleando siempre en el suelo más fuerte que nadie? Hace una mueca ante esa idea...

–¿Te duele? –pregunta Eivor.

–No es nada –dice él–. Sólo estaba pensando...

–¿Qué pensabas?

–No...

–¡Dímelo!

–Que los mayores cambios en los hogares no han sido gracias ni a la radio ni a la televisión. Sino a las aspiradoras y a los suelos de linóleo...

–¿Por qué?

–Tú tendrías que entenderlo. ¿No eres la que pasa la aspiradora y friega el suelo de vuestra casa? Yo sé cómo era antes. O, mejor dicho, Dagmar lo sabe. Ella y todas las demás desgraciadas que han tenido que agacharse y restregar la mierda de millones de tablones de madera.

–Me resulta difícil pensar cómo sería no tener una aspiradora, no sé qué haría.

–Hubo un tiempo en el que las mujeres como tu abuela nunca podían pensar que *iba a existir* algo como una aspiradora. Y yo me resistí todo lo que pude cuando Dagmar quiso comprarse una. Me parecía que eran demasiado caras... ¡*A mí* me lo parecía! Dios mío...

Él se queda en silencio y Eivor piensa en lo que ha dicho, pero no consigue verse a sí misma agachada sobre un suelo de madera restregando los tablones con un cepillo. Es un mundo extraño que dejó de existir antes de que ella hubiera tenido que fregar su propio suelo.

–Ahora no hay nada que hacer –dice él después de un momento–. Y supongo que tendréis un hijo más. Pero después... Procura que no vuelva a ocurrir, para que puedas empezar a trabajar. Eres tan joven...

Él mismo se da cuenta del débil consuelo que le da. Pero ¿qué va a decirle? Jacob no es mejor ni peor que los demás hombres. El mismo pataleo en el suelo... Pero Eivor parece tener mucha voluntad para lo joven que es. Además, hoy en día es más fácil no tener un montón de niños si se anda con cuidado. ¿No es así? Pero él, naturalmente, no puede preguntárselo... ¡Sólo faltaba eso! El viejo que ya no puede más... Hablando de esas cosas... Cuando era joven podía hacerlo. Pero ahora ya no...

Eivor le cuenta a Elna lo que ha dicho Rune cuando dan un largo paseo juntas el segundo día por la mañana. Staffan se ha quedado en casa. Rune, que ha permanecido despierto durante la noche resistiéndose a las pastillas, se ha hundido finalmente en un sueño profundo.

Van andando por el pueblo. Elna se detiene de vez en cuando, señala y explica... Allí en la ladera, donde ahora hay una escuela, en su juventud había una lechería. La cuidaba una vieja que tenía un pie deforme. Era muy buena y nunca decía nada cuando los niños se escondían cojeando detrás de ella... Aunque apenas puede reconocerse el centro de la población, nada ha podido evitar el hacinamiento alrededor de la fábrica, como ha ocurrido siempre. Es el gigante que saca pecho y las altas chimeneas son los cuernos que tiene en la frente. Y ahí está el chalet blanco donde ella trabajaba como sirvienta del ingeniero Ask y su terrible esposa, que amaba a Hitler por encima de cualquier otra cosa. El gran jardín ha quedado dividido por un camino y un local de Konsum, pero la casa está ahí y aún conserva algo del antiguo y repulsivo esplendor. Fue allí, en esa casa, donde Elna se dio cuenta de que...

Eivor va a su lado escuchando. Elna percibe su interés. Cada detalle que deja caer descubre algo de su propia vida, de lo que la ha acuñado. Pero ahora Elna se interrumpe de repente.

–¿Qué ibas a decir?

–No era nada...

«Siempre con evasivas», piensa Eivor. «Siempre lo mismo...»

–¿No puedes decir por una vez lo que piensas?

Elna mira hacia el suelo y empieza a andar de nuevo. Cuando la casa blanca ya ha quedado atrás, le revela que fue allí donde se dio cuenta de que estaba embarazada. Pero no le dice que fue también allí donde se desnudó en el sótano y se lavó, antes de irse a Gävle en tren y llevar a cabo el repugnante y frustrado aborto. Es un secreto que no puede desvelar. Que durante un tiempo sólo tuvo una idea en la cabeza: deshacerse de Eivor.

«Nunca podrá compararse con lo que le gritaba y chillaba en Hallsberg», piensa ella. «Ésas sólo son cosas que se dicen cuando te enfadas con tu hija. Pero aquella vez, hace veinte años, iba en serio.»

Se acercan a la periferia de la población y, de repente, Elna siente unas ganas irresistibles de investigar algo...

–¿Continuamos un poco más? –pregunta, y Eivor, que ve un indicio de entusiasmo en su rostro, continúa gustosa. Siente que, en ese momento, cada instante con Elna es precioso. Cada atisbo de la época en que ella tenía su misma edad...

Elna recuerda con nitidez su solitario paseo un domingo. Le parece increíble que hayan transcurrido más de veinte años desde entonces... No está segura de dónde dobló al dejar la calle principal. Además, entonces era invierno... Puede que fuera aquí... No, anduvo más...

Eivor se pregunta qué estará buscando, pero no dice nada, sólo la sigue hacia el castillo secreto...

¡Ahí está el camino! De pronto, a Elna no le cabe ninguna duda y tuercen siguiendo a lo largo de un bulevar de olorosas coníferas. Sienten la blandura del suelo bajo sus pies.

Y luego el bosque se abre y la torre de vigilancia aérea sigue ahí, como una ruina cubierta de musgo de una antigua superpotencia. En el suelo hay restos podridos de tablas caídas, como si la torre hubiera empezado a perder su cabellera, pelo a pelo. Elna rodea la torre y ve que la escalera sigue ahí, no la han quitado, pero alguien ha arrancado los tablones laterales. ¿Se atreve Elna a subir la escalera? Realmente debe de ser posible tocar el cielo desde allí arriba...

Elna va despacio, Eivor mantiene la distancia.

–Seguro que está prohibido hacer esto –dice Elna.

–Si no guardamos silencio, la escalera se vendrá abajo –contesta Eivor.

Cuando llegan al rellano en lo más alto de la torre, Elna recuerda el viento que soplaba cuando estuvo allí hace veinte años. Ahora es cálido, aunque parece el mismo, ininterrumpido durante todos estos años. Se agacha en un rincón para ver de cerca los tablones grises. Están llenos de inscripciones, una encima de otra, y parecen más un entramado de líneas y círculos que palabras con algún sentido. Pero al final encuentra lo que busca y nota que el corazón se le acelera. Así que no ha desaparecido, aún está ahí, lo que ella grabó con un clavo, cuando estaba allí y decidió no saltar.

Elna. 16-1-1942.

Eivor se agacha a su lado con dificultad y tras seguir el dedo de Elna y ver lo que hay ahí escrito.

–Lo grabé con un clavo –dice ella–. Hace veinte años.

Eivor ha visto la fecha.

–Dos meses antes de que naciera yo.

Elna asiente y se queda mirando hacia el bosque, se pregunta si el esquiador habrá llegado a su meta.

–¿Qué pensabas cuando estuviste aquí en aquella ocasión? –pregunta Eivor.

–Pensé en saltar.

Se lo dice así, sin más...

–¿Era tan terrible? –pregunta Eivor un instante después.

–Sí. Tal vez peor todavía. No tenía *a nadie*...

–Pero no saltaste.

–La gente rara vez lo hace. La mayoría nunca salta.

–Pero ¿qué pensabas?

Elna se vuelve hacia ella.

–¿Recuerdas que a veces te gritaba cuando eras pequeña? –dice–. ¿Lo recuerdas?

–¿Cómo iba a poder olvidarlo?

–Entonces entenderás lo que pensaba. Que no quería...

–Sí, lo entiendo.

–Fue tan horrible que no desearía que le ocurriera a mi peor enemigo... No creo que pueda explicar cómo me sentía.

Una ráfaga de viento sacude la vieja torre de vigilancia aérea y los secos tablones crujen.

–Me alegro de que me hayas enseñado esto.

–Ha sido sin pensar. Se me ocurrió por el camino.

Se quedan un momento mirando el bosque infinito. Cada una en un rincón...

–¿Bajamos? –dice Elna.

–Antes quiero hacer una cosa –dice Eivor.

Arranca un clavo de la madera podrida y graba su nombre al lado del de Elna.

Eivor. 6-8-1962.

–El próximo tal vez sea quien esté aquí dentro –dice Eivor poniéndose la mano sobre su vientre. Piensa que es algo infantil grabar su nombre en un tablón de madera. ¡Pero *quería* hacerlo!

Bajan la escalera y regresan por el camino de troncos.

–¿Había alguien en esa torre durante la guerra? –pregunta Eivor.

–No lo sé –responde Elna–. Al menos no cuando yo estuve ahí. Pero era un domingo por la mañana. Tal vez era inconcebible que alguien fuera tan descarado como para atacar un domingo por la mañana...

Se echa a reír y Eivor piensa que es la primera vez que ella y Elna se permiten comportarse como niñas estando juntas. Es curioso que siempre tenga que resultar tan difícil...

Regresan a la ciudad, con el enfermo Rune. Se quedan un par de días más y la mayor parte del tiempo permanecen sentadas en la cocina esperando a que él despierte. Durante esos días, Eivor conoce a su abuela de un modo que no había hecho antes. Ahora que ya no es Rune el que domina puede verla con nitidez, y piensa a menudo en lo que Rune le dijo cuando estaba sentada al lado de su cama. Dagmar procede de ese viejo mundo que ya no existe. Es una persona que Eivor puede imaginarse perfectamente fregando los tablones del suelo de rodillas, que ha tenido que llevar el agua y no podía creerse lo que veían sus ojos cuando vio una aspiradora por primera vez. El mundo ha ido hacia delante, y aunque Eivor tenga ahora que esperar algunos años más, le espera ese mundo nuevo al que salir, algo que Dagmar nunca va a presenciar...

Se marchan de Sandviken una mañana temprano mientras una tormenta golpea la ciudad. Cuando Eivor está junto a la cama de Rune cogiéndole la mano y despidiéndose de él, cree que va a volver a verlo. ¡No puede morir! A pesar del tono grisáceo de su rostro y de tener las manos tan delgadas y frías...

Al partir el tren, Dagmar está despidiéndose de ellas en la estación. Eivor tiene un nudo en la garganta cuando la ve sacar un pañuelo para tener algo con lo que *decirles adiós*. Mira de reojo a Elna y de repente está completamente segura de que ella siente lo mismo, que también tiene un nudo en la garganta...

Eivor y Staffan volvieron a Borås, y a finales de septiembre se mudaron a un apartamento en alquiler de tres habitaciones en Sjöbo. Eivor sintió un vago malestar por volver al sitio en que había vivido durante su primera época en la ciudad. Como si le recordara algo que en realidad quisiera olvidar. Pero deja a un lado esos recuerdos. Al fin y al cabo, lo más importante es un apartamento moderno. ¿Qué importa dónde viva si no tiene nada que hacer fuera, aparte de las compras y sacar a Staffan a que le dé el aire?

De repente no queda mucho para dar a luz a su segundo hijo. A veces siente temor, como es natural, pero no como cuando estaba embarazada de Staffan. Cree que ahora ya sabe lo que es tener hijos. Sabe lo que le espera, pero también sabe que el dolor pasa. Cuando Staffan acababa de nacer, uno de sus primeros pensamientos fue que estaba dispuesta a pasar por eso otra vez...

Se va amoldando lentamente a la casa nueva. Habla con mujeres que viven en el mismo bloque, se alegra de que Staffan tenga amigos de su misma edad para jugar, habla de detergentes y del precio de la comida...

En esta última etapa del embarazo no sólo acepta lo que sucede, sino que también empieza a disfrutar de ello. Ese día está cada vez más cerca, y ella deja en la sombra muchos de los recuerdos y empieza a mirar hacia delante de nuevo.

Sólo tiene veinte años, va para veintiuno. Dentro de cinco años... ¡Dios mío, *tiene* toda una vida por delante! Rune tenía razón. Nunca es tarde. ¡Nunca! Tendrá que aguantar la impaciencia...

Dedica mucho tiempo a explicarle a Staffan que va a tener un hermano. Naturalmente, él no lo entiende. Pero si no intentara explicárselo, a ella siempre le parecería que le ha engañado...

¿Y Jacob?

Es su marido y es como es. Nunca habla de sus sentimientos. Cuando llega a casa por la tarde, come, juega con Staffan y se queda dormido delante del televisor. Una vez al día le pregunta a ella cómo está. A veces lleva pasteles a casa. Si ella le pide que compre algo que no puede conseguir en Sjöbo, él lo anota para que no se le olvide...

Eivor piensa que en realidad está contenta de que no le pregunte más a menudo cómo le va. El televisor, que siempre está encendido, le sirve para esconderse tras él y descansar. Ya tiene suficiente con hablar con Staffan todo el día.

Y con las mujeres que se encuentra en el escalera y cuando va a comprar.

Por la noche hay luz en la ventana de su apartamento.

En raras ocasiones ocurre algo distinto.

Una mujer salta por la ventana y muere en el asfalto, y el espanto se extiende por el barrio durante unas semanas. Era vieja, estaba viuda... No resistió vivir sin su marido...

A veces piensa en lo que le dijo Rune acerca de resistir...

Resistir, porque hay que hacerlo...

Una noche a principios de noviembre, aproximadamente un mes antes de la fecha prevista para que nazca el niño, Eivor se despierta de repente notando patadas y opresión en el vientre. Se queda en la cama totalmente inmóvil en la oscuridad, con la mano sobre el abdomen, como si sintiera necesidad de proteger al feto de algún peligro. Jacob duerme de espaldas a ella, está acurrucado y respira profunda y pesadamente. De vez en cuando emite un gruñido en sueños.

Cuando el niño deja de moverse, Eivor está totalmente desvelada. Baja de la cama con dificultad, busca las zapatillas con los pies y va a la cocina. Abre el frigorífico pero no sabe muy bien qué quiere, así que vuelve a cerrarlo. El reloj de la cocina marca las tres menos cuarto.

Va al salón, se pone delante de la ventana y apoya la frente contra el frío cristal.

Mira hacia el edificio en el que vivió cuando llegó a Borås y ve con asombro que hay luz en la ventana que corresponde al pequeño apartamento de una habitación que ella ocupó. ¿Cómo es posible?

Es la única ventana que está iluminada, el resto de la fachada está a oscuras. Ella cuenta los pisos desde abajo; sí, tiene que ser ése. Se queda un buen rato mirando la ventana iluminada y, de pronto, le parece ver moverse una sombra de un lado a otro de la habitación. Tal vez sea una chica que acaba de mudarse allí, de su misma edad. Con sus mismos sueños, las mismas inquietudes...

¿Cuánto tiempo hace que vivió ella allí? Dos años, incluso menos. ¡Cuántas cosas han ocurrido en ese tiempo! Cielo santo, no recuerda ni la mitad...

Y ahora está aquí esperando su segundo hijo. En una habitación a sus espaldas está su hijo y en otra habitación duerme su marido Jacob en la cama de matrimonio que comparten. En el salón tiene un sofá y una librería que está casi vacía, una radio, un tocadiscos y un televisor. En un rincón están los juguetes de Staffan; en otro, las pesas que ha comprado Jacob hace poco. En una mesa junto a la puerta del recibidor está su máquina de coser...

Dos años. De repente le parece que el tiempo ha transcurrido enormemente deprisa. No imaginaba que su futuro sería así cuando daba vueltas por el apartamento al otro lado de la ventana que está observando ahora. Entonces era ella la que miraba por la ventana pensando que Sjöbo no era más que un alto en el camino, algo que dejaría para no volver jamás.

No, nada es como imaginamos. Pero ¿es necesariamente peor? Ella tiene veinte años, espera su segundo hijo, está casada con un hombre que no bebe y que está contento con su hijo y con el que va a nacer.

¿Le gustaría cambiar esto? ¿Por un trabajo estresante en una sección de Algots? ¿Por una constante e inquieta búsqueda de algo distinto en un coche dando vueltas sin cesar alrededor de una plaza desierta? No lo sabe. Y aunque lo supiera, es una idea absurda. Está casada, tiene un hijo, está esperando el segundo, y no hay nada que pueda cambiarse.

Sin embargo, hay tantas cosas que la corroen por dentro cuando se queda mirando por la ventana: si este segundo hijo no tendría que haber llegado tan pronto, si tal vez podrían haber esperado un poco más en casarse... No, no podía ser, ella estaba embarazada.

Hay algo en su interior que le preocupa todo el tiempo.

Estar aquí en la ventana a medianoche mirando su antigua ventana.

Pero no puede seguir aquí y quedarse helada. Es natural que esté preocupada, falta poco para el nacimiento. Con que el niño nazca sano...

Vuelve a meterse en la cama y se tapa con el edredón hasta la barbilla.

Es feliz, claro que lo es.

¿Por qué no iba a serlo?

1972

No siempre es necesariamente así, que el descubrimiento de que uno mismo se está convirtiendo en una persona que antes despreciaba, inmediatamente conlleva que se sienta disgusto o desprecio de uno mismo. Todo lo contrario. ¡Mira a Eivor! Es un viernes por la tarde de principios de noviembre de 1972. Está sentada a una mesita al lado de la pista de baile de la filial que tiene en Gotemburgo la cadena de restaurantes Baldakinen, cuando de repente, con una especie de extraña fascinación, se da cuenta de que se ha convertido en una de la amas de casa separadas que acuden a la pista de baile para, en el mejor de los casos, dejarla en compañía de un hombre. Es temprano, no pueden ser más de las diez, y la gran cacería de brujas buscando acompañante para la noche aún no ha superado la primera etapa de aparente apatía. Eivor de momento está sola, su amiga (ella llama así a Kajsa Granberg, a pesar de que lo único que tienen en común es que ambas trabajan en el aeropuerto de Torslanda...) probablemente ha ido al aseo.

Eivor tiene encima de la mesa un vaso lleno de hielo picado, ginebra, Peter Heering, licor y soda, un Singapur Sling, pero aún no lo ha tocado. Antes de que ella y Kajsa se sentaran en el tranvía para ir a la ciudad, ya habían compartido una botella de vino y un chorrito de licor de cacao. Eivor se siente agradablemente ebria, lo suficiente. La orquesta de Kurt-Roland suena bien, aunque uno de los grandes altavoces se encuentra precisamente detrás de su cabeza (bueno, de ese modo se libra de tener conversaciones más extensas con Kajsa Granberg, de lo que se alegra. Tener que oír su increíble admiración por Lasse Berghagen... No, gracias, prefiere el ruido ensordecedor de los tambores. Además, ¿quién sabe si Kajsa también está contenta de no tener que hablar con ella? ¿Qué le aporta ella en realidad que valga más que una desmesurada adoración por Lasse Berghagen? Sus tiempos pasados en Borås... Dios mío...).

Pero ahí está sentada, mirando el creciente gentío de la pista de baile (es *Mamie Blue,* irresistible en su monótona uniformidad), y preguntándose qué ha ocurrido. ¿Ella aquí en el Baldakinen como todo el mundo? «Exactamente», piensa ella, y se responde a sí misma sin protestar de manera significativa. Aquí vienen las que son como ella, las buenas personas de la nación con juventud y matrimonio a sus espaldas, mujeres en la treintena que buscan comenzar de nuevo. ¿Por qué no iba a estar ella ahí? Tiene treinta años, pronto cumplirá treinta y uno, el matrimonio con Jacob estalló en cuanto él ascendió a encargado de tienda y pudo permitirse una infidelidad más organizada. Y ella lo sabía desde hacía tiempo: cada día recibía un grito de aviso de que estaba obligada a romper *ya* si es que iba a hacerlo. Claro que podía esperar a que llegara un día en que le dijera que había encontrado a una mujer más joven y quería separarse. No dudaba de que ese día iba a llegar antes o después. El silencio entre ella y Jacob venía de tres o cuatro años atrás. No, si era ella la que tenía que romper debía ser ya, sin demora, y así lo hizo. En enero de 1973 se cumplió un año desde que ella se marchó, se mudó a Gotemburgo para vivir sola con los niños. Sin duda se sintió culpable al tener que arrancar a Staffan y a Linda a mitad de curso, pero una vez que tomó la decisión le resultó imposible vivir con Jacob más tiempo del necesario. Y enseguida habrá pasado un año de ello. Es al menos la décima vez que viene a Baldakinen... Pero ¿qué ha sido realmente de este año? ¿Qué vida lleva en Gotemburgo? ¿Y qué hay de sus muchos propósitos? Una vivienda barata en la calle Altfiolgatan en Frölunda, que le cuesta una interminable caminata a través de la ciudad para ir a Torslanda mañana y tarde, una prueba de que puede salir adelante con los niños y darles un techo bajo el que vivir, ropa que ponerse y pan que comer. Sí, eso nadie puede reprochárselo. Ella se responsabiliza de los hijos que ha tenido.

Pero ¿y todo lo demás...? ¿Ella misma? Eivor Maria Skoglund, de apellido de casada Halvarsson, con unas ganas crecientes de recuperar su apellido de soltera si no hubiera tal desbarajuste con los niños, que se apellidan Halvarsson. Sus propósitos la observan con ojos brillantes cada mañana cuando se despierta y les da el desayuno a los niños y los lleva a la escuela. Ojos malhumorados que la miran diciendo: «¡Parece que hoy tampoco va a ser! ¿Entonces cuándo, querida Eivor? El tiempo pasa, Eivor. El tiempo tiene una prisa enorme. No puedes fingir detenerlo y ponerlo luego otra vez en marcha cuando te vaya bien... Eso es imposible, querida Eivor...». Pero ¿qué puede hacer? Tiene dos niños, uno de once y otro de diez años y trabajo todo el día tanto fuera como dentro de casa. Las fuerzas tienen un límite... Una noche sí y otra también está tan agotada que le dan ganas de vomitar cuando por fin puede dejar a los niños durmiendo y todo el trabajo hasta la mañana siguiente. Si al menos los niños fueran algo mayores, adolescentes en ciernes, resultaría más fácil. Entonces *será* más fácil, y no *falta* tanto tiempo...

En ese momento la invitan a bailar. La música es todavía lenta, envolvente: *Let it be...* Sí, ¿por qué no? Vamos, anímate... Baldakinen es un oasis, bailar, no pensar. Los niños están en Borås con su padre hasta el domingo por la tarde, y entonces ella irá a recogerlos a la estación. Están bien, la nueva mujer de Jacob es buena con ellos. Dos días libres, dos días para sí misma. Mañana se dedicará a pensar, irá a deambular por el centro si el tiempo no es demasiado desapacible. Pensar, planear... Nunca es demasiado tarde para nada. Ser joven fue terrible, tener treinta años no es más fácil. Nunca se está en paz en la vida, pero eso forma parte de los problemas de mañana. Ahora no... Ella baila con uno que dice ser el jefe de iluminación del teatro Stora, pero seguramente miente. ¿Por qué se peinarán el pelo de una oreja a la otra para ocultar la calvicie? Estos hombres...

Entonces se acuerda de Bogdan. El que recogía los platos en Torslanda, ese muchacho alegre que hablaba un sueco incomprensible. Que cantaba a Taube... Está a punto de echarse a reír, y el supuesto jefe de iluminación cree que se debe a su maestría en el baile y la aprieta más fuerte aún... Bogdan, el que estaba una vez en la escalera de la calle Altfiolgatan con una bolsa de comida, un libro de cocina y vino tinto. Que jugó con Staffan y Linda como si no hubiera hecho otra cosa en su vida. Que venía de vez en cuando y al final se quedó a pasar la noche, y al despertar el sábado por la mañana temprano vio que Staffan y Linda estaban mirándole con ojos de asombro. Que se rió y se lo tomó como la cosa más natural del mundo. «Ya sé que tienes dos hijos», solía decirle... ¿Solía? Después de seis semanas le tiró a la cara el trapo de fregar a Enoksson, el jefe de la cafetería que, exceptuando a los pilotos, trata a todos como si fueran tontos. Bogdan lo mandó al infierno y tuvo que marcharse, una postal desde alguna parte de Småland, una fábrica de marcos para puertas, y luego ese gran silencio que se produce cuando una persona desaparece al cambiar de vida... ¿Estuvo enamorada de él? Nunca ha podido saberlo. Pero después de tantos años con Jacob... Resulta difícil cambiar una costumbre, y ella es prudente. Teme volver a comprometerse... ¡No, no es verdad! Lo que teme en el fondo es que sabe que *quiere* volver a comprometerse y echar por la borda de una vez todos sus propósitos para que dejen de molestarla...

Michelle, y luego el hombre sin cabellera la lleva otra vez a la mesa. Ella sonríe levemente inclinando la cabeza. Es lo más sencillo para dejar claro que no hay mayor interés...

La orquesta de Kurt Roland, con sus brillantes camisas plateadas, hace una pausa y Kajsa, que ha vuelto a sentarse, la mira con ojos preocupadamente erráticos. Después de esa pausa es cuando la tarde empieza en serio. No hay ni una mesa libre, los hombres pasean explorando, preparándose. Ha llegado el momento...

-¿Está bueno eso? -pregunta Kajsa.

Eivor lo prueba y asiente.

-Leí algo sobre ello en *Femina* -añade Kajsa-. Creo que tenía que ver con Indonesia.

De pronto, Eivor ya no aguanta más, se levanta y se dirige a los aseos de señoras, que son muy pequeños y están sucios. Se encierra en una de las cabinas. Es una costumbre que ha tenido siempre, encerrarse en el aseo para poder estar en paz. Recuerda perfectamente que también lo hizo cuando se casó con Jacob, hace más de diez años...

¡Otra vez el paso del tiempo! ¿Va a orinar o a llorar con amargura por su vida desaprovechada? Ninguna de las dos cosas. ¡No tiene ganas de orinar y la vida aún no ha acabado! Tiene dos hijos magníficos, goza de salud, y en cuanto los niños puedan arreglárselas un poco más por sí solos, el mundo verá que aún le queda energía. La pregunta es en qué va a utilizarla. No puede imaginarse de nuevo como costurera, agazapada sobre su máquina de coser. Tiene que haber algo más, aunque ella no tenga más que el certificado de escolaridad. Pero en la mesita de noche de su casa en Frölunda guarda folletos de formación para adultos. Hay posibilidades, sólo debe serenarse y no tirar la toalla antes de que empiece la pelea. Si se ha tenido la suerte de nacer en este país bien alimentado, sólo hay que agarrar las oportunidades que cuelgan del árbol como racimos de uva...

No, lo más difícil de entender es eso de ser mujer. Ser mujer y aspirar a algo más que dar de comer a los niños eternamente en la mesa de la cocina. Mejor dicho: renunciar a *atreverse* a hacer otra cosa. Algo más. Ése es el meollo de la cuestión, sin duda es algo en lo que hay que pensar cuando estás encerrada en un retrete del restaurante Baldakinen de Gotemburgo, en noviembre de 1972. Oír las risas, las conversaciones forzadas, el ruido de grifos y puertas, y retroceder al tiempo en que eras una niña. El olor de la acequia y de la gravilla húmeda de Hallsberg. El budín de sangre, las manos agrietadas de Elna y el olor a aceite de los dedos de Erik. Un mundo infantil en una estación de enlace, que de pronto se transformó en adolescencia con unos sueños caprichosos y sin esperanza que se apoderaron de ella a través de revistas como *Fickjournal* y *Bildjournal*, las emisoras de radio juveniles y compañeros de clase. Una época en la que ella tuvo que arreglárselas sola. Porque ¿qué ayuda recibió en realidad para prepararse para una vida de adulta? El refunfuñar de la madre, su *inseguridad*, que en el fondo era lo único que lograba transmitir a su hija. Mandatos y rígidas reprimendas: sé laboriosa, ve a la escuela todo el tiempo que puedas (pero ¿por qué?, ¿por qué debe ir a la escuela? Explícamelo e iré hasta que muera...), cuidarse, mantenerse. Y luego una vuelta por el mundo, como si la arrojaran al mar, para ver si la joven señorita Skoglund sabía coser o no...

«Mi herencia es la incertidumbre y la falta de continuidad», piensa ella sentada en el retrete. «¡Si alguien hubiera podido motivarme para ello! Ahora tengo que hacerlo sola; y ¿cómo va a despertarse la afición por la lectura en una casa en la que sólo hay una guía telefónica y el *Reader's Digest*? Hice exactamente lo que se me animó a hacer, aprendí a coser y salí a trabajar hasta que encontré a un hombre con el que me casé. Así estaba decidido y así lo hice...

»Ahora estoy tratando de salir de todo eso», piensa mientras lee una inscripción en la pared, grabada con las uñas o con unas tijeras: «Hanna la puta te invita a follar y a tomar café, llama al 23 68 51...».

El primer paso fue decir gracias y adiós a Jacob. Jefe de tienda, vocal del consejo de administración en Ymer, pero, desgraciadamente, con la constante necesidad de salir con otras mujeres. La humillación de que no le fuera fiel ni siquiera cuando estaba embarazada, ni siquiera cuando ella estaba ingresada en la Maternidad. Alzar la bandera defendiendo sus derechos humanos y no ser ama de casa y madre al precio que sea, atreverse a dar el salto y cambiar a la inseguridad con dos niños, a tener que conseguir el pan de cada día ella misma... Sí, ya ha recorrido una buena parte del camino. Sí, ha llegado hasta ahí. Pero no es suficiente, y si no es capaz de seguir adelante, de dejar la cafetería de Torslanda, volverá a lo de antes, cayendo en un nuevo matrimonio...

Poder ir al Baldakinen sin que tenga consecuencias. Poder conocer a un hombre sin que llegue arrastrando sus maletas y empiece a meter calcetines y ropa interior sucia en los cajones de su armario. O que intente seducirla a ella y a los niños para que se vayan a una casa adosada en Mölndal o en Lerum...

Alguien tira de la manija de la puerta, la música vuelve a oírse a lo lejos (se nota que ahora le dan con fuerza...) y ella se levanta del retrete, sale, hace una rápida comprobación en el espejo del aseo de señoras (es la misma de siempre: pelo oscuro, ojos grandes. Sólo ha cambiado el peinado, ahora la laca y el cardado están condenados eternamente al castigo, o hasta la próxima vez que vuelvan a estar de moda...) y vuelve al restaurante. Apenas tiene tiempo de llegar a su mesa cuando alguien pone una mano sobre su hombro. Después de una rápida mirada (¿borracho?, ¿demasiado viejo?, ¿cómo va vestido?), accede y en el hormigueo de la pista de baile vislumbra al hombre sin pelo con una mujer en los brazos...

Su nueva pareja de baile aparece justo después de que la orquesta de Kart-Roland haya regresado tras la pausa de las once, cuando ella acaba de beberse su Singapur Sling y ha decidido no volver a probarlo nunca más. Es moreno, tiene el pelo rizado, lleva traje beige, camisa blanca y la obligatoria corbata. Ella lo inspecciona durante unos segundos y luego se levanta.

Siguen bailando juntos durante varias canciones. Como Kajsa ha desaparecido, él se sienta a la mesa e intenta mantener una conversación a gritos. Pero es imposible, así que bailan de nuevo. Dice llamarse Kalle y que conduce camiones de ASG, un servicio de transporte más o menos regular entre Kalmar y Växjö, a veces tiene que ir a la Baja Norrland, Sundsvall, Härnösand. Él le cuenta todo eso de un modo tan animado y natural que Eivor no encuentra motivo para desconfiar de él (ella conoce muy bien la diferencia entre un gato y una liebre), y cuando él dice que tiene treinta y cuatro años, que acaba de separarse y que tiene tres hijos, ella también le cree. Seguramente lleva fotos de sus hijos en la cartera, tiene toda la pinta, de hecho le recuerda a Jacob. Además está sobrio. Tiene coche y vive en Alafors, que está demasiado lejos para ir en taxi. Cuando la orquesta de Kurt ha interpretado su última canción (esta vez no ha sido *Twilight Time,* afortunadamente...), se aprietan juntos en la entrada para que les den los abrigos, y él no se ha puesto pesado para que le conteste si puede llevarla a casa con el coche. Se queda simplemente de pie a su lado, esperando mientras ella retira su ropa.

Irse en coche con un extraño es algo que naturalmente no se debe hacer. Aquí volvemos a lo del gato y la liebre. ¿Cuántas veces ha terminado todo con un cuchillo en la garganta y una violación más que consumada? Ser mujer y consciente de ello implica saber que cada hombre que no conoces constituye un peligro potencial. Y ni siquiera es seguro que haya menos peligro cuando el hombre en cuestión es conocido... «Pero así no se puede vivir», piensa Eivor. «Teniendo miedo a todo y a todos.» Su sentido común le dice que se puede fiar del camionero que se llama Kalle... ¿Para qué sirve si no el sentido común?

No, siempre que evite que él bloquee la puerta de su lado en el coche y ella mantenga los ojos bien abiertos, no hay duda de que irá bien...

¡Dios mío! ¡El hombre es agradable! Tiene sentido del humor, un oriundo de Gotemburgo auténtico, su mirada es sincera, casi angelical...

Ella se pregunta si podría imaginárselo en el apartamento... Sí, ¿por qué no? Lleva las uñas limpias y no tiene barriga de cerveza chapoteando dentro de la camisa. Pero sobre todo el bendito humor. ¿Cómo describió el infierno? Como un sitio en el que los ingleses hacen la comida, los franceses son políticos y los suecos se encargan de los programas de entretenimiento de la televisión...

–Sí, encantada –dice ella cuando salen juntos.

El coche está al otro lado de la calle, un Volvo familiar. Eivor piensa rápidamente en el PV de su infancia, que era la niña de los ojos de Erik, en las vacaciones con el viejo Anders... Hace tanto tiempo.

–Vamos a ver si me acuerdo –dice él cuando Eivor le ha dado su dirección.

–¿Qué?

–Fui taxista durante un tiempo –responde él–. Tenemos que ir primero a Västerleden. Y luego a la calle Tonhöjdsgatan...

La encuentra, tranquilo y sin dudar, y Eivor, somnolienta, experimenta la misma seguridad que cuando, en contadas ocasiones, va sentada en un taxi. Un taxi no choca, es inmune a todos los accidentes. Él enciende la radio y conduce a través de la noche de Gotemburgo. Una sutil llovizna de invierno, apenas perceptible, viento del oeste, unas pocas personas que agitan las manos pidiendo taxis libres... Ella lo mira de reojo y ve que mueve los labios, como si cantara con la música que sale de la radio del coche.

–¿Qué número? –pregunta él cuando han entrado en la calle Tonhöjdsgatan.

–Suenas como un taxista –dice Eivor–. Dieciocho, dieciocho B.

Se acerca a la acera y para el motor.

–Te puedo ofrecer una taza de café –dice ella–. Pero no esperes nada más.

–No –dice él–. Gracias. Con mucho gusto.

Él se sienta en el sofá mientras Eivor va a la cocina.

«Es agradable», piensa ella mientras espera a que se haga el café. «Un camionero que no se hace el interesante.»

Pero por supuesto es una locura. En este asqueroso mundo, lo único seguro es que no puedes fiarte de nada, hasta el sol tiene manchas oscuras. Tal vez lo peor sea que el peligro siempre llega tan rápido que nunca tiene tiempo de presagiar que se acerca, nunca le da tiempo de conectar el interruptor de su instinto de defensa.

Es tan tremendo que casi parece ridículo. Él ha tomado café en una taza azul y luego Eivor le ha servido otra más. Ella ha puesto la radio, que llena la noche de música, han hablado de sus niños, del invierno que está a punto de llegar. Se hace una breve pausa, él está sentado en mangas de camisa y toma un sorbo de café mientras ella piensa que él debe de cuidar mucho su ropa al ver que la chaqueta está cuidadosamente doblada. Es la una y media y Eivor siente una gran paz interior...

Él deja a un lado la taza de café y la mira.

–¿Y bien? –dice él.

Ella lo mira.

–¿Has dicho algo? –pregunta.

–¿Vamos a follar?

Fue como recibir una bofetada de su mejor amigo. O como estar en la ducha y que se cayera la pared y miles de personas se quedaran mirándote boquiabiertas. ¿Cómo puede decirlo con esa tranquilidad, sin hacer aspavientos, como si hubiera pedido cerillas? Ella lo mira, pero, como es natural, sabe que no ha oído mal. Siente al fondo a Nancy Sinatra en la emisión nocturna de radio. *To know him is to love him.* De 1962. Solía escucharla cuando estaba embarazada de Linda...

–¿Y bien? –repite él.

Pero ahora ella es consciente de la situación. Algo en su interior está alerta, y cuando contesta lo hace con dureza, llena de decepción y de rabia.

–Dije que no esperaras nada más. Vete...

–¿Qué diablos te pasa?

–Vete ya.

–¿Acaso no tienes ganas como las demás?

–Es posible, pero no de ti.

–¡Vamos, por todos los demonios!

Él se levanta del sofá y ella salta de su silla. Está asustada, pero sobre todo humillada.

–Si me tocas gritaré. ¡Y tengo vecinos que pueden oírnos!

Él se detiene, duda, gracias a Dios no parece un tipo violento. Pero Eivor se imagina qué pasaría si estuviera borracho, si hiciera oídos sordos a sus negativas...

Está de pie mirándola, sin dejar de sonreír todo el rato, y para Eivor es incomprensible que la misma expresión pueda ocultar a dos personas opuestas.

–¿Tengo algún defecto? –dice él.

Entonces lo entiende. Es tan simple. Ella le ha invitado a entrar y a partir de ahí tiene vía libre. Que le haya dicho que no espere nada forma parte del ritual, no significa nada. Entrada libre significa presa gratis. Para él es obvio que vayan a la cama. Ella se da cuenta de que él parece asombrado, desconcertado. «Qué asco de mundo para ser mujer», piensa ella.

–¿Lo dices en serio? –pregunta él.

–Vete ya –dice ella y él percibe que está muy cansada–. ¡Lárgate antes de que te eche!

Él coge la chaqueta, parece cada vez más asombrado, y desaparece sin decir palabra. Sólo una última mirada. Un hombre atónito, poco comprensivo. Sin barriga de cerveza, con una sonrisa amable, al que se le ha negado el derecho incuestionable a...

Emisión nocturna de radio y humillación. *I never promised you a rose garden*... No, nadie se lo ha prometido, ella tampoco se ha exhibido en las calles y plazas difundiendo promesas falsas sobre ella y sus aptitudes... Se acurruca en el sofá, temblando de indignación. Por todos los demonios... ¿Dónde están ahora todas esas ciudadanas, hermanas, colegas, o como parece que se les llama en estos días? ¿Dónde están las que se empeñan en mostrarse con faldas holgadas y pañuelos indios sobre la frente, como si las granjeras de antaño hubieran vivido en el mejor de los mundos? ¿Dónde están? Las que ella no ha podido evitar ver por las calles y en las ventanillas empañadas de los coches por las noches. Gafas redondas en caras pálidas, mujeres que profetizan igualdad de sexos, liberación femenina en términos más o menos sorprendentes. Tendrían que haber estado en su casa ahora y haber visto la flor de hielo de la humillación... Pero esas mujeres viven en otro mundo, no en un bloque de edificios allá en Frölunda. ¿Cuántas de ellas tienen que levantarse al amanecer, llevar corriendo a sus hijos a la escuela y luego lanzarse al infierno matinal de las urbes para ir a una cafetería o a un trabajo mal pagado en el otro extremo de la ciudad?

Eivor está sentada y una gran duda la corroe por dentro. No sabe por qué se mete con los fogosos y recientes movimientos de liberación. Probablemente sea envidia, que su falta de preparación esté engañándola de nuevo... Elna, su madre, se ha mudado a Lomma con Erik, su padrastro. Ella que nunca ha dicho ni una palabra de lo que implica realmente ser mujer. Ahora Eivor está ahí, pronto va a cumplir treinta y un años, y es un ejemplo magnífico de ese enorme desamparo...

No, ¡no es cierto! ¡El conductor de camión salió echando chispas por la puerta a toda velocidad! Ahora él tendrá que consolarse con una revista porno. Aquí no ocurrió nada y tal vez encontró a alguien por el camino, pero seguro que se alivió de algún modo...

Esa noche Eivor vuelve a ver lo que hay escrito en la pared. La sombra de la lucha es implacable: si va a vivir una vida independiente sin ser arrastrada a un nuevo matrimonio, tiene que hacerlo ya. Aunque le parezca imposible y no tenga ni ganas ni tiempo, debe hacerlo ahora. De no ser así, ya puede ir respondiendo a anuncios de contacto y ofrecerse a sí misma en ese mercado que parece ser insaciable, un tiovivo con colas interminables. El próximo lunes irá a la oficina de empleo y pondrá sobre la mesa toda la energía que ha reprimido, para decir: ¡Aquí estoy! He leído los folletos y ahora estoy dispuesta. ¡Asesoradme! Aceptaré en cuanto me digáis las palabras adecuadas. Ella se ha hecho la vaga idea, como un sueño en la neblina, de deslizarse en el poderoso entorno del hospital como un miembro digno de vestir de blanco en el equipo. Pero no para limpiar mierda, ni fregar platos ni lavar ropa, sino para estar cerca de los enfermos... Pero no rechazaría otras propuestas, naturalmente, siempre que lo que tenga que hacer signifique algo. Servir café y vender bocadillos húmedos y mustios a aterrados turistas de vuelos chárter es todo lo contrario, eso sólo es algo que sucede, que nadie percibe.

De pronto ya no lo ve tan difícil. Una decisión es una decisión, luego sólo hay que llevarla a cabo o morir. ¿Y cuántas personas han hecho cosas que antes parecían imposibles? Generación tras generación de mujeres extenuadas con unos destinos que casi resulta imposible imaginar... Hay ejemplos de ellas aquí en el edificio, en el bloque C. Una de ellas es de Nora... Frida. Casada tres veces, y cada vez con un hombre que bebía más que el anterior. Su vida no ha sido más que una demencial escalada por una corriente interminable de botellas vacías, puñetazos en la cara cuando no llevaba cerveza a casa porque no había dinero o no tenía ganas de ir a la cama cuando a él le parecía. Hijos aterrorizados que ha intentado esconder bajo su falda para hacer de ellos personas decentes, por los que sacrificó su vida, y que ahora son lo bastante adultos como para empezar a convencerla también para que les dé el dinero que ella reúne fregando escaleras, y comprar drogas para metérselas en los pulmones o, preferiblemente aún, inyectarse directo en las venas. No, ella está aquí, de forma milagrosa, y ha conseguido echar a la calle a su último marido hace unas semanas, se ha deshecho de las botellas vacías y, de algún modo incomprensible, ha comenzado los estudios secundarios...

Hay mujeres que cada día emprenden una lucha con lo imposible, muy cerca de nosotros, no en algún lejano planeta paradisiaco, sino aquí, en el centro de Gotemburgo, con el frío de noviembre aullando por doquier...

Cuando se despierta el sábado por la mañana (temprano como de costumbre, aunque los niños hayan ido a pasar el fin de semana a Borås siempre están con ella en los sueños), sigue dándole vueltas a todo lo que ha estado pensando por la noche. Se levanta a preparar el desayuno y ya ha tomado una decisión.

Casi le está agradecida al camionero que decidiera quitarse la barba postiza, que despertase en ella tanta furia y tanto miedo. El tiempo de las evasivas ha pasado, ahora tiene que...

¡Pero qué asustada está! Acercarse a lo imposible, sin más armas que una renqueante educación en Hallsberg, un matrimonio roto en Borås y medio año de trabajo en la ruidosa sección de hilado en una fábrica textil. Indudablemente, el armamento podría haber sido mejor, se da cuenta de ello mientras tuesta el pan y mira caer la lluvia en la calle, salpicando contra el asfalto como con rabia, en una especie de suicidio, de desprecio a la muerte. Pero hay que agarrarse a lo que hay, con voluntad y energía, apretar los dientes hasta que crujan en la boca, esperar a que los niños sean lo suficientemente adultos como para entender que su madre no ha perdido la cabeza sino todo lo contrario, que se ha embarcado en un proyecto que merece todo el estímulo y apoyo.

¿Y el miedo? Siempre se tiene miedo. A quedarse embarazada, a ser una mala madre, a la vida en el pequeño y frágil caparazón del caracol. Sólo es cuestión de clavar una cruz de madera en el corazón de la angustia y esperar que no se comporte de manera diferente a los vampiros.

En vez de ir al centro se queda limpiando el apartamento, revisa la ropa de los niños, arregla la que puede arreglarse y tira sin piedad los trapos que no van a sobrevivir un invierno más.

Sentarse y saborear un sueño que ha alcanzado la categoría de decisión vital no es ninguna mala compañía. Cuando Kajsa Granberg la llama por teléfono y le pregunta si puede ir un momento, Eivor le contesta que no, se excusa diciéndole que tiene otra cosa que hacer. Y Kajsa comprende, lo comprende perfectamente... Un hombre es un hombre y hay que tratarlo con ternura y cuidado para que no se vaya... «Dios mío, al menos no me he vuelto como Kajsa», piensa ella después. «Vivir para la bendita semana en Rodas, el baile de los viernes y, a partir de ahí, nada...»

Se siente tan fuerte que su compañera, Kajsa Granberg, le da pena. Tal vez intente hablar con ella, sacarla con cuidado de las estrechas pistas que no llevan a ninguna parte. Ella también debe tener guardado en algún sitio el deseo de una vida distinta... ¿Hay alguien que no lo tenga?

¿Alguien?

El domingo a las siete de la tarde se encuentra en la estación para recoger a Staffan y a Linda. Siente que, curiosamente, está eufórica. Esa extraña experiencia, casi incomprensible, de esperar con interés el sórdido lunes...

El tren de Borås llega chirriando con diez minutos de retraso y ella ve a sus hijos, cogidos de la mano. Setenta kilómetros entre mamá y papá, pero ahora están de nuevo en casa. Y la tarde es de ellos, naturalmente. Ella va a escuchar con todo interés lo que ellos le cuenten y les dará seguridad mostrando alegría cuando hablen de su padre...

El lunes por la mañana, el jefe Enoksson llega resoplando furioso. Las carreras de trotones del domingo en Åby han sido un rotundo fracaso. Los caballos corrían como locos, los jockeys han manejado sus carros como si llevaran coches de choque en Liseberg. No ha ganado absolutamente nada, ni un maldito bong. Vaya mierda de domingo, y además ahora tendrá que lidiar con todo ese personal incompetente al que debe mantener a raya en la cafetería que alquila...

¡Por ejemplo a la mujer esa, Halvarsson! Lo que más le irrita de ella es que nunca hace nada en lo que puedas pillarla. Ni un error en la caja, el delantal siempre limpio. Pero lo peor de todo es que siempre va con la cabeza alta, no se inclina ante él cuando entra de golpe exigiendo que le informen de si quedan suficientes servilletas o hay que pedir más. O si la cafetera sigue dando la lata. No, ella apenas baja la cabeza, y encima lo mira como si fuera un *cualquiera,* y a pesar de que lleva allí poco más de seis meses, él se queda cortado cuando ella, con descaro, le saluda con un «hola» de lo más natural y luego, alegremente, sigue poniendo terrones de azúcar en la taza marrón destinada a ello... ¡Que la jodan! La gente puede creer que es ella la encargada de llevar el negocio...

Con la huella de las carreras en Åby marcada a fuego en la frente, Enoksson se mete deprisa en su pequeña oficina que está al lado del servicio de caballeros, y por ello siempre le llega el olor del orín filtrándose por las paredes. Pero al menos ahí no le ven y puede lanzarse sobre facturas y cuentas gruñendo.

Pero este lunes por la mañana parece que va a seguir los mismos y desgraciados derroteros del domingo, porque apenas le da tiempo a meter la nariz en una escandalosa factura de la panadería de Skåne cuando ella está de pie en la puerta y, maldita sea, ni siquiera ha llamado antes de entrar para darle a él la posibilidad de prepararse.

–He hablado con Berit –anuncia Eivor–. Ella se quedará una hora más para que yo pueda irme a las dos. Tengo que hacer un recado.

¿Cómo no va a quedarse sin palabras? ¡Por lo visto también han empezado a ponerse sus propios horarios de trabajo! No obstante, David Enoksson es el que tiene toda la responsabilidad de esta cafetería, último puerto de esos pobres pasajeros antes de ser lanzados a las capas superiores de la atmósfera, a los que les ofrece un buen servicio como resultado de la autoridad y la disciplina que él imparte al personal. ¿O tal vez haya perdido también ese derecho como perdió ayer en las carreras de Åby? Por supuesto, prefiere limitarse a asentir con la cabeza y mascullar cualquier cosa... «¿Ah, sí? Desde luego.» No la soporta y maldice este mundo, que pronto va a ser tomado por hordas de cajeras. De hecho entiende el creciente éxodo del país. Los pesados sacos de dinero que arrastra la inflación, la presión de los impuestos y la democracia empresarial tendrán que medirse en miles de kilogramos de fuerza por lo menos. Los puentes se derrumbarán bajo esa carga... El imperio de las cajeras, el imperio de las mujeres, tiempos de impotencia... Y el panadero de Skåne ha vuelto a subir el precio del pan...

Torslanda es un aeropuerto en los márgenes del mundo. En Hisingen, donde se encuentra, soplan ráfagas de viento y rachas procedentes del mar del Norte que chocan contra las pistas de aterrizaje. En realidad sólo es importante como punto clave en los vuelos nacionales de Suecia. Las visitas de países del entorno son escasas. A grandes rasgos, lo único que rompe el persistente golpeteo del aterrizaje de vuelos nacionales es el DC-9 de KLM, que hace escala diariamente, procedente de Ámsterdam y con destino a Oslo. Alguna vez aterriza de repente un aparato perdido de Sabena. Hace unos meses, a un aparato de Spantax se le encendió el indicador de fuego en el segundo motor, solicitó aterrizaje de emergencia y, como es de suponer, se produjo de inmediato un gran caos.

Pero los días transcurren generalmente de forma rutinaria, aviones privados que van a Anderstorp y a Karlstad, y entremedias los pesados aviones de Estocolmo. La verdadera novedad son los vuelos chárter, que llevan sus cargas a otras galaxias. Estar aquí en Hisingen, azotado por el viento, sabiendo que el sol griego también transmite calor a las células de los cuerpos suecos, compartir esa expectativa, ayudarles con el café en el momento de viajar, con los motores de reacción silbando al otro lado de los cristales, es lo que hace soportable su trabajo. Los que ahora hacen cola delante de su caja registradora, dentro de unas pocas horas estarán cenando en un restaurante en el casco antiguo de Rodas, rodeados de olores extraños, gatos callejeros y la tibia y negra noche mediterránea. Ella entiende a los que viajan. Le gustaría mucho poder acompañarlos. Pero con treinta y un años lo más lejos que ha ido es al puerto de Copenhague en ferry, donde pasó unas pocas horas bajo una lluvia torrencial. ¿Cuánto tiempo hace ya? ¿Quince años? No, debe de hacer más, cerca de veinte... Pero ¿quién ha dicho que sea tarde? Cada día puede ser el último y el mundo se empeña en resistir, a pesar de todo...

Ese lunes siente que puede esperar. Cada cosa tiene su momento. Alguna vez será ella la que esté ahí tomándose un café rápidamente antes de subir a Scanairs Adventure, con destino a: Otro Mundo...

Oficina de empleo. Una cabina. Una mujer de su misma edad, una placa con un nombre: Katarina Fransman (seguro que no es su apellido, ya nadie quiere llamarse Svensson. Como si eso cambiara las cosas...). Sin embargo, parece amable. Sencilla, y no dice enseguida que tiene mucho que hacer. Colillas de cigarrillo en un cenicero, uñas mordidas.

Eivor le cuenta su circunstancia, con palabras simples, lenta y reflexivamente. No necesita dar muestras de su energía. Ahora se siente segura. Claro que lo está...

–Va a ser un largo camino –dice Katarina Fransman mirándola.

–Lo sé.

–Parece que lo has pensado mucho.

–Toda la vida.

–¿Y ahora crees que es el momento de hacerlo?

–Sí, exacto.

–Es una pena que sólo tengas el certificado de escolaridad.

–Hay muchas cosas que son una pena, la mayoría...

Katarina Fransman la mira y sonríe, pero no dice nada.

–¿En qué piensas? –pregunta Eivor apoyándose en la mesa.

–No... Nada. ¿Por qué?

–Me lo preguntaba, simplemente.

–Vas a tardar muchos años en ser enfermera.

–¡Me sentiría satisfecha con trabajar sólo un año antes de jubilarme!

–No lo creo.

–Pero ¿entiendes lo que intento decirte? Se puede esperar por algo que vale la pena. Pero no con las manos metidas en los bolsillos.

–Sí, claro que lo entiendo.

–¿Lo dudas acaso?

–No, ¡en absoluto! No lo dudo. Te escucho. Para eso es para lo que estoy aquí sentada. Para dar consejo. Para decirte qué posibilidades tienes.

–¡No te andes con rodeos!

–¿A qué te refieres?

–A si crees que tengo que quedarme en Torslanda vendiendo café y olvidarme de esto.

–No creo eso en absoluto. ¿Te lo ha parecido? Pero... ser enfermera. Tú misma entenderás que debes empezar por el principio. Ponerte a estudiar de nuevo. Tal vez durante mucho tiempo.

–¿Puedo ser algo sin tener que hacerlo?

–Veo aquí que eres costurera.

–No, gracias.

–¡Espera! Estaba pensando...

Sí, Katarina Fransman es una persona que piensa. Eivor confía en ella. Cuando suena el teléfono, Katarina contesta al instante y dice que está ocupada. No cinco minutos, ni diez. Está simplemente ocupada. Se ve que es una persona que quiere terminar y no estar tirando de cinco cañas de pescar a la vez.

Pero ¿adónde conduce eso? Formularios y folletos, calificaciones de estudios, límites de edad, escuelas nocturnas... Ayudante de laboratorio, residencias de ancianos, atención a enfermos crónicos... Eivor se queda esperando a que le digan: ¡Éste es el camino que te lleva a lo que buscas! ¡Sigue la flecha blanca! ¡Al salir serás enfermera! Pero Katarina Fransman se hace a un lado. Es evidente que no cree en los insistentes sueños de Eivor.

–Tal vez tengamos que pensar las dos –dice–. Si tú piensas en lo que yo te he dicho, y yo pienso cómo podemos arreglar esto... Sea lo que sea. Y luego vuelves.

Eivor mira la pila de papel que tiene ante sí. ¿Cuántos metros cúbicos de madera han hecho falta para producir ese montón? Ese papel que describe la sociedad que Asesora, la sociedad que da Crédito, la sociedad de las Grandes Posibilidades, la sociedad Actual.

–¿Nos vemos dentro de dos semanas más o menos? –pregunta Katarina Fransman mirando su agenda.

–¡Esto me lo leo yo esta misma tarde!

–Digamos el próximo lunes. A las diez y media. ¿Podrás venir?

–Vendré cuando sea necesario.

Luego recoge los folletos, las entradas a una vida distinta, y se marcha. Una vez fuera del edificio de la oficina de empleo, piensa en la sorprendente cantidad de personas que se agolpaban delante de los anuncios de trabajo disponible y de los teléfonos que se utilizan para ponerse en contacto directamente con las empresas que ofrecen trabajo. ¿Cuál es el motivo? ¿Habrá realmente algo detrás de las primeras páginas de los periódicos y de las oscuras noticias de la noche? ¿Tiempos de crisis? ¿Ahora? ¿En 1972?

Claro que no.

Se dirige apresuradamente al tranvía. Gotemburgo, una ciudad del mundo que es un mundo en sí misma. Desde los restos de los antiguos edificios comerciales se lanza hacia el futuro la sociedad industrial de la alta tecnología. ¡Y ahí va a estar ella! Ella también va a participar. Ya no va a quedarse fuera mirándola con envidia.

Cuando va en el tranvía, apretujada entre los demás pasajeros, se da cuenta de repente de que dispone de una libertad infinita. Ya ha cumplido los treinta años pero tiene la mitad de la vida por delante y puede pensar lo que va a *ser.* ¡Por segunda vez en la vida! Y ahora sabe mucho más que cuando tomó el tren para ir a Örebro, al taller de costura de Jenny Andersson, o cuando estaba tartamudeando en el despacho del jefe de personal de Konstsilke en Borås. Dios mío...

Nunca es demasiado tarde. La vida siempre sigue adelante. La época de ama de casa y los años de educación de los niños ya han pasado, pronto va a poder vivir por sí misma, sin tener que pensar en sus obligaciones para con los demás. Va a prepararse para poder conseguirlo. Si no puede ser enfermera hay muchas otras cosas. ¿Qué mencionó Katarina Fransman? Ayudante de laboratorio...

Queda un asiento libre y ella se mete entre dos corpulentas señoras mayores que llevan grandes bolsas de comida.

«En realidad debería haberle preguntado muchas cosas más», piensa. «¿Qué se necesita para ser guía? ¿Y para ser guía turística o recepcionista en algún hotel? Tengo que prepararme mejor para el próximo lunes. Sin perder el tiempo, pero sin dar traspiés. No voy a apagar un incendio esta vez, voy a elegir qué camino tomar en la encrucijada sin que haya nadie detrás metiéndome prisa...»

Esa tarde, cuando los niños ya estén en la cama, va a leer todos los papeles, a reflexionar, a analizar los pro y los contra, a anotar las preguntas que formulará a Katarina Fransman la próxima vez.

¿Qué le importa que caiga aguanieve y que huela a invierno en Gotemburgo?

¡Nada en absoluto!

Baja del tranvía, compra comida en la tienda de Konsum y, al llegar a casa, sus dos encantadores hijos salen a su encuentro.

¡Cómo los quiere! Con locura, con avaricia, por encima de todo. Se siente satisfecha de su alegría, de ser su madre, de sus enormes ganas de vivir. Esa felicidad no tiene límites. Ella no echa de menos la época en que eran pequeños, pero ahora que ya tienen diez y once años... Verlos dar vueltas por el apartamento es como ser dueña del universo en la reducida vivienda de tres habitaciones. Vivirá por ellos hasta la muerte... Y no seguirá sirviendo café, sino... ¡No, es la hora de cenar! Luego, cuando se hayan ido a dormir... Pero no ahora...

Son las diez. El televisor está encendido, pero ella ha quitado el sonido. Ha extendido todos los folletos y manuales sobre la mesa y los lee uno por uno.

Hay tantas cosas. Algunas son fáciles de entender, otras requieren la explicación de Katarina Fransman. Pero lo que ve claro es que apenas hay límites que la excluyan a ella si tiene ganas y no se rinde. Por lo visto también puede conseguir un préstamo, ¿y no ha permitido Enoksson en otras ocasiones repartir una jornada completa en dos medias jornadas? O tal vez pueda conseguir un trabajo aquí en Frölunda. A pesar de todo, ahora va a la oficina de empleo, y sería un sueño dejar los largos viajes hacia Torslanda...

Enciende un cigarrillo, va hacia la ventana y se pone a mirar la noche de noviembre. Hace viento y la lluvia parece convertirse lentamente en aguanieve. Hay un hombre abajo en la calle, en la acera de enfrente. Está de pie bajo el cono de luz de una de las farolas que se mecen suavemente a causa de las ráfagas de viento.

Está mirando hacia arriba, a la casa donde vive Eivor.

Al descubrirlo da un paso atrás, para que no la vea. Ella fuma y mira desde lejos la figura que va vestida de oscuro. Alguien que ha quedado excluido, que ha sido despreciado...

¿Qué le importa a ella? Vuelve a la mesa, echa una ojeada a las mudas imágenes del televisor y regresa a sus papeles.

Cuando termina y piensa ir a acostarse son las once y media. Bosteza y apaga la lámpara de encima del sofá. Para airear el olor a humo de cigarrillo abre la ventana y la deja entreabierta.

Entonces ve que el hombre vestido de oscuro está todavía en la calle. En el mismo sitio, inmóvil en la penumbra. Una cara pálida en contraste con el negro, que está al acecho mirando hacia arriba, hacia la ventana de ella.

Ella frunce el ceño y se pregunta por qué estará él ahí fuera, hora tras hora. ¿Qué busca? Se queda totalmente inmóvil mirándole durante un momento. Luego tiene el convencimiento de que está mirando hacia su ventana. Nota que le tiembla la mano cuando va a apagar la pequeña lámpara que hay en el alféizar de la ventana.

Tal como ella suponía, sólo unos segundos después de que apague la luz, el hombre vestido de oscuro desaparece a lo largo de la calle.

Ella sale al pasillo para asegurarse de que la puerta está cerrada con llave. Luego pone la cadena de seguridad y se queda de pie como petrificada. Tiene miedo. Pero ¿a qué? ¿A que haya alguien en la calle? No, es sólo porque está segura de que él estaba mirando hacia la ventana de ella, de que buscaba de algún modo contacto con ella.

Y otra cosa más. Se da cuenta justo cuando está poniendo la cadena de seguridad.

Había algo en él que le resultaba conocido, en su modo de moverse, de subir los hombros cuando se alejaba.

Se sienta en el sofá y enciende un cigarrillo. Las brasas brillan en la oscuridad.

¿Quién?

No lo recuerda y prefiere creer que todo han sido figuraciones suyas. Ella no tiene enemigos, no conoce a nadie que esté espiándola. En todo caso sería Kalle el camionero, que no ha podido asimilar que le haya echado a la calle y vuelve con sus exigencias. Pero no era él, está segura.

Pero, entonces, ¿quién era?

No se le ocurre quién puede ser. Deben de haber sido imaginaciones suyas. Tal vez sea algún conocido de los Aronsson, que viven en el apartamento de al lado. O de Backman, el del piso de abajo. No puede tener la certeza de que él estaba mirando exactamente hacia su ventana...

Pero ¿no se marchó cuando ella apagó la lámpara de la ventana? ¿Y por qué iba a ser una casualidad que él se marchara exactamente en ese momento? ¿Después de estar ahí de pie durante muchas horas? ¿Quién?

Va a acostarse y se siente desanimada. Las sombras nocturnas siempre son malos augurios...

¡Pero tienen que ser imaginaciones suyas! ¡Maldita sea!

Se sienta en la cama, enfadada. No tiene enemigos, no hay ningún hombre desdeñado en su vida.

Sin embargo, se levanta, va de puntillas hacia el cuarto de estar y mira por la ventana.

La calle a oscuras está vacía, la fría lluvia cae con fuerza contra el asfalto.

Vuelve a meterse en la cama. Los formularios se mezclan con la pregunta de quién sería...

Imaginaciones suyas, naturalmente, nada más...

Al día siguiente por la mañana ya lo ha olvidado. Está tan cansada que se tambalea cuando se levanta para preparar el desayuno a los niños. Además ha desaparecido una de las zapatillas de deporte de Linda, es una mañana de gritos y peleas. Cuando los niños atraviesan la puerta para salir, ella va tan retrasada que ni siquiera le da tiempo a tomarse una taza de café antes de salir ella también.

Es una mañana de mucha lluvia y viento y se pregunta preocupada si no habrá dejado que Staffan y Linda vayan a la escuela con una ropa demasiado delgada. En el tranvía casi se queda dormida y al llegar a Torslanda le dice a Berit que la despierte dentro de un cuarto de hora. Ella se encierra en los servicios del personal, se sienta en el retrete, apoya la cabeza en la pared y se queda dormida...

Berit aporrea la puerta. Es martes y hay vuelos chárter a Lanzarote y Mallorca, la cafetera automática no funciona, parece que todo el mundo dispone solamente de billetes de cien coronas para pagar y en general es un desastre. A través de los altavoces se informa a los viajeros de que hay retrasos y Eivor y Berit se quejan. Pero todos los días tienen un final. Son las dos y Anna y Birgit van a tomar el relevo. Enoksson no se ha dejado ver durante todo el día, estará en la ciudad discutiendo con el panadero de Skåne, según ha oído Berit...

Fuera cae aguanieve. Eivor va a casa. Hoy habrá para comer salchichas con puré de patatas, no tiene ganas de preparar nada más. Y luego va a dormir. Los niños suelen respetarlo, juegan en silencio, incluso la ayudan con algunas tareas de la casa. Pero estar tan cansada como para no poder darles nada más que salchichas para comer... Le avergüenza. Siempre ha considerado una obligación darle a sus hijos comida de verdad, y lo único que les pregunta cuando han estado en casa de su padre en Borås es qué han comido. Generalmente comen al mediodía en casa de los abuelos paternos, Artur y Linnea, y ella no pone precisamente platos de salchichas sobre la mesa... No, por una vez no pasa nada. Pero en lo sucesivo los folletos no van a estropear las comidas.

Tal vez debería poner a sus hijos al corriente de lo que piensa, que su madre tiene intención de ir a algún sitio, hacia algo nuevo de lo que lo único que sabe es que va a servir para mejorar. No, todavía no, antes debe tener algo más firme que ofrecerles. Una meta, un espacio de tiempo. Hasta el próximo invierno o dentro de dos veranos. No tiene sentido difundir vaguedades, sólo les produce preocupación...

–Han llegado flores para ti –dice Linda cuando Eivor acaba de entrar en el recibidor.

–¿De verdad? –dice ella–. ¿Dónde está Staffan?

–Está jugando al ping-pong.

Evidentemente está muy cansada. Es martes, el día en que él juega al ping-pong, y además después suele almorzar en casa de Niklas, su mejor amigo. Así que sólo Linda tendrá que soportar las salchichas con puré... ¿Qué le ha dicho? ¿Flores?

Se quita el abrigo empapado y lo cuelga, y después las botas, mientras piensa que debería comprarse unas nuevas, a ser posible con el tacón un poco más alto, y luego entra en el salón. Encima de la mesa hay unas flores que alguien ha enviado. Ella abre el envoltorio con curiosidad.

Un ramo de color amarillo y rojo. Pero sin tarjeta.

–¿De quién es? –pregunta Linda.

–No lo sé –dice Eivor–. ¿Quién ha venido a traerlo?

–Estaba colgando en la puerta cuando llegué. ¿Por qué recibes flores de alguien que no conoces?

Buena pregunta, la niña es lista. ¿Quién puede haberle enviado flores? ¿Y por qué?

Eivor mira a Linda y sacude la cabeza.

–Tendré algún admirador secreto –dice–. Pero son bonitas.

–¿Puedo ponerlas en un jarrón?

–Claro que sí. Y puedes llevártelas a vuestra habitación. Yo voy a preparar la comida.

–¿Qué hay para comer? –grita Linda desde la cocina, donde se ha subido a una silla para alcanzar el jarrón que le parece más adecuado.

–Salchichas y puré.

–¡Qué rico! Staffan se va a enfadar mucho.

Eivor suspira y recoge el papel de las flores.

¿Quién le ha enviado flores?

Llega la noche. Los niños están en la cama y Staffan puede descansar al fin, después de haber logrado ese día, por primera vez, derrotar al primero de su clase en dos juegos consecutivos. Es un triunfo difícil para un muchacho de once años, un triunfo que ahuyenta el habitual cansancio de la noche. Es justamente entonces cuando Eivor sospecha quién *puede* haber enviado las flores. Una revelación que le produce incomodidad.

Porque esa noche el hombre vestido de negro vuelve a estar abajo en la calle.

¿Puede haber enviado esa sombra las flores sin tarjeta?

Quién, quién, quién...

Piensa que debería bajar a la calle y averiguar quién está ahí. O tal vez llamar a los Aronsson y pedirles que la acompañen abajo. Él trabaja en el astillero de Eriksberg y parece no tenerle miedo a nada. Pero... No, se siente incapaz...

Los folletos y las instrucciones se quedan sobre la mesa. Intenta ver la televisión, pero le resulta imposible mientras esa sombra esté abajo en la calle.

¿Debería llamar a la policía? Pero ¿qué les diría? Se reirían de ella...

Ella está de pie en el oscuro salón, mirándolo. «¿Cómo puede permanecer tan inmóvil una persona?», piensa. «¿No tendrá frío?»

Sigue mirándolo, intentando acceder a la vaga idea que lleva en su interior. Hay algo conocido en esa figura. Es alguien que ella ha visto antes. Pero ¿dónde? ¿Y cuándo...?

No puede acordarse, pero, cada vez más asustada, cae en la cuenta de que *sabe* quién es. Con toda certeza...

De pronto él ha desaparecido. Eivor se ha obligado a concentrarse en las noticias de la televisión durante unos minutos, y cuando vuelve a la ventana, él se ha ido. Ella va corriendo al recibidor a revisar la cerradura y la cadena de seguridad. Esta vez no le ha visto marchar, puede haber cruzado la calle, llegar hasta la entrada y... Acerca su oído a la puerta y escucha. Por un momento tiene la agobiante sensación de que está al otro lado de la puerta, igual que ella, con el oído pegado a la puerta, a sólo unos centímetros de su mejilla.

¡Cielo santo! ¿Por qué se preocupa? ¿Quién va a querer hacerle daño? ¡Nadie! Se obliga a sentarse ante el televisor después de haber mirado una vez más por la ventana y haber comprobado de nuevo que la calle está vacía.

Esa noche se tumba en la cama y duerme de forma intermitente.

En una ocasión se despierta bruscamente, segura de que hay alguien en la habitación de los niños. El corazón le late con fuerza cuando va hacia allí y por el camino coge un cuchillo, pero todo está tranquilo. Extiende la manta sobre Linda, acaricia el enmarañado pelo castaño de Staffan, y se siente hundida por no ser capaz de calmarse. Si él vuelve a la noche siguiente, ella bajará, con o sin Aronsson, y no necesita ir hacia él, sino que puede pasar simplemente por delante, como si fuera camino de las tiendas de fruta que tienen abierto hasta tarde.

Tiene treinta años y no necesita quedarse en vela por una amenaza imaginaria. ¡Es una mujer adulta al fin y al cabo! ¿Qué le aconsejaría Katarina Fransman si la viera ahora? Le buscaría un médico en vez de un trabajo...

Miércoles 7 de noviembre. Cielo claro y frío sobre Gotemburgo. El tiempo ha cambiado notablemente, pero uno de los meteorólogos del aeropuerto, que suele tomar café en la cafetería, informa de que se trata de una poderosa tormenta al oeste de Inglaterra que va a entrar en Suecia durante la noche.

–¿Cuándo llega el invierno? –pregunta Eivor.

–Depende de cómo se mire –dice el meteorólogo.

–El invierno sólo puede ser una cosa –dice Eivor.

–Todo tiene al menos dos aspectos. También el tiempo.

–¡Dios santo! ¿No me puedes contestar?

El meteorólogo la mira ofendido. Tiene unos cincuenta años, un adivino al que no le gusta que le lleven la contraria.

–Pronto –dice él brevemente–. Tal vez este año se adelante el invierno.

–¿Tal vez?

–Yo no vaticino. Leo mapas, evalúo imágenes de satélites, resumo la información meteorológica. Por eso digo que *tal vez* se adelante. Gracias por el café.

Se marcha hacia su torre y en ese momento el jefe, David Enoksson, sale apresuradamente de su oficina. Parece que le persiga un enjambre de abejas, pero es bastante peor que eso. Alguien se ha tomado la increíble libertad de llamar a su teléfono de la oficina y ha solicitado hablar con alguien del personal. Es algo tan extraordinario... Como es natural, no encuentra palabras para su indignación...

–Te llaman por teléfono –le dice a Eivor.

Ella le sigue hasta la oficina sintiéndose cada vez más asustada. Tiene que haberle ocurrido algo a los niños, a alguno de ellos. ¿Quién iba a llamar aquí si no?

Coge el auricular que está sobre la mesa, mientras David Enoksson espera cerca de la puerta como un guardia de la prisión.

–¿Diga? –pregunta ella conteniendo la respiración.

Oye un leve susurro en el auricular, como una respiración.

Una vez más: «¿Diga?».

Cuelgan al otro lado. La conversación queda interrumpida.

Ella se queda de pie con el auricular en la mano mirando a Enoksson, como si él pudiera darle una explicación.

–No era nadie –dice ella.

–¿Crees que tengo tiempo para bromas? –le reprende Enoksson rabioso–. ¿Crees que una empresa de restauración como ésta se cuida por sí sola? Aquí estamos completamente asfixiados de facturas y pedidos que andan extraviados...

–¿Quién era? –interrumpe Eivor.

–¿Cómo voy a saberlo? No dijo su nombre. Ahora casi nadie lo dice.

–Pero...

–Era un hombre. Es todo lo que puedo decir.

–¿Y quería hablar conmigo?

–Todo lo que dijo fue: «¿Puedo hablar con Eivor?». Ni más ni menos.

Eivor cuelga el auricular del teléfono. ¿Quién era?

Vuelve a entrar en la bulliciosa cafetería, pero se queda de pie sin hacer nada al otro lado de la puerta que Enoksson ha cerrado quedándose solo con sus facturas. Empieza a parecerle el colmo. Un hombre vigilando vestido de oscuro enfrente de su casa, flores sin remitente, alguien al teléfono que no contesta. ¿Quién está merodeando a su alrededor?

Eivor llama a la puerta y entra de nuevo en el despacho. Enoksson está sentado sobre su escritorio limpiándose las uñas.

–¿De verdad no dijo nada más? –pregunta ella.

–Por desgracia no. Pero tal vez puedas pedirle que, en lo sucesivo, se ponga en contacto contigo después del trabajo.

¡Imbécil! ¡Ella no sabe de quién se trata! ¡Maldito Enoksson! ¡Ella no va a quedarse aquí ni un minuto más de lo necesario! Si no tuviera a los niños, habría terminado inmediatamente tirándole un trapo a la cara, como hizo Bogdan el yugoslavo...

–¿Quieres algo más? –pregunta a él.

Ella no contesta, sólo se va y cierra la puerta de un portazo. Berit está sentada a la caja y la mira divertida.

–¿El tío David no se porta bien? –dice

–Es un montón de mierda –contesta Eivor.

–No hay que decir esas cosas de tu jefe...

Berit se ríe y se dirige a un cliente que avanza con su bandeja, mientras que Eivor empuja el carro entre las mesas y empieza a recoger. Ella y Berit suelen turnarse, un día en la caja, otro entre las mesas. Eivor apila los platos y limpia las mesas. Detrás de ella resuenan los altavoces y anuncian un avión que llega con retraso de Malmö.

Sólo tiene un pensamiento en la cabeza: ¿quién?

¿Quién?

Pero por la noche, cuando los niños duermen y ella se atreve a acercarse a la ventana, el hombre no está ahí. No hay ninguna sombra bajo el cono de luz de la farola. Está vacío, el fantasma desconocido ha desaparecido. Se queda un buen rato de pie mirando, como si estuviera esperándole...

Reacciona demasiado tarde al olor. Está tan absorta mirando hacia la calle que no percibe el olor a tabaco en la habitación. Sólo cuando ve de repente una delgada nube de humo que se escapa por la ventana, se da cuenta de que hay alguien detrás de ella, en la sombra del salón. Justo al lado de ella, a sólo unos pasos. Alguien que ha entrado por la puerta de la calle.

«Los niños», piensa desesperada, dándose la vuelta, preparada para enfrentarse a la muerte...

Él está apoyado en la puerta, la luz del recibidor sólo alumbra la mitad de su rostro. (Mucho tiempo después ella pensará que ese hombre, evidentemente, siempre elige como refugio la oscuridad y la sombra, un modo de estar alerta.)

–No quería asustarte –dice él en voz baja, y entonces ella ve quién es. Entonces se hace evidente el presentimiento que tenía, y le parece increíble no haberlo entendido antes. ¿O es que ha hecho caso omiso a sus presentimientos?

Lasse Nyman, dieciséis años después.

–No quería asustarte –dice de nuevo–. Pero hago las cosas así. No sé hacerlas de otro modo.

Él se dirige hacia la mesa y sus pasos son totalmente inaudibles, como los de un gato en terreno desconocido. Se inclina y apaga el cigarrillo en el cenicero y ella ve que tiene un tatuaje en el brazo, justo debajo de la correa del reloj.

Él la mira y sonríe. Ella también reconoce eso, el dolor que hay en su rostro, la pálida máscara, la sonrisa de amargura.

–Estarás preguntándote cómo he entrado y cómo te he encontrado aquí, ¿verdad? –dice él en voz baja–. Te contestaré. No debes tener miedo. No soy peligroso. ¿Puedo sentarme?

Ella asiente y lo mira. El pelo es el mismo, sólo que más corto, sin grasa, un flequillo corto. Vaqueros azul oscuro, botas verdes, un grueso jersey con cuello polo y un abrigo negro de popelín. Ha engordado un poco, pero el rostro sigue igual de delgado que hace dieciséis años. Los pómulos prominentes, los labios finos, los ojos que miran fijamente y sin interrupción hacia un punto indeterminado por encima de la cabeza de ella. Claro que es él. Lasse Nyman, que ha regresado del pasado, de un tiempo y sucesos que quedan tan lejos ya que parece que no hubieran existido. Vivir en Gotemburgo en 1972 es real, el Hallsberg en 1956 ya no existe, nunca lo ha hecho...

–Hace mucho tiempo que no nos vemos –dice él–. ¿No puedes sentarte? No soy peligroso. No pretendía asustarte.

–Las flores –dice ella, y él asiente.

–¿La llamada telefónica?

–Eso también. Pero tuve miedo de que no quisieras verme y colgué.

–¿Por qué has estado esperando en la calle?

Él piensa antes de contestar.

–Si hubieras estado casada no habría venido –dice él–. Tenía que saberlo antes de subir a buscarte. Tal vez necesitaba reunir un poco de coraje, un poco de fuerza moral quedándome abajo pasando frío. Me dio tiempo de pensar. Y de recordar...

Ella enciende una lámpara y se sienta en una silla intentando decidir si él es real o no. Ladrón de coches, homicida..., de repente le parece ver un cementerio y una lápida mortuoria. Una iglesia de provincias azotada por el viento y allí, a metros del suelo, los restos de un anciano que una vez estaba sentado en su cocina comiendo con su hermano...

–No sé qué decir. Estoy sorprendida. No sabía...

–¿Que estaba fuera?

–Sí... No... No lo sé.

Él saca del bolsillo exterior de su abrigo una botella de whisky a medio beber.

–¿Tienes un par de vasos? –pregunta él.

–Yo no quiero.

–¿Un vaso entonces?

Sí, claro que tiene. Ella se levanta y va hacia la cocina, y cuando vuelve, ve que ha quitado el tapón de la botella y ya ha echado un trago. Ella pone el vaso sobre la mesa delante de él y piensa que durante los dieciséis años que han transcurrido ha pensado a menudo en él, pero siempre como alguien a quien ella no iba a volver a ver. Le ha odiado por lo que le hizo aquella vez y ese odio ha sido tan fuerte justo porque él estaba lejos, porque no iba a regresar nunca más. Pero ahora está sentado aquí y ella no está preparada en absoluto, sólo es capaz de sentir una gran sorpresa...

–Hace dieciséis años –dice él.

–¿Cómo me has localizado aquí?

Él enciende un cigarrillo y ella ve que tiene los dedos de las manos sucios, igual que aquella vez...

Ignora la pregunta que ella le ha formulado, quiere ir por su lado, quiere contar las cosas a su modo.

–Me echaron doce años –dice él–. Si me hubiera quedado todo el tiempo habría salido en 1969. Pero salí al cabo de ocho años. Tal vez podrían haber sido seis de haber tenido cuidado, pero me fugué en un par de ocasiones... Me soltaron en 1964, el 10 de abril. El último año lo pasé en un centro de Västervik. Antes pasé por un montón de instituciones. Norrkoping, Härnösand, Falun, otra vez Härnösand. Cambian de sitio a los que se escapan, pero se olvidan de que las cárceles son todas iguales. Pero en 1964 se acabó. Entonces ya pude pasear tranquilamente por la calle. Desde Västervik bajé hasta Kalmar...

Se queda en silencio de repente, sumido en sus pensamientos...

1964. Staffan tenía tres años. Linda no más de dos. Cuando ella pensaba en él por entonces siempre lo imaginaba en una celda gris. Barrotes, una litera, el cuello de la chaqueta de cuero tapándole la nuca...

–Es raro –dice él–. En este momento ya no sé por qué he venido a buscarte. Pero antes sabía que...

–¿Qué sabías?

–Sí... Que te vería de nuevo. Durante todos esos años significó mucho...

–Creo que no te entiendo.

–No, seguramente no puedes...

De pronto se pone en pie, como si quisiera irse.

–Estuve en la cárcel ocho años –dice él–. Esa vez. Luego ha habido más. Pero entonces fueron ocho años. ¿Crees que podrás escucharme un cuarto de hora? Sólo eso. Sin interrumpir. Para que puedas oír...

Pero el cuarto de hora se convierte en una hora, y se hace tarde. Con su voz nasal, un poco ronco, establece un puente desde ese momento hace dieciséis años, en el que pusieron una alfombra de clavos delante del coche y a él se lo llevaron arrastrando por el asfalto, hasta esa noche de noviembre, en que Eivor está sentada a unos metros de él. (Durante todos esos años, él se ha preguntado a menudo cómo vivió ella el final. ¿Qué sintió cuando se lo llevaron? Un cuerpo miserable, oprimido entre los tres o cuatro policías...)

–Me cayeron doce años –dice él–. Pero entre doce o cincuenta, no había diferencia alguna. Apenas oí lo que dijo el juez. Estaba completamente seguro de que iba a escaparme en cuanto pudiera para que me llevaran a una cárcel en condiciones. Cuando estaba en la prisión preventiva quería estar en una cárcel de verdad, con presos de verdad con los que medirse las fuerzas y la razón. ¿Comprendes? Yo no entendía nada, para un adolescente, doce años son sólo números vacíos. Me llevaron a Norrköping, no sé por qué motivo, tal vez no había otro sitio, y yo lo único que pensaba era en escaparme. Un día tras otro. Los demás presos y los vigilantes intentaban calmarme, por supuesto, hacerme entender que doce años no son más largos que lo que falta para el próximo desayuno. Pero los mandé al infierno, y la verdad es que tardé un año hasta darme cuenta de dónde estaba. Encerrado. Durante doce años. Entonces intenté fugarme, pero lo hice mal, tratando de lanzarme contra la pared. Lo único que conseguí fue perder dos dientes al golpearme con un vigilante cuando llegaron corriendo y me bajaron de la valla en la que estaba agarrado... Entonces fue cuando recibí el gran mazazo. En una noche me eché diez años encima. Me metieron en una celda de aislamiento y ahí fue donde comprendí que estaba encerrado y que tendría cerca de treinta años cuando saliera, si no lograba una reducción de condena. Puedes imaginarte cómo era. Si no hubieran estado vigilándome todo el tiempo me habría quitado la vida en esa ocasión... También lo intenté, pero llegaron a tiempo. Además, no era la primera vez que me abalanzaba de cabeza contra la pared. También lo hice cuando estaba en prisión preventiva... Pero era, más que nada, porque me ponía nerviosísimo estar ahí sentado mientras el mundo seguía su curso ahí fuera... Creo que pasaron seis meses sin que dijera nada. Si alguien trataba de ser amable y me daba los buenos días, lo único que respondía es que se fuera al infierno... Pero allí había un muchacho, algo mayor, ya ha muerto, un estafador principiante que había matado a golpes a un pariente que no quiso ayudarle con un préstamo... Él lo entendió y hablaba conmigo, pero me dejaba ir a mi aire. Aprendí de él que el tiempo puede medirse, que es una suma, doce años es lo mismo que cuatro mil trescientos ochenta días y noches, y que puede restarse, día tras día. Los chinos ponen nombre a sus años. Para mí todos los años eran el año del Caballo y el año del Infierno... Intenté escaparme, pero nunca logré traspasar ni una maldita pared. Realmente, no sé cómo transcurrieron esos años. Dormía y trataba de huir, cosía sacos de correos y dormía. Esos años no existen... No sé bien cómo, pero al final salí, una mierda de veinticuatro años temblando en Västervik, con una maleta y unos billetes de mil. Bajé al puerto, lo recuerdo, fui a Slottsholmen y me quedé mirando al agua. Apenas me atrevía a mirar a la cara a la gente. Pero tenía un colega en Kalmar, Nisse Galon, al que había conocido en el trullo. Me dijo que podía ir a buscarlo cuando saliera. Él sabía lo que era enfrentarse al mundo después de pasar un montón de años trás las rejas, a él lo habían encerrado una vez por homicidio... Estuve viviendo en la casa de él y su mujer un tiempo, me enseñó a moverme por las calles, a tratar de comprender lo que había ocurrido durante todos aquellos años. Pero yo estaba tan lleno de... Sí... Tenía que recuperar esos ocho años de algún modo. Era como si tuviera que hacerlo antes de vivir de acuerdo con mi propia edad, no sé si entiendes lo que quiero decir... Pero, de todos modos, Nisse Galon tenía sus expectativas, me buscó trabajo en Kalmar Mekaniska y una guarida en una vieja casucha. Estuve allí durante cuatro meses, pero luego me marché. A pesar de que había estado encerrado ocho años no me asustaba volver a empezar. Siempre pensamos que vamos a salir adelante. Y después de ocho años no podía haber nada peor. En Kalmar encontré a un muchacho con el que había estado en la cárcel de Falu y él sabía de una caja fuerte en Emmaboda... No, eso fue otra vez. Fue en Orrefors. Yo había aprendido a soldar en Kalmar Mekaniska, y resultó de utilidad, esa vez había mucho dinero, cuatro mil para cada uno. Y recuerdo que sentí como si uno de aquellos ocho años quedara saldado. Otros siete golpes más con éxito y me habría recuperado. Mi compañero era un buen tipo. Él era razonable, mientras que a mí me costaba pensar. Hicimos una gira prolija durante unos meses. Nisse Galon estaba cabreado, como es natural, pero a mí me traía sin cuidado. Bueno..., qué ocurrió luego... La chica de mi colega pensaba que ya había robado bastante por el momento, yo empecé a sentirme incómodo en Kalmar y tenía suficiente dinero para comprar un coche y viajar a Estocolmo. Recuerdo que me detuve en Norrköping, aparqué fuera de la cárcel y oriné en la pared. Fue un buen viaje. A la salida de Nyköping había una chica haciendo autoestop, la cárcel de mujeres de Hinseberg no le resultaba desconocida, así que nos pasamos toda una tarde en Södertälje... Era la primera chica en... Bueno, después... Diablos, tú ya me entiendes. Luego hablaremos de eso... Pero ella tenía un chico en Estocolmo y no se atrevía a no volver a casa... La he visto algunas veces después, hacía la calle en Estocolmo... Parece que era amiga de aquella que degollaron en una caravana en la calle Valhallavägen, drogada y jodida. Pero cuando la vi allí, a la salida de Nyköping, haciendo autoestop estaba de buen ver... Yo aparqué el coche, bebí hasta emborracharme y fui a la casa de mis padres. Mi madre se asustó y empezó a llorar. Mi padre, que estaba borracho como de costumbre, se quedó de pie tirándose de la oreja que le quedaba y me preguntó si había ido para cortársela también. Lo único que podía hacer era irme de allí lo más rápidamente posible. Fue la última vez que estuve en casa. Mi madre murió luego, lo supe mucho tiempo después del entierro. Pero mi padre vive aún, como la mala hierba, nunca muere. Nunca... Me quedé en Estocolmo. Viví un poco aquí y allí. Fue por entonces, más o menos en 1965, cuando se puso en marcha todo lo de la droga. No sé por qué, pero siempre le he tenido un poco de miedo a eso. Tal vez porque había sido testigo de uno de los primeros golpes realmente grandes. Dos que se metieron alguna mierda, creo que era detergente, y murieron ante mis ojos en una casa que iban a derribar en Klara, al lado del edificio de Aftonbladet, si no me equivoco. Nunca se me olvidó aquello, así que me limité al alcohol y un poco de hachís de vez en cuando. Durante aquellos años me convertí en un ladrón bastante bueno. Trabajábamos varios juntos y siempre íbamos directamente a por el dinero. Nunca otra cosa. Entonces todavía había cajas fuertes en circulación. Pero eso se acabó cuando quedó demostrado que atracar bancos era un negocio digno de tal nombre. Empecé con una oficina de correos en Bandhagen. Me llevé diecinueve mil, no había ningún problema, y entonces lógicamente empiezas a pensar qué sentido tiene estar de rodillas haciendo un trabajo duro.

»Una vez, cuando estaba dando una vuelta alrededor de una caja de ahorros en Jakosberg, me pareció que había otro muchacho que me miraba de forma sospechosa, a mí y al banco. Era Göte Engström... Actualmente se le considera el delincuente más peligroso de Suecia, tal vez hayas oído hablar de él... Bueno, el caso es que él iba detrás del mismo asunto, en el mismo banco. Y como él estaba primero, tenía que hacerlo él, cosa que llevó a cabo resueltamente. No sé cuánto consiguió llevarse, pero seguro que tuvo de sobra para una cerveza y un bocadillo...

»1965, 1966 y una parte de 1967 fueron años buenos. Yo tenía un apartamento en la calle Skånegatan... Siempre en la zona sur, y vivía gastando todo el dinero que había reunido. Tenía que recuperar muchos años... Pero, naturalmente, la racha se cortó. Fue en un banco mediano en Enköping. Necesitaba a alguien que condujera, luego me arrepentiría de ello. Cuando vas por tu cuenta las cosas salen bien; si mezclas a otros, nunca se sabe. Pero yo acordé con un muchacho que me estaría esperando fuera en un coche. Todo fue bien hasta que me di cuenta de que estaba tan drogado que veía la carretera doble y chocamos contra un pilar en un viaducto. Él logró escapar, pero yo desperté en un hospital con hundimiento del tórax y luego me llevaron directamente a Hall. Me cayó un año y varios meses. Por aquella época todo se había vuelto muy radical en Suecia. Recuerdo a uno, al que le llamaban Brobyggaren, que había logrado que un montón de gente invirtiera en un proyecto turbio en España. Después de desplumar un banco, se metió directamente con el coche en una manifestación en contra de lo de Vietnam. Allí quedó atrapado y, como es natural, volvieron a meterlo en el trullo. Si intentabas hablar con él de política carcelaria, te arriesgabas a que te clavara un tenedor en la barriga. Pero, de algún modo, el asunto empezó a moverse en las cárceles. Por supuesto, la mayoría no mostraba ningún interés, y los ladrones más viejos querían que todo siguiera igual. Pero había un grupo intermedio, o como se le quiera llamar, que empezó a hablar de la dignidad humana y de un trato digno a pesar de que fuéramos presos. Yo no estaba especialmente interesado y me lo tomé con la actitud más negativa posible. Nadie iba a enseñarme nada. Pero algo hizo mella en mí, y lo que más me desconcertó fue eso de que no somos necesariamente ladrones de nacimiento. Que no se es ladrón y criminal desde la cuna. Al contrario de lo que siempre se había oído antes, que podías reconocer a una manzana podrida por su modo de arrastrarse a los seis meses. Naturalmente, fue una revolución enorme tener la sospecha de que te *conviertes* en lo que eres, que no siempre lo *has sido*. En aquella época empezaron a dar vueltas por las cárceles un montón de asistentes, y al final me atreví a pedirle a uno de ellos que escuchara mi historia. Era bueno, porque mantenía que yo, sin duda, me había convertido en un criminal debido a las relaciones que había en casa y un montón de mierda más, pero también dijo que la persona siempre tiene parte de responsabilidad. Aunque hayas crecido en medio de palizas, eso no te da derecho a emprenderla contra los demás. Más o menos eso... Naturalmente, entonces yo no tenía las ideas muy claras, ahora es cuando empiezan a encajar las piezas un poco mejor. Pero fue el principio de algo... Aunque es sólo la mitad de la verdad, porque yo ya era ladrón y no ambicionaba ser otra cosa. Y si lo hubiera hecho, se me habrían ido las ganas en cuanto hubiera salido del trullo. Cuando has pasado un año dentro, te sientes tan inseguro al salir que sólo la idea de poder vivir una vida normal algún día es como si te dieran una patada en el culo... Pero esa vez se fue todo al infierno directamente. Me metí en la primera oficina de correos, en Enskede. Dio la casualidad de que había un coche de policía en la esquina, y cuando vieron mi pistola de juguete, me dispararon en la pierna. Un año más en el trullo, otra vez en Hall, y fue entonces cuando empecé a plantearme elegir. O me dejaba llevar también por el meandro de las drogas, olvidándome de que vivía, o intentaba salir de toda esa mierda para siempre. Conocí a otra asistente, y ella..., pues era una mujer, me hizo un montón de preguntas. Yo había accedido a ello con la condición de saber los resultados. Cuando terminó, me dijo que yo era una persona insegura emocionalmente, muy influenciable, pero a la vez terco como una mula... Y la verdad es que no era ninguna novedad. Como yo tenía conocimientos técnicos, ella pensó que podía formarme para ser una especie de mecánico; me buscó libros y permisos de estudios y yo me puse en marcha. Era..., debía de ser 1969, justamente después de Año Nuevo. También tiene que ver que yo salía con una chica desde hacía un año, una buena chica, no estaba fuera de la ley, sino que trabajaba en una librería. Ella estaba dispuesta a invertir dinero y su futuro en mí. Pero sólo si yo dejaba lo de los bancos y oficinas postales. Nos lo pasábamos bien y yo ya estaba cansado de entrar y salir de las cárceles... No quería meterme en las drogas. No sé por qué... Simplemente no quería... Por entonces estudiaba mucho, me iba muy bien, y cuando luego me rebajaron tres meses por buen comportamiento, me sentí tocado por la felicidad. Pero sólo tuve tiempo de ir a casa de Britta, que es como se llamaba, y abrir la puerta, entonces me enteré de que ella ya no quería seguir, había llegado otro y todo eso. Me fui de allí, como es natural, y no he vuelto a mirar un libro de texto desde entonces. De eso hace un par de años... Y... Sí, demonios... También he pensado todo el tiempo en volver a verte, para... Sí, podemos decir que para pedirte disculpas por lo de aquel 1955...

–1956.

–Sí, sería entonces, 1956.

–Hace tanto tiempo. Ahora no hay nada de que hablar.

–No... Pero podrás permitirme que te pida perdón de todos modos. O...

–Él está muerto.

–No pensaba en eso. Sino en que te arrastré conmigo... Fanfarroneando con mis malditos negocios de coches... ¡Maldita sea! Ahí llega un chulo de Estocolmo y se lleva a una chica de Hallsberg al mismísimo infierno... Tengo remordimientos por ello. Los he tenido siempre.

Ella lo mira y piensa que, si hay algo por lo que él debiera pedirle perdón, hincado de rodillas, es por lo que le hizo a ella en el asiento de atrás de uno de los coches en los que iban dando vueltas. Pero parece que eso no lo tiene presente. No es nada de lo que valga la pena acordarse... Todo lo que él destruyó en aquella ocasión, metiendo un pincho a través de sus ideas más profundas sobre el amor y la ternura...

Pero de eso hace dieciséis años y lo recuerda de otro modo. De la misma manera que cambiamos nosotros, también lo hacen nuestros recuerdos. Ese día soleado puede parecer en la memoria del otro como un día desapacible, lluvioso y sombrío de verano. Y cuando oye lo que Lasse Nyman tiene que contarle, nota que envejece dieciséis años, y un mundo completamente desconocido se descubre ante ella. ¿Qué sabe ella de la vida carcelaria? ¿De la vida de los que están fuera de la ley, aparte de los negativos o simplemente espantosos titulares de los periódicos? Pero que él haya sido capaz de sobrevivir a esa pesadilla... Él, que parecía tan asustado aquella vez, tan indefenso bajo esa apariencia de duro que parecía de escayola...

–¿Cómo me has encontrado? –pregunta ella.

–No me ha resultado difícil –contesta él–. Al fin y al cabo, cuando llevas una vida así, haces un montón de contactos. Estuve preguntando en Hallsberg. Allí alguien me dijo que te habías ido a vivir a Borås y que parecía que te llamabas Halvarsson. Luego fui a Borås y después de un par de días estuve con alguien que creía que eras tú la que se había casado con Jacob el de la tienda de deportes, y luego llamé por teléfono y dije que llamaba de Hacienda y necesitaba tu dirección actual. Así de sencillo. ¿Por qué he abierto tu puerta con una ganzúa para entrar? Tal vez por temor a que no me abrieras. ¿Lo habrías hecho?

–¿Abrirte?

–Sí.

–Lo habría hecho...

–¿No estás segura?

–Sí, habría abierto. ¿Estás satisfecho?

–Sí, sí, ¡no te enfades! ¿No podrías contarme cómo te ha ido a ti? Dos hijos. Y Gotemburgo...

–Parece que ya lo sabes todo.

–No sé nada. Pero no tienes que contármelo si no quieres...

No, ella no tiene ganas de hablar. Por lo menos en ese momento. Le resulta demasiado increíble que Lasse Nyman haya surgido de las sombras para que ella pueda hablar de su vida. Tal vez en otra ocasión, pero no ahora, en mitad de la noche.

–¿Qué haces ahora? –pregunta ella.

Él se encoge de hombros.

–No tengo a nadie siguiéndome los pasos –dice como evasiva–. No van a aparecer de repente un montón de polis aquí, si es lo que temes.

–Pero ¿vives aquí, en Gotemburgo?

Lasse Nyman sacude la cabeza y bebe las últimas gotas de la botella de whisky.

–El sur es el sur –dice él–. Allí tengo un pequeño cuarto. Al menos lo tenía la semana pasada. No, he venido sólo para... Sí... Se podría decir que para saludarte.

A Eivor le parece de pronto que él está decepcionado. Pero ¿qué se esperaba? ¿Una alegría inmensa por el reencuentro? Entonces debe de ser un niño aún, como cuando se sentaba y presumía de sus grandes coches americanos, de Estocolmo, de todo lo que la vida le ofrecía...

–Mañana tengo que madrugar –dice ella.

–Me voy –contesta él mientras se mete la botella en el bolsillo del abrigo.

«No dejar nunca huellas», piensa ella. «Siempre huyendo, alerta...»

–¿Adónde? –pregunta ella.

–Ya me las arreglaré.

No, no puede terminar aquí. Él se ha dejado ver después de dieciséis años y, cuando ella haya superado la sensación de irrealidad que ese encuentro le ha producido, deberían hablar. Mañana, a la luz del día, no ahora, en medio de la noche.

–Si no tienes a donde ir, puedes dormir en el sofá –dice ella.

–Pero ¿y los niños?

–Soy yo la que los despierta. Puedo explicárselo.

–¿Qué vas a decirles?

–Que eres... Un viejo amigo, o algo por el estilo.

–Bueno... Sí, entonces me quedaré con mucho gusto.

–Así podremos hablar un poco mañana cuando vuelva al mediodía. Pero ahora tengo que dormir.

–Desde luego.

–¿Cuánto tiempo has pensado quedarte aquí en Gotemburgo?

–No tengo ningún plan. Me iré... Bueno, luego...

Ella le da una manta y una almohada con una funda.

–Espero que puedas dormir aquí.

–Estoy acostumbrado a condiciones mucho más primitivas –dice Lasse Nyman.

–Buenas noches, entonces.

–Adiós... Y gracias...

Ella cierra la puerta al salir y se sienta en el borde de su cama. Faltan pocos minutos para las dos. Pone el despertador, se tumba encima de la cama y se tapa con una manta. Dentro del salón no se oye ni un ruido.

«Veamos si tengo o no problemas para dormir», piensa ella. «No me extrañaría que me quedara despierta hasta el amanecer. Pero me gustaría poder dormir, y mañana ya veremos. Aquella vez, hace dieciséis años, era un sueño que yo tenía, al que se le cayó la máscara. ¿Quién dice que hoy podamos tener algo en común cuando no lo tuvimos entonces?»

Tal vez ahora ocurra lo contrario. Tal vez sea él quien se ha formado durante todos estos años una imagen de ella que no se corresponde con la realidad. ¿Es posible que ella, a pesar de todo, significara algo para él?

Pero eso ya lo verá mañana, ahora tiene que dormir...

Cuando se despierta al sonar el despertador en el gris amanecer, él se ha marchado. La manta está doblada sobre el sofá, no parece que haya usado la almohada. Bajo el vaso vacío hay una nota escrita en un trozo del paquete de cigarrillos que él ha destrozado. Eivor se frota los ojos y lee:

«Eivor.

»Desaparezco con el máximo silencio posible. Creo que es mejor así. Tal vez nos veamos algún día. Gracias por recibirme. Cuídate.

»Lasse N.»

«Tal vez sea mejor así», piensa ella. «Ya tengo suficiente. Trataré de no pensar que él ha estado aquí, aunque lo haya hecho. No es necesario rebuscar en lo que pasó hace tanto tiempo. Yo vivo mi vida, él la suya. Una vez nos encontramos por una casualidad que hoy ya no significa nada.

»Tal vez sea mejor que haya desaparecido.»

Ella retira la almohada y la manta del sofá y va a despertar a los niños. Esquiva la idea de que un día serán tan grandes que ya no podrá empezar el día apretando sus cálidos cuerpos, experimentando por un corto e intenso instante la felicidad absoluta. Saber que la tienen a ella. A ella y a nadie más...

Katarina Fransman parece una joven asombrosamente efectiva, que sorprende a Eivor con una propuesta que ha estudiado a fondo, y que tampoco deja a un lado los sueños de Eivor. ¡Como el de ser enfermera! ¡Por supuesto! ¡Claro que puede serlo! En realidad no hay nada que no seamos capaces de hacer si estamos simplemente dispuestos a aguantar con la fuerza del roble y una voluntad de acero. Pero puede tardar seis o siete años en terminar. Y al tener a los dos niños a su cargo... No, ella le pide a Eivor que se lo piense una vez más. Sobre todo porque Katarina tiene otras propuestas que hacerle. Otros estudios más cortos y realistas.

–A pesar de todo –dice ella–, tendrás que intentar vivir un poco mientras adquieres formación. Va a afectarte bastante. Tendrás que renunciar a cosas, sacrificarte, apretar los dientes. Muchas veces. Tú misma has dicho que, cuando ibas a la escuela primaria, estabas cansada de estudiar. Ahora tienes otra motivación completamente distinta para hacerlo. Pero no creas que sólo es cuestión de retomar los libros y continuar donde los dejaste una vez. Es mejor que sepas de antemano lo pesado que es, así no te sentirás decepcionada más tarde. Puede que yo parezca la abogada del diablo, pero lo hago por tu bien. Créeme. Yo también soy mujer.

Al final deciden que Eivor se esperará un poco antes de tomar una determinación sobre su profesión. Prescindiendo de lo que elija, tiene que empezar por ampliar sus conocimientos básicos. Luego, cuando vea cómo va, cuánto es capaz de hacer, podrán seguir tomando decisiones. Y Eivor sólo puede estar de acuerdo. La mujer al otro lado de la mesa sabe de lo que está hablando, intenta frenar las ideas equivocadas de Eivor.

–Se tienen sueños –dice Eivor.

–No hay nada malo en ello –contesta Katarina Fransman–. Hay que aferrarse a ellos. Con una correa si es necesario. De lo contrario pueden descarrilarse por completo y acabar en decepción.

La desganada predicción del meteorólogo se hace realidad: este año el invierno se adelanta en Gotemburgo. Incluso antes de Navidad ya ha caído una fina capa de nieve sobre la ciudad. Ese día precisamente, el 15 de diciembre, están a varios grados bajo cero cuando Eivor va a la plaza de Frölunda por la tarde, a la primera reunión de preparación a los estudios, una introducción para los que van a empezar a estudiar a principios de año. Ella va deprisa a lo largo de la calle Lergöksgatan, como siempre con retraso. No resulta nada fácil ser puntual teniendo dos niños. Si no es una cosa es otra... Y ella está agobiada por esta reunión, a pesar de que Katarina Fransman ha intentado calmarla diciéndole que va a conocer a personas que están en la misma situación que ella. Sí, tal vez incluso peor. Además le ha preguntado sonriéndole si no hay algo que Eivor eche de menos. Sí, naturalmente que lo hay. Pero ahora está tan angustiada que lo que más le gustaría es volver a casa. Y va a llegar con unos minutos de retraso... ¿Por qué ha tenido que romperse el guante de hockey sobre hielo de Staffan precisamente hoy? Siempre hay algo...

Ahí está la iglesia de Ekebäck y sólo faltan cuatro minutos para las siete. Aunque corriera llegaría tarde. ¿Y quién se atreve a correr en una calle llena de escarcha? ¿Por qué no echan arena...?

Han ocurrido tantas cosas durante el último mes, son tantos los destellos que pasan por su cabeza cuando hace memoria... Apenas ha tenido tiempo de pensar en la visita nocturna de Lasse Nyman, y eso es bueno. Sólo le traería recuerdos perturbadores del pasado, y ahora lo que importa es el futuro.

Ya no necesita desplazarse a Torslanda, ni al maldito Enoksson. Katarina Fransman encontró de repente un trabajo para ella en Frölunda, cerca de su casa. Todo fue muy deprisa. Un día estaba en la cafetería con los viajeros de vuelos chárter que pedían sus cervezas a gritos, y al día siguiente se hallaba detrás del mostrador de la filial en

Frölunda del establecimiento de bebidas. Pero probablemente era mejor que fuera todo tan rápido para que no le diera tiempo a dudar ni a ponerse nerviosa. Y ahora ella ya lleva trabajando dos semanas en el establecimiento de bebidas y se encuentra a gusto. Los compañeros de trabajo son agradables y no tiene que desplazarse lejos. Y si luego resulta demasiado arduo compaginar los estudios con el trabajo, puede conseguir media jornada laboral. Trabajar medio día o tres días a la semana... Alguna diosa ha puesto a Katarina Fransman en su camino. No puede ser sólo cuestión de suerte...

Está en la plaza de Frölunda. Se dirige al otro lado, a la casa que está en medio.

Trata de alejar el nerviosismo pensando en el disgusto que causó al dejar la cafetería. Pero era todo culpa de Enoksson. Cuando Eivor empezó a hablar, él hizo la mueca más desagradable que pudo y le dijo que debía respetar el plazo de aviso de rescisión. Y cuando ella, de pie en su oficina con olor a orín, le dijo que terminaba el viernes siguiente, él se lo tomó como una ofensa personal y empezó a agitar las manos y a hablar de desagradecimiento y a decir que ponía todo el servicio en peligro...

«En el mundo hay demasiadas personas como Enoksson», piensa ella mientras se apresura a cruzar la plaza. «Miserables con aires de grandeza que creen que el mundo se caería a pedazos si su asqueroso café y sus secas pastas no estuvieran en el mostrador...»

Ella reúne coraje recordando el momento en que se despidió. Bien preparada, con el apoyo de Berit y los demás.

–Tal como haces las cosas, tendrías que estar contento de que alguien quiera trabajar aquí –sentenció ella.

–Si necesito a alguien sólo tengo que ir la calle a buscarlo –contestó él con furia.

(Ella recuerda que se le puso toda la cara roja y que se atrevió a pensar que, con un poco de suerte, tendría un derrame cerebral y caería muerto sobre las facturas del panadero de Skåne, su mayor enemigo en esta vida...)

–Entonces hazlo –dijo ella cortante–. Sal a la calle. Pero volverás a entrar solo. Si crees que estar aquí vendiendo tu maldito café es la mayor felicidad del mundo, estás equivocado. Tal vez lo entiendas alguna vez. Pero lo dudo...

Él se quedó helado. Con la boca abierta como un pez, y fue ella la que dijo la última palabra...

¡Ya ha llegado! Eivor se quita la gorra de lana y se arregla el pelo, está sin resuello. Se ha retrasado siete minutos. No hay nada que hacer... Avanza por el centro de estudios buscando la puerta correcta. Tiene que ser aquí, y ahora está en la puerta como cuando iba a la escuela. La clase ha comenzado y es como entrar en la arena de un circo iluminado, a merced de todas las miradas...

Se quita el abrigo y se queda de pie con la mano en el picaporte.

«Mierda», piensa mientras abre.

No es en absoluto como ella se había imaginado. No hay pupitres alineados, ni tarima. En la habitación hay una gran mesa redonda y encima hay tazas de café y ceniceros.

Un hombre joven de unos veinticinco años se levanta y se dirige a ella.

–¿Eivor Maria Halvarsson? –pregunta.

–Sí –dice ella–. Me he retrasado un poco...

–No importa –dice él, y ella cree que lo dice en serio.

Ve una silla libre junto a la mesa y se sienta.

Hay nueve personas en torno a la mesa con su profesor, o tutor, como él mismo se denomina después de presentarse como Carl-Erik Norberg. Siete hombres, dos mujeres.

Cuando Eivor los mira, lo primero que piensa es que ella no es la mayor. Al menos cuatro de los hombres que están allí rondan los cuarenta. ¿Por qué es importante? Sí, eso es importante para ella. No tiene que ser la más joven, pero no le gustaría ser la más vieja. Del mismo modo que no necesita ser la mejor, siempre que no sea la peor...

Además de Eivor hay otra mujer. Está sentada enfrente de ella y sonríe cuando Eivor la mira. Hay una relación de nombres delante de ella. Va mirando la lista y ve su propio nombre, y debajo un nombre de mujer, Margareta Alén, nacida en 1945. Así que es más joven pero no mucho, son de la misma generación...

Todo resulta ameno, lo más lejos de un ambiente de escuela que Eivor pueda imaginarse. Tiene que reprimir la risa cuando piensa en cómo creía que iba a ser. Personas adultas, vestidas con ropa de niños. Pantalones bermudas y faldas floreadas. Cintas en el pelo y narices sin limpiar... Pero aquí está rodeada de personas adultas que escuchan a Carl-Erik Norberg hablar de planes de estudio y paciencia.

–Vosotros mismos vais a evaluar vuestros resultados –dice él–. Aquí nadie va a ser el mejor de la clase. Sólo podéis tener éxito o no en relación con vosotros mismos. Nunca lo olvidéis.

«Creo en esto», piensa Eivor enseguida. «Voy a superarlo... Me siento bien aquí. Sí, esto va a funcionar...»

Se sobresalta. Se ha sumido en sus propios pensamientos y no ha prestado atención. Pero parece que nadie lo ha notado y Carl-Erik Norberg sigue hablando. Del material del curso y de orientaciones de los estudios...

Después de una hora todo ha terminado. El curso comenzará el 10 de enero. Eivor recuerda que hace muchos años empezó a trabajar en la fábrica textil de Konstsilke en esa misma fecha... Pero eso fue antes de que ella tuviera siquiera una agenda... Todos se marchan deprisa en distintas direcciones, con el tiempo empezarán a conocerse.

Eivor va a su casa.

Para el 10 de enero falta un mes escaso. Sin embargo, siente como si fuera demasiado tiempo. Hubiera sido capaz de empezar al día siguiente.

¡Aprender algo! Idiomas, ciencias sociales, geografía, historia. Descubrir al menos otros secretos de la vida. Tal vez, incluso, poder contestar poco a poco algunas de las preguntas de los niños.

Porque no va a permitir que Staffan y Linda dejen la escuela, lo tiene decidido. Les va a decir con toda sinceridad lo mucho que se ha arrepentido ella durante esos años...

«No es verdad», piensa. «Nunca me he arrepentido. Entonces era la que era.»

Es agradable volver a casa una tarde de diciembre sintiéndose fuerte y llena de expectativas. Y poder dormir media hora más después de que los niños hayan salido para la escuela. Llegar a casa más temprano por la tarde. Dejar de ir apretujada en autobuses y tranvías...»

¿Se puede estar mejor?

Se detiene y aspira profundamente el frío aire de diciembre. ¿Es posible que sea feliz? ¿Aquí, en la calle, de camino a casa? Recuerda aquella tarde de sábado en el Baldakinen hace casi dos meses, lo que pensaba entonces, encerrada en un retrete. ¿Habría imaginado entonces que todo podría cambiar tan deprisa...? ¿Que nada es imposible mientras no nos quedemos sentados de brazos cruzados? ¿Que siempre hay un mundo por conquistar, aunque tengas treinta años y apenas hayas terminado los estudios primarios...?

Sigue caminando. Quedan muchas cosas por hacer. Faltan menos de diez días para Nochebuena y apenas ha tenido tiempo de pensar en ello, pero ahora debe concentrarse en procurar que los niños tengan unas buenas navidades. Es posible que en primavera no pueda prestarles tanta atención...

Sube las escaleras rápidamente. Como si no tuviera un minuto que perder.

Sí, las navidades. Le ha preguntado a Jacob por teléfono qué van a hacer, y ha escuchado los deseos y expectativas que tienen Staffan y Linda. Según ha entendido, la Nochebuena sin que estén presentes ni ella ni Jacob supone una carga demasiado pesada para ellos. El divorcio y la mudanza a Gotemburgo lo llevaron asombrosamente bien, tal vez debido sobre todo a que Jacob no vive demasiado lejos y los tiene en su casa durante los fines de semana. Eivor se pregunta a menudo si se habrán dado cuenta de que tanto Jacob como ella se han sentido mejor después de lo ocurrido.

Van a celebrar la Nochebuena en Borås, como de costumbre, en casa de los abuelos paternos Linnea y Artur. Cualquier otra cosa les decepcionaría. Ellos nunca han hecho ningún comentario acerca del divorcio. Han intentado que todo siga igual que siempre, y como por lo general pueden ver a sus dos nietos una vez a la semana, no han notado gran diferencia.

Jacob y Eivor han acordado que él se llevará después a los niños a su casa y que se quedarán allí desde Nochebuena hasta Año Nuevo. A Eivor le parece también que es bueno que se acostumbren a estar con él periodos de tiempo más largos que los fines de semana. Además, siente una creciente necesidad de ser dueña de sí misma durante una semana completa e ininterrumpida, casi diez días. Y especialmente ahora, cuando va a intentar prepararse para los estudios del próximo año.

Por el momento marcha todo bien. Tiembla ante la idea de que Jacob fuera otra persona. Ha oído demasiadas historias de hombres que apenas se ocupan o que hacen caso omiso de sus hijos.

Seguramente Jacob fue una buena elección en aquel momento. Que luego no resultara bien es algo que puede ocurrir en las mejores familias...

Da la vuelta en la calle Altfiolgatan y piensa que esta tarde debe escribir una lista de lo que tiene que hacer antes de las navidades. Y aunque no le dé tiempo a terminarla por estar rendida de cansancio, va a empezar también una carta para Elna y Erik.

Pero antes de echar su carta al buzón, recibe una de Lomma. Es

Elna, que le cuenta que, como de costumbre, va a ir a Sandviken por Navidad, acompañada de Erik y de Jonas. Y que de camino van a pasar por Gotemburgo. Tal vez podrían verse allí unas horas entre un tren y otro, para intercambiar regalos y saludos navideños...

La mañana de Nochebuena, Eivor va a la Estación Central con los niños, las maletas y los paquetes. El día anterior, cuando vio crecer el montón de equipaje, le entró tal pánico que fue corriendo a llamar por teléfono para reservar un taxi, y aunque no creía que fuera posible, lo consiguió. En la estación reina un caos tremendo, ella tiene que abrirse camino entre la gente durante veinte minutos antes de poder dejar sus maletas en consigna. Se angustia pensando en el tiempo que va a necesitar para retirar el equipaje y llevarlo al tren de Borås. Agarra a cada niño con una mano y busca sitio libre en la cafetería de la estación. Cuando ve a las chicas estresadas detrás de la caja y los carritos de bandejas, se pregunta cómo estarán las cosas en Torslanda, si se habrá sentado Enoksson junto a la caja a contar los grasientos billetes de las navidades...

El tren procedente de Malmö lleva más de media hora de retraso, así que cuando Eivor ve finalmente a su madre, a su padrastro Erik y a su hermano Jonas, que es de la misma edad que Linda, sólo pueden pasar una hora juntos antes de que ella tenga que coger su tren.

Pero han venido, y después de muchos impedimentos han podido tomar café y unos refrescos...

Siempre que ve a Elna con Jonas se sorprende. A pesar de que el chico ya tiene diez años, a ella todavía le resulta difícil entender que es su hermano. Además se parece a Erik y no tiene el pelo oscuro como ellas dos, que lo han heredado del abuelo Rune...

Ahora por Navidad hará tres años que murió. Llevaba mucho tiempo sin poder moverse de la cama cuando le vino el derrame cerebral y todo terminó. Después de su muerte, Elna y su familia viajan hasta allí para pasar las navidades con la abuela Dagmar. Eivor ha pensado a menudo que le gustaría acompañarles, pero para Linnea y Artur sería una decepción. Haga lo que haga, siempre hay alguien que no está satisfecho, y ella tendrá que conformarse con escribirles una postal de Navidad y enviarles dinero para flores a través de Elna. Pero aún le duele acordarse de que no estaba con el abuelo Rune cuando murió. Tenía una especie de complicidad con él desde aquella vez que ella y Elna fueron a Sandviken, cuando estaban embarazadas las dos... Pronto hará diez años de eso... De repente parece que *todo* ha ocurrido hace diez años. Cuando está aquí sentada en la estación de trenes y el caos es total, la realidad y toda la vida pueden parecer una verdadera locura. ¿Por qué corren todas esas personas? ¿Adónde van? Parece que estuvieran corriendo por aquí sin cesar, Navidad tras Navidad, desde tiempos inmemoriales, con paquetes colgando alrededor de brazos y piernas...

El tiempo es escaso y la conversación salta de un tema a otro. A Eivor le hubiera gustado decirles que va a empezar a estudiar, pero ahora de pronto le resulta imposible y sólo les cuenta que ha cambiado de trabajo.

Elna la mira asombrada, casi divertida.

–¿En el establecimiento de bebidas? ¿Por qué tienes que trabajar ahí precisamente?

–Está mejor pagado y además está en Frölunda –contesta Eivor, maldiciendo en su interior no tener tiempo para explicarles los verdaderos motivos.

Recuerda cómo estaba hace diez años (otra vez diez... ¡Siempre diez años!), cuando Elna dijo que iban a irse a vivir a Lomma. Recuerda la envidia que sintió y se da cuenta de que ahora ella también quisiera decirles que está a punto de cambiar su vida. Pero es imposible. Erik anda por ahí controlando los horarios de los trenes, como viejo ferroviario que es, y Linda no se atreve a ir al servicio sola porque hay mucha gente... El tiempo se acaba y llega el momento de intercambiar paquetes y deseos de felicidad para las fiestas navideñas. A Jonas le encanta tener una hermana con dos hijos que son de su edad. Es una ecuación que no consigue resolver. Se sienta y mira a Eivor con ojos de asombro y a ella le dan ganas de decirle que ella está igual de sorprendida...

–¿Qué tal por Lomma? –pregunta Eivor.

–Bien –contesta Elna.

–Noto a Erik algo cansado.

–¿Te parece?

–¿Y cómo van las cosas en la fábrica Eternit? He leído mucho acerca de... ¿Cómo se llama?

–El amianto.

El que contesta es Jonas. La mira muy serio y pronuncia la palabra correctamente.

–Se dicen tantas cosas –comenta Elna.

–¿Y cómo te van las cosas a ti, Elna?

–Estoy pensando en empezar a trabajar el año que viene. Para la primavera. Por fin.

–¿En qué vas a trabajar?

–Tendré que empezar limpiando. No sé.

–¿No puede ayudarte Vivi a encontrar algo mejor?

–Su marido tal vez. Pero... No creo que les vaya tan bien ahora...

Eivor no logra saber lo que no va bien entre Vivi y su marido, el jefe de prensa, porque en ese momento vuelve Erik y tienen que darse prisa en intercambiar las últimas felicitaciones navideñas antes de que sea la hora y Eivor deba llevar a los niños al tren de Borås. Erik la ayuda a retirar las maletas. A ella le llama la atención el hecho de que él empiece a toser y se le salten las lágrimas simplemente por llevarle las maletas un momento hasta el andén. Es evidente que está enfermo. Elna no puede ocultar su preocupación, Eivor la percibe a través de su aparente indiferencia. Pero no tienen tiempo de hablar de ello, el tren se pone en marcha y ellos se dicen adiós y se desean felices navidades una vez más, como una declaración final...

Eivor nota que le cuesta dejar de pensar en Erik. Su rostro ceniciento, el ataque repentino de tos que casi le ahogaba. ¿Cuánto tiempo hace que se fueron de Skåne? Diez... No, hace once años. A la fábrica Eternit. Eivor ha leído alguna que otra vez en los periódicos que la gente dejaba en la cafetería que se sospecha que la fábrica es perjudicial para la salud. Evidentemente guarda relación con una investigación que se ha hecho con trabajadores de la construcción en Borås. Algo acerca del material aislante cuyo nombre conocía su hermano pequeño. Pero ni Erik ni Elna han hablado nunca de ello, ni siquiera han tocado el tema. La mayor parte de lo que pone en los periódicos suele exagerarse hacia un lado u otro, y los que viven en Lomma sabrán lo que es mejor para ellos. Nadie sacrifica su salud voluntariamente... Pero él estaba pálido y la tos sonaba muy mal. Y ha adelgazado mucho los últimos años. No tiene el aspecto que tenía cuando limpiaba su coche en Hallsberg, o cuando volvía a casa de su trabajo en el apartadero del ferrocarril... Ha envejecido tan deprisa... De modo anormal. Y sólo tiene cuarenta y cinco años...

Eivor se ha preguntado a menudo por qué se marcharon realmente de Hallsberg. Porque iban a pagarle más a él, porque Elna iba a estar cerca de su antigua amiga Vivi y podían ayudarles a construir su casa... Sí, claro. Pero hay algo que no cuadra. ¿Estaba Erik dispuesto realmente a cambiar sin más su trabajo en el apartadero, al aire libre, por una fábrica polvorienta y sucia? Y, sin duda, Elna podría haber conseguido también trabajo como limpiadora en Hallsberg... No, hay algo que no cuadra, algo que Eivor no entiende.

«Pero ¿somos capaces de entender por qué las personas actúan de un modo determinado?», piensa ella mientras el tren hace una breve parada en la estación de Rävlanda. «¿Cuando ni uno mismo es capaz de entenderse...?»

Eivor piensa que su madre pronto cumplirá cincuenta años. Ha transcurrido más de la mitad de su vida, está más cerca de la vejez que de la juventud. ¿De qué ha valido su vida realmente? Dos hijos. Uno que llegó demasiado pronto y le cerró la primera puerta de salida a la vida, el otro hijo demasiado tarde. Y cuando al final va a salir de las paredes de su casa no puede hacer otra cosa que continuar limpiando. Claro que no hay nada desdeñable en ello, al contrario. Sin embargo..., ¿cómo lo vive ella? ¿Es consciente de que, a pesar de todo, es demasiado tarde para volver a empezar desde el principio?

«Si Elna pudiera hablar de ello en algún momento», piensa Eivor. «Solamente una vez. Hablar con sinceridad. Es curioso que las mujeres como nosotras nunca hablamos de nuestras vidas, como si nuestros pensamientos y sentimientos más profundos fueran algo feo o desagradable que no pueden mostrarse a la luz del día. O como si fuera un síntoma de debilidad reconocer que a veces no podemos dormir por las noches y quisiéramos salir corriendo a la calle dando gritos. Pero no lo hacemos. No si desciendes de una familia de Sandviken de clase trabajadora, honesta y fácil de contentar...» Eivor gesticula y sacude la cabeza mientras piensa. «Cielo santo, qué camino más largo...»

Salta de un pensamiento a otro, los niños se pasean por los vagones, pero se comportan, saben que tienen permiso para hacerlo, en vísperas de Navidad ninguno corre el riesgo de hacer algo que no está permitido.

Ya se ve el mar. Enseguida habrán llegado. Pero aún le da tiempo de reflexionar antes de ser absorbida por las fiestas navideñas. El abuelo Rune. Su vida. Toda una vida en la fábrica siderúrgica de Sandviken, un esfuerzo continuo. Y luego cayó enfermo y murió como si nunca hubiera existido. ¿Qué dice su lápida pequeña y sencilla de su constante esfuerzo para construir este país? Nada en absoluto. Él forma parte de la multitud sin voz, sin la cual nada existiría. Ni vías, ni el tren en el que viaja, ni la estación... Nada, ni siquiera le han dado las gracias... Bueno, sí, le dieron aquella medalla que nunca quiso ver, la que la abuela tuvo que esconder en la cómoda para que él no la tirara. ¿Qué decía? Ella recuerda literalmente el texto del diploma. Y por encima de todo brilla una estrella. Elna le ha contado la reacción de él. Fue una sorpresa para todos. Él, que siempre había predicado la obligación y el paulatino cambio social como sus puntos de referencia en la vida, de repente había cambiado por completo al recibir esa condecoración. Lo que debería haber sido una confirmación del motivo por el que había vivido se convirtió de repente en todo lo contrario, como si le hubieran dado una patada en vez de un apretón de manos o unas palmaditas en el hombro. Fue como si ese día su temperamento siempre activo comenzara a desvanecerse de repente, y a partir de ahí quedó atrapado y sólo soltaba amargos comentarios, como que de pronto había descubierto una enorme injusticia o un engaño... Y luego se quedó callado para siempre, fichó por última vez en su vida. «Dado de baja en el libro parroquial», motivo: fallecido...

–Hemos llegado –dice Linda.

–¿En qué piensas? –pregunta Staffan.

Ella los mira y sonríe, mientras siente un nudo en la garganta.

–En Papá Noel –contesta ella–. ¿En qué iba a pensar?

Los están esperando en el andén. Jacob no ha venido solo, lo acompaña Artur a recibirlos. Pero Linnea se ha quedado en casa preparando la cena de Nochebuena. Al bajar del tren, Eivor recuerda la imagen del abuelo Rune. Lo recuerda en la cama, agarrado a la sábana, en absoluto silencio, como si realmente no luchara contra la muerte sino contra una inmensa desesperación relacionada con la vida... Pero debe apartar de su mente esa imagen. Va desvaneciéndose. Es Nochebuena y ahí están Jacob y el abuelo Artur y parecen muy contentos...

La Nochebuena resulta todo lo bien que pueda imaginarse. Cuando Eivor se acuesta en el sofá que le ha preparado Linnea y mira el árbol con las luces encendidas, siente una gran satisfacción extendiéndose por su cuerpo. Los adultos han pasado la prueba del año, los niños se han metido en sus camas y lo han pasado bien. Y ahora ella va a tener su regalo tan esperado. Diez días para ella sola. Dentro de unas pocas horas va a levantarse y tomará el primer tren que salga para Gotemburgo el día de Navidad, y le ha dicho a Jacob que no se preocupe de llevarla a la estación con el coche, quiere ir andando para dar una vuelta y para pasar por delante de Konstsilke, su antiguo lugar de trabajo. ¿Estará el edificio todavía? ¿Quedará al menos algún rastro del mismo?

El viejo perro se mueve en silencio, del dormitorio le llegan los ronquidos de Artur y Linnea, y Eivor se acurruca y se tapa con la manta. Ya es más de medianoche cuando se queda dormida y sueña que se encuentra en su cama en Gotemburgo...

A la mañana siguiente, la ciudad está vacía mientras ella pasea. Un solitario taxi desaparece por la calle Skaraborgsvägen y ella llega a la puerta de su antigua fábrica. Todo parece estar llamativamente tranquilo, casi misterioso. Las chimeneas parecen muertas, igual que los respiraderos por los que antes salía el vapor, el agua espesa y marrón se mueve tan despacio que es casi imperceptible. Pero en su interior oye el estruendo de la sección de trenzado y ahí está Moses, cambiando calcetines a destajo, en espera de la eternidad, con el mismo ritmo frenético de siempre...

¿Y Liisa? ¿Qué hace? ¿Adónde ha ido? El último año que pasó Eivor en Borås se encontraron casualmente en la calle e intercambiaron direcciones en medio del viento otoñal, y Liisa le contó que trabajaba en una empresa de venta por correo y que vivía en Druvefors porque su antigua casa fue demolida. Pero nunca llegó ninguna carta de ella y Eivor tampoco le escribió.

Y esa mañana gris de Navidad, Eivor siente una gran necesidad de recuperar el contacto con Liisa. Ahora que la fábrica está en ruinas, con las ventanas rotas y las verjas oxidadas, ella puede recuperar vínculos perdidos en el tiempo a través de las personas que aún viven. Va andando a lo largo del Viskan hacia la estación, dobla en Krokhallstorget y busca el número de teléfono de Liisa en una guía telefónica que hay en el desolado edificio de la estación. Sí, ahí está, Sirkka Liisa Taipiainen, calle Trandögatan 9, teléfono... No lleva bolígrafo en el bolso, pero escribe el número en la parte trasera de un recibo con el lápiz de labios... La dirección es la misma que le dio hace un año, la recuerda, pero el número de teléfono no lo reconoce.

«Voy a llamarla», piensa. «Tal vez esté en Finlandia pasando las navidades. La llamaré después. No tengo más amigos con los que me gustaría mantener el contacto...»

El tren va casi vacío. Un somnoliento revisor le pica el billete en silencio. Al otro lado de la ventanilla, el campo está blanco...

Cuando vuelve a casa, da una vuelta por el apartamento para asegurarse de que realmente está sola, que no hay nadie escondido ni amenazando su soledad. Se sienta en el sofá y no hace nada. Toquetea un paquete de cigarrillos, pero no saca ninguno para no molestarse ni siquiera en eso.

Sabe que no debe tener remordimientos por sentirse tan sumamente bien estando sola, sin niños, sin obligaciones. ¿Lo había hecho antes? ¿Ha estado alguna vez lejos de los niños sin que la conciencia le royera continuamente por dentro? La madre negligente, la persona absorta en sus cosas que tiene la osadía de pensar en sí misma, aunque sólo sea unos pocos segundos de esa vida que bulle a una velocidad incomprensible... No, es la primera vez, y si pudiera empezaría a cantar. ¿Qué nombre se pusieron Elna y Vivi mientras daban vueltas por Dalarna en bicicleta aquel verano durante la guerra? ¿Daisy Sisters? Dos muchachas que eran casi descaradamente felices por el hecho de ser libres e independientes. Y luego todo se truncó.

«Siempre es así», piensa ella. «Si eres mujer, tienes que aprovechar los pocos momentos que te *conceden para cantar*. Formar un dúo mientras vas en bicicleta, aprovechar la ocasión, porque antes de que te des cuenta ya será demasiado tarde. Todos se dan cuenta de que mi madre y yo somos distintas. Pero ¿cuántos perciben que en ciertos aspectos nos parecemos? Y, sobre todo, ¿cuántos se dan cuenta de lo parecidas que podríamos haber sido...?»

La tarde está nublada. Enciende el televisor y va a la cocina a poner agua para el té. Tendría que preparar la comida, pero no lo hace. Una de las consignas de la libertad es ser capaz de descuidar la comida y tomar sólo un sándwich de paso.

Mientras está esperando a que hierva el agua llaman a la puerta. No puede ser. ¿Quién llama a su puerta la tarde de Navidad? ¿Un vendedor de abetos que no ha podido venderlos aún...?

Vuelven a llamar y ella duda si abrir o no. *Puede* ser Kajsa Granberg en un ataque de soledad, y, a pesar de que es Navidad y hay que tener consideración con el prójimo, Eivor siente que justamente hoy no le apetece aguantarla. Pero ¿no iba a ir a ver a unos parientes en Arvika...? Llaman de nuevo y Eivor intuye que es alguien que no va a rendirse, alguien que sabe que está en casa... Apaga el fuego y abre, y en la escalera está Lasse Nyman vestido con un traje bien planchado y con una corbata azul que se vislumbra tras una bufanda granate. No parece el mismo que la visitó hace un mes por la noche, y menos aún el de aquella vez hace dieciséis años.

–Sólo un cuarto de hora –dice él–. Luego puedes echarme.

–Es lo mismo que dijiste la última vez –contesta ella.

–¡Pero fuiste tú la que me ofreció que me quedara a dormir en el sofá! Entonces no me negué a marcharme.

–¿Qué quieres? –dice ella, consciente del tono de rechazo en su voz. Desea estar en paz, y lo último que quiere es que la visiten sombras del pasado.

–Quince minutos –dice él–. Sólo eso.

Ella le deja entrar. Él se quita el abrigo y lo cuelga en una percha. Ella se queda de pie mirándole, preguntándose desde cuándo usa él las perchas...

–Siéntate –dice él.

–¿Qué quieres? –pregunta ella.

–Vas a oírlo. Sólo siéntate.

Ella hace lo que él le dice y parece que esta vez es verdad que sólo va a quedarse un cuarto de hora. Él habla rápido y con decisión, como si tuviera prisa. Saca algo de uno de los bolsillos de su chaqueta.

–¿Ves lo que es esto? –pregunta él.

–¿Una pelota?

–Una pelota de golf. Comprada a tu ex marido en Borås... No, ¡no me interrumpas! Te lo explicaré. Dispongo de un cuarto de hora, ¿no?

Y de esta manera describe la visita que hizo a la tienda de deportes de Borås, en la que Jacob ha sido ascendido a jefe pero, con las prisas de las fiestas navideñas, ha tenido que ayudar con las ventas. Él daba vueltas por la tienda esperando que Jacob buscara un cliente y luego le ha comprado esa pelota de golf. Pero lo más importante es que ha hablado con él de la Navidad, de lo que puede ser adecuado comprar a un chico de once años y a una chica de diez, y el jefe de tienda se ha reído y ha comentado que él tiene dos niños de esa misma edad. Entonces, Lasse Nyman le ha dicho suspirando que es lamentable estar separado y apenas ver a los hijos, y el jefe de tienda le ha dicho que él está bien porque va a tener a sus hijos diez días esas navidades. Y Lasse Nyman se ha ido con toda esa información por el módico precio de una pelota de golf.

–Así soy yo –dice él–. Nadie podrá cambiarme. Me busco información del modo que puedo. Pero antes de que me eches, tal vez quieras oír por qué lo hice.

Eivor está dispuesta a escuchar. Aun a regañadientes, no puede evitar quedarse fascinada de las extrañas andanzas de él por los lindes de su vida.

–Te invito a un viaje al sur –dice él–. Una semana de calor. Yo me hago cargo de los gastos. Tendrás todo lo que quieras. El mejor hotel... Y naturalmente habitación propia. No es cuestión de... Partimos mañana por la mañana temprano y regresamos dentro de una semana. ¿Supongo que tendrás pasaporte?

Ella asiente, con las ideas algo confusas. Claro que sí, tiene pasaporte, lo solicitó y lo recogió hace unos años, con la vana esperanza de que ello significara que tal vez ella también saldría de viaje desde el aeropuerto de Torslanda algún día. Pero ¿de qué le está hablando realmente...?

Él saca un sobre de una agencia de viajes del bolsillo interior de su chaqueta y esparce por la mesa distintos documentos de viaje. Etiquetas para las maletas, pólizas de seguro...

–Puedes decir que estoy loco, lo que quieras. Pero prefiero que pienses que soy una persona que actúa deprisa cuando ha tomado una decisión. El avión sale mañana a las siete de la mañana de Torslanda. A la isla de Madeira. Nunca he estado allí, pero me pareció más divertido que las islas Canarias... Mañana a las siete y volvemos el uno de enero a las once de la noche. Y si hubiera algún problema, compraré un pasaje normal de regreso a casa para ti...

–Estás loco –dice ella–. ¿Pretendes que viaje a Madeira mañana por la mañana? ¿Que vayamos allí, tú y yo?

Él asiente.

–Exactamente eso –dice él–. Viajamos juntos pero viviremos cada uno por su lado. Y si no quieres verme, te prometo mantenerme alejado.

Ella mira incrédula los pasajes que están sobre la mesa. En uno de ellos, efectivamente, ve escrito su nombre.

¡Así que está hablando en serio!

Levanta los ojos y se queda mirándole.

–Debes de estar loco –dice.

–Es un regalo de Navidad –dice él comprensivo–. Hablo en serio...

De pronto, ella se enfada. Ha sido todo tan precipitado que está confundida. No suele perder la compostura, pero ahora está airada, realmente furiosa. ¿Qué diablos se imagina él en realidad? Hace dieciséis años se la llevó a un viaje surrealista que terminó con un asesinato y una violación en el asiento trasero de un coche robado. Y ahora está ahí, metiéndose en la soledad que ella tanto ha ansiado, y parece que cree que lo único que ha hecho ella desde el otoño de 1956 ha sido esperar hasta poder viajar con él a la isla de Madeira. ¿Qué derechos creen tener los hombres realmente? Tal vez sus intenciones sean buenas, pero es una humillación, naturalmente, no puede ser otra cosa.

Y se lo dice sin morderse la lengua. ¿Qué se ha creído? Puede coger sus billetes y largarse con él a Madeira si le apetece. Ella no quiere volver a verlo. Esta vez ha tenido más que suficiente... Tanto que le alcanza para el resto de la vida...

Pero él se queda impasible ante lo que ella le dice, no parece importarle lo más mínimo que esté indignada. Casi parece divertido mientras está ahí sentado tamborileando con los dedos sobre la mesa.

–De eso hace mucho tiempo –dice él–. Ya he estado en la cárcel por ese motivo. Lo he pagado...

–¡Pero no lo que me hiciste a mí!

–Hace tanto tiempo. Ya no lo recuerdo.

–¡Pero yo sí!

–Ya he oído que estás enfadada. Pero no entiendo el porqué. Sólo he venido a invitarte a viajar a Madeira. Si quieres viajar a otro sitio, seguramente podrá cambiarse. Tengo dinero...

Se golpea el bolsillo de la chaqueta para demostrar que dice la verdad.

–¿De dónde has sacado ese dinero? –pregunta ella.

–Vale, soy un ladrón –contesta él–. Pero este viaje no tiene nada que ver con eso...

–¿Cómo puedo estar segura?

–¿Crees realmente que iba a atracar un banco para poder invitarte a Madeira?

–¿Y qué quieres que crea? ¡No te conozco!

Por un momento, él parece realmente ofendido. «Cielo santo», piensa Eivor. «Esto es una locura consumada. Lo dice de verdad... ¿De qué materia estará hecho?»

–Vendré en un taxi a buscarte a las seis menos cuarto mañana por la mañana –dice él, y la indignación ha desaparecido, ahora todo lo que dice vuelve a sonar obvio.

–Basta ya –dice ella–. Puedo ofrecerte una taza de café. Pero luego tendrás que irte. Y quita esos billetes de avión de ahí.

Pero se limita a sacudir la cabeza y los pasajes siguen donde estaban.

–Me marcho –dice él–. Tienes tiempo de sobra para hacer la maleta. Y para llamar a Borås. Vendré mañana temprano. No olvides el pasaporte. Pero no te preocupes por el dinero. Yo tengo.

Él saca su cartera y deja tres billetes de mil junto a los pasajes.

–Toma esto por el momento –dice él–. Y llévate un suéter abrigado.

–¿Un suéter?

–Eso pone en el folleto que leí. Puede hacer frío por las noches. Pero por lo demás la temperatura es cálida. Parece que hay muchas flores en aquella isla.

–Toma tu dinero y vete –dice ella.

Él deja el dinero sobre la mesa y se levanta.

–A las seis menos cuarto –dice él–. Tenemos que estar en Torslanda como mínimo una hora antes de la salida. Así son las reglas.

Y luego se marcha, dejando los pasajes encima de la mesa, las tres mil coronas, las etiquetas para el equipaje y los documentos del seguro...

Eivor siempre recordará lo que ocurrió después como La Gran Noche de Hacer Maletas. Por las veces que sacó su vieja maleta del armario, la llenó de ropa y al momento vació el contenido sobre la cama y volvió a meter la maleta en el armario. Y todo el tiempo va de un lado al otro por el apartamento, unas veces enfurecida para tirar a la basura los pasajes y los billetes de mil; otras para sentarse y ver la centelleante pantalla del televisor, preguntándose si se habrá vuelto loca. No es que dude en ningún momento. Tiene claro que no va a viajar a Madeira con Lasse Nyman. Pero a la vez no puede evitar sacar la maleta, imaginarse una isla de la que lo único que sabe es que está en el Atlántico y que pertenece a España o a Portugal. Playas de arena, ¿o tal vez acantilados? Una terraza con vistas al mar y al cielo, un sol abrasador por la mañana y una poderosa bola de fuego que desciende en el horizonte al atardecer, cuando una brisa fresca hace necesario el uso de un cálido suéter si nos hemos acordado de echarlo en la maleta... Ensueños, recortes de imágenes románticas que ha visto en los folletos de viaje y en telefilmes. Tonterías que debería desterrar. En Suecia están en invierno, con nieve sucia y vientos glaciares del norte, procedentes de Kvarken y de Laponia. Tiene que pensar en eso...

Pero por mucho que intente quitárselo de la cabeza los pasajes están ahí. Tan cierto como que él hablaba en serio. A las seis menos cuarto va a llamar a su puerta y va a decir que el taxi está esperando. ¿Y no habrá olvidado el pasaporte? Es mejor que lo revise una vez más...

«El precipicio», piensa ella. «Exactamente eso. Estar de pie, mirar hacia bajo y sentir la atracción. Un momento en la vida de una persona en el que ya no puede confiar en su propio criterio, sino que está a merced de alguna fuerza oscura que la obliga a saltar.» Es evidente que Lasse Nyman tiene esa fuerza, de otro modo ella no le habría permitido que se marchara sin los pasajes y los billetes de mil coronas. Ni siquiera le habría dejado que terminara de hablar... Tal vez él lo sepa. Tal vez sea consciente de su poder de atracción. Tal vez confíe en que lo que la impulsó hace dieciséis años, cuando ella, sin dudarlo, atravesó Hallsberg por la noche para reunirse con él y seguirlo a donde él quería, siga intacto.

Pero ¿es así?

«Es absurdo», piensa ella. «Seguramente no lo hace con mala intención. Al contrario, tal vez sea ése su modo de pagar la deuda que tiene conmigo, su modo de pedir disculpas.» Seguramente no va con segundas intenciones (en el comprobante del viaje que él ha dejado sobre la mesa ha podido leer que hay dos habitaciones reservadas en algún hotel que se llama Constellation...), la dejará en paz si se lo pide. Seguramente lo único que quiere es ser amable y tener compañía. «No sé nada de él, aparte de lo que me contó hace un mes, esa noche que se sentó en el sofá, pero ahora parece llevar una vida más que sencilla. Solitario, abandonado. En cualquier caso, esto es demencial, desde luego...»

En Värmland se ha quemado un aserradero hasta los cimientos.

Las bombas salpican Vietnam atravesando la paz navideña.

El Papa bendice...

Ella mira las noticias en el televisor. Una breve interrupción entre los elfos y las viejas películas. Trata de concentrarse, pero la luz azulada cae sobre los pasajes que están sobre la mesa...

Nunca podrá designar el instante en que todo empezó a darse la vuelta hacia el otro lado. Pero fue ahí, en algún momento, con el locutor dando las noticias y la luz azul.

¿Y si hiciera caso de la locura? ¿Y si se lanzara al vacío por una vez, corriendo el riesgo de golpearse al caer? Antes ni podía pensar en viajar a un país extranjero, pero ahora tiene un pasaje a su alcance sobre la mesa (hasta el número de su documento de identidad es correcto, aunque no sabe cómo ha podido averiguarlo...). Si ella se atreviera a dar un salto y correr el riesgo... ¿No es justamente eso lo que ha estado pensando durante el otoño? Que la vida es corta, que tiene un margen cada vez menor, como si techos y paredes y suelos presionaran todo el tiempo contra ella. Que simplemente tiene que empezar a hacer lo que le gusta.

Si diera las gracias y lo aceptara, sin remordimientos, sin que por ello prescriba lo que le hizo hace dieciséis años... ¿No es posible igualmente intentar que le pida disculpas (si es eso lo que ella busca, que lo duda) en una playa donde no nieve?

Sin saber en realidad por qué, tal vez para probarse a sí misma, saca su maleta del armario (vuelve a acordarse de Borås... Ese día en que llegó de Hallsberg y anduvo por las calles nerviosa porque la maleta iba a causarle problemas en el autobús hacia Sjöbo...) Casi se ruboriza cuando piensa cuántas veces se ha angustiado en la vida. (Se ha angustiado, ha tenido remordimientos de conciencia, se ha ruborizado... La eterna suerte de la mujer...) Deja la maleta sobre la cama, la abre y piensa que no pasa nada si la llena de ropa y luego llama a Jacob y le dice que ha decidido viajar al extranjero hasta Año Nuevo... Sí, está claro que ha tardado poco en decidirse. Pero ¿acaso está prohibido? ¿No se quejan todos de eso, de que no son suficientemente espontáneos? Hay que vivir un poco más el momento, como la gente que va en sandalias por la calle exaltando la pasividad como filosofía de vida... No, no está diciendo que se haya convertido en una hippy.

Se puede imaginar la conversación telefónica con Jacob, y ahí sale de nuevo la conciencia. La madre de dos niños no viaja a Madeira así como así y, lo peor de todo, sin haberlo planeado con al menos un año de antelación. Y además sola (naturalmente, Lasse Nyman no se puede nombrar. Podría enterarse Elna y... Bueno, Dios mío...), y sabiendo sólo un poco del inglés básico que enseñan por televisión. Un hombre sí podría hacerlo. Pero es distinto. La madre de dos niños no puede revolotear como le apetezca. Debería ser lo bastante adulta para saberlo...

Y justo ese último pensamiento hace que se sienta tan terriblemente molesta que saca la ropa interior y los vestidos de los cajones y armarios. Y mete a empujones los dos bañadores en el fondo de la maleta. Y en un extraño estado de excitación mete también el resto de la ropa, y cuando se pone de pie para ver el resultado, se da cuenta de que empieza a vacilar de nuevo.

Y así ya son las nueve y ella ha vaciado por segunda vez la ropa sobre la cama y ha metido la maleta en el armario. Se ha sentado junto a la mesa, ha puesto una cerilla encendida bajo el pasaje que está a su nombre y ha visto cómo quedaba una mancha oscura en el mismo.

Es consciente de que quiere viajar. No con Lasse Nyman, pero, en cualquier caso, su compañía es lo que debe pagar para poder irse. Lo que la pone tan furiosa es que no es capaz de escoger una opción en el maremágnum de ideas que luchan entre sí como en una violenta pelea. ¿Por qué se siente siempre tan confusa? ¿Por qué le cuesta tanto decidirse? Siempre ha sido así, ya puede escuchar a Elna o a Erik, o a Jenny Andersson o a cualquier otra persona, que luego llega Jacob y da por sentado que él debe decidir qué es lo mejor. Sólo opuso resistencia una vez, ¡y fue acerca de qué película iban a ver! Y luego ella se sintió tan culpable que habría hecho cualquier cosa que le pidiera...

Se acerca el teléfono y llama a Jacob. Cuando él contesta, ella no tiene ni idea de lo que va a decir.

–¿Duermen los niños? –pregunta.

Como era de esperar, él suena asombrado cuando contesta.

–Claro que duermen –dice él–. ¿Qué esperabas? Son ya las... ¡más de las diez!

–Sólo quería saberlo.

–¿No te encuentras bien?

–Por supuesto que estoy bien. ¿Por qué lo preguntas?

–¿Entonces por qué llamas?

Su tono de voz es severo, como si reprendiera a una niña inquieta para que parara de moverse y comiera. Y ella lo entiende perfectamente. Sólo una madre confusa, incapaz de estar sin sus hijos ni una tarde, llama a esas horas de la noche sin tener nada que decir.

¡Pero no es así!

–Mañana salgo de viaje –dice ella.

–¿Qué?

–A Madeira.

–Repítelo.

–Has oído bien lo que he dicho. Madeira.

–Escucha, Eivor...

–¿Sí?

–Los niños duermen. De hecho yo también estaba acostado. Mañana temprano vamos a ir a patinar. ¿Quieres algo especial?

–Salgo mañana a las siete. Voy a estar en un hotel llamado Constellation. Viajamos... Viajo con Tjäreborg. Por si ocurriera algo. Dejo una nota sobre la mesa. Besos a los niños.

–Estás loca. Tú...

–Por una vez me doy cuenta de que sí lo estoy –interrumpe ella–. Si quieres, puedes llamar mañana a las seis. Ya no estaré aquí...

Y luego cuelga.

De repente se siente como si hubiera superado una difícil prueba. Ha pasado una prueba. Naturalmente, el remordimiento hace todo lo posible por recuperar el control, pero ella se obliga a resistir, y hace la maleta por tercera vez esa noche.

A las cinco está sentada en la cocina con una taza de café delante, mirando la maleta cerrada que está en el suelo de la cocina.

Hay una etiqueta con su nombre brillando alrededor del asa.

«Estoy loca», piensa ella. «Loquísima.»

A las seis menos diecisiete minutos llaman a la puerta.

–¿No habrás olvidado el pasaporte? –pregunta él.

–No –contesta ella.

Él coge la maleta y la mira mientras cierra la puerta con llave.

En el taxi van ambos sentados en el asiento trasero sin decir nada. De pronto ella se acuerda de otro asiento trasero en otra época, pero aparta esa imagen de su mente inmediatamente...

«Dios mío», piensa ella. «¿Soy realmente yo?»

Se sienta en la cafetería cerrada mientras Lasse Nyman se encarga de la facturación. Las vitrinas de los bocadillos están vacías, la puerta de la oficina de Enoksson está cerrada, y seguramente con dos vueltas de llave.

«Ojalá salgamos ya», piensa ella. «Estemos arriba en el cielo para que ya no pueda irme corriendo de aquí...»

Y a las siete en punto despega el DC-9 de Con-Airs lleno de pasajeros con destino al Algarve y a Funchal. «El tiempo de vuelo hasta Lisboa se estima en...» Ella va sentada junto a una ventanilla, es la primera vez que vuela, y cuando el avión atraviesa las nubes y un sol destellante brilla como en un paisaje invernal nevado, todo es tan irreal que empieza a creérselo.

«No me importa no entender nada», piensa ella. «Las cosas ocurren y nadie puede hacer nada por evitarlo. No creo que todo esto sea vivir. Pero en este momento le dejo a Dios o a algún otro asumir la responsabilidad...»

–Es muy agradable llegar a un sitio donde nadie te reconoce –dice Lasse Nyman.

–¿Querrás decir donde nadie te conoce?

–¿No he dicho eso?

–No. ¡Has dicho *reconoce!*

–Será una vieja costumbre. Ladrón una vez, ladrón para siempre.

–¿Cómo puedes permitirte invitarme a todo esto?

–Un caballo corrió como tenía que hacerlo. Deprisa. Y pocos lo sabíamos... O sea, carrera de trotones.

–¡Ah!

El reactor lleva a Eivor y a Lasse Nyman hacia la pequeña isla del Atlántico a toda velocidad. Ellos no hablan mucho durante el viaje. Eivor va sentada casi todo el rato con la cabeza apoyada en la ventanilla mirando hacia las nubes que a veces se rompen y dejan ver campos y ciudades. Sólo intercambian algunas palabras de cortesía. Parece como si él comprendiera que ella quiere que la deje en paz, y a ella le parece que él está preocupado. Vuelve a vislumbrar algo de lo que recuerda de aquella vez hace dieciséis años. Bajo la chaqueta de color azul oscuro intuye una chaqueta negra de cuero...

«Luego intentaré entender», piensa ella. «Ahora es suficiente con que me concentre en lo que está ocurriendo. Estoy volando y nunca lo había hecho. No tengo miedo, volvería a hacerlo a pesar de que todavía me encuentro a diez kilómetros del suelo. Más cerca de la luna y de Dios de lo que he estado nunca. No voy a caerme porque hay dos niños que me necesitan. Nada va a ocurrirme mientras ellos estén ahí abajo...»

Hacen transbordo en Lisboa y luego continúan, por encima del océano azul, hacia la estrecha y rocosa cornisa que es Santa Catarina, el aeropuerto de Madeira. Eivor ve aparecer bajo sus pies los altos acantilados, una cuña recortada que emerge del mar, intercalado de verde. El avión desciende, una franja de asfalto negro corre a su encuentro y las grandes ruedas de goma golpean el suelo de un mundo desconocido. Los alerones de freno se abren y la máquina rueda cada vez más despacio, hasta que finalmente se detiene con el morro apuntando hacia el edificio grisáceo del aeropuerto.

Cuando Eivor baja la escalerilla del avión, le espera una leve llovizna. Detrás del edificio del aeropuerto se amontonan las escarpadas colinas volcánicas cubiertas de bosque que desaparecen entre las nubes.

En ese momento sabe que todo lo que ocurre es real. Atrás quedan Gotemburgo, la Navidad, el viento amargo del Kattegat, como un sueño irreal.

–Saca el pasaporte –dice Lasse Nyman cuando van hacia el aeropuerto.

–Lo llevo aquí –dice ella señalando al bolso.

Y cuando el amable policía, con su pelo negro y rizado y su cara bronceada, pasa las hojas de su pasaporte y compara la fotografía con el rostro de ella, se siente como si fuera uno de los momentos más importantes de su vida.

Compara la foto y la deja pasar. Nadie le pregunta por su marido ni por sus hijos, ni quién se encarga ahora de comprar la comida y de tirar la basura, de lavar y de fregar. Aquí se trata de ella y nada más, le sellan el pasaporte: «Entrada, Aeroporto Funchal, Guarda fiscal serv. Fronteiras...».

26 de diciembre de 1972.

«No hay nada imposible», piensa ella mientras espera a que salgan las maletas por la cinta mecánica. «Seguramente esto es una verdad indiscutible para la mayoría de las personas, algo natural. Enseñar tu pasaporte y exigir que te traten como un ciudadano libre e independiente. Seguramente muchos se reirían si supieran lo que estoy pensando. Pero ¿qué dijo Carl-Erik Norberg en la reunión de estudios de hace unas semanas? Qué teníamos que compararnos sólo con nosotros mismos, sin mirar de reojo a ninguna otra persona. Exactamente.» Aún no ha ido más allá, pero lo único que importa es que ha salido del atolladero de ayer. El gran paso que ha dado puede que a otros les parezca pequeño. No es de eso de lo que se trata...

Van sentados en el autobús hacia Funchal por la serpenteante carretera. Es como si estuvieran balanceándose en una estrecha plataforma tallada sobre esa isla que parece estar compuesta de montañas escarpadas y afiladas. Se abre la capa de nubes y el sol golpea con fuerza contra el autobús. En pocos minutos hace tanto calor como en pleno verano.

Lasse Nyman va sentado a su lado en silencio. Ella lo agradece, ya tendrán tiempo más que suficiente para hablar. Pero por ahora casi puede imaginarse que está viajando por su cuenta, sólo responsable de sí misma.

Sola en el mundo, libre e independiente...

Llegan a Funchal. El ruido ensordecedor de los cláxones de los coches en la Rua Joâo de Deus, el puente estrecho sobre Ribeira de Santa Luzia y luego rumbo al oeste, hacia la gran zona hotelera poco después de salir de la ciudad... Múltiples impresiones confusas. Colores, personas, olores... Al lado del conductor va sentado alguien que dice llamarse Dorte y habla por el raspante micrófono en un dinámico danés adaptado a los oídos suecos. Pero Eivor sólo oye algunas frases y palabras... *Escudos*... Quejas, que parece que se dice *reclamaçâo*... «Luego te escucharé, Dorte», piensa ella. «Ahora sólo quiero ver. Y todos estos olores...»

Emisiones de gas y magnolia. Hortalizas y fogatas.

En mitad de la vida, en medio del mundo...

Lo creas o no, ¡ahí está!

Y llega la noche y la mañana con la luz y el calor, y los días rebosan de deseos de vivir...

Al tercer día, Eivor se despierta al amanecer. Yace completamente inmóvil sobre la cama de su habitación, sintiendo la suave brisa que entra por la puerta de la terraza.

Al tercer día, ella trata de recordar qué ocurrió entonces según la Biblia. El primer día se movió el espíritu del mar y poco a poco fue haciéndose la luz, eso lo recuerda bien. Pero ¿qué venía después? ¿La noche y el día, las estaciones del año, el cielo y las estrellas? No, antes venía la tierra firme bajo los pies, la hierba y los árboles... O... No, no se acuerda, así que decide que lo mejor es que fuera la mañana del tercer día cuando el hombre hizo su entrada fatal...

Se levanta, se envuelve en la manta y sale a la terraza. No deja de asombrarle que el amanecer llegue tan de repente, del mismo modo que el día se convierte en noche sin ningún tipo de transición crepuscular. Se estremece al notar el cemento frío bajo sus pies... Tiene el mar muy por debajo de ella. El hotel, como todo en esta isla, está en equilibrio sobre una empinada ladera. A unos cientos de metros de la tierra se levantan peculiares acantilados. Por la carretera que conduce a la ciudad llega una caravana de desvencijadas camionetas y carros tirados por asnos con sus cargas de verdura. El breve amanecer ya ha pasado. Otro día más, el tercero...

Regresa a la habitación y vuelve a meterse en la cama. Está preocupada y se da cuenta de que tiene que pensar.

Los problemas empezaron la noche anterior. Por primera vez desde que partieron, la mala conciencia hizo acto de presencia para incrementar su constante ansiedad, recordándole quién era ella realmente, la Eivor Maria de cada día.

Pero todo había ido bien durante casi dos días, mejor de lo que ella hubiera esperado nunca.

El primer día, que en realidad sólo fue una tarde antes de que se hiciera de noche, lo dedicó a tomar posesión de la habitación, deshacer la maleta, cambiarse de ropa y cenar. Les dieron habitación en el mismo pasillo pero no pared con pared y Eivor percibe como un alivio el hecho de no tener a Lasse Nyman pegado a ella. Suben en el ascensor y van cada uno hacia su lado del pasillo. De pronto, a ella le parece que él está dudoso. Hay cierta inquietud en sus ojos, como si lamentara haberla invitado a que fuera con él. Ella piensa que, evidentemente, se trata de sentimientos encontrados que también él debe de albergar detrás del aspecto tranquilo y desenfadado que ha tenido hasta ahora. Él le pregunta si van a cenar juntos por la noche. Claro que van a cenar... Él dice que ha visto que hay un bar un piso por debajo de la recepción. Tal vez puedan verse allí dentro de unas horas... ¿A las seis y media? Después, él coge su maleta y se dirige hacia su habitación...

¿Quién ha dicho que no vayan a verse? Él la ha invitado a este viaje y le ha dicho que no quiere nada a cambio, apenas algo de compañía. Ella viaja con salvoconducto y por el momento no hay nada que sugiera que él no lo diga en serio. Pero ¿por qué pregunta casi avergonzado si van a cenar? Si no lo hicieran, no sería normal. ¿A quién conocía ella en esta isla...?

Cuando baja al bar y lo ve sentado en un rincón junto a la barra, le da la sensación de que lleva un buen rato allí sentado. Ni siquiera se ha cambiado de ropa. Pero cuando se sienta a su lado, ve que no está borracho. Él sólo se estremece, como si alguien le hubiera asustado...

Cenan en un pequeño restaurante junto al hotel, asesorados por el barman. Es un sótano con techos abovedados. Por encima de las grandes y robustas mesas de madera cuelgan estructuras de hierro destinadas a poner en ellas las brochetas, que es lo que comen ellos también, y que él acompaña con cerveza y ella con vino tinto. Hablan del viaje, del hotel, del restaurante, de la comida. Una conversación para mantener las distancias. Cuando vuelven al hotel, él baja otra vez al bar, pero Eivor percibe que quiere estar solo, y cuando ella dice que está cansada, él simplemente asiente.

–Se desayuna aquí abajo –dice él.

–Sí –dice ella–. Gracias por la cena.

Naturalmente, paga él. Ella lleva en su bolso los tres billetes de mil coronas que él dejó sobre su mesa en Gotemburgo. Ella no sabe qué hacer con el dinero. Sólo tiene cuatrocientas coronas propias, pero siente que debe moverse con eso por allí. Verlo pagar siempre a él va a resultarle insoportable antes o después, ella lo sabe. Dar las gracias constantemente, y que su deuda aumente sin cesar...

El primer día deambulan por Funchal. De vez en cuando caen chaparrones que los obligan a buscar refugio en el café más próximo. Ambos se sienten perdidos en ese país desconocido, ninguno de ellos se atreve a tomar iniciativas. Pero mientras van caminando por allí a Eivor empieza a molestarle el silencio de él. A ella le gustaría hablar de lo que ve, compartir experiencias, pero hay algo dentro de él, algo pesado y contenido que provoca que ella también se quede muda. Entonces Eivor se da realmente cuenta de que ese silencio no puede ser más que un escudo tras el cual se esconde el verdadero motivo de haberla invitado a Madeira. Un motivo que él aún no pone sobre la mesa. ¿Porque todavía no ha llegado el momento o...? Ella no lo sabe. Pero todo le resulta tan nuevo y emocionante que el malestar no tiene tiempo de echar raíces. Eivor está aquí y no puede hacer otra cosa. Ya llegará el momento de las cavilaciones. A su debido tiempo...

–Qué bonito es esto –dice ella al llegar al restaurante que buscaban, The English Country Club.

–Sí –dice él.

–Creo que no te he dicho aún que estoy muy contenta de que me hayas invitado.

–Está bien.

–¿Quieres un café?

–Prefiero una cerveza...

Más o menos así. Eivor trata de verse junto a él desde lejos. Una pareja que no es especialmente dispar. Dos turistas suecos que se conocen tan bien que prefieren guardar silencio cuando están juntos...

Por la tarde, de regreso al hotel, Eivor se detiene en una tienda de ropa a mirar unos vestidos que cuelgan de un soporte.

–Si quieres algo, cómpralo –dice él.

–Sólo estoy mirando –contesta ella.

Al atardecer van en taxi a un restaurante de pescados y piden *pez espada.* Para sorpresa de ella, él también pide vino y, cuando ha bebido unos vasos, de repente empieza a hablar.

–Habría que viajar más a menudo –dice él.

–Si se tiene el dinero para hacerlo.

–Dinero..., dinero... Habría que vivir por aquí. Evitar esa maldita nieve... Habría que viajar más a menudo...

–Si se tiene el dinero para hacerlo.

–Dinero –dice él de nuevo, sin ocultar su desprecio–. Dinero... ¿Qué diablos es eso?

Llega el camarero y sirve las últimas gotas de vino en sus vasos, y Lasse Nyman le indica que traiga otra botella. A Eivor le parece que su modo de pedirla es arrogante, pero no dice nada.

Más vino, y ella habla de algo que ha leído en un prospecto del hotel. Acerca de un barranco y de un valle extraño. No ha terminado de hablar cuando él la interrumpe.

–Por supuesto que iremos allí. Vamos a alquilar un coche...

Pero al día siguiente, Eivor le espera en vano en el comedor a la hora del desayuno. Espera a que los camareros vestidos de blanco empiecen a quitar la mesa y entonces ella se levanta y llama a la puerta de la habitación de él. Tras unos instantes él abre, y cuando lo tiene ante sí, se da cuenta enseguida de que está medio dormido. Además huele a alcohol, a borrachera. Eivor supone que ha continuado bebiendo después de volver al hotel la noche anterior, cuando se despidieron en el vestíbulo. Quizás él esperó hasta que ella desapareció en el ascensor y luego salió del hotel y tomó un taxi para volver al centro de la ciudad...

–Creo que vas a tener que hacer esa excursión en coche sola –dice él–. Pero te daré dinero. Supongo que sabes conducir.

Él se mete en la habitación y empieza a buscar su cartera. Eivor ve que ha esparcido la ropa por toda la habitación. Ella se queda en el umbral de la puerta, sin querer entrar.

–Me las arreglaré –dice ella–. Nos veremos más tarde.

Entonces se marcha sin esperar respuesta. En realidad está contenta de ir sola. La aventura es mayor.

El portero le ayuda a alquilar un pequeño Morris y media hora después va conduciendo hacia el oeste. Después de unos kilómetros sale de la llanura y comienza a subir las rocas de lava. Pasa por plantaciones de plátano, la carretera serpentea por incesantes curvas cerradas que van hacia las nubes. La vegetación cambia abruptamente de aspecto, los eucaliptos aumentan y en todas partes fluyen pequeños arroyos de las rocas. A pesar de que sólo hay catorce kilómetros de Funchal a la cumbre de Eira do Serrado, tarda casi una hora en llegar. Aparca y sale del coche. El aire es fresco y claro, y adondequiera que mire encuentra un panorama impresionante. Pero sus ojos buscan el valle que imagina que hay más adelante. El valle de las monjas. Curral de Freiras. Ella se dirige hacia ese lugar escondido e inicia el descenso con un pie en el pedal del freno, ya que desconfía del desvencijado Morris. «Numerosas monjas huyeron por aquí una vez, cuando en la isla prevalecía la calamidad», piensa ella. «Aquí estaban a salvo de soldados crueles, asesinos y violadores, y aquí se quedaron.» Cuando baja al valle y entra en un pequeño pueblo, el sol ha desaparecido y una niebla desgarrada flota sobre las casas bajas de piedra gris, las cabras flacas y las pocas personas que se ven por el camino. Ella sale del coche y, cuando levanta la vista hacia la montaña y ve la cumbre donde ha estado, siente como si hubiera descendido al submundo. Un extraño silencio cae sobre el pueblo. Un gato de pelo hirsuto se restriega contra sus piernas y de pronto se acuerda del gato del viejo cómico... Deambula sin rumbo. Nadie se dirige a ella, nadie parece notar siquiera que está ahí. Va hacia la iglesia blanca y empuja la pesada puerta de madera. La iglesia está a oscuras y hay humedad, y cuando sus ojos se han acostumbrado a la oscuridad, ve que caen gotas del techo agrietado. Los bancos están podridos, delante del gran crucifijo hay un charco de agua.

«Deben de ser pobres», piensa. «Lo último que abandona la gente de fe es su iglesia...»

Sale de nuevo y se queda junto a un muro que rodea la iglesia. Por delante de ella pasan mujeres silenciosas cargando haces de leña sobre sus espaldas, seguidas de sus hijos pequeños.

«El valle de las mujeres», piensa ella. «Mujeres que se esconden, mujeres que soportan, mujeres que cuidan a sus hijos. ¿Dónde están los hombres?» Mira a su alrededor, pero sólo ve a un hombre viejo que avanza apoyándose en su bastón, inclinado, con la mirada fija en la tierra que le está esperando. A ella le gustaría hablar con las mujeres que pasan a su lado, que bajan por las pendientes después de recoger arroz para cocinarlo. Se imagina cómo viven...

¡Pero ya las ve! Esas mujeres cargan leña sobre sus espaldas, lavan la ropa, hacen la comida, cuidan de los niños. Exactamente igual que ella, como cualquier otra mujer. Visten de un modo distinto, tienen nombres distintos y hablan entre sí en una lengua que ella no entiende, pero no hay grandes diferencias. Consolar a un niño que llora no es cuestión de idiomas, sino una costumbre, como saber a qué temperatura se limpia la suciedad de la ropa.

Siente gran afinidad con estas mujeres silenciosas que habitan el valle rodeado de altas montañas. Si hubiera tenido coraje, habría podido hacerse entender consolando a un niño sobre sus rodillas, o amasando pan. Ella piensa que hay personas diferentes pero no distintas. El hombre como hombre, la mujer como mujer...

Cuando está a punto de volver a sentarse en el coche oye el llanto de un niño a sus espaldas. Mira hacia atrás y ve a una niña descalza que se ha caído y se ha hecho una herida en la rodilla. Sin pensarlo, busca un esparadrapo en su bolso y va hacia la niña. Limpia con mucho cuidado la suciedad y le pone el esparadrapo. La niña ha dejado de llorar y la mira con ojos de asombro. Al darse la vuelta, Eivor se da cuenta de que de repente está rodeada de las mujeres silenciosas vestidas de negro. Pero le están sonriendo. Bocas abiertas que revelan boquetes por la carencia de dientes y encías ennegrecidas como consecuencia de haber tenido muchos hijos y de una pobreza persistente. Pero sus sonrisas son amables y una le dice algo en ese idioma que ella no entiende, y simplemente asiente. Eivor se sienta en su coche, y cuando se marcha de allí, ve que el grupo de mujeres vestidas de negro le dice adiós con la mano...

Regresa a Funchal y devuelve el coche. Cuando paga, siente que esa excursión la ha hecho por su cuenta y que no debe agradecérsela a nadie. Es el dinero que ella ha ganado, lo que le queda del último sueldo del maldito Enoksson de Torslanda...

Llega la tarde sin que Lasse Nyman haga acto de presencia. Ella no tiene ganas de volver a llamar a su puerta, y se pregunta por qué está de repente sentada junto a la piscina del hotel esperándole. Él ha dicho lo que ha dicho, así que no es asunto suyo. Ella baja al centro de Funchal y se compra el vestido que vio el día anterior. Es de color lila y tiene un ribete blanco alrededor del cuello. Se lo prueba y le gusta.

A las cinco vuelve al hotel y se sienta en la terraza de la cafetería. En la mesa de al lado hay un hombre de su edad que está fumando. La mira, le sonríe y le pregunta en un inglés con fuerte acento portugués si viene de Londres. Ella sacude la cabeza y dice que *no*. «¿De Escandinavia?», pregunta él, y entonces ella asiente. Él le pregunta si le gusta Madeira, cuánto tiempo lleva allí y cuánto tiempo va a quedarse. Eivor le contesta lo mejor que puede en su inglés miserable. El hombre es educado y amable y no hace ningún ademán de cambiarse a la mesa de ella. Sólo termina de fumar su cigarrillo, se levanta y le dice adiós. «*Adeus.*» Eso es todo.

Unas horas después, cuando Eivor baja de su habitación para ir a cenar a algún restaurante cercano, Lasse Nyman está sentado en el vestíbulo esperándola. Parece que se acaba de duchar y que está bastante más en forma que por la mañana. Pero delante de él hay dos vasos de whisky vacíos sobre la mesa.

–¿Cómo te ha ido? –pregunta él.

–Tendrías que haber venido –contesta Eivor.

–Conozco un restaurante de marisco –dice él evasivo.

Está abajo, junto al mar. Tienen que descender por largas escaleras para llegar. Las olas del mar braman cerca de ellos y de vez en cuando brilla la espuma iluminada por las tenues luces del restaurante.

Lasse Nyman está cambiado. Atrás ha quedado su silencio anterior y su aire ausente. A Eivor le resulta liberador. Tal vez por fin pueda empezar a comportarse con normalidad.

–Es muy bonito esto –dice él.

–¿Por qué me has invitado a venir? –dice ella.

–¿No lo sabes?

–No.

–Me gustas. Siempre me has gustado.

–Nos conocimos hace dieciséis años. Durante unos días. Y ya sabes... No tengo que decir nada sobre eso. Pero fue hace dieciséis años. Ya nada es igual.

–Tú sí lo eres.

–Claro que no lo soy.

–¿Por qué tiene que ser todo tan condenadamente distinto?

Él bebe vino y gesticula. Su mirada es errátil y Eivor nota una especie de irritación en su voz. Pero ya no quiere seguir doblegada. Ahora quiere saber.

–Has robado bancos –dice ella–. Y has estado en la cárcel durante muchos años. Me lo has contado tú. Y sabes que yo he estado casada y que tengo dos hijos. Has conocido incluso a mi marido. Pero todo eso es sólo la fachada. Tal vez tenga el mismo aspecto, los mismos rasgos y el mismo color de pelo. Pero por dentro nada es como entonces. ¿Entiendes lo que quiero decir?

–Me gustas –dice él solamente.

–¿No puedes contestar?

–¿A qué?

–¿Por qué me has invitado a venir?

–Acabo de hacerlo...

No, ella no logra llegar a él, el escudo sigue ahí. Se encoge de hombros y empieza a pelar una de las grandes gambas.

–¿Sabes qué hice anoche? –dice él de repente y ella nota que está borracho. Ha debido de beber mucho mientras estaba sentado en el vestíbulo del hotel...

–¿Qué hiciste?

–Aquí hay un casino. Estuve allí y me jugué todo el dinero.

Ella se sobresalta, pero recuerda los tres billetes de mil coronas que hay en el bolso.

–Tengo el dinero que me dejaste encima de la mesa –dice ella–. ¿Tan mal te fue? Yo no he estado nunca en un casino.

Él la mira seriamente, tiene las pupilas dilatadas y brillantes. Esboza una enorme sonrisa y sacude la cabeza.

–Sólo estaba bromeando –dice él–. Perdí, pero no importa. El dinero tiene que rodar. Pero te has asustado, ¿verdad?

Ella lo mira asombrada. ¿Asustarse? ¿Por qué?

–¿Por qué iba a asustarme? –dice ella–. Y esos billetes de mil puedo dártelos ahora mismo.

Ella coge el bolso que está en el suelo al lado de la silla.

–No –ruge él–. Eso es para ti. Por todos los demonios...

Entonces Eivor tiene miedo. Él ha comenzado a rugir de repente y mira con ojos desorbitados y esquivos. Ella decide terminar la comida lo más rápido posible. No hablan más, pero cuando ella levanta la vista, ve de frente sus ojos fríos, escudriñadores.

–Ahora iremos al centro –dice él mientras suben las escaleras.

–Estoy cansada –dice ella.

–Tonterías –replica él.

Ella no contesta, tiene cuidado.

De pronto él se detiene en medio de las escaleras y la agarra del brazo. A la pálida luz de un hotel que se encuentra más arriba en la empinada cuesta, ve los ojos brillantes de él y percibe el fuerte olor a vino que exhala cuando se inclina sobre ella.

–Que te quede claro que no te he traído aquí para que te ligues a un maldito portugués –dice él.

Ella no entiende a qué se refiere. Iba ella...

–Yo lo veo todo –añade él–. Te veo a ti y tú no me ves a mí...

–¿De qué hablas?

–En el café. Fuera del hotel. Donde estabas sentada hablando abiertamente con un portugués de mierda...

¡No puede hablar en serio! El hombre que estaba sentado en la mesa de al lado, con el que intercambió unas frases inocentes...

Todo es tan ridículo que ella no puede evitar reírse.

–No sabes lo que dices –dice ella–. Vamos...

Y luego todo va tan deprisa y ella está tan poco preparada que es como si le cayera encima un mazo que baja zumbando por la oscuridad. Se cae de espaldas al suelo por el golpe que le ha propinado él en el ojo.

–No intentes engañarme –dice él respirando entrecortadamente. Luego vuelve a ponerla en pie y la agarra con fuerza–. ¿Me has entendido?

Ella está paralizada de terror. El golpe ha sido fuerte; y el dolor, más agudo al no estar preparada. ¿Por qué le pega? ¿Qué ha hecho ella? Nada...

–¿Por qué me pegas? –pregunta ella–. No he hecho nada...

Entonces él vuelve a pegarle, esta vez con la mano abierta, varias bofetadas seguidas.

–He visto lo suficiente –grita él mientras le pega–. He visto lo que estabas haciendo. Intentabas seducirle... Maldita...

–¡Basta! –grita ella–. ¡Basta!

–Sólo para que lo sepas –dice él sacudiéndola.

Y luego vuelve a pegarle.

Después la suelta y ella intenta salir corriendo. Pero él vuelve a agarrarla de inmediato.

–No –dice él–. No..., no vas a irte de aquí corriendo. Vamos a irnos juntos. Y debe quedarte claro que ha sido culpa tuya. En realidad tendrías que pedir perdón.

Le arden las mejillas y siente que la sangre le palpita en el golpe que tiene en el ojo. Pero en medio de la conmoción por el ataque inesperado también aumenta la ira, una furia que no tiene en cuenta que él pueda volver a atacarla.

–Suéltame –grita ella–. Suéltame...

Ella se suelta de un tirón, pero él vuelve a la carga.

–Te voy a matar –dice él con toda tranquilidad–. Ahora nos iremos de aquí. Tú te lo has buscado.

Los tacones golpean los escalones de piedra. Él la agarra del brazo y empieza a empujarla hacia arriba. Se cruzan con una pareja que habla inglés y va de camino hacia el mar.

Las lágrimas corren por su cara, lágrimas de ira.

–Límpiate eso –ordena él–. Si no lo haces, te volveré a pegar. Tú te lo has buscado. Te has burlado de mí y tienes que tener cuidado. Soy yo el que te ha pagado el viaje.

–Te devolveré hasta el último céntimo –grita ella, y entonces él vuelve a levantar la mano, pero ella le da una patada en la pierna y se va corriendo de allí. Él la alcanza cuando está a punto de llegar al hotel.

–Vamos a olvidarnos de esto –dice él–. Ya has aprendido.

Ella entra directamente en el hotel. Él está detrás de ella en alguna parte. Pero no la toca más. Ella pide su llave y sube la escalera sin mirar atrás.

Unas horas después él llama a su puerta, pero ella no abre, y tampoco contesta cuando pregunta si está durmiendo. Simplemente se queda sentada en el sofá blanco mirando hacia delante con la mirada vacía...

A la mañana del tercer día... Ella yace en la cama después de volver de la terraza y ver el breve amanecer. Al ir hacia la cama se ha mirado en el espejo que está colgado en la pared junto a la puerta del cuarto de baño y ha visto el hematoma que tiene encima del ojo. Le duele al mover las mandíbulas...

Ahora que ya ha pasado una noche, trata de pensar con calma y entender qué ocurrió, por qué la golpeó. La noche anterior estaba totalmente indignada.

Pero ahora que ha vuelto a amanecer...

Piensa en Jacob. Él le pegaba cuando le remordía la conciencia o cuando ella tenía razón y él carecía de argumentos. Cuando no encontraba las palabras, metía los puños. Pero ahora el caso no es así. Ella y Lasse Nyman apenas habían hablado... Vuelve a pensar en lo que dijo. Parece que él la vio sentada en el café hablando con el portugués de la mesa de al lado. Y eso fue suficiente para que él se pusiera... Sí, ¿celoso? Pero eso es completamente imposible...

¿O no lo es? Tal vez ella esté descubriendo el motivo de que la haya invitado a aquel viaje. Tal vez él esté tan loco como para imaginarse que ha comprado algo que puede convertirse en una relación por el precio de un vuelo chárter a Madeira. No es del todo inverosímil. Eivor ha oído decir a sus amigas que no hay límites en lo que los hombres pueden llegar a imaginarse...

Y que te den una bofetada es de lo más natural, con pocas excepciones.

Ella está tumbada pensando en él. El ladrón de coches fanfarrón del que se enamoró perdidamente, el hombre que la vigilaba desde la calle por la noche para luego abrir su puerta con una ganzúa y contarle la historia de su vida... Hay algo triste en esa figura, es pura imaginación y autoengaño.

Un atracador de bancos que emocionalmente no ha salido de la época en la que usaba pañales...

Ella vuelve a exaltarse, la ira regresa. ¡Nadie tiene derecho a pegarle de nuevo! Si él considera que ha sido engañado en sus turbias expectativas, ella le devolverá hasta el último céntimo de lo que ha costado este viaje. Puede irse a la tumba con sus celos, eso no le concierne a ella. ¿Tendría que comprometerse tal vez con alguno de esos amables portugueses sólo para demostrárselo? Nadie tiene derecho a pegarle, no se lo va a permitir a nadie...

Se levanta, se ducha, se viste y va a desayunar. No tiene miedo de encontrárselo. Al contrario, ahora se siente fuerte. Los días que quedan va a tomar el sol y a pasarlo bien. El hematoma que tiene encima del ojo no puede evitarlo...

Cuando baja, Lasse Nyman está sentado en un rincón del comedor, inclinado sobre la taza de café. Su rostro tiene un color ceniciento y evita su mirada al verla. Pero ella va directamente a la mesa de él y le mira.

–Te pido disculpas –masculla él–. No sé qué me pasó.

–A mí no me pega nadie –dice ella–. Nadie.

Ella va hacia una mesa en el otro extremo del comedor y se sienta de espaldas a él. Pero apenas le da tiempo a romper la cáscara del huevo del desayuno cuando empieza a sentir lástima por él. «Debe de ser difícil despertar por la mañana con ese recuerdo», piensa ella. «Con resaca y habiéndole pegado a una mujer sin motivo. Dios mío.» Mira por encima del hombro y ve que él está sentado con la cabeza agachada. «Un niño», piensa ella. «Un niño desamparado que sólo confía en sus puños.» Siempre ha sido así. Ella intenta imaginarse no haber hecho otra cosa más en su vida que ir de una cárcel a otra, fugarse continuamente, y, en el fondo, vivir sabiendo que ha cometido el peor crimen de todos, el asesinato de una persona inocente...

Va a servirse una segunda taza de café y, con la taza en la mano, se acerca a la mesa de él y se sienta. Él la mira asustado.

–¿Por qué lo hiciste? –pregunta ella.

–No lo sé.

–Sólo hablaba del tiempo con aquel portugués. Por si eso tiene algo que ver con el asunto.

–Había bebido demasiado...

–No tienes derecho a pegarme. Haga lo que haga. Y voy a devolverte hasta el último céntimo del importe de este viaje. En cuanto volvamos.

–No quiero que lo hagas.

–¿Por qué me invitaste a venir? Creo que tengo derecho a saberlo ahora.

Él no contesta.

–¿Qué te imaginabas?

–Nada –contesta él sin levantar la mirada.

–No te creo.

–¡Pero es así!

Ella se da cuenta de lo mal que está él después de la borrachera de ayer, lleno de remordimiento, tembloroso y asustado. Un niño que se ha orinado en medio de la clase. Igual que Staffan cuando rompió su hucha sin tener permiso...

Parece que él no quiere confesar por qué le pidió que le acompañara. Y los motivos siguen siendo oscuros, aunque Eivor supone que son tan simples como que él se ha imaginado una aventura, que quedaba algo del vínculo misterioso que establecieron en el pasado, y ha olvidado que no hay nada a lo que regresar...

–¡Mierda! –dice él pasándose la lengua por los labios resecos.

–No hablemos más de esto –dice ella.

Hace calor. Eivor dormita en el borde de la piscina y toma el sol. Lasse Nyman está sentado bajo una sombrilla. De vez en cuando desaparece para ir al bar a beber una cerveza.

Eivor empieza a pensar en el viaje de regreso...

Mientras nada en la piscina ve que Lasse Nyman está sentado en la barra del bar hablando con alguien. Un hombre vestido de blanco, moreno y de tez bronceada. Le extraña que él se digne a hablar con un habitante de la isla, a menos que esté pidiéndole algún servicio relacionado con las comidas o un taxi.

Sale de la piscina y no puede evitar la curiosidad. Después de tres días en la isla todavía no ha tenido ocasión de hablar con nadie. Ni siquiera ha intercambiado frases de cortesía con los de recepción o con la chica risueña que limpia su habitación. Se envuelve en la toalla de baño y va hacia la barra. Ahora no podrá acusarla de andar por ahí buscando compañía, cuando el que ha encontrado compañía es él.

–Te presento a Lourenço, ella es Eivor –dice Lasse Nyman asiéndola por el brazo, y ella nota que él va camino de emborracharse de nuevo.

«Me presenta como si fuera su esposa», piensa ella, y saluda con un gesto al portugués, que aparenta tener alrededor de treinta años. Lleva una camisa blanca y pantalones blancos de algodón. Calza sandalias de color marrón y lleva un gran anillo de oro en una mano.

–Hola –dice Lourenço en sueco con acento portugués.

–Ha vivido en Suecia –explica Lasse Nyman–. En Södertälje, para más señas.

–Sí, en Södertälje –dice Lourenço–. Scania Vabis. Camiones...

–Hall –dice Lasse Nyman.

–¿Pall?

–No, Hall, cárcel.

–No, nunca cárcel. Nunca policías...

Niega con la cabeza y por un momento parece estar confundido, pero Lasse Nyman simplemente sonríe y le guiña el ojo señalando a Eivor. «¿Habrá olvidado lo que ocurrió ayer?», piensa ella. «¿Habrá superado ya la resaca que tenía esta mañana durante el desayuno?»

–He sido carcelero –miente él–. Guardia.

–¿Guardia?

–Exactamente.

Lasse Nyman se baja de uno de los taburetes del bar y se dirige hacia una mesa en la sombra. Lourenço y Eivor le siguen.

–¿Has vivido en Suecia? –pregunta ella una vez que se han sentado.

–Ya has oído lo que he dicho –contesta Lasse Nyman empezando a levantar la voz.

–Ahora pregunto yo –replica Eivor–. No tú.

Lourenço los mira inseguro, a él y a ella.

–Cerveza –grita Lasse Nyman a un camarero que está al borde de la piscina mirando al agua–. *Beer...*

–Yo no quiero cerveza –dice Eivor–. Un refresco... Y voy a pagarlo yo.

–Cinco años en Suecia –dice Lourenço cuando llegan los vasos a la mesa y Eivor ha repetido su pregunta. Cinco años en Södertälje.

–Pero ¿eres de aquí, de Madeira?

–Sí, de Funchal. Volví a casa. Compré una tienda de calzado de... ¿Cómo se dice...? ¿Tío?

–Sí, tío.

–Juntan un montón de dinero en Suecia y luego vuelven a casa –interrumpe Lasse Nyman sin intentar ocultar su desprecio. Se balancea en la silla y sonríe a Lourenço.

–Pagan bien, pero es caro vivir en Suecia –contesta Lourenço.

–Aquí no puede costar tanto. Las casas de Madeira son muy malas, Lourenço. *Very bad...*

–No, las casas son buenas. Aquí hace calor. No hay nieve...

Eivor se siente cada vez más incómoda. Lasse Nyman está provocando al portugués.

–Basta ya –dice, pero él la ignora.

–Hay muchas chicas en Södertälje –dice Lasse Nyman.

Lourenço sacude la cabeza con vehemencia.

–No, no. Estoy casado.

–¿En Södertälje?

–No, aquí. En Funchal. Tres niños.

–Bueno, pero ¿qué importa...? Seguramente tenías chicas en Södertälje, un montón de coños, ¿no?

Lourenço se ruboriza y mira a Eivor. Aparta el vaso.

–Tengo que irme –dice.

–¿Quién compra zapatos a estas horas? ¡Quédate tranquilo, diablos! ¡Tómate otra cerveza!

–No.

–Pero ¿qué clase de amigo eres? ¡Habla de las chicas de Södertälje de una vez!

–Basta ya –repite Eivor.

–¡Lourenço tiene que contarnos cómo se lo pasó en Suecia!

Eivor nota cómo crece la rabia dentro de Lourenço, entonces tira su vaso de cerveza al suelo y los trozos de vidrio se esparcen por doquier.

–Yo digo... Suecia, país de mierda. No todos, no la mayoría. Pero muchos malditos..., como tú..., piensan que los suecos son lo mejor, todo lo demás mierda, los inmigrantes asquerosos... Pero yo... Yo digo..., cómo se dice, *narrowminded...*, tenéis la mente estrecha... Como los americanos... Igual que ellos... Os creéis dueños del mundo... Aquí sois bienvenidos, os recibimos bien. No como en Suecia... Maldito país. No lo digo por ti, pero sí por él... Diablos...

Y luego se va. Las conversaciones han enmudecido alrededor de la mesa. Se acercan dos camareros. Eivor quisiera estar muy lejos de ahí. Pero Lasse Nyman parece impasible.

–Es extraño que no se pueda estar en paz ni siquiera en tu propio hotel –dice en voz alta a uno de los camareros. El otro va a buscar un recogedor y se pone a limpiar los restos del vaso–. Presentaré una queja –continúa– si ese maldito vuelve a dejarse ver por aquí. Dijo llamarse Lourenço Castanheiro.

–No volverá por aquí –dice el camarero.

–No ha sido su culpa –interrumpe Eivor–. El imbécil es él. ¡Si ese hombre que se llama Lourenço no puede volver aquí, la que se quejará soy yo!

–Cállate de una vez –dice Lasse Nyman.

–Tú eres el que tiene que callarse –grita ella poniéndose en pie; y nunca entenderá cómo se atrevió a hablar así, abiertamente, con curiosos alrededor...–. Tú eres el estúpido –agrega ella con la voz temblando de ira.

Y luego se va de allí apresuradamente.

Esa noche cena sola. Cruza el vestíbulo sin mirar alrededor (él puede estar sentado allí, invisible, como ha demostrado antes), alcanza un taxi en la calle y se sienta en el asiento trasero. El conductor es joven, se da la vuelta, la mira y le sonríe. «Esta amabilidad por todos lados», piensa ella rápidamente... ¿Adónde quiere que la lleve? Ella intenta pronunciar el nombre del mercado de Funchal, Mercado dos Lavradores, que ha leído en uno de los folletos de información turística que hay en el hotel. Junto a ese mercado tiene que haber buenos restaurantes. El taxista asiente con la cabeza, gira el botón de la radio del coche, de donde sale una frenética música pop a un volumen insoportable, y luego sigue conduciendo sin mirar atrás...

Cuando se baja del taxi, da varias vueltas por el interior del gran mercado de ladrillo ocre (le recuerda a una especie de templo, donde deberían colgar crucifijos y leerse oraciones en vez de esas hileras de animales cortados en canal y vendedores discutiendo en voz alta. Y todas esas moscas...), viendo cómo desmontan numerosos puestos para la noche. Sobre el suelo irregular de piedra hay fruta aplastada y restos de vísceras, y huele a sangre seca y podrida por todos lados. Eivor va mirando a su alrededor, pero es como si sólo una pequeña parte de ella estuviera presente. La otra parte está librando una interminable pelea con Lasse Nyman, y en sus pensamientos el que cae es él, con grandes contusiones encima de los ojos...

Ella elige un restaurante al azar, sube una escalera empinada y entra en una habitación repleta de mesas y personas. Está a punto de darse la vuelta y salir de allí cuando un atento camarero va a su encuentro y, cortésmente pero con firmeza, la lleva a uno de los extremos de una larga mesa que, además, está ocupada totalmente por turistas alemanes. Le ponen en las manos una carta grasienta y ella intenta descifrar el complicado escrito. Aparece un camarero a su lado y le señala con insistencia los platos más caros. Pero ella no tiene mucha hambre, así que se mantiene firme y señala una sopa, *Caldeirada* y una jarra de vino tinto. Los alemanes de su mesa están terminando la comida con una especie de pudin de caramelo y, por supuesto, acompañan el postre con una jarra de cerveza. Ella se los queda mirando y se pregunta por qué será que los alemanes están por lo general excesivamente gordos e hinchados o, por el contrario, flacos como enfermos en fase terminal. Dios la libre de ponerse tan gorda...

Traen la sopa, cebolla, patatas y aceite de oliva en un plato marrón. Ella limpia la cuchara con una servilleta de papel y empieza a comer...

De repente le embarga una intensa nostalgia que, por supuesto, va seguida inmediatamente del más fiel de todos sus guardianes en la vida: el sentimiento de culpa, de remordimiento, de insuficiencia. Staffan y Linda, no ha pensado en ellos durante varias horas y se avergüenza al recordarlo. Ellos estarán perfectamente en casa de Jacob con los abuelos, sin embargo...

«Tener un hijo es en gran parte renunciar a tu propia vida», piensa ella confusa mientras come y bebe el vino avinagrado. «¿Cuántas mujeres tendrían hijos si lo supieran de antemano? ¿Si imaginaran la mitad de lo que ello implica? Tal vez sea también el motivo por el que la ignorancia tiende una especie de velo negro y pesado sobre la maternidad.»

El vino no es capaz de disipar su desaliento. Se plantea pedir otra jarra, pero está demasiado inquieta para quedarse en ese local bullicioso más tiempo. Consigue llamar la atención del estresado y sudoroso camarero y paga una cuenta de la que lo único que entiende es el total. No tiene ni idea de cuánto debe dejar de propina, por lo que deja resignada un billete, que probablemente sea excesivo, y se levanta de la mesa.

Esa noche hace frío y ella tirita cuando sale a la calle. Le apetece volver al hotel, pero no está segura de si se atreve a hacerlo. En la oscuridad y con las escasas luces de la calle, ese mundo desconocido le resulta amenazador... Pero al final empieza a andar y gira por la Rua de Alfândega. «¿Quién va a meterse con una mujer con un gran hematoma en un ojo?», piensa ella furiosa mientras anda a paso rápido. Ahora quiere ir a casa. Es la primera y última vez que va a dejar que la inviten a ir de vacaciones. ¡Pero no es la última vez que va a renunciar al frío y a buscar el calor! Eso también es una promesa, y la justifica maldiciendo en silencio mientras empieza a caminar por la empinada cuesta que conduce a la salida de Funchal, al recinto alargado del hotel.

Justo cuando acaba de escribir las postales que ha comprado por la mañana, llaman a la puerta. El ruido es tan débil, casi discreto, que ella está segura de que no es Lasse Nyman. Pero, por supuesto, el que está llorando ante su puerta es él. Se queda tan asombrada que no piensa en cerrar la puerta, sino que se hace a un lado y le deja entrar. No puede determinar si está borracho, pero en cualquier caso no le fallan las piernas cuando se dirige hacia su sofá. Él se sienta y se restriega los ojos y ella se pregunta blasfemando si él lleva una cebolla en el bolsillo. Pero ya lo ha visto llorar anteriormente, en el asiento de atrás de un coche hace veinte años...

–¿Sabes por qué quería viajar a Madeira? –dice él de repente, con voz rasposa y débil.

–¿No dijiste que las islas Canarias eran demasiado corrientes?

Él sacude la cabeza.

–Aquí pueden comprarse sin receta medicinas para los nervios –dice él, y para subrayar sus palabras empieza a sacarse de los bolsillos de la chaqueta cajas de Valium y Stesolid.

–Aquí hay por lo menos mil pastillas –dice–. De veinticinco miligramos. De dos farmacias. En Suecia podría haber conseguido veinticinco pastillas con receta. Pero aquí puedo viajar con todas las que quiera.

Y cuando ella, durante la media hora siguiente, se queda escuchando todo lo que él tiene que decir, cree entender que las lágrimas de él no son lágrimas de cocodrilo, sino auténticas. El tormento que expresa es real. Lo que él le cuenta sólo difiere en algunos detalles de lo que le contó en Gotemburgo hace unos meses. Pero ahora no se trata de un recuento de los acontecimientos que forman la columna vertebral de su vida, sino más bien de la descripción de un ser atormentado al que las pesadillas no dejan en paz. Él raspa en su propia superficie y abre las puertas del armario, si no de par en par, al menos de forma que ella piense que puede ver lo que se oculta bajo el polvo. Es lo que queda del desesperado muchacho de diecisiete años, con su cara afilada y sus dedos sucios, y ella no cree que el lamento sea falso, ni exagerado o patético. Seguramente él lo está pasando tan mal como dice. Un sistema nervioso tan destrozado que en los últimos años ha tomado paulatinamente la forma de un cactus invertido. Por lo tanto, las cajas blancas con la marca verde de Roche son lo que lo mantiene unido, lo que une su resquebrajada vida...

Sus rabietas son involuntarias. Él entiende que debería estar avergonzado de que la vida haya sido tan salvaje con él, que los muertos carguen con la responsabilidad que en realidad debería tener el que sostenía el arma. Ella lo mira, lleva el cuello de la camisa sucio, le falta un botón de la chaqueta, sostiene las cajas de pastillas como si fueran fichas de una partida de ajedrez que debería haber abandonado por cansancio hace mucho tiempo. El rey ha caído, pero el jugador se niega a darse por vencido...

Él hace una pausa. Eivor escucha las pocas gotas de lluvia que golpean la barandilla plastificada del balcón. Se pregunta qué debe hacer, no basta con compadecerse de él en silencio. Pero una persona que se abre y descubre las experiencias más humillantes no despierta necesariamente simpatía entre los oyentes sino más bien un malestar paradójico. Sentir compasión es por lo general lo mismo que sentir asco.

–Estoy tan terriblemente solo –dice él–. Soy un rotundo fracaso. –Y añade una frase de autoironía–: Ni siquiera he conseguido quedar entre los quince delincuentes más peligrosos de Suecia. Mi vida no le importa a nadie, sólo a los que fabrican estas pastillas.

–No sé qué decir.

«Los problemas de él son demasiado grandes para mí», piensa ella. «Son distintos a los rasguños a los que estoy acostumbrada. Y qué es mi angustia de ama de casa comparada con lo que él siente en su vida...»

–Mira esto –dice él mostrándole las muñecas en las que ella, por las cicatrices blancas, supone que ha habido agresiones inconclusas en las venas–. Y esto –continúa bajando la cabeza. Se separa el pelo con las manos y Eivor ve la deformación de sus huesos craneales al haberse golpeado la cabeza contra la pared de la celda–. Siempre estoy intentando quitarme la vida, y sé que antes o después lo conseguiré.

–No lo hagas –dice ella.

–¿Por qué no?

Pero ¿qué respuesta tiene ella? Ninguna en absoluto, por supuesto.

–Me comporto como un cerdo –dice él–, una y otra vez. –Es su modo de poner el sello de la humillación en su propia frente–. Me lanzo contra ti sin ninguna razón, fastidio a la gente que sólo quiere ser amable. Todo lo que hago es intentar vengarme. Siempre ha sido así.

–Creo que comprendo –dice ella.

–Nadie lo hace. –Él la mira–. Si tuviera alguien a quien abrazar.

Ella se pone alerta de nuevo y él lo nota. Junta las cajas de las pastillas, se las mete en los bolsillos y se levanta.

–Me voy –dice él.

–No tienes por qué hacerlo si no quieres.

–Ya te he molestado bastante.

–Eres tú el que lo dice, no yo.

Pero él ya está en la puerta, con la mano sobre el picaporte.

–No bebas tanto –dice ella.

Él sacude la cabeza, y si ella se hubiera atrevido, le habría abrazado, habría dado ese pequeño paso movida por una compasión exenta de compromiso.

Cuando lo ve en el comedor al día siguiente, él ha cambiado. Le indica que se siente a su mesa y ella ve que va limpio y además parece que ha dormido bien.

–Lo de ayer me calmó –dice él–. Realmente.

–¡Qué bien! –Ella oye sus propias palabras; pobres e inexpresivas, pero ¿qué otra cosa puede decir? Es tan grande y difícil de entender...

Pero el resultado es que los tres días y las tres noches que les queda para regresar son distintos. Hacen excursiones juntos, compran regalos, se bañan. Van en carro tirado por bueyes desde el Convento de Santa Clara, que está al final de una ladera que hay por encima de Funchal, almuerzan y escuchan a ancianos que, acompañados de guitarras, cantan *fados* sentimentales y aparentemente interminables. Una tarde la convence para que le acompañe al casino, y, sin que ella sepa exactamente cómo funciona, sigue sus aclaratorias demostraciones de Black Jack, Chemin de fer y la habitual ruleta, en la que en un momento impresionante ve al crupier empujar hacia ella una pila de fichas negras después de caer *pleno* en el número diecinueve. Y él se muestra todo el tiempo muy entusiasmado y reflexivo. Entonces Eivor se atreve a relajarse, y de pronto él le resulta atractivo y lleno de vitalidad. ¡Si pudiera entender sus bandazos! Pero ahora que él se ha reconciliado consigo mismo (ella se conformaría con que el viaje sólo hubiera servido para eso), es el acompañante que ella habría deseado.

La última noche. Han cenado en el mismo restaurante de la noche que llegaron a Madeira, han estado mucho tiempo sentados y han bebido mucho vino. Eivor nota que está borracha, pero es una embriaguez cálida y agradable. Lasse Nyman la ha entretenido con historias apabullantes de su peculiar vida carcelaria, de sus compañeros presos, que en sus relatos parecen increíblemente originales. Él ha contestado también a sus preguntas acerca de cómo se las ha arreglado para llevar a cabo algunos de sus robos, le ha contestado a todo, no se ha escaqueado. No puede evitar pensar que él le gusta mientras le está hablando de un malversador que aparentemente se apodaba Lago de los Cisnes, y cuyo mayor deseo en la vida era tener una excavadora. Cuando se comporta como en ese momento, sin violencias, sin cajas de pastillas, cuando es *real* de una manera que ella entiende... Entonces no se siente insegura ni prisionera de un mundo del que no conoce nada.

Por eso tampoco hay nada en su interior que la alerte levantando el dedo índice como aviso de peligro cuando él le propone que tomen una copa en su terraza. Es la última noche, regresarán al día siguiente después de mediodía y, según algunos pasajeros de chárter recién llegados de Suecia, el verdadero frío invernal ha llegado justo a tiempo para Año Nuevo.

¡Año Nuevo! Sí, es el día en que llegan ellos y Eivor ha decidido viajar a Borås. Jacob puede decir lo que quiera, pero ya que ha estado fuera del país una semana, no le podrá impedir que visite a sus hijos antes de lo acordado.

–¿Qué vas a hacer después? –pregunta ella cuando están sentados en el balcón mirando hacia el oscuro mar, donde la espuma brilla de vez en cuando bajo la luz de un faro que ilumina el puerto de Funchal.

–Iré a Estocolmo –dice él–. Tomaré un avión. Todo se arreglará...

Cuando él acerca su silla a la de ella y la toma de la mano, ella no se retira. ¿Cuánto tiempo hace desde la última vez que sintió en su mano la mano de un hombre? Bogdan... Hace demasiado tiempo... Tal vez ella sienta en su interior que es una locura, pero ¿por qué iba a serlo? Ella también tiene instintos, instintos normales que demasiado a menudo y durante demasiado tiempo ha reprimido, dejando detrás un creciente y doloroso montón de escoria... Lo que ocurrió hace dieciséis años queda de repente muy lejos de este balcón de Madeira, y el golpe en la escalera, el hematoma... No, ¡a la mierda con eso!

Pero cuando él se levanta y empieza a llevarla a su habitación, ella se detiene.

–No quiero quedarme embarazada –dice ella.

–¿No te lo he dicho? –pregunta él con cara de asombro.

–¿A qué te refieres?

–No puedo tener hijos. Tampoco valgo para eso. Las hormonas.

Naturalmente, no funciona del todo bien. Demasiado vino, incertidumbre a tientas... Pero cuando ella descansa tranquila con él durmiendo a su lado, no tiene ninguna sensación desagradable en su interior. Él quería que alguien le abrazara, y ella deseaba lo mismo, aunque nunca lo haya reconocido.

Pero no quiere despertarse en la cama de él, así que se levanta con sigilo, se pone lo más imprescindible encima y el resto se lo lleva en la mano y sale al pasillo hacia su habitación. Por el camino oye voces tras una puerta, alguien canta a gritos algo de Evert Taube...

«Sabemos tan poco de nosotros mismos», piensa algo confusa antes de dormirse. «Lo que estamos seguros de que no va a ocurrir, ocurre... Pero tal vez por eso resistimos... Para que, a pesar de todo, ocurra lo inesperado...»

Se tapa con la delgada manta, cierra los ojos y escucha el mar que brama ahí fuera en la noche...

El avión se posa con un ruido sordo sobre el asfalto de la pista de aterrizaje, patina y frena a continuación, mientras la nieve se arremolina alrededor de los motores. El suelo está blanco y ellos ven salir el vaho de las bocas de los hombres que se acercan al avión cuando ya ha dejado de rodar y se detiene.

–Joder –dice él.

Eivor tiene muchas ganas de ir a su casa en Frölunda, de ver a sus hijos. Ella y Lasse Nyman han acordado que mantendrán el contacto. Ella está contenta de que haya entendido que lo que ocurrió la noche anterior fue algo excepcional.

–Hace frío –dice él cuando están en la cola del control de pasaportes.

–¡Uf!, ya lo creo.

Y luego nada más.

Mucho después –cuando hace mucho tiempo ya que todo pasó y ella puede mirar atrás y pensar en lo que ocurrió en el aeropuerto cuando regresaron de Madeira y les recibió el intenso frío, que caía como un puño sobre Escandinavia–, a veces le asalta la idea de que él tuvo un presentimiento. Ella no se considera una persona generalmente observadora, de esas que de pronto perciben algo que difiere de lo habitual como un indicio de que algo va a ocurrir. Pero después se ha preguntado si, a pesar de todo, no fue por eso por lo que él se coló con total descaro a unas señoras que estaban delante de ellos en la fila, tirando y arrastrando tantos paquetes y maletas que ni se habrían enterado si el techo se hubiera venido abajo por la gran cantidad de nieve acumulada. Tal vez lo hizo conscientemente, para dejar un espacio entre él y ella. Un espacio que cobra significado a la luz de lo ocurrido cuando estaban pasando el control de pasaportes. Mientras ella esperaba su turno pacientemente detrás de las señoras y llegaba luego, por fin, a la deteriorada sala de equipajes donde las maletas circulaban sin cesar por la cinta mecánica, él había tenido tiempo de llegar a la cinta que indicaba su número de vuelo. Ella se dirigió hacia él pensando que con un poco de suerte no tendrían que volver a hacer cola cuando atravesaran la salida verde por delante de los empleados de aduana más o menos vigilantes. Eivor lo estaba viendo de espaldas cuando de pronto aparecieron unos hombres desde tres sitios distintos y se pusieron a ambos lados de él.

Luego fue todo tan rápido que ella siempre duda de si ocurrió realmente. Los tres hombres, que van vestidos del color gris del anonimato, se lanzan sobre él y, antes de que le dé tiempo a reaccionar e intentar defenderse, le ponen las esposas y se lo llevan. Eivor no es la única que siente que todo va tan deprisa que parece que no haya ocurrido. Durante esos cortos segundos, sólo un niño mira a Lasse Nyman con ojos muy abiertos mientras se lo llevan.

Ella hace lo único que puede, va al punto de la cinta mecánica donde él estaba para asegurarse de que no se ha vuelto invisible. Pero él ya no está ahí, por supuesto, y mientras ella mira el flujo de maletas que avanzan saltando de modo intermitente sobre la cinta, ella se da cuenta de que, obviamente, no debería estar sorprendida. «Vale, soy un ladrón. Pero este viaje no tiene nada que ver con eso.» Fue lo que le contestó cuando ella le preguntó cómo podía permitirse invitarla a ese viaje. Una respuesta que llegó tan rápido que ella no se dio cuenta de que era una evasiva. Eivor debería haber comprendido que ha estado en Madeira gracias al dinero que alguna cajera aterrada en una sucursal de correos o bancaria se ha visto obligada a meter en una bolsa de plástico mientras él la amenazaba con una pistola o un cuchillo. «Una vez ladrón, siempre ladrón.» Ella sólo ha oído lo que quería oír, pero cuando encuentra su maleta y la saca de la cinta y ve la maleta de Lasse Nyman dando vueltas abandonada, se da cuenta de que al menos no se siente culpable. Es él quien ha cometido el robo, no ella.

Está a punto de retirar la maleta de él de la cinta cuando, por una inspiración, se da la vuelta y ve que todos los pasajeros tienen que pasar sus maletas por el control de equipaje. Deja que la maleta marrón de él continúe dando vueltas sobre la cinta negra y se va de allí. (Ese preciso momento será una imagen recurrente en su cabeza: la maleta solitaria y abandonada en la cinta como un pequeño aerolito en medio de un universo frío e infinito.)

Ella está totalmente tranquila cuando enseña su maleta a un funcionario de aduanas y piensa que tiene que lograr controlarse para ayudarle a él, dondequiera que esté.

¿Tenía él el presentimiento de que iban a detenerlo? Ella podrá preguntárselo en una sola ocasión, pero entonces hay cosas mucho más trascendentales. La pregunta se desliza entre otras muchas que quedan sin responder para siempre.

Sólo se conmueve cuando llega a su casa en Frölunda. Se sienta en el salón, que parece reprocharle algo, y nota al respirar un aire viciado, cerrado. Piensa que él va a permanecer en su vida a la sombra, tal vez en un espacio desconocido en el frío, y que luego va a desaparecer siempre del mismo modo, o van a llevárselo con las manos esposadas en la espalda. «*Hay* que tener lástima de él», piensa, y se imagina un hámster que, impotente, da vueltas en su rueda.

Y, naturalmente, surgen ciertas preguntas inevitables: ¿qué podría haber hecho ella? No es misionera ni monja ni trabajadora social, ni siquiera es especialmente buena escuchando a los demás, pero ¿había algo que ella podría haberle dado con un mínimo de sensibilidad? ¿Una fórmula mágica que ella desconoce? Una vaga sensación de autoinculpación flota por el apartamento y tarda un buen rato en poder levantarse a abrir la ventana y quitarse el abrigo.

No viaja a Borås. Ni siquiera levanta el auricular del teléfono para felicitarles el Año Nuevo y comunicarles que ha llegado bien. Se sienta en el sofá y piensa. Ese primer día del nuevo año piensa en sí misma y en el futuro con un detenimiento del que no se creía capaz. Estar sola y dominar la situación, ver la vida como un paisaje en el que ella se encuentra en el punto más elevado. Formula la simple pregunta de si lo que está viviendo es el principio del fin o el final del principio, y decide, obviamente sin estar *del todo* convencida, que lo último es lo que mejor describe su posición en el curso de la vida. Ahora tiene que ponerse en pie para demostrarlo. Lo que ella sea capaz de hacer en el futuro le hará tomar una posición más reconciliadora con respecto a lo anterior...

Enero de 1973. Un mes invernal tan intenso que todos los inviernos anteriores parecen suaves y luminosos. Los vientos del noroeste parecen ser eternos, traspasan todas las defensas, mordiendo abrigos de pieles y capas de jerséis y ropa interior. Eivor piensa que recordará este mes como El Mes de Las Narices Azules, porque no recuerda haber visto antes la cara de frío que tienen los niños cuando regresan a casa de la escuela o cuando vuelven antes de tiempo de jugar al aire libre. El viaje a Madeira le parece tan irreal como si hubiera hecho una visita relámpago a alguna de las estrellas que brillan en las frías noches de invierno, cuando las temperaturas suelen estar por debajo del mágico número veinte. Sólo cuando ve la rapidez con que se extingue su bronceado, comprueba que el viaje ya sólo es real en un pequeño rincón dentro de ella. A veces tiene la sensación de que *miente* cuando en distintas ocasiones se lo cuenta a los niños o a alguno de sus compañeros en el establecimiento de bebidas. Especialmente porque todo el tiempo está obligada a excluir una parte importante del viaje. Lasse Nyman. El día de Año Nuevo no hay prensa, pero el 2 de enero, cuando va en el tren hacia Borås para buscar a los niños, lee que el atracador de bancos Lasse Nyman ha sido detenido *sin drama* en el aeropuerto de Torslanda. También lee que el dinero con el que pagó su viaje a Madeira probablemente proceda de una de las oficinas del Enskilda Banken del centro de Suecia, más concretamente de Katrineholm, donde Lasse Nyman se encuentra en prisión preventiva... Mientras va sentada en el lento tren tiene la premonición de que no lo ha visto por última vez, sino que aparecerá de nuevo ante su puerta sin que tengan que pasar otros dieciséis años.

«¿Podremos llegar a ser amigos a pesar de las agudas aristas que siempre van a formar parte de nuestro pasado común? Me violó, me hizo ir al encuentro de dos hombres decrépitos para que los dejara indefensos, me obligó a presenciar un homicidio absurdo, me pegó una noche una paliza en una escalera cerca del Atlántico, me ha dado la oportunidad de romper durante unos días la rutina diaria con dinero que ha robado en un banco. Se trata de hechos, de *hechos sentimentales* que no pueden ser suprimidos para que dejen de existir por completo en el futuro. La pregunta es si los breves momentos de afecto, de seguridad, pueden contrarrestar todo el peso del lastre, o si la escora es tan grande que el buque no puede maniobrar y sólo le espera el naufragio. Ella no puede contestar, pero es consciente de que las preguntas son de una importancia crucial para poder enfrentarse a él cuando, antes o después, se presente ante su puerta.

Así que siente a Lasse Nyman muy próximo durante ese mes de enero de frío glacial en que ella emprende la lucha con inquieta perseverancia hacia un nuevo modo de vida. Cuando le ha dicho a Jacob que va a empezar a estudiar, éste se ha mostrado negativo y no lo entiende. (Lo hace cuando va a buscar a los niños, aprovechando la circunstancia de que él se queda estupefacto al darse cuenta de que ella realmente ha estado de viaje. La postal que le envió no ha llegado todavía...)

–¿Por qué? –pregunta él–. ¿Qué pretendes?

–Por el momento es, sobre todo, para tener la posibilidad de establecer unos objetivos –dice ella.

Él pregunta y ella responde, a veces ella no puede contestar *todavía* y nota que él se enfada. Piensa que debe de ser la reacción que Katarina Fransman le ha comentado una vez: el miedo de los hombres cuando las mujeres cuelgan los delantales y salen al aire libre. Pero se calla porque no se atreve a entorpecer el bienestar de los niños. No puede hacer nada más que admitir que también es una ventaja que ella tenga un trabajo más cerca de casa, y además mejor pagado. Las reacciones por parte de Elna y de Erik son, si cabe, aún más negativas, porque lo único que recibe de ellos es una enigmática postal –¡que representa la fábrica Eternit!– con un deseo de «Buena suerte» que huele a desconfianza y escepticismo. Una tarde, Eivor llama a Elna a Lomma, pero procuran no tocar el tema de los estudios. Sin embargo, lo más difícil es hablar con los niños. Les resulta difícil entender que mamá lea libros de texto. Ya lo hizo cuando era pequeña, antes de que nacieran ellos. Tienen curiosidad y miedo a la vez, y en una ocasión, después de una conversación con los niños, Eivor se queda con la creciente sensación de que sus estudios son un resbalón ridículo. Pero a la vez también se da cuenta de la imposibilidad de rendirse ya. Si va a fracasar, no puede ser como una caída del taburete de la cocina, sino como caerse por la barandilla del puente sobre el río Göta. No puede dejarlo todo colgado en silencio, como una derrota invisible.

Se acondiciona un rincón en el salón. Ha encontrado una vieja mesa abandonada en el sótano, de la que se incauta una tarde y la lleva al apartamento. Compra una lámpara de mesa y cose una almohada para la silla de la cocina, que sólo se utiliza cuando viene Jacob de visita. Pone la mesa al lado de la ventana y lleva a la cocina las macetas que había sobre la repisa, así tiene sitio para poner algunos archivos y cuadernos. Sin embargo, el cambio fundamental es decirles a los niños que a partir de ahora no está permitido llevar juguetes al salón. Ahora tendrán que conformarse con su habitación, y lo dice en un tono tan firme que ellos entienden enseguida. Claro que a veces hay maquetas de aviones y tizas de colores sobre la mesa, pero cuando ella vuelve a casa del trabajo y ve sus rostros inocentes, le resulta difícil imponer sus normas.

Mucho tiempo después, cuando todo se ha derrumbado, lo que más le cuesta superar es el hecho de que nunca tuvo la oportunidad de ponerse a prueba en serio. Si sólo hubiera dispuesto de un par de meses, tal vez habría sido más llevadero. Pero para ese resultado... Una expedición grande y minuciosamente preparada que se va a pique el primer día.

Empieza como suelen hacerlo las catástrofes, sin previo aviso, sin que las invisibles antenas de la intuición hayan entendido que deberían enviar una señal. Es tan simple como que ella ha ido a su primera clase de la tarde y regresa a casa desde la plaza de Frölunda. Va caminando llevando la carga que tanto tiempo ha deseado: tiene que hacer los deberes. Para empezar a descubrir hay que aprender. Son las diez, es una de esas inusuales noches de enero en las que el viento ha amainado y no araña su rostro. Tiene prisa por llegar a casa, al té y los bocadillos, y pasarse algunas horas con los libros que lleva en una bolsa de plástico de ICA. Se siente llena de esperanza, como el día en que, hace ya muchos años, recibió su primer sueldo semanal en la fábrica de Konstsilke y salió al mundo a comprar. Es una sensación que sólo puede describirse como uno de esos momentos singulares en que está completamente convencida de que no existe ningún problema que ella no pueda superar. Y de hecho es una paradoja brutal que inmediatamente sea expuesta a una prueba tal que ese convencimiento se haga polvo, como si hubiera estado en el punto de mira de una granada antes de explotar. A lo largo de la calle por la que tiene que pasar para llegar a casa hay varias tiendas, y cuando pasa por una de artículos sanitarios y lanza una mirada rápida y ausente al escaparate –como si en la oscuridad no pudiera evitarse pasar de largo sin mirar un sitio iluminado–, se da cuenta de repente de que no ha tenido el periodo y que debería haberlo tenido hace casi una semana. Sin alterar la velocidad ni la longitud del paso, continúa andando con la espalda levemente inclinada, pensando que no se trata de la primera vez, una semana no es un margen inusual para ella. Sin embargo, en ese momento la intuición lanza sus señales de alarma desde su invisible cueva. Primero como una inquietud apenas perceptible que ella no puede localizar, luego, cuando ya casi ha llegado a casa, como una creciente sensación de que un gran puño la aprieta lentamente.

«No puede ni debe ser nada», se dice en voz alta mientras busca nerviosa la llave del portal en su bolso. Se le escapa de las manos la bolsa con los libros y el estuche de lápices cae sobre la nieve sucia y pisoteada. «¿No te lo he dicho? No puedo tener hijos. Las hormonas.» Ella vuelve a meter el estuche en la bolsa de plástico y cierra la puerta. «Tampoco valgo para eso.» Una opinión fugaz, una frase triste y resignada de un hombre en la demostración final de su fracaso. Pero también puede haber sido una mentira camuflada. ¡Por supuesto! Lasse Nyman miente, su vida es un calidoscopio de mentiras que cambian continuamente de carácter y forma pero que sin embargo tienen el mismo contenido: decir lo que le conviene, lo que le da resultado. «¿No te lo he dicho?» ¿Fue sólo un paréntesis inocente pero fraudulento? ¿Lo sabía ella ya pero había olvidado que él era estéril?

Eivor está delante de la puerta de su casa mirando la placa con el nombre: HALVARSSON, como si no creyera lo que ven sus ojos y pensara que, por supuesto, es posible que él la haya vuelto a engañar, pero que ninguna persona puede mentir cuando se trata de algo así. Tiene claro que el amor puede estar rodeado de las mentiras más monstruosas y de ataques pérfidos, ¡pero no en un contexto en el que no tiene sentido! Un ataque así no se lleva a cabo sólo para acostarte una noche con alguien. Cierra la puerta y se dice a sí misma que son imaginaciones suyas. El viaje a Madeira, Torslanda, los nervios ante lo que va a emprender, son razones más que suficientes para que su menstruación se vea afectada por un desajuste temporal...

Pero está embarazada, por supuesto, y cuando lee los resultados en la farmacia unas semanas más tarde, siente que es sólo una confirmación de algo de lo que ya estaba segura. Tan segura que ya lleva un tiempo pensando en abortar. No tiene por qué ser peor que eso.

Aquellos tiempos ya han pasado, cuando sólo los ríos y las piedras de molino ofrecían la posibilidad de evitar hijos no deseados. «¿No te lo he dicho? No puedo tener hijos.» Casi le asusta que ni siquiera esté decepcionada con Lasse Nyman, sólo siente desprecio, y ella se lo imagina delante de una pared, atado a una silla, con diez fusiles apuntando firmemente a su corazón. O con una soga al cuello, encima de algo que recuerda un andamio y una trampilla que se abre. Ella desearía que no fuera sólo una voluntad malévola o una venganza inexplicable lo que hubiera detrás de esta mentira, pero por una vez es capaz de dejar a un lado los sentimientos benevolentes y darse cuenta de que no hay ninguna circunstancia atenuante. ¿Quién sabe si él ya había planeado todo esto desde el principio, desde esa vez en que empezó a buscarla, estuvo abajo en la calle y la engañó como un espía testarudo, hasta que finalmente consiguió escurrir los últimos restos de resistencia de las manos de ella, logrando que se metiera bajo su manta por voluntad propia? Ella sabe que Lasse Nyman no es tonto, que tiene la paciencia necesaria para realizar para el diablo obras por encargo. Sin embargo... «Tampoco valgo para eso.» Con qué habilidad transformó la compasión en una abertura por donde poder acometer su ataque final, sin tener que esforzarse siquiera. Ella piensa que, de todos modos, no debe sentir lástima por él, dondequiera que esté sentado en alguna celda subterránea invisible.

Y en esta época ilustrada no va a haber nadie, por supuesto, que se interponga en su camino a abortar. Además, sólo tiene que explicar su historia cambiando detalles marginales. Lasse Nyman se transforma ante el trabajador social y el médico en un portugués anónimo de Funchal, una tarde de mucho vino y detalles imprecisos en el asiento trasero de un coche que podría haber sido perfectamente una violación. No, no encuentra ningún problema, insiste en que no quiere tener el niño. La ingresarán en el hospital a principios de febrero y lo único que le molesta es que no puede concentrarse en sus libros y que está irritable con los niños. Pero se obliga a pensar que cualquiera puede resbalar y romperse un brazo o una pierna, y si ella además es capaz de ver su propia determinación como una importante lección para el futuro, no va a perder más tiempo ni energía de los necesarios. Está tan segura de lo que quiere que destina incluso alguna de sus noches de desasosiego a esa idea hipotética: ¿podría imaginarse algún motivo para tener a ese niño? Pero la respuesta siempre es la misma y ella siente una poderosa fuerza en su interior por el hecho de que ella, la pequeña Eivor, a pesar de todo tenga la piel reforzada de acero por dentro, esa piel que está cada día menos bronceada...

Justo una semana antes de que vayan a practicarle el aborto, coge por casualidad un periódico durante una pausa para tomar café en el trabajo y lee que Lasse Nyman se ha fugado de la prisión de Katrineholm. Lo que capta su interés es el titular del artículo: ATRACADOR DE BANCOS EN LIBERTAD, y se da cuenta de que se trata de Lasse Nyman, al reconocerlo en esa fotografía borrosa que aparece encima del titular. Ella piensa que la fotografía debe de haberse tomado muchos años atrás, ya que él va peinado todavía con gomina. Pero los ojos son los mismos de siempre, como si mirara al cañón de una pistola en vez de al objetivo de una cámara de fotos. El miedo, ese rasgo engañoso, expectante. ¿Cuándo podrá salir y continuar su eterna huida? Ella piensa que debería llamar a la policía y avisarles de que él irá a buscarla con toda seguridad. Pero la idea de que puedan implicarla en sus enredos y atracos y que tal vez tenga que asumir responsabilidades por haber participado en el uso de dinero robado, hace que deseche rápidamente esa posibilidad. Sin embargo, se prepara enseguida porque sabe que él va a llegar, y repasa mentalmente una y otra vez lo que va a decirle al otro lado del umbral que él nunca más va a traspasar.

Él llega la segunda noche. Son algo más de las once y Eivor acaba de sacar sus libros y sentarse a su mesa de trabajo cuando llaman a la puerta. Mientras va hacia la puerta, se pregunta cómo habrá podido entrar en la portería. ¿Acaso tiene él llaves o ganzúas de todas las puertas del mundo? ¿Y cómo ha podido salir de la prisión esta vez? Por el ojo de la cerradura...

Él está al otro lado de la puerta y ella ve de inmediato que lleva ropa robada. Es posible que ese gorro de lana, que hace publicidad de un acontecimiento deportivo, haya sido comprado honestamente, pero está segura de que el amplio abrigo marrón no se lo ha probado delante de un vendedor, ni tampoco las botas negras con cremallera lateral.

Naturalmente, le deja entrar, el umbral prohibido sólo tiene un sentido simbólico. No pueden quedarse en la puerta hablando y pulsar de vez en cuando el botón rojo para encender la luz de la escalera.

–No hace falta que te quites el abrigo –dice ella–. Vas a marcharte enseguida. Esta vez no puedes quedarte.

Nota que él se pone rígido y se pregunta si estará tan desesperado como para abofetearla también en esta ocasión.

–Habla en voz baja –dice ella–. Los niños duermen.

Pone a los niños delante de ella como un muro de protección.

Después se preguntará y se echará en cara no haberse imaginado la reacción de él al decirle que se había quedado embarazada durante la relación amorosa que mantuvieron aquella noche en las afueras de Funchal. Ella creía que lo había preparado todo, pero la emocionada reacción de él la pilla desprevenida.

–Mentiste –dice ella cuando ya se lo ha explicado–. Dijiste que no podías tener hijos. Pero era mentira.

–Estaba convencido de ello –replica él, y es tan evidente que miente que ella no se molesta siquiera en replicar.

Y después, el gran momento: ¡Lasse Nyman diciendo la verdad, expresando la felicidad que aquello le produce!

–Un hijo es lo que siempre he deseado –dice él–. Puede cambiarlo todo. Va a ser la última vez que me encierren.

–No voy a tener ese niño –contesta Eivor–. Tendrás que tener hijos con otra que quiera.

–No puedes abortar –dice él, y aunque su voz es casi un susurro, ella percibe su desesperación.

–Claro que sí. El lunes. Y ahora quiero que te marches.

–Si lo haces, me mataré –amenaza él, y ella se estremece al darse cuenta de que un susurro puede hacer más daño que un grito.

–Vete –vuelve a decirle.

–Voy a matarme –insiste él–. Lo haré.

–No lo harás –dice ella–. Vete. De lo contrario llamaré a la policía.

–Llama a la policía –dice él–. O tal vez me presente yo mismo en la comisaría voluntariamente. Pero quiero tener ese hijo.

–No –dice ella, y entonces él la cree y se marcha.

Pero cuando mucho tiempo después Eivor conoce los detalles de lo ocurrido, gracias a que ha tenido la suerte de dar con un buen policía en la comisaría, no hay pruebas de que él *no* se haya quitado la vida. A pocas manzanas de la casa de Eivor robó un coche, se dirigió por la autopista hacia Estocolmo y fue visto en una gasolinera en Lerum. Todo eso está documentado con minuciosidad en los archivos. Puede seguir las últimas horas de su vida en un idioma complicado, que detalla incluso, a veces, la hora en que ocurrieron los hechos. Pero él se ha llevado a la tumba la pregunta cuya respuesta ella esperaba y nunca va a saber: si sus últimas palabras eran ciertas o si la amenaza era también una mentira encubierta. Cuando está sentada junto a la mesa del amable policía leyendo el informe (él incluso va a buscar un vaso de plástico con café para ella y luego sale de la habitación discretamente), ella lo hace con esa sublime concentración que logra que recuerdes *todo* lo que lees. Las páginas se deslizan en su conciencia como rollos de película, ella incluso puede recordar, mucho tiempo después, una mancha de grasa en el margen de la última página. Pues bien, él se ha ido andando, ¿o corriendo?, ha girado por la esquina más próxima y allí ha sustraído un Volkswagen del año 1969, propiedad del dueño de una modesta tienda de muebles de la calle Västra Hamngatan. «Eso ya es llamativo», piensa ella. «Un Volkswagen. Hace dieciséis años él odiaba los coches pequeños, para él eran el último recurso cuando no había vehículos americanos disponibles. ¿No le importaba ya? ¿Robaba simplemente el primer coche que encontraba, resignado, desesperado?» «Quiero tener ese hijo.» Ella piensa que va a tener que aprender a vivir con ese aullido ahogado, y sigue leyendo. El siguiente sitio donde es visto es en la gasolinera de Lerum que abre por las noches, y allí se abastece de gasolina y desaparece sin pagar. Llenó el depósito con 19,2 litros y Eivor pregunta al policía, que acaba de traerle el café haciendo equilibrios para no derramarlo, si no es demasiado. Él se lo confirma, el depósito debía de estar prácticamente vacío cuando entró en la gasolinera iluminada. Precisamente esa noche atendía la gasolinera un empleado de nombre G. Lind, de veintitrés años, domiciliado en Jordås. «G», piensa ella. «Gustav, Gottfrid, Gunvor...» No, más abajo se indica que el empleado es un hombre, y ella siempre va a imaginárselo como Gustav Lind. Ese hombre ha tenido el valor de salir corriendo y quedarse con la matrícula. Después de una llamada telefónica a la policía empieza la persecución. Por supuesto, no se trata de los diecinueve litros de gasolina, sino de que la descripción coincide con la de Lasse Nyman. Un coche patrulla localiza el Volkswagen al norte de Alingsås, pero entonces se suman las fatalidades: al coche patrulla se le pincha fatalmente una rueda y un mensaje de radio es malinterpretado y transcurren veinte minutos hasta que otra patrulla sale en persecución del Volkswagen. «Me mataré.» «Si realmente hubiera pensado hacerlo, no era preciso ir tan lejos con el coche», piensa ella. Pero tal vez necesitaba reunir coraje, tal vez quería pensárselo detenidamente una vez más...

No, no puede creerlo, pero se pregunta qué hubiera ocurrido si a esa aciaga patrulla no se le hubiera pinchado la rueda y si esa persona que coordinaba el contacto entre los coches patrulla se hubiera dado cuenta enseguida de que el coche averiado no podía hacer nada en ese momento. Pero las coincidencias no están sometidas a ninguna ley y lo único que trasciende es que el viaje termina al norte de Vårgårda, más concretamente tres kilómetros antes de la iglesia de S. Härene, donde el Volkswagen se sale de la carretera y choca frontalmente con un árbol. No especifica qué clase de árbol. Tal vez el policía que escribió el informe simplemente no lo sabía. Los coches de policía que acudieron al lugar no pudieron descubrir ninguna huella de frenado. Tampoco había derrapado, el vendedor de muebles había comprado el pasado mes de diciembre cuatro neumáticos de invierno nuevos para su coche. La causa del accidente queda sin aclarar, ya que no hay testigos de los últimos segundos de la vida de Lasse Nyman. Tal vez el accidente del vehículo pueda explicarse, como sucede a menudo, creyendo que el conductor se ha dormido. Pero Eivor está segura de que la última y sobria palabra del informe no es cierta. Que él se haya quedado dormido... No, ella simplemente no se lo puede creer...

Y es ahí donde reside el misterio que nunca podrá resolverse. ¿Ha estallado todo de repente alrededor de él mientras iba sentado en el Volkswagen por la oscura carretera? ¿Ha visto aparecer el árbol a la luz de los faros y en un irreprimible deseo de terminar con todo se ha dirigido hacia él y le ha dado de lleno entre los dos ojos brillantes del frontal del coche? Ella se figura todas las situaciones posibles, dando rienda suelta a su fantasía e imaginación, pero no hay ningún informe que le diga qué pensó él *exactamente* durante sus últimos minutos o segundos de vida. Ése es el gran misterio, y ella lo sabe. Aparta de sí el informe y se queda sola en el reducido despacho del policía. En el pasillo oye protestar a gritos a un hombre de acento extranjero, un teléfono suena con insistencia sin que nadie se moleste en contestar. Ella piensa que, a pesar de todo, tal vez haya una lógica en lo ocurrido. Lasse Nyman y el coche eran una sola cosa, si él tenía que morir, tenía que ser en un coche. Y cuando ella se levanta y se dirige a un mapa que hay en la pared de la habitación y busca Vårgårda, la cruz negra marca la iglesia de S. Härene, y cae en la cuenta de que esa zona le resulta conocida. Fue la zona que ella recorrió una vez junto a Lasse Nyman, donde todos los sueños de su inocente juventud quedaron aplastados durante unos días intensos y horribles. Lasse Nyman se ha matado en el coche a pocos kilómetros del sitio donde una vez, en el pasado, levantó su revólver y le disparó en la garganta a un pobre anciano. La liebre perseguida ha corrido en círculos durante dieciséis años, tal vez más, y casi había llegado al punto de partida cuando la caza acabó de repente.

Cuando abandona la comisaría ha empezado a llover y la temperatura ha subido considerablemente. Piensa que debería averiguar dónde y cuándo va a ser enterrado Lasse Nyman, pero sabe que no va a hacerlo. Que vaya o envíe una corona de flores al crematorio de alguna iglesia desconocida no va a cambiar nada, y ahora ella tiene que llevar una carga muy distinta.

Ella no recuerda casi nada veinticuatro horas después de haber visto en el periódico que Lasse Nyman murió unas horas después de salir apresuradamente de su casa. Lo más cerca de la realidad que cree poder llegar es cuando se ve a sí misma a lo lejos comportándose como si no hubiera ocurrido nada. Con la sensación de haber tocado alguno de los mecanismos oscuros, incluso básicos, que rigen su vida, cree constatar que evidentemente posee una gran capacidad para mostrar una máscara de indiferencia aunque el mundo se venga abajo a su alrededor. Naturalmente, después se ha dado cuenta de que lo que hizo estaba mal (ella misma desaprueba su conducta estúpida y obstinada) y que el error fatal fue que ella no hizo lo que hubiera hecho cualquier otra persona en su situación: buscar ayuda cuando más la necesitaba. Pero ella no lo hizo y simplemente cargó con todo lo que estaba ocurriendo a su alrededor. Era ella la que estaba embarazada, la que llevaba la carga, por lo tanto, ella era la responsable de sus decisiones. Pero está convencida de que cualquier interferencia de alguna persona más o menos sensible habría servido para llevar a cabo el aborto que tenía decidido hacer. En medio de esa quietud absurda que siguió a la gran lucha, había una extraña determinación en ella. Del mismo modo que un gran cansancio puede conducir a una inesperada clarividencia, el inmovilismo no significa necesariamente lo mismo que la indecisión. Ella está decidida esa mañana de lunes, cuando llama al hospital y dice que no va a ir. No da ninguna explicación, sólo eso: no va a ir. Y sin que esté realmente convencida de ello, empieza a prepararse para tener otro hijo. Acude todavía a sus clases nocturnas, con una risa nerviosa en su interior, pero deja que las maquetas de aviones y las tizas de colores sigan posándose en la vieja mesa, y una tarde cuando llega de su trabajo y Linda se sienta allí a dibujar, ella sólo le dice que encienda la lámpara para ver mejor. Del mismo modo, casi imperceptible, también empieza a elaborar una explicación. Precisamente eso es lo que ella, después, va a reprocharse más, y con razón, cuando aparezcan todas las consecuencias con sus luces llamativas y sea demasiado tarde para evitarlo. Si al menos hubiera dicho la verdad, que Lasse Nyman era el padre del niño pero lamentablemente había muerto, habría sido, si no más fácil, al menos cierto. Pero en vez de eso, ella saca a un personaje fantástico de origen portugués, le da el nombre de Leon (encuentra el nombre por casualidad cuando ve un comentario sobre boxeo en un periódico; y, por lo que recuerda, es un cubano), y se dispone a que siga siendo un desconocido. Cuando por primavera el embarazo empieza a notársele y ella lo proclama, a Lomma por carta y al resto de viva voz, nadie la entiende, como es natural. (Sí, posiblemente Katarina Fransman, con la que se cruza casualmente en la calle. Eivor sólo puede interpretarlo como que Katarina está acostumbrada a que a las mujeres de pronto les aterre la tarea de estudiar para tener una identidad propia fuera del cercado y sagrado hogar, y se retiren a toda prisa con un nuevo embarazo.) Los demás no la entienden. El bueno de Jacob tal vez no pueda disimular del todo cierto regocijo, aunque le afecta más el hecho de que sus hijos vayan a tener un *hermano natural, ilegítimo,* como dice él. Esa primavera y ese embarazo son para ella un periodo sin derrotas o victorias. Es sólo la vida, que, imprevisible, ha dado un fuerte puñetazo en la mesa y ella no puede hacer otra cosa más que cumplir con su incomprensible obligación. Es una época en la que ella se acerca más que nunca a sus hijos, lo que confiere una nueva dimensión a su relación con ellos. Staffan y Linda son los que menos entienden, naturalmente. Eivor pinta al desconocido Leon como una persona que casi adopta rasgos místicos, y se esfuerza al máximo para permanecer tranquila y serena, sin poner en riesgo la seguridad de ellos. También se puede decir que ella se imagina que ha logrado su objetivo, mucho más tarde se dará cuenta de que no lo ha hecho. Y entonces ya será demasiado tarde para frenar. Entonces ya estará allí la niña. La pequeña Elin.

Cuando a finales de marzo asiste a su última clase nocturna, traza una muralla alrededor de ella y los niños. Sólo Jacob puede colarse cuando le toca. A Elna, que inmediatamente ha empezado a bombardearla con cartas y llamadas telefónicas, intenta mantenerla a distancia. Ahora se concentra en la casa y en los niños, además de las horas de trabajo diario en el establecimiento de bebidas. No está resignada. No piensa en términos como derrota o fracaso. Al contrario, ha adoptado una decisión totalmente distinta. Reanudar su búsqueda para lograr una identidad profesional fuera del hogar lo antes posible. Va a llevarle tiempo, muchos años, pero no tantos como para que carezca de sentido.

Nadie entiende su decisión, especialmente teniendo en cuenta que es el resultado de una aventura de verano con olor a vino tinto. También es razonable decir que ella tampoco la entiende. Ella estaba totalmente decidida a no traer más hijos al mundo y consideraba que su época de criar niños ya había pasado. Dos hijos son suficientes y la vida no es más larga que la urgencia por tener tiempo para algo más. A la luz de eso, es incomprensible que ella no lleve a cabo el aborto. Las palabras de Lasse Nyman: «Me mataré», no pueden ser la respuesta a ese importante cambio súbito. Eivor no siente ninguna preocupación religiosa, no existen figuras vestidas de blanco sentadas en algún cielo que la vigilen continuamente, nadie que escriba sus pecados en una pizarra negra, se trata más bien de que ha vuelto a caer en una situación para la que no estaba preparada, una situación en la que no tiene facultades para actuar de otra forma. Dicho de otro modo, ella no está ni siquiera segura de si habría abortado en caso de que Lasse Nyman estuviera vivo. Tal vez se hubiera detenido en la puerta del hospital, dándose la vuelta y marchándose. No lo sabe, y durante ese tiempo no tiene mucho interés por encontrar una respuesta. Está demasiado cansada para ello.

Llega mayo de 1974. Hace calor y Eivor suda detrás del mostrador en el establecimiento de bebidas. Es jueves, pero el trasiego en busca de alcohol es grande, y el personal ha comentado con frecuencia que parece que los suecos beben cada vez más aguardiente y cualquier día de la semana, a pesar del enorme incremento de precios. Eivor se estira para bajar una botella de Glenffidich, el whisky de malta más caro que tienen, y mientras mantiene el equilibrio en la inestable escalera, piensa que la escalera de su propia vida es bastante menos estable que la que tiene bajo sus pies. Ella tiene treinta y tres años. Staffan ha cumplido trece. Linda tiene doce y Elin –que nació una mañana de octubre de 1973 en un parto sin complicaciones, apenas hubo que darle unos puntos– ya ha cumplido ocho meses.

Se aproxima la hora del cierre. Madsén, el jefe, ya está de pie haciendo sonar su manojo de llaves en señal de reproche hacia los clientes que llegan en el último momento. Eivor vende una botella de vodka a un cliente al que tendría que haberle exigido el carnet de identidad. Tiene los ojos brillantes y ella percibe el olor inconfundible a cerveza. Pero ella se limita a imprimir el importe, le devuelve el cambio y mete la botella en una bolsa de plástico. Tiene prisa por recoger a Elin de la casa de una niñera que ha encontrado y que afortunadamente vive en el bloque siguiente al suyo. Si una mañana va con mucha prisa, lo que ocurre a veces, puede llevar simplemente a Elin envuelta en una manta y la niñera, que llegó a Suecia procedente de Hungría en 1956, parece ser muy comprensiva. Pero no está pensando en Elin ahora, la pequeña niña de pelo rubio hija de un padre moreno llamado Leon, que hasta el momento no le ha escrito ninguna carta a su hija. No, ella piensa en Staffan, el chico de trece años que se parece tanto físicamente a su padre que casi resulta cómico. Staffan que de repente empieza a hablar con voz cascada y se escapa misteriosamente por las tardes, que empieza a descuidar los deberes, para los que antes tenía tanta facilidad. Que apenas contesta cuando Eivor le pregunta algo, que pega a su hermana Linda cuando ella menos se lo espera, sin motivo alguno. Eivor ha intentado interpretar su comportamiento como normal, está subiendo la cuesta de los primeros y complicados años de la adolescencia. Pero cada vez se ha vuelto más difícil y a Jacob tampoco le resulta fácil entenderse con él. El resultado es que ella ha tratado de mantener el equilibrio un día tras otro, y en realidad no se había producido ningún escándalo hasta la noche anterior, cuando llamó el tutor de la clase de Staffan para decirle que por desgracia su hijo había comenzado a dejarse ver con una pandilla de muchachos que bebían cerveza y esnifaban disolventes que tenían efectos embriagadores. (Es literalmente lo que él dijo, y Eivor supone que describirlo como «disolventes embriagadores» es su intento de hacer más llevadera la verdad.) Esta tarde va a intentar hablar con él, y no tiene la menor idea de cómo acercarse a ese mundo desconocido del que no sabe lo suficiente como para imaginarse que pueda afectarle a su hijo adolescente. La tarde del jueves es la adecuada, porque Linda va a clases de gimnasia y después han acordado que se quedaría a dormir en casa de su mejor amiga, que vive en la calle Lergöksgatan.

Elin duerme y Staffan aún no ha vuelto a casa. Eivor ha estado esperándole durante esa tarde de primavera, pero debajo de la ventana sólo hay un chico solitario que no puede tener más de ocho años dándole patadas a un balón contra las puertas del garaje. Le ha parecido triste y desamparado hasta que se ha dado cuenta de que tal vez Staffan también estaba así hace unos años, absorto en sus pensamientos y sueños, chutando el balón contra las puertas del garaje. Va a la cocina y se queda de pie pensando para qué ha ido allí. Al abrir el frigorífico se acuerda de que se le había ocurrido tomar un poco de vino tinto que guarda en un armario de la cocina. Pero descarta la idea. No puede imaginarse hablando con su hijo de los peligros de esnifar disolventes después de haber bebido ella vino. Claro que es absurdo convertir un trago de vino en una cuestión moral, ella es consciente de eso. Cielo santo, otra cosa sería que consumiera a diario, como algunos clientes que recuerda. Por ejemplo la elegante viuda Ekstrand, que en un año se bebe al menos cien litros de vino blanco, preferentemente uno ácido de marca húngara. Ella apenas prueba el alcohol. No sabe de dónde procede la única botella de vino tinto que tiene en casa o por qué motivo la compró, ni siquiera se acuerda.

¿Tiene miedo? ¿Está preocupada? ¿Cuánto hay de cierto, cuanto de exageración, cuanto de advertencias justificadas? Engström, el tutor de la clase, es nuevo ese año, ella no le conoce y, según Staffan, se parece al tipo de personajes que suele encarnar Charles Bronson en las muchas películas en las que hace de tipo duro. Parecía muy acelerado cuando llamó por teléfono, como si dedicara todas sus tardes a difundir señales de alarma a un número infinito de padres desprevenidos. No puede evitarlo, a ella le pareció que exageraba en sus advertencias...

Staffan por fin aparece, moqueando y sucio. Se quita furioso el anorak y lanza las botas de goma por los aires, como si fueran cangrejos que se han aferrado a sus pies. Murmura algo vago y está a punto de meterse en su habitación cuando Eivor va a su encuentro, diciéndole que quiere hablar con él.

–¿De qué? –pregunta él poniéndose en guardia enseguida, como un soldado de frontera en un puesto de riesgo.

–¡De lo que haces por las tardes!

–Nada.

–En cualquier caso, no hace falta que nos quedemos de pie en la entrada. ¿Podemos sentarnos?

–Estoy bien aquí.

–Staffan...

–¡Déjame!

–Anoche llamó tu tutor.

Lo que ocurre a continuación podría describirse como la sorpresa de alguien que cree tener un gato doméstico en su regazo cuando en realidad es un tigre. De repente, él avanza en línea recta hacia ella y le grita a la cara:

–¿Qué dijo? ¿Qué quería ese imbécil? Habría que caparlo. ¡Lo haré mañana! ¡A primera hora! ¿Qué quería?

Ella se queda muda. Estar cara a cara con tu hijo de trece años y ver el rostro de una bestia peluda. Pero a pesar de que casi le da miedo, descubre detalles que no había percibido anteriormente. Que está más pálido de lo que podía imaginarse, que tiene los pómulos y el mentón llenos de granos, tan pequeños que no los ve hasta que lo tiene delante. (¿Cuándo fue la última vez que le permitió que ella le diera un abrazo? ¿Hace un año? ¿Ha pasado tanto tiempo desde que él, de pronto, empezó a escurrirse de sus brazos hasta que al final se puso activamente en contra?) Ella le pide que se tranquilice y él se detiene con brusquedad, como si ella le hubiera golpeado.

–Basta con que contestes si o no –dice ella–. Que bebes cerveza y... esnifas.

–No.

–¿Nunca? –Se da cuenta de que es la primera vez que se enfrenta a las mentiras de un adulto. Anteriormente habían sido excusas de niño por asuntos sin importancia, por jugar con cerillas y cosas por el estilo, pero ahora se enfrenta a un tipo de mentira distinto, a una resistencia cuyas consecuencias parece estar dispuesto a asumir, aunque ella cree que está más asustado que agresivo.

–No.

La respuesta llega como un martillazo, en un tono de voz que a veces se eleva a falsete.

–¿No comprendes que es peligroso?

Ella no tiene más opción que hacer caso omiso de sus respuestas, prefiere eso a presionarle para que admita lo que ambos tienen claro: que él miente.

–¡Te estoy diciendo que no!

–¿Quieres ser como uno de esos borrachos que se arrastran por la plaza? No te lo permitiré. ¡Tu padre tampoco!

–Buenas noches.

Él se mete directamente en su habitación, cierra la puerta de un portazo y echa la llave, y cuando ella llama a la puerta gritándole que abra, él sube el volumen de la música, de modo que se erige como un muro impenetrable de sonido entre ellos. A pesar de que más tarde lograría mantener una conversación tranquila y relativamente sobria con él, fue junto a esa puerta cerrada y esa ensordecedora música pop cuando detectó por primera vez que la ira de su cambio y sus airadas evasivas estaban relacionadas con la llegada de Elin y el misterioso señor Leon. Ahí comienza Eivor el laborioso proceso mental que le lleva a la conclusión de que ella no logró conservar en absoluto la seguridad familiar cuando dejó caer la noticia de Elin como una bomba. A él debió de parecerle una traición, que destruía las distintas pruebas de amor y consideración que ella siempre le ha demostrado...

Todos los interrogantes que se planteó Eivor durante el verano de 1974, sus angustiosas caminatas nocturnas por los locales secretos de Frölunda, por sótanos, patios, puentes, buscándole cuando no regresaba a casa por la noche, comenzaron ese día. Durante los periodos que él estaba en casa y era tan feliz como un niño, como lo que probablemente era en el fondo, ella podía alimentar incluso una vana esperanza de que todo había pasado, de que no se había quedado atrapado en las garras de lo que una vez había denominado «disolventes embriagadores». Pero esos periodos eran cortos, y cuando una noche a fines de agosto, pocos días antes de que empezara la escuela, vio a los dos policías flanqueándole y agarrándole como si fuera un guiñapo medio inconsciente, ella supo que todo iría de mal en peor si no encontraba una solución que, de un solo tirón, arrancara la maleza que estaba a punto de sepultarlo. Durante el verano había estado de vacaciones con Jacob y su nueva mujer en Båstad. Pretendían que se quedara todo un mes –Linda también estaba–, pero Jacob llamó después de cuatro días diciendo que era imposible y que Staffan iba en el tren que llegaba a Gotemburgo a las seis menos diez esa misma tarde. Entonces se disiparon también las esperanzas de que él pudiera mudarse a Borås, y así se encontró Eivor de nuevo acarreando con toda la responsabilidad. Pero si aquella vez no se hubiera dado cuenta de que *tenía* que pedir ayuda, nadie sabe qué podría haber ocurrido. El hundimiento estaba cerca. Durante esa época además Elin no paraba de resfriarse, y la leal y reflexiva paciencia de Linda, como es de suponer, también llegó a su fin, ahora que ella también había entrado en la pubertad, con todo lo que eso conlleva.

Pero de repente un día, aproximadamente a mediados de agosto, Eivor encontró ese papel en el que había anotado una vez un número de teléfono, y después de mucha paciencia logró seguirle la pista a Sirkka Liisa Taipiainen hasta Dalarna, en un número de teléfono de la calle Smidesgatan en Borlänge. Y cuando marcó el número y Liisa contestó con un grito de alegría al decir Eivor quién era, sintió enseguida que su amiga iba a brindarle ayuda. No han hablado en muchos años, sin embargo es como si inmediatamente retomaran el hilo. Liisa parece que no ha perdido nada de su frenética impulsividad y sugiere enseguida que se vean, ¡tienen que hacerlo!

–Tengo hijos –dice Eivor.

–¿Quién no los tiene? ¡A mitad de camino de las dos!

–¿Dónde queda eso? Apenas sé dónde está Borlänge...

–Nunca has sabido nada, Eivor. Pero no te molestes ahora en saber dónde está. La mitad del camino está... ¿Cómo se llama...? Donde paran todos los trenes...

A Eivor casi le da taquicardia cuando se da cuenta de que es Hallsberg el nombre que Liisa está intentando recordar. Hallsberg... Apenas se atreve a pronunciar la palabra, pero Liisa grita enseguida: Sí, sí. ¡Eso exactamente, Hallsberg! ¡Está a mitad de camino! ¿Cuándo puedes tú?

Eivor logra convencer a Jacob para que se quede con los niños en Gotemburgo el último fin de semana de agosto; y Liisa la recibe en el andén de Hallsberg. Su tren había llegado media hora antes que el de Gotemburgo y Eivor la descubrió enseguida a pesar del gentío que había en la estación. Liisa parecía tener amigos convenientemente ubicados por todo el reino, y había arreglado las cosas de modo que pudieran pasar la noche en casa de una compañera lejana de una amiga de su hermano (¡Eivor ni se imaginaba que Liisa tenía hermanos!) que vivía en Hallsberg, de hecho en la misma zona en la que Eivor había vivido durante toda su infancia.

Se encontraron un sábado hacia el mediodía y estuvieron en Hallsberg hasta las tres de la tarde del domingo. Durante ese tiempo apenas durmieron y a ninguna de ellas se le ocurrió siquiera pensar en ello. Caminaban y hablaban, se sentaban y hablaban, comían y hablaban, se tumbaban y hablaban, y aun así nunca se quedaron sin aliento. A cualquiera que las viera probablemente le parecerían una pareja muy dispar. Mientras Liisa va vestida con unos jeans gastados y rotos, zuecos y una ancha blusa blanca, Eivor ha dedicado mucho esfuerzo para componer el atuendo para reunirse con su amiga. Se ha puesto delante de su armario y ha pensado: «¿Cómo quiero que me vea Liisa?». Del revoltijo de ropa que enseguida está esparcida por la cama y por el suelo del dormitorio elige un vestido de verano de color marrón y un par de zapatos de tacón del mismo tono. Se miran una a la otra asombradas, pero hasta la tarde ninguna de las dos comenta cómo la gran diferencia de su forma de vestir muestra lo distinta que ha sido la evolución de ambas. Se sientan a comer en el ruidoso restaurante de la estación, que está dividido en un pub y un comedor, y piden una de esas aburridas comidas que salen de la cocina patinando sobre la cinta transportadora. Eivor se siente totalmente ajena al lugar, el restaurante está renovado e irreconocible. Le suena vagamente la mujer de mediana edad que hay sentada junto a la caja, pero no está segura del todo. Reencontrarse con Hallsberg le ha producido, sobre todo, desconcierto y tampoco puede negar que siente cierta decepción. Cuando iba sentada en el coche se había imaginado que vería a la mayoría de sus antiguas compañeras de clase, que Hallsberg volvería a su somnolienta existencia de hace veinte años. Pero no reconoce las caras que ve cuando Liisa y ella van paseando. Sólo algunos comercios son los mismos, partes de edificios, la estación de ferrocarril, los altos árboles del patio de la estación. Pero lo que le hace sentirse realmente incómoda, como una erupción de sentimentalismo y un sentimiento horrible de extinción, es cuando se hallan delante del bloque de apartamentos de color amarillo en el que vivió durante su infancia, y ve que la pequeña casa roja de Anders ha desaparecido. Ya no queda nada, ni el jardín ni el abedul que estaba al otro lado de la ventana de su cocina, ni el gran árbol de bayas. Ahora hay asfalto y el aparcamiento de una hilera de casas adosadas de reciente construcción. Ella intenta hablarle a Liisa de cómo era todo aquello, de Anders, de la vida que llevaba allí, pero se da por vencida y se calla. Es demasiado íntimo, no llega a ninguna parte, no encuentra palabras que sean lo suficientemente vivas como para despertar el interés de Liisa. Cuando nota la creciente impaciencia de ésta, se encoge de hombros y dan la vuelta para regresar por donde han venido. Eivor se reencuentra con el ambiente de su niñez, y cuando se da cuenta de que apenas lo reconoce (ni siquiera *el olor* de Hallsberg es el mismo), siente deseos de irse de allí lo más rápido posible. «Es imposible ir hacia atrás en el tiempo pensando que podemos recoger algo que hemos dejado olvidado», piensa, y se estremece ante la idea de que hubiera llegado sola a Hallsberg por algún motivo y hubiera tenido que quedarse allí...

La única experiencia que tienen en común fue la época en que trabajaron juntas en Konstsilke, y hablan de ello sentadas en unos bancos pintados de azul que hay junto a una fuente sucia enfrente del hotel de Hallsberg. Retomar el contacto les ha recordado cuántas cosas han sucedido. Que diez años es realmente mucho tiempo. «Obviamente es imposible intentar una descripción completa de los últimos diez años, lo único que se puede hacer es sacar poco a poco cosas escogidas con la esperanza de que haya algún tipo de conexión entre ellas.» Eso piensa al menos Eivor mientras escucha a Liisa con su inconfundible acento finlandés. Escarbando en la gravilla con uno de sus zuecos, rodeada de colillas y de cerillas usadas, Liisa tiende su puente de diez años sobre una serie aparentemente interminable de traiciones que a la larga han provocado una aversión cada vez mayor a las relaciones. En Borås (y Eivor calcula mentalmente que debe de haber sido aproximadamente por la época en que nació Staffan) conoció a un yugoslavo que llegó con la primera oleada de trabajadores inmigrantes de la década de 1960, reclutados para esa industria que ni siquiera la colonia finlandesa, en continuo aumento, podía abastecer. Fue un amor suicida y cuando él encontró un trabajo mejor remunerado en Olofström y le pidió que le acompañara, ella no lo dudó y fue a recoger su liquidación anual en Konstsilke. Pero en Olofström Liisa abre un día la puerta de la barraca que pensaba que le conduciría al paraíso y se lo encuentra en los brazos de otra mujer. Acepta esa primera traición y se queda con él durante un año frenético, con engaños constantes y continuas promesas incumplidas de que *ya* no volverá a ocurrir.

Cuando en una ocasión, en un ataque de celos totalmente injustificado, él le arranca casi todo el pelo, ella se da cuenta de que no puede engañarse a sí misma por más tiempo y se larga. Viaja a Estocolmo y se ve envuelta en una vorágine de cambios, cambia de trabajo constantemente, de pareja, salta de una cama a otra. Hubo un tiempo en el que tocó fondo e iba merodeando por la Estación Central, borracha, sucia, dando gritos y con llagas en los brazos y manos. Dice que lo que la salvó de morir en algún portal asqueroso, ahogada en sus propios vómitos, fue que «nunca cobró dinero», sólo reclamaba comida, bebida, y sitio donde dormir. Siempre logró defender el último reducto de su orgullo, aunque muchas veces era como si los ejércitos armados del mundo se agruparan a su alrededor. Una vez, cuando por alguna razón inescrutable había conseguido un poco de dinero, partió sin saber por qué una silla en la cabeza de uno de sus más fieles amigos de borracheras, luego fue en taxi hasta el puerto de Värtahamnen y compró un billete de ida a Helsinki. En el barco conoció a un grumete finlandés que en vez de invitarla a beber le echó una regañina durante una hora y luego la mandó a la ducha. Él vivía en las afueras de Estocolmo, en Gustavsberg para ser precisos, y después de dos días en Helsinki, donde ella se había sentido inquieta y fuera de lugar, le siguió de nuevo a Suecia. Se casaron después de unos pocos meses, ella ya estaba embarazada y parecía que la mala racha había pasado ya. Pero al regresar a casa de la clínica con el niño recién nacido, no pasaron muchas semanas antes de que papá grumete se cansara de los gritos que se oían todo el día a causa del cólico del niño, y estuvo a punto de tirarlo al suelo. Liisa, naturalmente, salió huyendo de allí, ahora podía darse cuenta de que aquello había sido un espejismo y, tras pasar por una serie de domicilios circunstanciales, de nuevos amigos de mayor o menor confianza, finalmente terminó como ayudante en un quiosco de salchichas en Hedemora, y al año siguiente en Borlänge con un trabajo en Domnarvet, un puesto de trabajo que mantiene desde entonces.

Pero en cierto modo esto no es ni la mitad de la historia, dice ella con los ojos clavados, ausente, en un gorrión que mira furtivamente desde el borde de una profunda huella marcada en la gravilla. La verdadera historia, por supuesto, es cómo me ha influido todo esto. ¿Qué queda de la chica finlandesa que viajó a Suecia una vez para hilar oro en Borås, que tenía los mejores antecedentes que se puedan imaginar en las enseñanzas del abuelo Taipiainen acerca de que el mundo debe ser descubierto, descifrado y transformado? Que por cierto tampoco podía callarse cuando la injusticia se tomaba demasiadas libertades, pero que lo perdió todo cuando un yugoslavo de ojos oscuros fijó su mirada en ella. Que luego participó como algo más que observadora en la colonia de los marginados sin techo y pudo contemplar el bienestar sueco desde la borrosa perspectiva de una rana. ¿Quién era ella entonces y quién es hoy?, dice levantando la vista de sus zuecos y entrecerrando los ojos para mirar el sol vespertino.

–Tengo una teoría –dice ella–. Y es que la gente común está empezando a descubrir ahora el contexto histórico. La política. Lo que ocurrió a finales de los años sesenta, Vietnam y todo aquello, de lo que *nosotros* en realidad no nos interesamos, nos parecía que no era más que palabrería, que no nos concernía, porque la economía todavía iba bien aquí en Suecia. Pero ahora, cuando empieza a haber problemas de nuevo, cuando ya nada es *evidente,* la gente común empieza a ver el contexto, la política de nuevo. ¡Y entonces la cosa va en serio!

Eivor no sabe qué contestar, así que opta por preguntarle si van a algún sitio a tomar café. Liisa la mira un instante pensativa, luego sonríe, se levantan del banco y se marchan.

Van a pasar la noche en la planta superior de una vieja casa de madera que está en el centro de Hallsberg, donde vive una amiga lejana de Liisa que trabaja en una residencia de ancianos en las afueras y tiene guardia ese fin de semana, por lo tanto no estará en casa por la noche y Liisa y ella disponen del reducido apartamento para ellas solas. Se oye resonar el televisor del piso de abajo a todo volumen. Eivor se ha acurrucado en un sofá de felpa rojo y Liisa se ha sentado en un sillón y apoya los pies descalzos encima de una mesa. Cuando Eivor le cuenta sus diez años, quiere seguir los pasos de Liisa, hacer hincapié aquí y allá y dejar los grandes intervalos a la imaginación de su amiga. Habla por primera vez de la verdadera historia de Madeira, del falso Leon y del auténtico Lasse Nyman. Ella nota que, muchas veces, Liisa quiere interrumpirla para intercalar alguna pregunta, pero ella no la deja, sólo sube el tono de voz y continúa. Termina contando su repentina idea de buscar su teléfono e intentar reencontrarse con ella, y le pregunta directamente qué puede hacer para que Staffan no acabe entre las ruedas del molino. Liisa no contesta enseguida, sino que se queda sentada en el sillón sacudiendo la cabeza lentamente.

–Qué jugarretas nos hace la vida –dice ella en voz baja, y Eivor percibe algo cálido en su voz.

Y luego, sin previo aviso, como si la vida a pesar de todo no fuera más que una prolongada y seductora noche de sábado, se levanta de repente del sillón y dice que tiene hambre, que necesita montones de comida para sobrevivir.

–Pero no estoy gorda –dice–. Estoy más delgada ahora que en Borås.

–Yo no sé cuánto peso –contesta Eivor.

–Tú nunca has sabido nada.

Entonces Eivor comprende por primera vez que, detrás de su tono burlón y levemente irritante, Liisa habla en serio.

Ambas comen lo mismo, filetes de carne quemados con patatas fritas marchitas al lado. Beben vino y Eivor intenta contarle de nuevo lo que supone para ella volver a Hallsberg. Pero apenas ha avanzado cuando Liisa la interrumpe.

–No puedes *utilizar* esos recuerdos –dice impaciente–. ¡Maldita sea!... Todos hemos sido niños. Niños de mierda... Una vez tuve una amiga, tendríamos siete u ocho años. Era el cumpleaños de otra niña y no nos había invitado. Entonces nos sentamos y cagamos encima de un papel y lo envolvimos, le pusimos una cinta roja alrededor y se lo dimos de regalo de cumpleaños, y luego salimos corriendo lo más rápido que pudimos... Todas hemos sido así.

De repente, Eivor necesita defenderse, oponer resistencia.

–Para mí es importante –dice ella–. No vivo de viejos recuerdos, si es eso lo que crees. Pero en este momento me resulta dificilísimo no pensar que viví aquí diez años de mi vida.

–Claro –dice Liisa–, pero...

Ahí se interrumpe y se concentra en la desolada comida con fuerzas renovadas. Eivor puede ver, por su modo de comer, que está pensando febrilmente, se está preparando... Cuando han retirado los platos empieza.

–Vente a vivir a Borlänge –sugiere–. Allí tendrás vivienda y trabajo. En Domnarvet. Como yo.

–¿Otra vez en una fábrica?

–Es el sitio que nos corresponde –dice Liisa con énfasis–. Ése o cualquier otro lugar donde trabaje gente corriente.

Y con todos los argumentos imaginables intenta persuadirla para que se mueva, para que arranque, para que empiece de nuevo, por ella misma y también por Staffan. Borlänge es una ciudad pequeña. Allí también hay problemas, naturalmente, muchos problemas, pero no es tan oscura. Es una ciudad que se puede dominar, al contrario que Estocolmo o Gotemburgo, que son ciudades que *dominan* a las personas. Si quiere hacer algo por su situación, tiene que abandonar sus raíces actuales (Liisa dice una y otra vez que «hay que tirar los muebles por la ventana al menos cada tres años»), salir de un ambiente que –por lo que Liisa deduce– no es tan bueno como puede serlo Borlänge. La discusión se alarga durante la tarde y la noche, con interrupciones regulares, y cuando se separan al día siguiente, Eivor le promete pensarlo seriamente, a la vez que le da a Liisa poderes ilimitados para que averigüe dónde podría vivir ella y encontrar trabajo en Borlänge.

Pero, antes de llegar al momento en que están de pie cada una en su andén, esperando a los trenes, que llegan con retraso, e intercambiando los últimos saludos por encima de las vías del ferrocarril, Eivor se lleva una tarea importante para hacer en Gotemburgo. Ha habido un momento durante esa noche, cuando estaban cada una en su rincón del sofá de felpa y se han quedado en silencio, en que Eivor le ha preguntado a Liisa a qué se refiere al decir que ella nunca ha sabido nada.

–¿No lo entiendes? –dice ella realmente asombrada por lo que Eivor intuye–. ¿Todavía no lo entiendes? ¡Hay que ver lo torpe que eres!

Y en un nuevo intento de explicárselo, un intento que habría hecho caer en la desesperación a cualquier pedagogo, ella vuelve a echar mano de los fundamentos básicos de la vida, a los que ella denomina el Contexto y el Ambiente. Y Eivor nunca ha sido capaz de verse a sí misma como parte de un contexto más amplio que su familia y el trabajo que tuviera en ese momento. Pero ¿por qué robaba bancos Lasse Nyman y le cortó la oreja a su padre? (Además, ¿quién sabe si la vida del viejo Nyman era tan fácil?) ¿Por qué se queda siempre sin comprender lo que le sucede a ella, como si fuera víctima de una sorprendente serie de circunstancias desafortunadas? Pero Eivor no es ninguna pista de aterrizaje donde los aviones chocan sin cesar, la historia no experimenta ningún *black-out* cada vez que ella sale a la calle o corre la cortina. ¡Siempre ha cometido el grave error de creer que está sola! (O, Liisa rectifica, el error de dejarse engañar creyendo que está sola.) Ella no es un satélite que está girando solitario, sino parte de un *contexto*. Y mientras no se dé cuenta de ello y empiece a buscar explicaciones para lo que está sucediendo en el entorno, irá arrastrándose por la vida como una discapacitada a la que han despojado de sus muletas.

A pesar de que lo que dice Liisa pueda parecer por el momento confuso y contradictorio (y en parte lo es), Eivor se da cuenta de que tiene que almacenar todo lo que oye dentro de sí misma, para su posterior procesamiento y utilización. Y eso es lo único que Liisa le pide.

–Yo no soy ninguna..., ¿cómo se dice?... ¿Alma imposible? Pero a veces es bueno tener a alguien que te dé una patada en el culo.

–¿Tú tienes a alguien?

–Claro que sí. Muchos... En Domnarvet... Y Arvo...

–¿Quién?

–¡Mi hijo! ¡Arvo!

–Sí, claro...

Pero quien piense que el encuentro de Sirkka Liisa Taipiainen con Eivor Maria Halvarsson en Hallsberg se caracterizó por la seriedad, sólo interrumpida de vez en cuando por comidas insulsas o brotes de impaciencia, lo ha entendido todo mal de principio a fin. Es exactamente lo contrario, son dos mujeres que vuelven a verse después de que ambas creyeran que la otra había desaparecido en algún rincón desconocido del país o del mundo, dos mujeres que ríen y comparten con generosidad sus ganas de vivir más o menos lastimadas. ¿Por qué otro motivo iban a intercambiarse la ropa a las cuatro de la mañana para luego casi desternillarse de risa al ver el resultado? Además, Eivor percibe con más nitidez lo que le ha dicho Liisa por la tarde: que va vestida como alguien que no es pero cree que debe ser. Y en ese amanecer de un domingo de agosto deambulan por las calles vacías y sus risas resuenan en las paredes de las casas.

Cuando entra en la estación el tren de Eivor, poco antes de las tres de esa tarde de domingo, Liisa desaparece como si se cerrara una cortina, y ella sube al tren con paso más relajado que nunca. Viaja a Gotemburgo con la sensación de haber sido liberada de un tornillo de sujeción cuya existencia ha ignorado toda su vida. Ahora es consciente de que, mientras ella ha creído durante mucho tiempo tener un control firme sobre la realidad, en el fondo no ha hecho otra cosa que evitarla en muchos aspectos. Las excepciones que se le ocurren están ahí indudablemente (sus intentos de estudiar, su viaje a Madeira, su contacto con Katarina Fransman, su trabajo actual), sin embargo, es como si más que nada hubiera estado contemplando su ombligo con desesperación.

Va sentada en el tren con una creciente impaciencia interior.

¡Es natural! Tiene que tomar una decisión importante.

Llega a las 18:29.

En la estación hay un borracho saludando con un cangrejo en la mano.

1981

Hace mucho tiempo ella tuvo un sueño.

Fue una noche de mediados de la ya tan lejana década de 1970. Es un sueño extraño, porque ella lo recuerda y constantemente recurre a él con la esperanza de ver algo que antes le había pasado inadvertido.

En general, Eivor tiene una relación extremadamente fría con los sueños, que, en raras ocasiones, recuerda al despertar. Por lo general es sólo un caos amorfo, como si acontecimientos y personas hubieran sido arrojados a una caja y agitados después en su cerebro. No encuentra ninguna lógica entre los recortes de realidad enmarañados unos con otros, ni siquiera símbolos especialmente emocionantes. No, lo poco que recuerda a veces cuando va en bicicleta al trabajo lo desecha de la memoria, todavía con los últimos restos resecos de sueño en los ojos y en el cuerpo.

Pero este sueño es distinto. Ella se encuentra en una habitación que es una mezcla del taller de costura de Jenny Andersson en Örebro, donde aprendió a coser hace veinte años, y algo que sólo reconoce parcialmente. No sabe qué hace allí (ése es también el lenguaje del sueño; ella sueña que se pregunta...). Pero de repente también está allí Elna, su madre; sus dos hijas Linda y Elin; Linnea, la madre de Jacob. Así que sólo hay mujeres, y están riéndose. De repente, Eivor nota algo singular. Ha desaparecido la diferencia de edad que existe entre ellas en la realidad, todas son jóvenes y tienen aproximadamente quince, dieciséis años. (En el sueño están en la década de 1950, según se deduce por la ropa y el peinado que llevan, pero al fondo se oye cantar a Barbra Streisand.) De repente cesan las risas y empiezan a hablar todas a la vez. Eivor no recuerda las palabras que intercambia con las personas que la visitan en el sueño. Sin embargo, sabe siempre *de antemano* lo que van a decir, y ese conocimiento transforma en un instante el ambiente idílico de risas en una pesadilla de la que ella inmediatamente intenta huir.

Al despertar se ha destapado y tiene el camisón empapado en sudor. Tarda un buen rato en lograr orientarse en la habitación a oscuras (es invierno y alguien ha roto la farola de la calle, que normalmente lanza una luz tenue por debajo de estor) y se da cuenta de que ha pasado algo en su interior, un sueño que la ha despertado. Sin embargo, no tarda mucho en volver a dormirse, y después de unos días empezará a pensar en las mujeres que estaban reunidas en esa habitación que ella ha creado en su mente.

Pero ese sueño permanece en su interior desde aquel día y aún lo recuerda, a pesar de que ya han pasado casi seis años, como si fuera un enigma que le exigiera una respuesta.

También en ese momento, cuando al anochecer de un día de noviembre de 1981 sale al terminar su turno en la fábrica siderúrgica Domnarvet en Borlänge y va hacia la puerta oeste a por su vieja bicicleta, que está encadenada en un soporte para bicicletas. Hace frío y ella se ajusta el anorak tiritando. Y entonces le viene a la mente de nuevo el viejo sueño... Pero ella se lo quita de la cabeza diciendo una palabrota. En ese momento no le hace falta para nada. Se apaña ella sola. Hoy le ha venido el periodo y, a pesar de que tiene treinta y ocho años y de que ya han pasado sus años más fértiles, se niega a admitirlo. Pero no es tan fácil, por supuesto. Está casi igual de cansada de luchar contra su conciencia porque en el fondo *no quiere* tener otro hijo. Así que va directo hacia su bicicleta, con la sensación de que la vida es sólo un prolongado tormento. Todos los días luchando con sus decisiones imposibles, todos los días subiendo a la cabina de la grúa y mirando a sus compañeros de trabajo allí abajo mientras piensa que no es nada seguro que ella pueda conservar su puesto en esa época de recesión. Cada día es un nuevo día, ha vuelto la antigua indecisión de la que se liberó hace tiempo cuando se mudó de Gotemburgo a Borlänge. ¿Qué es esa amarga ansiedad que siente en su interior mientras se dirige con apatía a buscar su bicicleta, sino el Regreso del Maldito Desconcierto? ¡Claro que es eso! Y ella es tan tonta que pretende cerrar los ojos y no verlo.

Se inclina sobre la cadena que bloquea una de las ruedas de la bicicleta. Detrás de ella desaparece un Saab derrapando, y a juzgar por el ruido es su compañero de trabajo Åke Nylander, conocido como Lázaro, que tiene prisa por llegar a casa para ver sus vídeos, la mayor parte de ellos pornográficos. (Le llaman Lázaro por la simple razón de que suele dormirse durante las pausas para el café y luego se levanta sobresaltado como un resucitado.) El candado no se abre y ella maldice dando tirones... ¿Por qué tiene que ser todo tan condenadamente...? ¡Vaya mierda...!

Y luego, de repente, ya no puede más, se levanta y se pone a darle patadas a la bicicleta hasta que se vuelca en su soporte. Ella no sabe si darle golpes a la bicicleta hasta hacerla añicos o sentarse en el asfalto mojado y echarse a llorar. Pero no hace ninguna de las dos cosas, sólo se queda ahí, de pie, y en ese momento se da cuenta de que ya no puede seguir así. Tiene que ocurrir algo, tienen que pasar *muchas* cosas, y si no intenta hacerlo ahora, va a ser demasiado tarde –¡si no lo es ya!

Se queda mirando su bicicleta. Después recobra la compostura. Pone en pie la bicicleta pero la deja allí encadenada y empieza a andar a lo largo de la calle Siljansvägen. Necesita tiempo para pensar, y el frío incluso le va bien.

Va caminando con las manos en los bolsillos del anorak intentando encontrar una salida a su indecisión. Es como si todo su interior fuera una vía muerta de ferrocarril en la que hubieran descarrilado varios vagones de mercancía y ahora ella tuviera que intentar limpiar el desorden.

Uno de sus compañeros pasa por su lado y la saluda, pero ella no se da cuenta y al día siguiente, en el trabajo, cuando él se lo dice, ella no entiende nada.

Pero hasta el día siguiente aún hay tiempo, cosa que no pasa, por desgracia, para llegar a su casa en la calle Hejargatan (¡detesta ese nombre!), y tiene que aprovechar los minutos. Cuando llegue a casa, su querido vigilante nocturno Peo tendrá que comer, igual que Elin, de ocho años, y tal vez Linda también esté en casa y necesite a alguien con quien hablar... No, el poco tiempo del que dispone depende de los pequeños rodeos que pueda permitirse, y hay muchas cosas en las que debe volver a pensar. Empezar de nuevo, rebuscar en los escombros, encontrar una salida viable en esta década de 1980 que, en realidad, parece estar esperándola.

Va atravesando el centro de Borlänge. Ya han comenzado las compras de Navidad y la gente pulula a su alrededor en ese caos sin sentido que constituye el corazón de la ciudad. Un núcleo urbano tan confuso que, a pesar de su reducido tamaño, a un extraño puede parecerle un laberinto. De vez en cuando echa un vistazo a los grandes escaparates, preguntándose distraídamente qué va a regalarle a Elin para

Navidad. ¿Qué quiere una niña de ocho años? Una niña de ocho años en el comienzo de esta nueva década... A la puerta del hotel Brage hay una persona ebria dando traspiés hasta que cae al suelo. Se estremece al ver que es un muchacho joven.

Ella se da cuenta de que está perdiendo el hilo de sus pensamientos y vuelve a empezar. Intenta entrar por otro lado, pensando en el pasado, en aquella vez, hace siete años, que decidió mudarse desde Västra Frölunda en Gotemburgo hasta Dalarna, aquí arriba. ¿Lo habría hecho de haber sabido cómo le iría? Sí, seguramente. No se arrepiente de ello. Recuerda que sólo llevaba unos meses en Borlänge después de la mudanza y ya le sorprendía el hecho de que hubiera podido vivir en Gotemburgo. Y si luego piensa en todas las cosas bonitas que, a pesar de todo, cree haber vivido durante esos siete años... Por no hablar de lo que podría haberle ocurrido a Staffan si se hubiera quedado allí... Él ya tiene veinte años y acaba de irse de casa...

Los pensamientos fluyen, ella pierde el hilo y luego vuelve a retomarlo. Y esta vez funciona, puede empezar a desenredarlos.

La Larga Marcha de Eivor Maria Skoglund. (Por fin se ha quitado el apellido Halvarsson y Elin, la hija menor, se apellida Skoglund.)

Una tarde de noviembre que presagia la llegada del largo invierno. Ella está pálida, lleva un anorak azul oscuro...

Cuando el camión que va a encargarse de la mudanza de Borlänge está listo y cargado, un día de junio, justo después de que Staffan y Linda acaben el curso, Eivor piensa que más que el comienzo de algo nuevo es el final de algo a lo que tenía que enfrentarse. La caja del camión, llena de muebles y bultos, despierta en ella vagas sensaciones de nostalgia. Cuando el conductor, un amigo de Jacob al que nunca conoció y mucho menos había oído hablar de él, tira una lona sucia por encima de la caja, a Eivor le parece estar viendo una carga de residuos que va hacia un maloliente vertedero de basuras en vez de a un apartamento de tres habitaciones en el centro de Borlänge. Pero claro, eso es sólo porque está cansada, la última semana apenas ha echado una cabezada, y el apartamento ha sido un caos descomunal que ella ha soportado a duras penas. Como de costumbre, cuando se enfrenta cara a cara con el comienzo de una nueva etapa de su vida de la que realmente no sabe nada, le parece que lo que ve es algo irreal. El camión que espera abajo en la calle bien podría ir de camino a México o a una ciudad junto al río Dal. Pero va a Borlänge, y el camionero, que está preparado para extender la lona, la mira con impaciencia. (Cuando finalmente Jacob se ha dado cuenta de que Eivor habla en serio diciendo que va a marcharse de Västra Frölunda, le ha ayudado más que durante todo su matrimonio. Es él quien a través de oscuros laberintos ha conseguido el camión a un buen precio. ¡Ojalá no tenga que firmar ningún recibo engorroso! El conductor es, pues, amigo de él, y Eivor sólo sabe que se llama Janne y contesta «un poco de todo» cuando le pregunta qué hace. Jacob es el que ha organizado la mudanza y ella ha aceptado con gratitud, feliz de poder delegar con lo ocupada que estaba.) Recorre el apartamento vacío por última vez, pensando, con una mezcla de malestar y alivio, que nunca va a volver, luego cierra la puerta y deja las llaves en el buzón. Como movida por un impulso repentino, retira la cubierta de plástico que hay sobre la placa de identificación, quita las letras que forman el nombre E. HALVARSSON, y va tirándolas como granos de arroz en la escalera mientras se dirige rápidamente hacia el conductor del camión que la espera impaciente. Los niños han pasado la última noche en casa de Jacob en Borås y la intención es que vayan a Borlänge al día siguiente, cuando Eivor, en el mejor de los casos, haya acabado de desembalar y haya puesto los muebles más o menos en su sitio. Liisa le ha prometido que estará esperándola con algunos compañeros dispuestos a ayudarles.

A las diez del sábado por la mañana sube al camión y se sienta al lado de Janne, el conductor, que se muerde los labios y escucha música francesa (¡música para hacer el amor!) en el radiocasete.

–¿Preparada? –dice él mirándola.

Ella asiente.

Cuando el camión ha dejado atrás los altos y cerrados edificios de Gotemburgo y ha empezado en serio el largo viaje hacia Dalarna, Eivor se acurruca en su asiento y cierra los ojos. Se queda adormilada y los pensamientos forman extraños monstruos en su cabeza...

No habían transcurrido muchas semanas desde que Eivor se reunió con Liisa en Hallsberg –la Gran Unificación, como la llamaron después–, cuando empezó a llegar una avalancha de cartas, tarjetas postales con diseños extravagantes, una llamada telefónica. Obtener una vivienda en Borlänge resultaría bastante fácil. Durante la primera parte de la década de 1970 las cosas ya empezaron a cambiar, entre otras razones porque cada vez era más difícil llenar de inquilinos las urbanizaciones de nueva construcción. Borlänge no era una excepción y empezaron a llegar folletos más o menos atractivos de las distintas constructoras con las que Liisa había estado en contacto. Por aquella época también, aproximadamente a mediados de septiembre de 1974, Eivor empezó a hablar poco a poco con Staffan y Linda de mudarse. Staffan, que parecía estar asustado y haber tocado fondo en su caída, al menos temporalmente, el día en que llegó a casa con un policía a cada lado, como si fuera un guiñapo, se enfrentó a sus palabras con indiferencia o desinterés. Pero en ese momento, Eivor empezó a aprender a leer en su mirada en vez de escuchar las pocas palabras con las que él solía responder, y vio un destello de curiosidad en esos ojos que generalmente sólo revelaban que dormía poco. La reacción de Linda había sido negarse de forma inmediata y categórica. Por supuesto no quería cambiar de escuela ni apartarse de sus amigas, de sus incipientes amores de adolescencia, de su gimnasia. Pero aun así, Eivor podía enfrentarse a su reacción con más facilidad, podía razonar y discutir con ella, aunque a menudo todo terminara en lágrimas y en portazos. La reacción de Linda estaba relacionada en cierto modo con sus propios sentimientos. Eivor reflexiona. ¿Qué tiene que hacer ella realmente en Borlänge? ¿Qué le garantiza que no se escondan otros problemas, tal vez incluso peores que los de Frölunda, tras su posible idilio con Dalarna? ¿No será que intenta escapar de nuevo de un problema en lugar de enfrentarse a él?

Se lo dijo también a Liisa por carta y obtuvo como respuesta unas notas furiosas, meras declaraciones de guerra en las que arrasaba con las vacilantes alegaciones de Eivor en contra del proyecto. Pero mientras Liisa no pudiera informarle de que había un trabajo esperándola en Borlänge, Eivor tenía en sus manos la baza más importante de todas: no debía apresurarse. Se tomaría el tiempo que le hiciera falta, y como, al parecer, Staffan había retomado los estudios y evitaba los círculos con los que había tropezado antes, no había ninguna razón para lanzarse a un viaje desorganizado. En Borås estaban Jacob y los abuelos valorando sus planes en ciernes con una mezcla de preocupación y paciencia. A comienzos de 1975, cuando Staffan había vuelto a dejar sus libros escolares en el rincón más oscuro, de repente todos los proyectos empezaron a materializarse después de que una noche Liisa le gritara a Eivor por teléfono que había trabajo. Y cuando Linda ya no opuso más resistencia, principalmente a causa de una desafortunada historia con un músico de pop demasiado viejo y calculador, Eivor tomó un férreo control de la situación. Durante unos pocos días, en los que apenas tuvo tiempo para dedicarse a Elin, que estaba atravesando la época inquieta de las exigencias, tomó una serie de decisiones que pusieron en marcha todo el proceso. Era como si hubiera llegado a la cima de una montaña y comenzara a rodar cada vez más deprisa cuesta abajo. El trabajo que Liisa podía prometerle (Eivor piensa a menudo que Liisa ciertamente se esforzó) constaba en realidad de dos fases. Un trabajo temporal y una promesa de empleo en el mismo sitio que Liisa, en la fábrica siderúrgica Domnarvet, como operaria de grúa puente. Algo que nunca llegó a aclarar fue cómo se las arregló Liisa realmente para obtener todas esas promesas. Para Liisa parecía obvio que sólo se trataba de tenderle una mano. De todos modos, Eivor podía conseguir trabajo en una residencia de ancianos (en el centro de la ciudad, según le indica Liisa con precisión) y podía empezar a trabajar en cualquier momento. Y Liisa también sabía, por medio de sus invisibles contactos, que, después de no demasiado tiempo, podría acceder a la orgullosa categoría de operaria de grúa. Luego tuvo que esperar tres años, durante los cuales Eivor solía pensar que Liisa le había enviado una zanahoria falsa a Gotemburgo, y también se preguntaba si se habría mudado sin esa expectativa. Pero no estuvo resentida con Liisa por esa promesa que podía ser inventada. ¿Por qué iba a hacerlo? Además, no habría habido ninguna diferencia, pues la mudanza ya estaba hecha, y había comenzado a construir su nueva vida en la calle Hejargatan. Se puede decir a modo de conclusión que cuando Eivor finalmente pudo sentarse en el sobrecargado camión, lo hizo con la sensación de emprender un viaje cuyas causas no había sido capaz de descifrar del todo. Al atravesar Gotemburgo ese sábado por la mañana, ella cerró los ojos, intentando en vano evitar ver lo que ocurría...

Los primeros días en Borlänge fueron un caos total. Liisa y sus musculosos compañeros estaban esperándola (Liisa había preparado incluso un ramo de flores estivales que le ofreció cuando se bajó del camión, y ese detalle, naturalmente, conmovió a Eivor). Descargaron el camión enseguida y Janne pudo volver de nuevo al suroeste. ¿Y el apartamento? Eivor no había tenido tiempo de verlo, sólo había recibido dibujos y por lo demás confiaba en que Liisa lo habría inspeccionado. Se encontró con una desoladora torre de apartamentos (tardó en poder contar el número de pisos) y una vivienda que, a pesar de estar recién pintada, evidenciaba un gran deterioro. Y cuando subió por las escaleras al segundo piso la primera vez, con una maceta en las manos a modo de protección, conoció a su futuro vecino, que estaba en la puerta de su casa. Más tarde supo que se llamaba Arvid Andersson, pero lo que vio entonces fue sólo una figura tambaleándose y dando traspiés, con los pantalones manchados colgándole por debajo de su prominente vientre, con una camisa sucia que sobresalía por la bragueta sin abrochar. En resumen, un hombre que estaba tan borracho que apenas se tenía en pie pero que quería darle la bienvenida, y además con un sonoro beso en la mejilla. Ella, que estuvo a punto de quedarse noqueada por el hedor de su boca, se defendió con la maceta y se encaminó rápidamente a su apartamento. Sin embargo, al bueno del vecino le molestó su poca amabilidad y salió tras ella, y de no haber llegado Liisa en ese mismo momento corriendo por las escaleras para preguntarle si le gustaba el apartamento, Eivor bien podría haber terminado encerrándose en el cuarto de baño. Liisa se quedó lívida, agarró a Arvid Andersson por el cuello de la camisa y lo echó del apartamento, lo metió a empujones en su vivienda y luego cerró la puerta. Eivor se quedó de pie con la maceta en las manos sintiendo que el corazón le latía con fuerza.

–De éstos hay por todas partes –dijo Liisa intentando dar al incidente unas proporciones razonables. (También tenía derecho a ello. No es nada extraño que un hombre borracho quiera dar la bienvenida a una recién llegada con un abrazo en la escalera de un edificio sueco de muchos pisos. Las cosas como son...)

–¿Vive ahí? –preguntó Eivor.

–La gente de este bloque por lo general es buena. Pero el hecho de que unos beban no es más raro que el que otros no lo hagan. Si has trabajado en un establecimiento de bebidas debes de saberlo, ¿no?

Los dos musculosos compañeros de Liisa son finlandeses y llevan y traen las cosas a sus órdenes. Eivor había hecho un plano para ubicar los muebles según los dibujos, y cuando todo empezó a quedar en su sitio notó algo de alivio en la presión que sentía en el estómago. Y cuando otra vecina, la señora Solstad, que vivía a la izquierda de Eivor, entró a saludarla y afirmó pensar lo mismo que Liisa del señor Andersson, ya no se sintió tan sola como antes. Los dos musculosos finlandeses desaparecieron con sonrisas de espanto y refunfuñando unas frases en su idioma, y Eivor hizo café para ella y para Liisa.

–¿Realmente no hay que pagarles nada? –pregunta Eivor mientras intenta orientarse en la cocina.

–Solemos ayudarnos –contesta Liisa–. La próxima vez nos toca a nosotras.

–¿Cómo voy a poder llevar cosas tan pesadas como ellos?

–Siempre hay macetas. Y la ayuda no se cuenta por kilos. Al menos entre amigos.

La puerta del balcón está abierta. En Borlänge hace un día cálido y hermoso.

–Bienvenida –dice Liisa levantando su taza de café.

–Gracias.

–¿Qué se siente?

–No lo sé aún. Es demasiado pronto. No se siente nada...

Eivor intenta poner orden durante toda la noche, para que los niños encuentren un hogar lo más acogedor posible cuando lleguen al día siguiente. Y tampoco quiere que Jacob tenga una razón *innecesaria* para soltar alguno de sus estúpidos comentarios. La noche estival es luminosa y se pregunta cuántas veces se ha mudado de casa ¡ella sola!

Pero, naturalmente, cuando Jacob llega con los niños sobre las once del mediodía del domingo, nada es como ella se había imaginado. Elin se ha mareado durante el viaje y ha vomitado casi todo el tiempo. Staffan está de pésimo humor, y Linda está arrepentida y dice que no quiere vivir en Borlänge. Se niega a salir del coche al llegar y se queda ahí sentada mientras que Elin y Staffan la miran burlonamente. Nada les parece bien, Jacob ha descubierto enseguida que uno de los listones del suelo está suelto y sacude la cabeza, Staffan está enfadado porque ha desaparecido una cinta de casete (precisamente ésa...) y Linda sigue sentada en el coche, como ya se ha dicho. En realidad, la única que se pone de parte de Eivor esa tarde terrible de domingo es Elin. Eivor aprieta los dientes y se dispone a preparar la comida, en silencio y enfadada. Pero ha decidido resistir, tiene que hacerlo, como de costumbre, ¡como siempre! Mientras los señoritos y señoritas pueden permitirse el lujo de mostrar su desacuerdo, ella debe permanecer inmutable, porque ¿qué pasaría si hiciera como ellos? ¿Se quedaría en el coche con la cara larga? ¿Se quejaría de que el suelo está mal? Santo cielo... ¡Ése no es el papel de la mujer en esta vida! Ella no cambia de actitud ni siquiera cuando ha puesto la comida en la mesa y baja a buscar a Linda, que está sentada en el asiento trasero del coche, inmersa en una revista y aislada del mundo con su pequeño casete. Pero cuando Eivor abre la puerta del coche con toda tranquilidad y le dice con la misma tranquilidad que la comida está lista, su hija simplemente deja a un lado la revista y va tras ella.

Jacob regresa a Borås por la tarde y el apartamento de la calle Hejargatan va quedándose en calma poco a poco. Cuando sus hijos se han acostado, después de poner muchas pegas, Eivor está tan cansada que no puede ni quitarse la ropa y se echa en la cama. Pero no es capaz de conciliar el sueño, por supuesto. Se queda tumbada pensando en el lío que ha organizado. Siempre tanta responsabilidad para ella sola, siempre esa mala conciencia, siempre quejas al final... Piensa que es verano y que lo teme, que éste es sólo el principio de una nueva época de problemas, con la única diferencia de que se han mudado unos kilómetros más hacia el norte.

Pero ese verano al que ella teme viene en su ayuda. Tanto Linda como Staffan son captados enseguida por los jóvenes del edificio y el hecho de ser de Gotemburgo les beneficia. En vez de tratar de que no se note su acento, exageran la pronunciación al máximo. Sólo unas semanas después de llegar a Borlänge, Staffan se ha enamorado de una chica que vive en el bloque contiguo y a Linda no le faltan pretendientes...

También hacen excursiones juntos y empiezan a conocer la ciudad y a su gente. Una noche, después de acostarse, Eivor se da cuenta de que por primera vez en mucho tiempo puede concentrarse sólo en pensar lo mucho que quiere a sus hijos...

La mañana del día de San Juan va por primera vez a su trabajo en la residencia de ancianos. Hace fresco y el aire está perfumado a lo largo de todo el camino. Piensa que, después de todo... Sí, ha podido hacerlo. Ahora vive aquí con su familia, va a echar raíces aquí.

El largo trayecto hasta llegar al decisivo año 1977 no lo recordará como una época inerte. Por supuesto, nada fue como ella había planeado, pero difícilmente fue peor de lo que había imaginado. Dedica el tiempo a su trabajo y a los niños. Intenta dirigir lo mejor que puede a Staffan y a Linda durante la complicada adolescencia. Elin es una criatura menuda que cada vez está más cerca de convertirse en una persona independiente, y no tiene tiempo para nada más que eso. Liisa siempre está ahí, naturalmente, pero como no trabajan juntas se ven sólo de vez en cuando aunque les gustaría hacerlo más a menudo, pero ahora no basta con querer hacer las cosas...

Durante uno de esos inviernos, Eivor tiene su sueño y, sin poder evitarlo, le busca un sentido. El sueño la persigue y ella continúa cavilando...

Pasan casi tres años y, finalmente, llega ese día señalado de septiembre de 1977 en que Liisa le informa de que, por fin, ha llegado el momento. Ahora va a poder conocer a todos los hombres que pululan por la oficina de personal de la fábrica metalúrgica, y ver su propio nombre escrito en las listas. Un viernes por la tarde llega Liisa con la noticia. Eivor está sola en casa. Elin se encuentra con un compañero de juegos en el primer piso y no tiene ni idea de por dónde andan Staffan y Linda. Eivor estaba durmiendo en el sofá de la sala cuando llega Liisa, y le cuesta entender de qué le está hablando. Pero una vez que lo entiende no sabe si le interesa o no, porque hace mucho tiempo que no piensa en ello. Además, se encuentra a gusto en la residencia de ancianos a pesar de que, al carecer de formación, tiene que llevar a cabo los trabajos más pesados. Son justo los ancianos quienes, con su gratitud, hacen que se sienta bien. Como es habitual en una residencia de ancianos, la mayoría son mujeres, y casi todas tienen atrás las sombras de maridos o padres que han trabajado en Domnarvet. Con esas personas le ha resultado fácil establecer contacto, y la idea de dejarlos ahora... No, no es algo que pueda improvisar sin pensárselo dos veces.

–Tienes hasta el lunes para decidirte –dice Liisa–. Pero ellos esperan de ti que hagas acto de presencia. ¡Y no olvides que los tiempos han cambiado!

–¿A qué te refieres?

–Es su mercado. Hay muchos que quieren estar ahí defendiendo su puesto. Pero en realidad siempre ha sido así. Sólo que a veces nos han hecho creer otra cosa.

–No sé si quiero.

–Tendrás que saberlo el lunes. ¡El lunes por la mañana!

Y como para subrayar la importancia de sus palabras, se niega incluso a quedarse a tomar una taza de café. «Tienes que pensar, así que necesitas que te dejen sola.» Luego junta las bolsas de plástico que parecen rodearla siempre y sale disparada del apartamento, dejando una nube de polvo como si fuera cabalgando en una puesta de sol...

Como hace habitualmente cuando se encuentra ante una situación en la que debe decidirse por una cosa u otra, Eivor prefiere no verse como el personaje principal en torno al cual giran una serie de satélites que debe tener más o menos en cuenta. Para ella es al contrario, los satélites son lo más importante, y ella sólo un personaje secundario. Así que piensa en Staffan, en Linda y en Elin en el momento de decidir si quiere dejar la residencia de ancianos y atreverse a traspasar las puertas de Domnarvet («el sitio que nos corresponde, en el meollo de la industria sueca», resuena la voz de Liisa). ¿Qué es lo mejor para ellos? ¿Qué diferencia puede haber en que gane el dinero en un sitio u otro? ¿En que le guste más su lugar de trabajo y por lo tanto esté menos irritable al llegar a casa? ¿En qué puesto de trabajo prefieren ver encasillada a su madre, como ayudante no cualificada pero popular en una residencia de ancianos, o como Eivor Skoglund, la operaria de grúas puente de la calle Hejargatan? (Y, sobre todo, ¿qué hace una operaria de grúa?) Antes de que pueda tener una idea de qué es lo que ella misma desea, debe dar respuesta a esas preguntas. No se atreve a tomar otro camino para llegar a una decisión. (Aun sabiendo que si Liisa *sospechara* lo que piensa, sería capaz de amenazarla con poner fin a su amistad.)

Staffan acabará los estudios en primavera. Desde que llegó a Borlänge le ha ido bien en general. Cuando ha hecho novillos, ha sido por pura y auténtica pereza, no por incursiones en el mundo de los disolventes o cosas aún peores. Se ha adaptado sin dificultad, y Eivor se ha atrevido a enterrar el miedo que tenía el año pasado en Gotemburgo. Pero, para decepción de Eivor, Staffan se ha negado categóricamente a seguir estudiando, a pesar de resultarle fácil. Ha prometido terminar la enseñanza primaria lo mejor que pueda, pero se niega a seguir haciendo *lo que ella quiera,* ¡como si fuera por su propio bien por lo que ella quiere que continúe estudiando! Eivor no tiene la más remota idea de sus planes para después. La respuesta que siempre obtiene es «ganar dinero», y él amenaza con iniciar una guerra abierta si continúa preguntándole.

Unas horas después de la visita de Liisa, cuando Staffan llega a casa para engullir su comida, ducharse, cambiarse de ropa y luego desaparecer con la misma rapidez, Eivor le comunica la noticia. El único comentario que hace, mientras saca ropa de su armario, es, naturalmente, si van a pagarle más. Cuando ella le responde que va a ganar bastante más, él le dice que empiece cuanto antes. Y luego desaparece. Eivor recoge la ropa que él ha esparcido generosamente a su alrededor (piensa a menudo que una casa en la que hay adolescentes se parece cada vez más a una casa de huéspedes donde se come, se duerme y se ocupan de tu ropa...) y decide no conformarse con la respuesta que ha recibido. ¿Qué opinará él *realmente?* Eso es lo que quiere saber, aunque tenga que sacárselo con unas tenazas.

El domingo por la tarde, Eivor va en bicicleta con Elin hasta Romme, a la pista para trotones. Linda ha conseguido, tras superar una competencia feroz, un puesto como ayudante en uno de los quioscos de salchichas durante los domingos que hay carreras de trotones. Eivor no conoce el hipódromo, pero ya que hace una hermosa tarde de domingo y está inquieta pensando en la mañana del lunes, decide ir por fin para ver a su hija repartiendo salchichas. Mientras avanza por la calle Tunavägen con Elin en el sillín de atrás, piensa que es la primera vez que va a ver a uno de sus hijos trabajando. De repente se queda atrás la época en que limpiaban su habitación por unas pocas monedas...

Los caballos trotan de tal modo que van soltando espumarajos. Por el aire revolotean nombres extraños *(Barón Håkansson, Lady Alekärr)*, igual que miles de boletos de apuestas perdidas. A Elin le fascinan los caballos de inmediato y se queda de pie con el rostro pegado a la valla. Eivor la vigila mientras se acerca al quiosco de salchichas donde, según la descripción que le ha dado Linda, trabaja su hija. No le gustaría ser descubierta en la cola que rápidamente se forma entre carrera y carrera frente a los puestos de salchichas. No sabe cómo puede reaccionar Linda si descubre a su madre de repente... Le lleva un rato reconocer a su hija, a quien vislumbra detrás de un mostrador. Pero ahí está. Eivor se queda mirándola y siente una alegría repentina en su interior. Al contrario de muchas mujeres, que parecen temerlo, Eivor sólo espera pacientemente que sus hijos logren una independencia que le devuelva a ella la suya. Estar con hijos adultos sintiéndose una inútil es algo en lo que ella no cree. Por el contrario, cuando finalmente llegue el día... Pero no termina la frase porque se percata de que Elin ha desaparecido y entonces vuelve rápidamente a la cerca donde la dejó. Por suerte, Elin sólo está en cuclillas, recogiendo boletos de apuestas de distintos colores. Eivor se queda mirándola, la hija de Lasse Nyman, y piensa con un repentino malestar que se acerca el día en que ya no se conforme con la explicación de que ella tiene un padre desconocido llamado Leon que vive en Madeira. Pero ¿está Eivor realmente dispuesta a revelar quién es su padre? Hasta ahora siempre se ha escondido detrás de la excusa hueca de que ella tampoco sabe quién es *su propio* padre...

Eivor mira a los caballos que se encaminan hacia la salida y se pregunta cómo reaccionaría si su padre apareciera de repente de entre las sombras y se presentara. Un hombre que debe de tener actualmente alrededor de cincuenta y cinco años, que se llama Nils y que una vez vigiló la frontera con Suecia, no muy lejos de Borlänge. (Por cierto, ¿no fue aquí donde Elna, su madre, se reunió con Vivi cuando hicieron su viaje en bicicleta? Claro que sí, su madre se lo dijo en una ocasión. Fue aquí en Borlänge donde las Daisy Sisters se encontraron por primera vez. Así que cuando su madre volvió a Sandviken, ella era sólo una semilla que iba dentro de su vientre. Verdaderamente, los caminos se cruzan entre sí...) Pero ¿le gustaría? ¿Quiere conocer a su padre realmente? Eivor mira a Elin y su creciente montón de boletos de ilusiones rotas, y piensa que no quiere. ¡Dios sabe qué problemas podría acarrear! Tiene más que suficiente con los de ahora...

Los caballos pasan corriendo y Eivor se pone al lado de la cerca y los sigue con la mirada. Los jockeys se gritan unos a otros y un carro se ha quedado ya irremediablemente atrás. De pronto oye a alguien maldecir a su lado con un inconfundible acento de Dalarna. Al girar la cabeza, ve el perfil de un hombre de pelo rubio que mira con disgusto hacia un trotón que va galopando al final de la pista. Enfadado, da una patada en la grava y parece que ya no quiere ver más carreras, porque se da la vuelta y descubre a Eivor, que no ha tenido tiempo de apartar la mirada.

–¿Has visto al muy maldito? –dice él–. ¡Vaya forma de correr! ¡En la cuarta calle! ¡Como si sólo quedaran cien metros!, ¿eh?

–No sé, no entiendo de caballos.

–¡Ni ese jockey tampoco!

Él menciona un nombre y se queda mirando en silencio a los caballos que llegan a la meta precipitadamente.

–¡Uf! –dice él mirándola de nuevo. Luego se inclina y le ofrece a Elin su boleto de apuestas de color verde–. Toma.

Elin mira a Eivor, que asiente, y lo coloca encima de su grueso montón.

–Primero fue el carrusel –dice el hombre–. Luego el columpio y ahora sólo queda la tómbola.

–¿Cómo? –pregunta Eivor.

–Sí, ¿no es lo que suele decirse? Lo que se pierde en el carrusel hay que intentar recuperarlo en el columpio. Pero ¿qué se puede hacer si perdemos en ambas cosas? Entonces hay que intentarlo en la tómbola, en la montaña rusa o en lo que tengamos a mano...

Él echa una mirada a su programa de carreras de trotones.

–Si no apuesto por ése, seguramente ganará –dice él señalando con la punta del dedo en el programa, como si pretendiera transmitirle una información al caballo.

–¿Qué número tiene ése? –pregunta Eivor.

–¡Es una yegua! ¡El número nueve! Tiene una buena rodada, pero seguramente se las arreglará para perder.

–Yo le daré ánimos.

–¡Hazlo! Tal vez ayude, pero lo dudo.

–¿No tiene nombre?

–Flor de Tréboles.

–¡Es bonito!

–Sospechosamente bonito...

Y luego lo ve desaparecer en dirección al salón de apuestas y no piensa más en ello. Sin embargo, a pesar de todo, sigue con la mirada a la yegua que lleva un peto amarillo con el número nueve y ve que es derrotada justo en la línea de meta. Durante la siguiente carrera, cuando el puesto de salchichas está vacío, Eivor y Elin van hacia allí. Linda se sorprende al verlas, pero, para gran alivio de Eivor, al parecer está de tan buen humor que no le importa encontrarse con su madre y su hermana menor en un sitio público.

–¿Qué diablos hacéis aquí? –pregunta ella.

–Estamos mirando los caballos.

–¿Por qué no me habéis dicho que ibais a venir?

–Lo decidí después de que te marcharas esta mañana. Además queríamos comer una salchicha.

–¡Bah!

–Sí, lo digo en serio. ¡Estamos hambrientas! ¿Elin, no es cierto que quieres una salchicha? ¡Ya lo ves! Sólo con mostaza. Y la pago yo. ¡Eh, espera un poco!

En ese momento, Linda está sola en el quiosco y, después de echar un vistazo rápido, le devuelve el billete de diez coronas que Eivor ha dejado en el mostrador grasiento.

–No puedes hacer eso –dice Eivor temerosa de que alguien vea a su hija incumpliendo el más básico de los principios comerciales.

–Recoge el dinero –dice Linda en voz baja, y Eivor se mete rápidamente el billete en el bolsillo.

–Enseguida volveremos a casa –dice ella–. ¿Vendrás a cenar?

–No lo sé.

–Quisiera hablar contigo de algo.

–¿De qué?

–¡Es demasiado largo para hablarlo aquí!

–¡Dime de qué se trata!

–¡Ven a casa a cenar y lo sabrás! ¡Adiós! ¡Gracias por las salchichas!

Los caballos trotan, detrás de ella oye sonar una campana y el murmullo va en aumento para dividirse luego en dos, un susurro de decepción y aplausos dispersos y agitados. Eivor se encamina hacia la salida con Elin de la mano. Piensa que Linda tiene ahora casi la misma edad que tenía ella cuando vio por primera vez al padre de Elin, Lasse Nyman, delante del edificio amarillo en Hallsberg. Entonces mira a Elin y por un momento no da crédito a sus ojos. Pero Elin está ahí, con su montón de boletos desechados en las manos. Viva y cada vez más parecida a su padre, el mismo rostro delgado y los mismos ojos celestes. (Ella se ha preguntado alguna vez cómo serían los padres de Lasse Nyman, pero rechaza la idea en cuanto recuerda la oreja cortada. Ellos también pueden seguir siendo unos desconocidos, Elin también tendrá que aprender a vivir sin sus abuelos paternos...)

Pero Linda, la pequeña Linda que ayer era una niña y ahora es ya adulta... ¿Cuántas veces se ha dicho que su hija no entrará en el mundo de los adultos con la falta de preparación y protección que tenía ella? Pero ¿qué ha logrado? El mundo ha cambiado tanto en veinte años que Eivor cree que su experiencia se ha vuelto obsoleta y simplemente no tiene nada que ver con la vida de Linda. Las conversaciones que han mantenido sobre los temas más delicados y peligrosos, han acabado siempre en un silencio sospechoso. Linda se ha sentado mirando a su madre como si estuviera loca, y Eivor se ha sentido ridícula y ha pensado que es posible que la experiencia deba ir por otro lado. Que es probable que Linda sepa más. Pero al mismo tiempo le molesta la idea, la rechaza y piensa que son sólo excusas. Linda está haciéndose adulta, *no tiene* experiencia (¡a menos que haya vivido una vida anterior!). Y la maldita obligación de Eivor es enseñarle a reconocer las señales de alarma que avisan del sitio en el que están los arrecifes... Pero nunca atraviesa el invisible telón que su hija pone entre las dos. Eivor sólo puede compartir momentos de gran intimidad con Linda cuando ésta no es feliz, a menudo por cuestiones amorosas. Pero en cuanto recupera el equilibrio roto vuelve a alejarse y todo sigue como antes.

¿Se habrá acostado ya con alguien? Ni siquiera eso sabe y no se atreve a preguntar. Pero *¿por qué no se atreve?* ¿Va a hacerlo cuando sea ya demasiado tarde? Gracias a Dios puede abortar si ocurriera lo peor, esa época tenebrosa parece haber pasado, aunque aún queden fuerzas oscuras al acecho...

«Tengo que hablar con ella», piensa Eivor. «Esta noche.»

Está segura de que Liisa aparecerá a la hora de cenar. La curiosidad brillaba en sus ojos. Por supuesto, está convencida de que va a contarle algo de ella.

Abre el candado de la bicicleta pensando que tiene que comprar una cadena nueva enseguida, cuando percibe que alguien le grita. Se da la vuelta y ve llegar corriendo al hombre de las carreras, agitando en la mano un boleto de apuestas.

–Quería darle éste también –dice sonriéndole a Elin.

–*¿Flor de Tréboles?*

–Exactamente. ¡Aquí tienes!

Él se pone en cuclillas y le ofrece el boleto a Elin. A Eivor le extraña un poco que la niña no demuestre más timidez ante el desconocido. Por lo general se pone a cubierto entre las piernas de ella cuando se le acerca algún extraño. Debe de ser por el modo natural y *obvio* de comportarse del hombre de pelo rubio. Sin ninguna afectación, sin vacilaciones. «Debe de tener hijos», piensa Eivor.

–Eso es todo –dice él cuando se ha levantado–. Hay que dejar el maldito juego. Ni siquiera es emocionante.

–¿No lo es?

–No. ¿Qué emoción tiene estar seguro de que vas a perder?

–Yo creía que... Bueno... ¿No se tienen esperanzas?

–¿Las tienes tú?

–¿Yo? No, yo no juego. Nunca había estado aquí.

–Pero ¿tienes esperanzas?

–¿De qué?

–No..., de nada, no puedo callarme. Olvídalo. ¿Tiene que ir ella aquí atrás?

Eivor asiente y Elin deja que el hombre la suba a la bicicleta sin protestar.

–¿Ha terminado ya? –pregunta Eivor.

–Para mí sí. Pero... creo que quedan un par de carreras.

–¿Vienes a menudo?

–Demasiado a menudo.

Ella empieza a empujar la bicicleta y él se hace a un lado. El sol de septiembre le da a Eivor en los ojos.

–Con un día como éste tendría que haber ido al bosque –dice él irritado.

–Sí...

De pronto, él muestra interés por ella.

–Pero tú no juegas, ¿verdad? ¿Por qué vienes? ¿Tienes algún caballo?

–¿Un caballo?

–Sí.

–Mi hija mayor trabaja en uno de los quioscos de salchichas.

–¡Ah! Ya. Sólo tenía curiosidad.

De repente el hombre se detiene como si volviera a sentir un antiguo dolor. La mira asombrado.

–Me quedo aquí –dice–. Me gustaría seguir adelante pero tengo el coche ahí atrás, junto al hipódromo. Y voy andando como si no existiera, o como si me importara un bledo que el maldito coche exista o no.

Él hace un gesto, como si la penetrante luz del sol de septiembre le produjera un dolor repentino. Como si el haz de luz de un reflector le iluminara de lleno, y Eivor piensa que tal vez ahora lo ve *exactamente* como es. En *realidad* él es como está en ese momento en medio del camino: con las manos metidas en los bolsillos de la chaqueta de cuero.

Pelo claro (mal cortado aunque recién lavado), que le cae de modo irregular sobre la frente y por los lados de las orejas. Ojos azules, tez pálida, rostro delgado. Chaqueta de cuero, vaqueros, zapatos negros sin cordones. En una de las mangas de la chaqueta hay una marca que Eivor no reconoce. Parece una gran mosca peluda, pero naturalmente no lo es...

–Me llamo Peo –dice desvalido, como si se entregara desde el principio a una guerra perdida–. Tengo que ir a buscar el coche.

–De lo contrario, alguien podría llevárselo –contesta Eivor.

Entonces él sonríe.

–A veces desearía que alguien lo hiciera –dice él.

Él va a añadir algo más, pero cambia de opinión, sólo inclina la cabeza y se dirige de nuevo hacia la pista para trotones. Eivor se queda mirando fijamente el punto exacto donde estaba él y luego se monta en la bicicleta y se dirige a casa. Sin que ella la vea, Elin va soltando uno a uno los boletos de las apuestas, que revolotean en el aire como alas rotas de mariposa.

Eivor piensa que ese hombre que parecía tan desorientado, con su extraña marca en la manga, le recuerda a la soledad de ella. Una mujer sola que cree que va de excursión a una pista de trotones cuando en realidad está entrando en la mediana edad.

Linda está en la puerta, se quita los zuecos y le pregunta qué pasa. Eivor le dice que hay una oficina de personal que espera su visita al día siguiente, pero Linda está impaciente y le interrumpe preguntándole de qué quiere hablar *realmente*.

–Sólo eso –dice Eivor–. No quiero emprender algo así sin hablarlo con vosotros.

–No soy yo la que va a empezar a trabajar en Domnarvet –dice Linda sorprendida, y a Eivor se le ocurre la idea irreverente de que la mayor estupidez de la adolescencia es la incapacidad de escuchar lo que te dicen...

–¿Así que no te importa lo que haga? –pregunta Eivor sin saber bien por qué.

Cuando Linda se da cuenta de que no es ella la protagonista, la curiosidad se convierte en un evidente desinterés.

–No –masculla simplemente.

–¿En qué piensas? –pregunta Eivor irritada.

Linda parece no oír, así que ella repite la pregunta en tono tan alto que Elin se asoma a la puerta de la cocina con cara de preocupación.

–En nada –dice Linda–. ¿Vamos a cenar pronto?

–Cuando venga Staffan.

–¿Y cuándo vendrá?

–No lo sé. Pero podemos decir que el servicio de comedor abrirá dentro de una hora.

–¿Qué servicio de comedor?

–La pensión Skoglund.

–¿Estás loca?

–¡Seguro que no!

–¿Acaso es esto una pensión?

–A veces me lo pregunto.

Linda se levanta como si hubiera sido objeto de una ofensa personal.

–¿Qué dirías tú si me volviera punk? –pregunta ella.

–¿Si te tiñeras el pelo de color verde? ¿Si llevaras ropa con agujeros?

–Sí.

–Nada.

–¿Nada?

–¿Qué iba a decir?

–¿No te importo?

–¡Claro que sí! Pero... Me voy a hacer la cena.

–¡Que sea rápido! Tengo prisa.
–Siempre va rápido.
–¿Qué hay?
–Chuletas.
–¡Pero sin grasa!
–Sin nada de grasa...

Eivor está preparando la comida en la cocina, moviendo la cabeza por lo absurdo de la conversación. Pero a la vez no puede dejar de sonreír pensando que tal vez deba mantener sus conversaciones con Linda de ese modo. Quizá la lógica de la nueva era sea una palabrería sin sentido aparente que, de repente, rodee lo esencial. ¿Por qué no podría ser así? Basta con pensar en lo que ha cambiado todo desde que ella tenía la edad de Linda. Dios mío... ¿Cómo iba a imaginárselo, *incluso* en sus fantasías más descabelladas?... Es como si periódicamente, una o dos veces por generación, el mundo debiera ponerse cabeza abajo para luego volver a ponerse en pie...

En un ataque de amabilidad inesperada, Linda quita la mesa y se compromete a fregar los platos. Por supuesto, Eivor sabe que no puede preguntar adónde ha ido a parar la prisa que tenía. Probablemente recibiría por respuesta un bufido furioso. En vez de preguntar hace algo poco común. Se queda simplemente sentada junto a la mesa, sin hacer nada en absoluto. Se sienta y mira a Linda, que frota despacio los platos hasta dejarlos limpios...

–¿Qué dirías si volviera a casarme? –pregunta de repente.

Linda deja caer el cepillo de fregar y se queda mirándola.

–Repítemelo –dice–. ¿Qué has dicho?

–Te he preguntado qué dirías si volviera a casarme.

Linda no contesta, sino que empieza a reírse a carcajadas, volviendo al fregadero.

–¿Y bien?

Linda lanza con rabia un tenedor sucio al fregadero.

–¡Mamá! ¡Me iré en cuanto termine de fregar! No tienes que entretenerme, si es eso lo que crees.

–Lo digo en serio.

–¿Que vas a volver a casarte?

–No, no he dicho eso. Sólo te he preguntado qué opinarías si lo hiciera. No es lo mismo.

–¡Hazlo y será la última vez que me veas!

–¿Qué quieres decir?

–Exactamente lo que estoy diciendo. ¿Crees que quiero a un maldito viejo en casa?

–¡No hables así!

–¡Eres tú quien me ha enseñado!

–¿No creerás que eres la única que vive aquí?

–Dijiste que contestara, ¿no?

–Sí, pero...

–¡Ya he contestado!

La conversación va decayendo y muere por sí sola. Pero cuando acaba de fregar y está en la puerta a punto de salir, Linda formula una única pregunta más.

–No lo decías en serio, ¿verdad?

–No –contesta Eivor rindiéndose–. Claro que no.

–¿Por qué lo has dicho?

–No lo sé...

–Bueno... Me marcho.

–Sí. Adiós.

–Adiós.

Después de esa conversación, en parte absurda, Eivor se da cuenta de que Linda la observa de vez en cuando, como si considerara conveniente vigilar a su madre. Su mirada es inquisitiva, recelosa, pero nunca dice nada. Eivor tampoco sabe si le ha comentado a Staffan que en el interior de su madre se mueven fuerzas siniestras...

Pero, por supuesto, esa actitud expectante en el hogar de los Halvarsson y Skoglund es consecuencia de la conmoción que produce el hecho de que la reunión de Eivor en la oficina de personal de Domnarvet significa su renuncia en el hogar de ancianos y tener que estar ante la puerta oeste de la fábrica siderúrgica un día de octubre. Una mañana temprano, ella se presenta allí pasando frío, nerviosa y pensando que está equivocándose por completo. Debería haberse quedado con las viudas de los empleados en vez de llamar a la puerta de esas enormes instalaciones de acero y ladrillo, con la llama azul ardiendo constantemente en una de las chimeneas. (A veces piensa que lo que la ha llevado hasta las puertas de la fundición ha sido el deseo de ver el origen de esa llama azul, de ver lo que ocurre detrás de esos muros.) Además de una breve introducción al nuevo lugar de trabajo que ha leído en un brillante folleto –que le ha recordado al catálogo de una agencia de viajes–, Liisa la ha preparado para lo que le espera. Sobre una cantidad infinita de tazas de té –a Liisa se la ha ocurrido de repente que no tolera el café– ha asistido a una lección en la que Liisa le ha dicho la verdad. Una verdad que en la descripción de su amiga resulta tan confusa y contradictoria que Eivor se ve obligada a creérsela. Todo lo que ella sabe de la vida es que el camino más corto entre dos puntos nunca es una línea recta. ¡La cuestión es si al menos existe! Por lo tanto, parece que la introducción desigual pero entusiasta a su nuevo lugar de trabajo es coherente con experiencias pasadas. Las advertencias de Liisa le rondan por la cabeza cuando está ante la puerta de entrada ese lunes por la mañana. No está preparada aún para dar los últimos pasos y traspasar el límite (ve sólo a los hombres, y se queda en pie hasta que pasa por su lado la primera mujer...). «Los muchachos van a meterse contigo. ¡Tienes que devolvérselas desde el principio!» Ésas son las palabras que han quedado grabadas en su memoria, las explicaciones de Liisa acerca de lo que significa sentarse en una cabina de la grúa. En cuanto a esto último, a Eivor le ha parecido que ella se contradice mucho. Por una parte, Liisa ha explicado que es un trabajo arriesgado en el que no se pueden cometer errores. Pero a la vez lo ha descrito como si fuera la cosa más sencilla y obvia del mundo. Eivor sospecha que puede tratarse de dos caras diferentes para una misma cosa: el orgullo profesional de hacer algo difícil con facilidad, ¡quien pueda hacerlo! Pero no está totalmente segura, ni de eso ni de ninguna otra cosa.

Dos mujeres pasan deprisa por su lado y desaparecen por la puerta de entrada. Ahora no puede esperar más. Tiene que entrar o irse de allí. Con dolor de estómago, supera la frontera invisible y se dirige a la garita que hay junto a la entrada. Recuerda vagamente otra puerta, la de Konstsilke en Borås, y se sorprende al darse cuenta de que fue hace casi veinte años...

Aunque Eivor nunca lo admitió, no se lo confió nunca a nadie, la época que vivió a continuación estuvo a un paso del infierno. No es de extrañar, lógicamente, porque no sólo tuvo que enfrentarse a continuos conflictos en el nuevo lugar de trabajo, sino que también soportó acontecimientos terribles a nivel privado. Nadie sabe, ni siquiera ella misma, la de veces que pensó en renunciar y esconderse (¡y cuántas se encerró de verdad en distintos cuartos de baño!). Pero lo que sí es cierto es que fueron los años más difíciles de su vida. Después, cuando todos sabían que ya había pasado todo y que había llegado ilesa, la gente a su alrededor le decía que había cambiado tanto que en algunos aspectos no la reconocían. Pero ella no podía determinar si era cierto o no. Para ella fue como quedar libre después de haber estado todo un año oprimida bajo una prensa.

Sin embargo, lo que en un principio –según creía ella– era sólo una ligera llovizna, pronto se convirtió en un diluvio de pequeños y afilados aerolitos. Si en un primer momento no le causó grandes problemas, se debió, por supuesto, a las palabras de Liisa, que sonaban en su cabeza constantemente: «Tienes que devolvérselas desde el principio». El equipo al que iba a incorporarse estaba compuesto sólo por hombres, de todas las edades, pero sólo hombres. Ella iba a ser la única mujer, aparte de Ann-Sofi Lundmark, su predecesora, que le enseñó a operar la grúa la primera semana, y que ahora dejaba de trabajar por estar embarazada de su tercer hijo. Ann-Sofi Lundmark no era muy comunicativa sobre otros asuntos que no estuvieran directamente relacionados con el funcionamiento de la grúa. Durante la pausa del almuerzo, Eivor trataba de observar cómo se comportaba con respecto a sus compañeros masculinos, pero nunca llegó a presenciar un combate cuerpo a cuerpo. Al parecer, mientras hubo dos mujeres, se fueron aplazando las posibles peleas, sin que nadie sometiera a Eivor a más prueba que seguir muy de cerca y con ojos extremadamente críticos sus esfuerzos por dominar la grúa. Cuando lo hacía mal o interpretaba mal una orden que le indicaban desde abajo, ese suelo que parecía estar tan lejos, veía que todos sacudían la cabeza, y a través de la alarma de la gran nave le parecía oír cómo se quejaban y suspiraban entre sí. El último día que Ann-Sofi Lundmark estuvo allí, Eivor le preguntó directamente cómo pensaba que le iría. Estaban sentadas en el vestuario, el turno anterior había terminado su trabajo y ahora esperaban a que viniera el relevo. Ann-Sofi Lundmark asintió y sonrió un poco evasiva. Bueno, a ella le parece que bien... Seguramente irá bien... Seguro que sí. Pero Eivor, que ya estaba aterrada porque al lunes siguiente tendría que subir sola a la cabina, se mostró terca: ¿lo dice en serio o sólo por decir, ahora que ya no tiene ninguna responsabilidad y podrá concentrarse por completo en su embarazo? (Era de lo único que hablaba, de cochecitos, de pañales, y Eivor llegó a enfadarse en alguna ocasión. «Dios mío», pensaba entonces, «¿no podría hablar de *otra* cosa? Ya tiene dos niños, ¡así que no es ninguna novedad!» Por supuesto, enseguida le asaltó la mala conciencia diciéndole que no debía hablar así entre mujeres. Pero había algo rancio en Ann-Sofi Lundmark, aunque sólo tenía veintiséis años, y eso era lo que le molestaba, ¡le aterraba ser algún día como ella!)

Ann-Sofi Lundmark tenía tanta prisa por alejarse del trabajo que ni se molestó en cambiarse de ropa y se marchó corriendo. Fuera del vestuario de mujeres, tras quitarse el mono de trabajo, Eivor se tropezó con Albin Henriksson, el miembro más antiguo del equipo, un hombre de sesenta y dos años que ha sido fiel a Domnarvet desde su juventud. Es menudo y rechoncho, con mechones grises de pelo alrededor de las orejas, y siempre chasquea la dentadura postiza al hablar. Fue él quien presentó a Eivor a sus futuros compañeros de trabajo y, sin que nadie le llevara la contraria, se refería a todos –excepto a sí mismo, naturalmente–, como «ese loco de ahí» y «ese loco de allá». Fue la mañana, hace una semana, en que Eivor estaba en la puerta de la fábrica angustiada ante la idea de dejarse arrastrar por la corriente de trabajadores que pasaban deprisa por delante de la garita. Pero en cuanto dijo su nombre al vigilante y fue a buscar los vestuarios, no le dio tiempo ni a saludar que ya tenía a Albin Henriksson encima de ella.

–Ésta es la nueva operaria de la grúa –dijo a gritos levantándose del rincón en el que estaba sentado y rascándose la frente como si estuviera intentando resolver un complejo problema–. Me llamo Albin Henriksson –dijo a continuación mientras la tomaba de la mano–. Tienes que pasar de lo que digan los demás y escucharme a mí. A aquel loco de allí le llamamos Lázaro, y ya entenderás por qué cuando veas por primera vez su manera de despertar después del café. Y aquí tenemos a Holmsund... ¿Cómo diablos te llamabas de nombre?

–Corta el rollo –dice Holmsund, que tiene en la cara las inconfundibles huellas de haber pasado una noche larga y húmeda. Es el más joven del equipo, veintidós años.

–Janne, sí –dice Albin indiferente. Naturalmente, lo ha sabido todo el tiempo, pero Eivor no puede diferenciar aún cuándo habla en serio y cuándo habla en broma. Entonces recuerda también las palabras de Liisa. «Intentan engañarte en cuanto pueden.»–. Ese loco se equivocó una vez –continúa–. Creía que tenía un equipo en la liga de fútbol sueca, y esas cosas se pagan. Esas locuras deben ser penalizadas, ¿no te parece?

–Yo qué sé –contesta Eivor intentando ser decidida.

–No. ¿Cómo ibas a saberlo? –dice Albin y la arrastra hacia los otros dos hombres que están sentados cada uno en una esquina, como dos héroes eliminados de la batalla antes de empezar. Ambos tienen alrededor de treinta años y uno de ellos, por raro que parezca, no tiene apodo. Se llama simplemente Göran Svedberg y viene y va de Borlänge a Dala-Järna, donde tiene a su familia. Es reservado y no deja que nadie se le acerque. Sin embargo, al hombre que está sentado en la otra esquina lo llaman Makadam, y nadie sabe el origen de ese apodo–. Quizá se deba a su mala costumbre de rechinar los dientes –dice Albin reflexionando–. Pero en esta vida no hay nada seguro...

–Bueno, yo me llamo Eivor Skoglund –dice ella inclinando la cabeza a modo de saludo hacia los hombres que están sentados con sus monos de trabajo y la miran.

–¿Estás casada con Nacka? –pregunta Holmsund controlando sus temblorosas manos. ¡Ella sabe de qué va, lo ha escuchado antes! El jugador de fútbol del Söder, hermano de barrio de Lasse Nyman, que tiene el mismo apellido que ella.

–Ya no –dice ella para tantear, y Holmsund, interesado, levanta una ceja. Eivor tiene la sensación de que la respuesta ha sido buena, ha hecho lo que Liisa le ha indicado, devolvérsela.

–Ahora tienes que irte a tu vestuario –dice Albin, que mantiene todo el tiempo su mano delgada alrededor del brazo de ella–. Makadam va a quitarse su mono de trabajo y no le gusta que nadie vea sus calzoncillos.

–Cierra la boca –amenaza Makadam–, si no quieres que te quite la dentadura.

Eivor se vuelve hacia la puerta de salida y ve justo enfrente de ella la foto de una mujer abierta de piernas pegada en la pared. Siente los ojos de ellos en la espalda, baja el picaporte y sale. Cuando vuelve a cerrarse la puerta, se pregunta dónde se ha metido. Le parece oír a alguien gritar «coño» en la habitación que acaba de dejar y se dirige al vestuario de mujeres, donde ve por primera vez a Ann-Sofi Lundmark, que está sentada mirándose el vientre...

Pero ya ha pasado una semana y Albin Henriksson, aunque tiene prisa por llegar a casa para llevar a cabo los muchos quehaceres de la tarde del viernes: cortar el césped, arreglar el coche –Eivor ya se ha enterado de todo en las pausas del café–, se toma tiempo para pararse a preguntarle cómo le van las cosas. Cuando ella está a solas con él, sin los demás del equipo alrededor y sin sentir la necesidad de dominar al grupo, se da cuenta de algo que ha percibido a menudo en los hombres: el cambio que experimentan cuando se hallan fuera del cerrado territorio masculino. Aunque Albin tenga prisa y chasquee impaciente los dientes, su actitud ruidosa y entrometida ha dado paso a una variante más discreta que Eivor considera que le pega más. (Ella ha pensado muchas veces cómo serán las mujeres de esos hombres, pero no cree que sean significativamente diferentes a ella misma. «Como la mayoría de la gente», piensa. «Gordas y delgadas, amargadas y alegres, una mezcla de todo, como yo misma...»)

–¿Qué te parece a ti? –dice ella respondiendo con una pregunta.

–Un poco lento –contesta él–. Un poco torpe. Pero no está mal. Te acostumbrarás. Luego te sentirás bien allí arriba, cuando no hay tanto que hacer. La mayoría de las... mujeres suele hacer punto. Por cierto, necesito un par de guantes para el invierno. Sólo para que lo sepas.

–¿Y aparte de eso?

–¿Aparte de qué? Ya se arreglará, como dijo el que estaba sentado en la cámara de gas. Ya no tengo más tiempo para ti. ¡Vete a casa con tu marido!

–¡Estoy separada!

–¡Entonces vete al Brage a bailar!

–No, gracias.

–Bueno, pues no sé. Pero yo me voy. Se ha vuelto a estropear el condenado tubo de escape. Pero esta vez le pondré cemento dental. Tal como están las cosas en estos días, nadie puede permitirse cambiar el tubo de escape...

Y luego se marcha y Eivor puede salir, llenar con el frío aire de octubre sus pulmones y dejar atrás el estruendoso rugido de la acerería. De regreso a casa se detiene en la ferretería y compra un candado para la bicicleta. En realidad pensaba comprar también comida para el fin de semana, pero decide dejarlo para el día siguiente, está demasiado cansada.

Va a casa en bicicleta y se pregunta qué hace realmente. Está claro que se encarga de la grúa puente que se desliza a lo largo del techo: ella mueve las planchas metálicas, las cambia de sitio y las coloca correctamente. Pero ¿adónde van a parar esas grandes planchas que se van cortando a intervalos regulares? ¿Para qué sirven? ¿Serán laterales de los barcos? ¿O tendrán que seguir otro proceso industrial más? Ella piensa que realmente tiene la misma sensación que hace mucho tiempo, cuando en medio de un gran estruendo cargaba desesperadamente máquinas de retorcer hilo. Que participa en una pequeña y aislada parte de un gran proceso que ella no entiende. Un caballo que va corriendo por la vida con anteojeras...

En la residencia de ancianos tenía la sensación de que su esfuerzo era visible. Lavaba a alguien que se había manchado y veía aparecer una sonrisa en su cara surcada por la edad...

Eivor ha tenido suerte. La vecina de la izquierda, la señora Solstad, se ha ofrecido voluntariamente a cuidar de Elin por una suma casi simbólica mientras ella va a trabajar. Eivor ha estado mucho tiempo en lista de espera para una guardería, pero va para largo y no tiene esperanzas inmediatas. Está a punto de pulsar el timbre de la casa de la señora Solstad cuando decide tomarse cinco minutos para sí. Ya ha asomado antes la cabeza por su casa y estaba totalmente en silencio. Como es natural, se siente culpable, permitirse el privilegio de la soledad es algo indefendible, aunque sólo sean cinco minutos. Una madre decente simplemente no lo hace. Pues entonces ella no es decente, piensa, y entra en su apartamento y abre la puerta del baño para lavarse las manos...

En el interior está Staffan, que se ha olvidado de cerrar la puerta. Eivor se sobresalta y, como recordará después, ve *todo a la vez*. No como suele ocurrir, cuando una imagen se descompone después, revelando los detalles intrínsecos. Lo ve todo en un instante: Staffan sentado en el borde de la bañera y masturbándose con los pantalones vaqueros caídos y los ojos fijos en una revista porno. Pero, para su sorpresa, ve que él lleva en los pies su único par de zapatos de vestir de tacón alto. Él la mira fijamente, paralizado, y ella piensa que no quiere eso, por el bien de él. Ella nota que se ruboriza, y se apresura a cerrar la puerta.

«Vaya», es todo lo que logra decir, y luego se dirige rauda a su habitación. En la confusión posterior sólo puede pensar en una cosa: ¡esto debe de ser terrible para él! ¡Ha sido pillado, literalmente, con los pantalones bajados! Ella trata de forma desesperada de encontrar palabras para decirle que *no tiene importancia*. Pero no se trata de eso, ¡sino de que ella lo ha visto! Quisiera volver corriendo al cuarto de baño y decirle que no ha visto nada. O que ya se le ha olvidado. O que... Sí, ¿qué? Se sienta en la cama. Pasan casi diez minutos antes de que le oiga salir del baño. Casi le duele pensar en cómo se sentirá él, pero no puede ir a donde él está, y cuando a los pocos minutos le oye salir de casa piensa que tal vez sea lo mejor. Fingir que no ha pasado nada, aunque ambos lo sepan, compartir un secreto y hacer como que no existe... Sólo para que no se sienta humillado y haga algo... Ella corre a la cocina y mira por la ventana, pero él ha desaparecido ya en la oscura noche de octubre.

La tarde es angustiante. Cuando Eivor se obliga por fin a ir a la casa de la señora Solstad a buscar a Elin, no puede mostrarse tan contenta de ver a su hija como ésta se merece. Elin se aferra a su ropa mientras está de pie preparando la cena, y de su boca sale un flujo ininterrumpido de todo lo que ha vivido durante el día, sobre todo que una de las aves se ha salido de su jaula y ha estado varias horas sentada *encima* de un armario. Eivor sólo murmura entre dientes, suelta una maldición cuando una patata cocida cae al suelo y se hace pedazos y lanza los platos sobre la mesa. Y luego, cuando Elin ya está en la cama es demasiado brusca con ella, y los grandes ojos la miran con asombro cuando se niega categóricamente a leerle más de un cuento. Después Eivor se sienta en la penumbra del salón y enciende el televisor. Quita el sonido, y se queda mirando la pantalla muda, enfadada...

Por supuesto, sabía que él se masturbaba. Durante los dos últimos años ha visto manchas en las sábanas de vez en cuando. Pero lo ha aceptado como algo natural sin gran dificultad. La angustia que siente, lo que le inquieta es la sensación de que de alguna manera ella le ha fallado. ¿Ha pensado alguna vez que no sólo debe cuidar de sus hijas, y llevarlas de la mano por la compleja realidad? ¿Quién ha dicho que Staffan sería menos complicado? Nadie, y ya que supone que Jacob no ha hablado con su hijo, ella es la responsable. Para esto como para todo lo demás. Nunca va a entender que ella *sola* debe encargarse de los niños. Jacob es una silueta que está ahí fuera para ayudar algunas veces al mes con dinero, mudanzas y otros favores. Pero la responsabilidad de *las personas* es de ella, y siempre cae en las redes de su propia insuficiencia...

Los zapatos de tacón alto, estilosos. Los compró hace unos años, un viernes que había cobrado y, de repente, sintió un ardor impaciente cuando volvía a casa del trabajo. Enfadada por no ser capaz de dejar a un lado el deseo de un hombre, entró en una zapatería y se compró el par más refinado que pudo encontrar en los estantes. ¿Cuántas veces los ha usado? Casi ninguna, piensa con una mezcla de desaliento y rabia. Pero ahora su hijo se los pone para... Intenta pensar tranquila y objetivamente. Es muy probable que sea algo natural, que esté buscando su camino, el impulso de realizar nuevos descubrimientos para satisfacerlos. La vida sexual (¿por qué no puede aprender a decir de una vez «follar», como se dice comúnmente?) es dolor y sufrimiento, nadie dice que la mujer tiene que estar abajo y el hombre encima, por lo tanto tampoco es antinatural que su hijo quiera saber lo que se siente al llevar los zapatos de tacón de su madre... Ella piensa que eso, precisamente, es algo de lo que debería hablar con sus compañeros de trabajo. Las pausas para el café se podrían llenar con experiencias mutuas en vez de charlas sin sentido, como ahora. (A pesar de que sólo ha transcurrido una semana, ha imaginado las líneas generales de las conversaciones que llenan las pausas de la comida y del café. Es una monótona retahíla de alusiones a la vagina: si se trata de trotones, en lo que todos parecen estar interesados, al menos uno de los jockeys de las últimas carreras era un coñazo. El Liverpool juega como un puñado de putas, al maldito coche habría que darle una patada en..., si no les suben pronto el sueldo no van a poder follar ni con una pobre finlandesa. Y las fotos pegadas en las paredes, siempre variantes de lo mismo. Los comentarios carecen de alegría, pero al parecer son necesarios: ésa tiene el coño como para un toro, o ésa tiene unos pechos con los que la muy condenada podría darle un par de vueltas a la polla. Ésa tiene una boca como para... Vamos a dibujarle una polla a ésa. Tráeme el rotulador que está ahí... No, ahí no. ¡Allí! Mueve el culo... ¡Ahí, sí! Déjame a mí...) Eivor mira la pantalla del televisor y de repente se pregunta cómo ha sido capaz de aguantar todas esas expresiones denigrantes. Y, además, ¿no tiene la sensación de que ellos hablan así precisamente porque hay una mujer presente? Las mujeres que con mucho esfuerzo han abierto una brecha en las zonas sagradas de los hombres pueden llegar a resignarse a que, *después de todo,* han entrado en un mundo masculino. Esos comentarios forman parte de su modo de abordarlas, educarlas, paralizarlas. ¡Ann-Sofi Lundmark! Estaba allí sentada embarazada, y no parecía reaccionar. ¿Cómo es posible? ¿O es que la habían domado hasta que se había rendido? Tal vez dejó de luchar hace mucho tiempo.

Eivor se da cuenta de que se ha enfadado. Sin duda, Liisa la ha preparado para que no crea que va a entrar a un convento, pero que sea tan... Se acerca al televisor y cambia de canal: hay un hombre cantando frente a un telón de fondo que representa un barco. Sube el volumen. ¡Ópera! Que le den por... Vuelve al silencio y decide que no va a tolerar más conversaciones soeces. ¡Por nada del mundo!

Pero Staffan... Piensa en todo de nuevo, siente que la ira desaparece y es reemplazada por una sensación casi melancólica. Le gustaría tanto abrazarle, escuchar las miles de emociones que lleva dentro de sí... Pero ¿por dónde empezar? Ésa es otra de las puertas selladas de la existencia, y aquí está ella, sin mapa ni llave, y en el televisor alguien canta sin cesar...

La despierta el parpadeo de la pantalla del televisor: el programa ha terminado, es tarde. Ella lo apaga y va a echar un vistazo a Elin. Ni Linda ni Staffan están en casa, y recuerda que Linda dormirá ese fin de semana en casa de una amiga. «¿Y si no es así?», piensa. «¿Por qué no puede ser un amigo? ¿Qué sé yo? ¡Nada!» Se sienta a la mesa de la cocina y empieza a juguetear con su libro de cuentas que, con pocas esperanzas, lleva desde hace unos meses. Pero ¿de qué sirve si el dinero nunca es suficiente? Intenta imaginarse cómo sería no tener que pensar nunca en el dinero, ser dueña de una fábrica siderúrgica, no tener que andar corriendo en medio del polvo como una liebre herida y recibir un salario, que nunca alcanza para nada extraordinario, por las molestias... «La revolución», piensa. «¡Ésa soy yo! La camarada Skoglund, que ni siquiera está segura de cómo se forma y cómo funciona el Parlamento sueco. Que vota a los socialdemócratas porque lo hace la mayoría de sus compañeros, y porque la derecha siempre le ha parecido una de esas historias *desagradables* que escuchaba cuando era niña...»

Deja a un lado el libro de cuentas y piensa que tiene treinta y cinco años y no sabe casi nada. A través de los periódicos y de la televisión, está expuesta a una constante barrera de fuego de información acerca de un mundo que parece estar en una situación terrible. Pero es lo mismo que le ha pasado hace un rato: ve, pero no *oye*. ¡Claro! Ella es consciente de que hay personas que se mueren de hambre y mete sus coronas en las distintas huchas que le ofrecen. Sabe que hay refugios nucleares en casi todos los sótanos. Percibe lo que se avecina, los alimentos son cada vez más caros y hay que defender los salarios. El mundo es grande, pero sólo hay uno. ¿Cuándo *piensa* en ello, cuándo es importante para ella hacer algo? ¡Nunca o casi nunca! ¿Y Staffan y Linda? No, ni una palabra. ¿Y Elna, su madre? Tampoco. ¿Erik? Tiene que retroceder al abuelo Rune. Para él era necesario. Pero ¿y Jacob? ¿O Lasse Nyman? ¿Es ella la que ha abandonado al mundo o ha sido al revés? ¿Quién le ha preguntado a ella, le ha exigido, la ha preparado? Jenny Andersson estaba sentada en su taller sobre los tejados de Örebro y le dijo (en serio, con énfasis) que sus clientes eran gente elegante ¡y pobre de ella si no se comportaba *correctamente!* En Konstsilke en Borås pretendían obtener pingües beneficios, en Torslanda el Dios Padre estaba sentado limpiándose las uñas en una oficina que apestaba a orín. La única que queda es Liisa. Ella empezó a gritar en Borås hace muchos años y aún no ha perdido la voz. Ella vive en el mundo de una manera diferente a Eivor, como un perro curioso que olfatea constantemente lo que está sucediendo y después examina con mucho cuidado lo que hay ante sus patas delanteras... Pero Liisa es Liisa y Eivor es Eivor, vientos que nunca se encuentran pero se rozan entre sí...

«¿Debe ser así?», piensa ella. La respuesta es obvia: por supuesto que no. ¡Pero ella no tiene tiempo! Sus hijos, después de todo, no son tres excusas, tres coartadas que se alternan. Los pocos momentos que le quedan para sí misma está tan cansada que siente la *obligación* de dormir. Si tan sólo tuviera tiempo, recobraría las fuerzas, pero sin fuerzas tampoco hay curiosidad. La necesidad de conocer, de involucrarse, está hundida bajo un sinfín de toneladas de esfuerzos que hay que hacer diariamente. ¿Quién puede sentarse y leer el periódico con detenimiento cuando la ropa sucia está tirada por el suelo del baño? «Mi tiempo no ha llegado aún», piensa ella, y escucha el ruido lejano del grupo de borrachos que habitualmente pasan los fines de semana en casa del amable vecino de la derecha. «Tengo treinta y cinco años, tengo tres hijos, y los quiero. Pero me quedan muchos años de vida y, por lo que sé, no es demasiado tarde para casi nada...»

Aunque ya es muy avanzada la noche, llena la bañera de agua y se sumerge. Mira su cuerpo y piensa que no quisiera cambiarlo por ninguno de los que ha visto en las fotos que hay colgadas en el reducido espacio de la fábrica donde come y bebe café...

Cuando Eivor, posteriormente, echaba la vista atrás y reflexionaba sobre ese periodo de su vida, cuando empezó a trabajar en la fábrica siderúrgica y en ésta reinaba un estado casi permanente de guerra total, siempre pensaba que todas las molestias habían valido la pena. El premio, *la experiencia,* la sensación de haber superado ese límite que siempre había cercenado su capacidad (¡debes conocer tus límites!) sin que en realidad se hubiera preguntado nunca si era verdad; todo eso era un signo de victoria que compensaba de sobra el increíble y duro infierno por el que había tenido que pasar. Aunque al mismo tiempo –ella lo admitía gustosamente–, se estremecía al recordar lo cerca que había estado muchas veces de darse por vencida, de arrojar la toalla y admitir su derrota con la cabeza gacha. Nunca pudo saber del todo qué fue lo que realmente la había empujado a seguir cuando estaba en su peor momento. Es posible, pero sólo *posible,* que simplemente no pudiera retirarse. Prefería una derrota completa a rendirse cuando aún le quedaban fuerzas para arrastrarse y encerrarse en el cuarto de baño. Pero cree que nunca podrá llegar a explicar por completo cómo se atrevió...

Lo que sucedió fue realmente muy simple y comenzó, tal como ella había sospechado, el primer lunes que llegó al trabajo sin que Ann-Sofi estuviera a su lado como La Guardaespaldas Embarazada. Había dormido mal y salió temprano de casa. Las fábricas siderúrgicas no se diferencian mucho de las demás: hay que llegar lo más tarde posible, sobre todo el lunes por la mañana. Pero no es la primera en llegar, a pesar de que falta más de media hora para que termine el turno anterior. Albin Henriksson lleva ya veinte minutos allí, se ha cambiado de ropa y está preparado. Es un hombre que durante la semana laboral sólo habla del viernes, pero la noche del sábado comienza a preocuparle que la fábrica no siga en su sitio el lunes por la mañana. En su cerebro tiene lugar una constante conspiración: fuerzas siniestras desmantelan la acerería, o deliberan a puerta cerrada si permitir o no a Albin Henriksson que permanezca en su turno de trabajo. Pero todos los lunes por la mañana la fábrica sigue allí, e incluso antes de entrar por la puerta mira con enojo al que está sentado afeitándose en la garita y empieza a detestar los cinco días que tiene por delante. No hay nadie que hable tan a menudo de faltar al trabajo, de ponerse enfermo, pero tampoco hay nadie que haya estado menos días de baja por enfermedad. Ahora que viene Eivor, trota por el pasillo fuera de los vestuarios, como un acusado que está esperando entrar para escuchar su veredicto. Se queda mirándola como si hubiera visto un fantasma. Eivor inclina la cabeza y le da los buenos días con una sonrisa, pero Albin Henriksson no le contesta. La agarra del brazo con sus afilados dedos y le dice que la peste ha llegado también a Borlänge, que el contagio ha avanzado hasta el río Dal, y que lo ha oído esa mañana en las noticias de la radio. Parece inevitable que ha pasado la época en que bastaba con susurrar el nombre Domnarvet en el mundo como un encanto irresistible, una marca reconocida por la calidad adicional de sus productos. Se prevén malos tiempos, augurios de crisis: en la industria siderúrgica se pueden esperar drásticas reducciones de personal *si no ocurre nada*. Y son precisamente esas últimas palabras, las más vagas en apariencia, las que le dicen a él que esta vez va en serio. Cuando desde la dirección de la empresa se ha gritado que La Larga Noche ha caído sobre la acerería, no se lo ha tomado tan en serio. Siempre se ha utilizado para hacer ruido en las negociaciones y también, a intervalos regulares, para inculcar una buena dosis de preocupación en la población activa. Es lo que le ha enseñado la vida y por lo que esas vagas palabras le producen ansiedad, y quiere decírselo también a Eivor. Ella, que es nueva y sufre ya bastantes quebraderos de cabeza teniendo que hacer frente a lo que esperan de ella, obviamente no puede percibir de forma inmediata la nueva *gran* amenaza de la que le habla Albin Henriksson. Y, por supuesto, le resulta imposible pensar que corre el riesgo de ser despedida una semana después de empezar. Tal vez en otros países, en otros puestos de trabajo, ¡pero, definitivamente, aquí no! Albin Henriksson parece entender que ella se queda indiferente, y se lanza a por Holmsund, que viene vacilante por el pasillo, con resaca y mareado, despeinado y sin lavar. Él tampoco ha oído nada (¿quién demonios tiene tiempo para escuchar la radio?). Y tampoco quiere oír nada. Él quiere que lo dejen en paz y va a arrancarle las entrañas al reloj que avanza inexorablemente hacia el inicio del turno. Le gruñe a Albin y tropieza en el umbral del vestuario, deseando tener la envidiable capacidad del hermano Lázaro de dormirse profundamente en cuanto dispone de unos segundos libres. Pero él sólo puede dirigirse al baño y tratar de vomitar la escoria que le queda después de la gran fiesta que, por supuesto, hubo que hacer cuando Brage logró ganarle al mismísimo Malmö FF. No fue fácil, pero dime qué torpeza no acaba en gol...

Eivor va a cumplir con sus tareas y Albin Henriksson se enfurece como un agitador que se da cuenta de repente de que nadie entiende lo que está ocurriendo. Por fin tiene a alguien con quien hablar cuando aparece el silencioso Göran Svedberg después de su viaje matutino desde Dala-Järna. En realidad, Göran Svedberg no es de los que dicen una sola palabra innecesaria, pero esa mañana ha oído las noticias mientras estaba sentado con su esposa y su hijo recién nacido en la cocina. Durante el trayecto ha tenido tiempo para pensar que, aunque lleva cinco años trabajando en la fábrica, es muy probable que esté entre los primeros que pueden recibir la fatídica orden: ¡el último empleado es el primero en abandonar el barco! Ahí está el mar, vamos... Por supuesto, no hay que exagerar, piensa. Las noticias son siempre muy alarmantes, especialmente por las mañanas, como si hubiera que asustar al pueblo sueco. No hay nada decidido, sólo avisos, y en este sector tiene que haber gente suficiente para devolver el golpe. Se lo dice también a Albin Henriksson y no sabe si intenta calmarse a sí mismo o a su compañero. Macadam y Lázaro llegan en el último minuto, mientras el turno saliente tiene prisa por cambiarse de ropa, así que se forma un lío tremendo. Los únicos que se oyen por encima del murmullo y las palabrotas son Holmsund y Macadam, que están peleándose porque Holmsund afirma haber visto a Macadam borracho y perdido en algún sitio el pasado fin de semana...

Cuando Eivor se sentó luego en la grúa, sudorosa y con el corazón latiéndole con fuerza, intentando hacerlo todo bien, obviamente no se dio cuenta de que los hombres que estaban en el suelo vociferaban entre sí. Ella tenía suficiente con manejar sus palancas, elegir la correcta en el último momento y luego maniobrar con suavidad, y, sobre todo, lo más despacio posible, a fin de evitar que la grúa puente se le escapara. Le sorprendía que los leves movimientos que hacía con sus palancas pudieran tener tanto efecto. Las colosales planchas de acero recién moldeadas y humeantes comenzaban a moverse colgadas de sus cadenas cuando tiraba de una de las palancas hacia ella. Tenía la sensación de que su jaula era como la cabina de mandos de un avión, ¿y qué piloto tiene tiempo para pensar en algo más que no sean los mandos? Cuando después vino el descanso y ella bajó y se unió a los demás, que estaban sentados en el reducido espacio que tenían para sus comidas y pausas para el café, no oyó una sola palabra al respecto, porque todos eran ya conscientes de la amenaza y nadie se atrevía a hablar de ello. Era demasiado pronto, además era lunes, pero, sobre todo, daba demasiado miedo. Es mejor decir estupideces y fingir que no ha sucedido nada. Ya llegará el momento de las previsibles disputas...

Por lo tanto, transcurren unos días antes de que Eivor comience a sospechar que la preocupación ya se ha extendido por toda la fábrica, pero ella ya tiene suficiente con no dar a sus compañeros motivos para el sarcasmo. Si comete el más mínimo error, es porque no presta la suficiente atención, le dicen en cuanto hay una pausa, y el mensaje es bastante claro: las mujeres son torpes... A la Lundmark tuvimos que domesticarla, pero como agradecimiento se quedó preñada.

Durante la primera pausa para el café de ese primer lunes, ella se convierte también de forma inesperada, sin quererlo ni saberlo, en el blanco de todas las críticas. En vez de pensar en los muchos accidentes que obviamente puede reservarles el futuro, la emprenden con la nueva y empiezan a ver cómo lo hace. Macadam pregunta por qué tardó tanto en darle la vuelta a una plancha que iba torcida. Janne

Holmsund está sentado riéndose en una esquina pensando que una resaca se pasa, pero la torpeza no. Eivor contesta lo que piensa, que no ha sido lenta en absoluto, pero Macadam dice con un envolvente gesto que ha sido demasiado lenta y que no pueden permitirse tener gente perezosa. Eivor va a contestar, pero Albin Henriksson la interrumpe y señala a Lázaro, que se ha dormido con la barbilla apoyada en la mano. A continuación, entran en una discusión acerca de si el durmiente es una especie de pionero. Él ya ha comprado el nuevo milagro llamado vídeo, y puede sentarse en su habitación y ver películas porno en el televisor. Ese monstruo de la técnica es evidentemente algo que contiene un sinfín de posibilidades. Sólo la idea de que sea posible grabar la emisión de programas normales es fantástica. Que puedas sentarte frente al televisor toda la noche e incluso por la mañana temprano si hace falta, y ver una y otra vez todos los goles que se han metido en un partido de hockey sobre hielo, *sin* tener que estar nervioso por lo que vaya a suceder... Pero es todavía tan nuevo que no acaban de entender cómo Lázaro, que en general es endiabladamente tacaño, se ha atrevido a invertir tantos billetes de mil (¿de dónde saldrán?) en semejante aparato. No pueden pedirle que conteste, ¡está durmiendo!

Durante el descanso largo del lunes, más o menos a mitad del turno, Eivor se arma de valor y pregunta si realmente es necesario que haya un montón de fotos eróticas en las paredes. (Incluso Liisa comenta a menudo que atreverse a decirlo el primer día es una de las cosas más impresionantes que ha hecho.) Se encuentra con un pacto de silencio, sus palabras llegan de modo tan inesperado que hasta Lázaro se despierta de golpe. Eivor señala a una negra con abultadas formas y abierta de piernas, que está colgada enfrente de ella, y dice que no le parece especialmente divertido tener que sentarse y mirar eso cuando toma café. No recibe ninguna respuesta, sólo un coro de gemidos, gruñidos, chasquidos, y una hostilidad pesada, muda. Entonces comete el error de creer que sus palabras, a pesar de todo, han tenido éxito y que el silencio es básicamente una expresión de vergüenza, que tal vez incluso ha sido premeditado. Pero al día siguiente, cuando ella regresa al comedor por la mañana, se da cuenta de lo equivocada que estaba. Las paredes están llenas de fotos de arriba abajo. Alguien ha pegado incluso una foto de un gran pene en el asiento de la silla que le han asignado a ella. No solamente hay más fotos, sino que además son más groseras, y la peor de todas (un hombre gordo en una cama, atendido por dos chicas muy jóvenes de piel oscura) está en la pared donde ella tiene que fijar la vista si no quiere quedarse mirando al techo. Al parecer, alguien ha tenido también la suerte de encontrar una foto de: «Eivor, 19 años, de Strömsnäsbruk. Intereses: chicos y ropa», sacada de las páginas centrales de un periódico. Ella se asusta al cruzar el umbral y nota que está sonrojándose. Cuando ve la imagen en el asiento, se da cuenta de que ellos tienen las de ganar. No va a poder con eso. Ella sola no. Pero, a pesar de que lo que desearía es salir corriendo de la habitación, hay algo que la retiene. Hay algo que le dice que si no se queda, habrá perdido la batalla antes de tiempo. Entonces nunca será capaz de resistir, y hay muchas probabilidades de que termine como Ann-Sofi Lundmark, muda, domesticada y castigada a la sumisión. Se sienta como si no pasara nada, lo que por supuesto también es una forma de derrota. Pero ¿qué va a decir? Al levantar la vista ve varias sonrisas burlonas, de satisfacción. Con la posible excepción de Göran Svedberg, y quizá también Albin Henriksson, cuya sonrisa parece poco natural y forzada. Pero los demás... Al final del descanso llega la confrontación. Macadam le pregunta si está cómoda en el asiento, y ella se da la vuelta tan furiosa que se ruboriza al decirle que la deje en paz, que pueden irse al infierno con sus fotos.

–Hay que tener algo bonito donde recrear la vista –contesta Makadam en clara alusión a que Eivor no puede sustituir las fotos.

–Cerdos asquerosos –grita Eivor saliendo precipitadamente.

Durante el resto del día no hay más comentarios. Pero Eivor se siente torpe e insegura en la grúa, ve cómo sus compañeros sacuden la cabeza todo el rato y escucha un coro de ángeles negros gimiéndole al oído. Se le saltan las lágrimas varias veces y maldice y refunfuña en soledad dentro de la cabina. Las pausas para comer son una agonía prolongada, tiene que obligarse a entrar, a sentarse y a sacar su fiambrera. Cuando termina la jornada y por fin puede dejar el trabajo, lo hace con la idea de no volver. Al menos mientras tenga que rodearse de esos... Y mientras haya personas en las residencias de ancianos que le sonrían e intenten agarrar sus manos sólo para sentir que están vivos...

Por la tarde va a la esquina de las calles Smidesgatan y Mästargatan, donde vive Liisa. Pero en la casa sólo encuentra a su hijo, Arvo, que no sabe dónde está su madre. Está fuera, pero no sabe dónde. Cuando Eivor vuelve a salir a la calle, decide dar un paseo. Va andando por la calle Tunavägen, hacia Åselsby, y piensa que aunque ahora trabajan en el mismo sitio, no ha cambiado nada, pues no coinciden nunca, ni siquiera en el cambio de turno. Es más, Liisa trabaja en el departamento contiguo, y cuando Eivor –el primer día– le describió por teléfono a sus compañeros de trabajo, Liisa le respondió que sabía quiénes eran, pero que no los conocía. Pero ahora tendría que hablar con Liisa, preguntarle qué debe hacer. (¿Qué ha sucedido en otros departamentos? ¿Es posible que sólo haya fotos pornográficas en la sala donde ella come? Liisa probablemente las quitaría sin más, pero ya que son dos personas distintas, necesita su consejo.) Piensa que sólo ha saludado apresuradamente a las otras mujeres que trabajan en la misma grúa que ella. Pero ¿qué dicen ellas de las fotos pornográficas? ¿Podrían hacer algo poniéndose de acuerdo las tres? El frío arrecia, pero ella sigue caminando. Sin embargo, aún está tan impresionada por lo de ese día (además de enfadada por haber cometido demasiados errores en la grúa) que sabe que no va a dormir, a menos que se canse de andar.

Llega a una zona industrial y está a punto de dar la vuelta cuando de repente frena un coche a su lado. Ella se pone en guardia de inmediato, mirando al conductor con expresión de rechazo. Pero entonces ve que es un coche de una empresa de seguridad, y cuando el conductor baja el cristal de la ventanilla, reconoce al hombre que estaba unas semanas antes en el circuito de carreras de trotones de Romme.

Inician una conversación a tientas, sin saber muy bien por qué. No se conocen. Eivor ni siquiera sabe su nombre, y no ha pensado en él desde que se vieron en el hipódromo. De pronto, ella tiene la sensación de retroceder quince años en el tiempo, a la plaza Sur, en Borås, y al interminable coqueteo. A los paseos arriba y abajo junto al río Viskan, a los coches que frenan, y se ve a sí misma inclinándose a mirar mientras se pregunta: ¿me atrevo o no me atrevo a entrar en este coche? Pero ahora se encuentra en Borlänge, en el año 1977, y el hombre con el que habla lleva uniforme, es un vigilante nocturno, un soldado de los ejércitos de la nueva noche urbana, y él le dice que su lugar de trabajo son las oficinas, tanto municipales como industriales. Oscuros pasillos desiertos... Si encuentra a una persona en esos espacios silenciosos, es como si se enfrentara a un enemigo... Él le pregunta a Eivor qué hace, y ella le confiesa la verdad, que está tratando de andar hasta cansarse, que estaba a punto de dar la vuelta y regresar a casa. Él pregunta dónde vive y si puede llevarla a su casa.

Ella asiente con la cabeza (¡hace frío!) y se sienta junto a él. Él le dice que en realidad no está permitido, pero... ¡qué diablos! En el coche el ambiente es cálido, la música es suave y ella hubiera deseado que la llevara fuera de Borlänge, por caminos sin fin, rodeados de bosques igualmente interminables. Pero la calle Hejargatan está cerca y él detiene el coche frente a la puerta del bloque de apartamentos. Algo avergonzada, Eivor le dice que no recuerda su nombre, y él se ríe al contestarle. Peo, Peo de Per-Olof. Ella se baja del coche, le da las buenas noches y deja que se cierre la puerta. Luego va hacia su casa y oye que el coche sigue su camino.

Al día siguiente, cuando Eivor, después de trabajar, estaba cenando junto a sus tres hijos, cosa que no era habitual, sonó el teléfono y Linda, que fue corriendo a responder, volvió diciendo: «Es para ti, mamá», y Eivor vuelve a ver ese brillo de sospecha en sus ojos. Era el vigilante nocturno que quería preguntarle si le gustaría salir con él alguna tarde, «pero sólo si le apetece». Su primer impulso es decir que no, con amabilidad pero con firmeza: no, no tiene tiempo (le resulta extraño decir que no quiere. Ninguna mujer con dignidad lo dice, a menos que él estuviera rasgándole la ropa. No querer sólo está relacionado con *eso*. Es lo que ha aprendido). Pero ella dice que sí, un sí convincente, y acuerdan que él volverá a llamar el sábado por la mañana, y *ya verán*... Linda y Staffan la someten a un interrogatorio y a ella le molesta tanto el bullicio que se ha formado en la mesa que les cuenta cómo están las cosas: es un vigilante nocturno llamado Peo con el que va a salir, puede que con regularidad. Su repentina declaración es tan inesperada que Linda y Staffan se quedan realmente en silencio. Elin parece tan asustada que Eivor se ve obligada a dedicarle una gran sonrisa y alborotarle el pelo. Después de la cena, Staffan recoge deprisa los platos y los cubiertos y se prepara para salir enseguida. Mira con timidez y Eivor no sabe si se debe a que tiene mala conciencia, tal vez incluso sentimientos de vergüenza. En un intento inútil de mostrarle afecto, le acaricia una mano sutilmente. Si pudiera expresarle a él en un lenguaje secreto que los zapatos de tacón y su sesión en el cuarto de baño no es algo que le importe, que su afecto por él *no ha disminuido*...

Pero él y su mano ya se han ido. Sólo queda una camiseta con un gran agujero en una de las mangas...

Sin querer, siente una agradable emoción cuando piensa que va a ver de nuevo a Peo, el vigilante nocturno. En pura defensa propia hace una mueca preguntándose si está realmente tan necesitada como para aceptar la primera invitación que le hacen, pero no puede engañarse pensando que *ése* es el caso. Él parece agradable, tímido de un modo casi cómico, y levantó a Elin de una manera especial. No tiene ninguna expectativa, no quiere ni pensar en ello. Soñar con un hombre le queda tan sumamente lejos que duda que pueda hacerlo. Además todavía está aterrada por las fotos porno. El segundo día había algunas menos, Eivor lo vio, pero decidió no hacer más tonterías hasta que estuviera segura de que no iba a empezar a temblar en la grúa si se enfadaba. ¡Cada cosa a su tiempo! Primero la cabina que se desliza por debajo del techo, luego las fotos del comedor, luego... Sí, luego lo que tenga que venir. Pero el jueves (las fotos siguen aún ahí) Katarina Björk, una chica delgada de Aspeboda que se encarga de la grúa en el turno anterior al de Eivor, se queda rezagada en el vestuario y Eivor percibe que tiene ganas de hablar. Le pregunta a Eivor cómo le van las cosas y ella se lo cuenta: se siente un poco insegura, pero no van tan mal como para quedarse sentada sin subir o para que la hayan obligado a bajarse. Katarina Björk la escucha con atención, y Eivor se pregunta cómo una mujer de aspecto tan frágil puede dominar a los hombres de su turno. Pero no llegan tan lejos, la confianza no puede establecerse de inmediato. Cuando Katarina Björk se acerca a la puerta y se despide de ella, Eivor está segura de que la próxima vez podrá sincerarse con ella. Y así ocurre, y después de unos días logra ponerse en contacto con Mari Velander, quien toma el relevo cuando Eivor se marcha a casa. Tiene cuarenta y dos años, es de complexión gruesa, y a Eivor le recuerda a una actriz que ha visto en las viejas películas suecas que ponen en la televisión. Se acuerda incluso del nombre, Bullan Weijden o algo parecido, y enseguida se siente bien en compañía de ella. Aparte de su aspecto físico, le recuerda a Liisa. La misma forma directa de acercarse. ¡Sin ningún rodeo! Mari Velander le comenta que piensa quitar las fotos porno, si no lo hace Eivor. Pero antes de que a ésta le dé tiempo de responder, se lo piensa mejor y rectifica: No, lo hará ella, ya que los hombres no la soportan. Sabe que a Eivor le ha tocado el peor turno, y aunque varios hombres de su grupo se burlan de las fotos, ninguno de ellos se atreve a nadar contracorriente... No le ha importado mientras había una o dos fotos... ¡Los hombres son tan pueriles! Pero ahora se han pasado. ¿No crees? Eivor asiente entusiasmada sintiendo un gran agradecimiento en su interior: no es la única a la que le molestan las imágenes que cuelgan ante sus ojos. ¡Quizá sea posible eliminarlas! ¡Incluso sin implicar a Liisa! Son mundos extraños... Sale a toda velocidad y tropieza con Lázaro en la puerta de la entrada principal. Ella no hace el más mínimo esfuerzo para evitar chocar con él...

Durante la guerra abierta que estalla a continuación a favor y en contra de las fotos porno, Eivor vuelve a recordar que los cambios se producen de modo gradual e imperceptible. La batalla es dura, hasta que un día se les ocurre algo que se convierte en el punto de inflexión, y la Banda de las Operarias de Grúa se abre camino, introduciéndose en las líneas enemigas con sólo algunos fallos en la lucha cuerpo a cuerpo. Mari Velander quitó las fotos un día. Pero al día siguiente las paredes volvieron a estar llenas, y entonces Eivor también empezó a quitarlas (más tarde se unió incluso Katarina Björk, para completar la Banda), y la cosa fue tan lejos que Holmsund, un día de resaca, le dio una bofetada, y ella le gritó dos veces seguidas que era un cerdo. Por supuesto, se produjo un gran revuelo, incluso Göran Svedberg se molestó y les dijo que se calmaran. Pero Macadam y Lázaro (no muy convencidos) tomaron partido por Holmsund y dijeron que a Eivor debería importarle un comino lo que ellos pusieran en las paredes. Albin Henriksson chasqueó la lengua repitiendo, en un monólogo interminable, que «nunca había visto nada igual... Era como en Texas... Pero ¿no le parecía a Eivor, después de todo, que *algunas* de las chicas tenían un cuerpo bonito?». Por supuesto, no ocurría durante todas las pausas, al fin y al cabo había un trabajo que hacer y los descansos eran necesarios para su propósito: comida y descanso. Las fotos en las paredes, según le parecía a Eivor (Mari Velander se lo confirmó), eran sólo una pequeña parte de los derechos que querían mantener los hombres. Más dolorosos aún eran los comentarios y las bromas sobre sus errores en la grúa, su ropa, las insinuaciones y alusiones al sexo, al deseo sexual constante de las mujeres. Los continuos enfrentamientos, la falta de afinidad con los que comparten tu turno. Mari Velander (e incluso Liisa, que se une a la Banda en cuanto oye hablar de la pelea) entendió bien a qué se refería, pero también dijo que era cuestión de tiempo. La industria siderúrgica había sido un mundo de hombres durante miles de años, ahora ellos estaban asustados y frustrados, y la falta de madurez, como es sabido, se quita poco a poco.

Fueron momentos de indecisión para Eivor. A veces no podía más y lloraba sentada en la grúa. En una ocasión estuvo a punto de presentar su renuncia en la oficina de personal. Pero estaba la Banda y siempre decidía resistir un día más... También fue en esas breves reuniones que hacían en los cambios de turno donde Eivor se dio cuenta de que llegaban tiempos sombríos e inviernos peliagudos a la fábrica. Ella escuchó y preguntó, consiguiendo por sí misma una explicación a la Crisis, y un día sintió que también le concernía a ella. Su primera reacción fue, sin duda, una misteriosa gratitud por ser partícipe, aunque fuera en un sector seriamente afectado por la crisis económica, por no quedarse al margen. Poco a poco empezó a entender por qué sucedían las cosas así (y, sobre todo, por qué eran siempre las mujeres las más afectadas: tienen hombres que pueden mantenerlas en vez de ir ellas y asumir el trabajo de un hombre. Pueden volver a casa y encargarse de los hijos y, eventualmente, tener más niños. Ellas *siempre* tienen algo que hacer. Sin embargo, un hombre desempleado que va de un lado a otro durante la noche...). Cuando ella asiste a su primera reunión sindical para informarse más a fondo acerca de los problemas del trabajo, le asombra comprobar que entiende realmente lo que allí dicen. Cuando poco a poco empezaron a ver que la fábrica se había librado del horror en esa ocasión (la gran lluvia de granadas llegaría después), Eivor sintió que, por primera vez en su vida, formaba parte de una realidad que ella entendía. Pero esa época también estaba dominada por la indecisión a causa del vigilante nocturno Peo, quien llamó, tal como había dicho, el sábado por la mañana. Eivor aún estaba durmiendo (Linda esperaba también una llamada telefónica y cogió el teléfono) y cuando levantó el auricular después de haber sido despertada por Linda, tenía tanto sueño que le pidió que la llamara una hora más tarde. (¿Y él?, pensó mientras estaba en el cuarto de baño, ¿cuándo dormía él, puesto que trabajaba de noche...?)

Fueron a Falun en su coche y él la invitó a cenar en una pizzería que estaba junto a una plaza donde había una estatua de Engelbrekt. Después dieron un paseo por la ciudad –subieron hasta los montones de escoria que había junto a la mina–, buscaron la casa donde Peo había oído que Ernst Rolf vivió una vez, y finalmente volvieron a Borlänge. En general, a Eivor todo eso le resultó poco emocionante (de hecho le llevó tiempo sentir un mínimo de atracción hacia él como hombre), pero siguieron saliendo juntos, tenían cosas en común y empezaron a disfrutar de la mutua compañía. Peo, que había nacido en Dalarna, tenía treinta y dos años, como Eivor había adivinado en la pista de trotones. (También les llevó mucho tiempo que ella aprendiera los intrincados misterios del deporte de las carreras de trotones.)

Él vivía en un pequeño apartamento en la calle Ambergsvägen, justo donde el río Dal forma un recodo. Estaba soltero y era vigilante nocturno desde que terminó el servicio militar en Skövde. Cuando Eivor –un mes después de conocerse– trató de resumir lo que sabía acerca de los intereses de él, llegó a un resultado bastante sorprendente: ¡los trotones y buscar setas! Pero por entonces se había establecido una leve corriente emocional entre ellos, y cuando al final ambos se dieron cuenta de que estaban enamorados (corría diciembre y en Borlänge nevaba sin cesar), Eivor había entendido también que, bajo el anorak azul oscuro que por las noches se transformaba en el uniforme verde oscuro de vigilante nocturno, se escondían muchos sueños, sentimientos y pensamientos. En esa época, Eivor le permitía también que fuera a visitarla a su casa, y los niños, que estaban sobre aviso, le habían dado su aprobación y no tuvo que soportar protestas ni enfados. Pero se preguntaba cómo habrían reaccionado si él hubiera salido del dormitorio y se hubiera sentado a la mesa del desayuno. Eivor se cuestionaba con frecuencia cómo había podido aguantar tanto –¡años!– sin acostarse con un hombre. Tuvo muchas relaciones frustradas durante los años en Gotemburgo (con la excepción de Bogdan, que desapareció precipitadamente), y fue tal su decepción que había bajado el telón tratando de convencerse de que el espectáculo había terminado. Pero cuando sintió atracción por su tímido vigilante nocturno y el deseo volvió a encenderse, por primera vez en su vida tuvo ganas de tomar la iniciativa si él no se decidía a hacerlo.

Una tarde, cuando faltaban unos catorce días para Navidad, a Eivor se le ocurrió una idea descabellada. Había dejado la bicicleta e iba abriéndose camino en la tormenta de nieve para llegar a casa después del trabajo. Iba pensando que estaba cansadísima de las constantes alusiones sexuales y soeces cuando, de repente, se preguntó cómo reaccionarían si ella un día pusiera fotos de hombres desnudos en las paredes del comedor. ¿Cómo serían recibidas? «Tener algo bonito donde recrear la vista...» Primero rechazó la idea, pero no pudo quitársela de la cabeza y, antes de dormirse por la noche, había decidido por un lado seguir su impulso, y, por el otro, hacerlo sola. Al final le asaltaron dudas. Se dio cuenta de que todavía sentía la necesidad de demostrar que podía valerse por sí misma. Pero ¿no era aún más importante que reuniera a toda la Banda de las operarias de grúa? Tal vez era completamente desquiciado lo que estaba pensando. ¿Podía realmente prever las consecuencias?

Cuando le contó a Mari Velander todo lo que se le había ocurrido, jamás podrá olvidar la risa de aprobación que salió de su garganta. Hazlo, respondió. *¡Hazlo!*

Presa de ese ánimo, fue a una tienda de tabaco que no se hallaba demasiado lejos del trabajo y compró una revista (le parece recordar que se llamaba *Stopp*), que mostraba a una rubia vestida de cuero sentada a horcajadas sobre una moto. Por la noche se puso a buscar anuncios para homosexuales masculinos («¿o por qué no para mujeres?», pensó) y al día siguiente envió su solicitud por correo. El paquete llegó con la prometida discreción antes de que hubiera transcurrido una semana, y Eivor se encerró en su dormitorio por la tarde. Después de pasar las hojas de las revistas con cierto desagrado, empezó a cortar una foto tras otra. Cuando terminó, la colcha estaba cubierta de imágenes extrañas, y trató de imaginar cómo reaccionaría por ejemplo Linda si apareciera por la puerta.

Al día siguiente puso el despertador media hora antes de lo habitual y, como además sólo tomó un café para desayunar, llegó al trabajo más de media hora antes que de costumbre. El guardia que estaba en la puerta la miró con recelo como si ella no perteneciera allí, pero ella pasó rauda por su lado, con la esperanza de que Albin Henriksson no hubiera llegado aún. Pero el comedor estaba vacío, y después de quitar de la pared las fotos de mujeres desnudas, empezó a pegar las suyas. Ella lo había preparado bien y sabía exactamente qué foto quedaría frente a los ojos de Holmsund, cuál sería la más apropiada para Macadam... Todo el tiempo estaba pendiente de la puerta, por si Albin Henriksson aparecía por algún motivo. Pero no llegó nadie, ella lo dejó todo preparado y sólo echó un vistazo para contemplar su obra antes de dirigirse rápidamente al vestuario.

Por supuesto, se formó un gran alboroto cuando llegó el primer descanso y el turno fue corriendo al comedor. Eivor había decidido sacar el máximo partido a la reacción y, cuando vio que se aproximaba la hora, se bajó de la grúa pocos minutos antes de lo habitual. La consternación que luego tuvo el placer de ver fue mayor, si cabe, de lo que había esperado. Estaban ahí de pie, con las barbillas caídas, y por primera vez en su vida Eivor se dio cuenta de que es posible no creer lo que ven tus ojos. Se sentó en su silla y los miró divertida (¡también estaba nerviosa, por supuesto!) mientras desenroscaba la tapa de su termo. Fue Lázaro quien rompió el silencio. Empezó a mirarla a ella, a las fotos, a ella de nuevo, como si fuera testigo de un homicidio o de un maltrato.

–Qué demonios –dijo él–. Qué demonios... ¿Quién demonios ha puesto eso ahí?

Sólo había una respuesta, y Eivor estaba preparada.

–Hay que tener algo bonito donde recrear la vista –contestó ella–. No hay mucho más donde elegir...

–Sí, pero –ahora era el turno de Holmsund–. ¡Eso es asqueroso! Quita esa mierda...

–¿No es guapo ese de ahí? –dijo Eivor señalando una de las fotos.

–¿Guapo? Joder...

Y luego Holmsund, Makadam y Lázaro quitaron las fotos. Sólo Albin Henriksson se quedó inmóvil, chasqueando la lengua y mascullando *que nunca había visto...*

Arrancaron las imágenes con tanta furia que Eivor pensó por un momento que alguno de ellos iba a emprenderla con ella también. Decir que habían sido humillados no era suficiente, el golpe que Eivor les había dado fue un insulto dirigido a cada uno de ellos, tanto individual como colectivamente. Pero cuando las fotos quedaron en el suelo, rotas y amontonadas, nadie dijo nada. Todos parecían absortos en su taza de café, como si ocultara el secreto más sorprendente. Al día siguiente, Eivor lo repitió todo de nuevo, la única diferencia fue que puso menos fotos. El material no era ilimitado, y nadie sabía cuánto tiempo duraría la batalla. Por entonces ya se había extendido el rumor por todos los departamentos. Era una batalla que no dejaba a nadie indiferente, pero sólo las mujeres hablaban de ello. Para los trabajadores implicados se trataba de una intrusión tan grave en sus derechos y libertades que simplemente no había respuesta. Lo único que ocurrió fue que las chicas (Eivor había repartido los recortes) seguían poniendo sus fotos con determinación y firmeza y los hombres las seguían quitando. Continuaron así casi dos semanas. Faltaban pocos días para Navidad cuando se calmó la batalla y se puso la última foto para quitarla después. La callada Katarina Björk había sugerido que un día podrían intentar colocar algunos carteles de la vida de los animales en el bosque, que ella tenía en casa. ¿Se quedarían allí? ¿Volvería el desnudo femenino? (Eivor había escuchado su propuesta y había sentido una gran calidez interior al ser consciente del valor que había necesitado Katarina Björk para atreverse a balbucear su propuesta. Era algo que ella conocía de antes...) Pero nadie quitó esos carteles, ni tampoco pusieron nuevas fotos pornográficas.

Una mañana, después de unos días de prudente silencio, Albin

Henriksson empezó a comentar una foto de un zorro y contó una historia de caza inverosímil en la que afirmó haber estado involucrado. En ese momento, Eivor empezó a creer que, después de todo, tal vez lo había logrado. Que nunca hablaran de ello era una cosa, pero ¡ahora empezaban a hablar de algo distinto! ¡Era fundamental! A pesar de que ella y las otras operarias de la grúa tuvieran que seguir soportando sarcasmos y alusiones, parecía que algo se había suavizado, no eran tan evidentes ni tan groseros. A veces, cuando se reunían en el vestuario de mujeres, hablaban de ello, y Mari Velander argumentó que «los muchachos se habían asustado un poco». Al mismo tiempo les advirtió que no esperaran que las fotos antiguas habían desaparecido para siempre. Podía ser que las pusieran de nuevo, y entonces era cuestión de volver a la carga. Pero era diferente, y Eivor comenzó a sentirse bien en el nuevo ambiente de trabajo. Había notado que cada vez la molestaban menos por sus fallos al frente de la grúa, y empezó a crecer en la dura Comunidad de su turno. Detrás de todas las actitudes tensas y desdeñosas había algo que le gustaba de Holmsund y de los otros.

Cuando se habló del problema en Domnarvet, sobre todo de las negras expectativas que se le venían encima, nadie la interrumpió cuando preguntó, ni tampoco se dieron la vuelta quejándose ostentosamente cuando hizo algún comentario o expresó una opinión. La idea de volver a la residencia de ancianos fue quedándose atrás. Después de todo, la vida estaba ahí, al menos mientras fuera joven. Claro que podía echar en falta las manos de los ancianos, *la inmovilidad,* pero no era eso lo que necesitaba en ese momento. En la fábrica, cada día era un desafío nuevo para ella, y ahora, unos días antes de Navidad, pensaba que nunca en su vida se había sentido tan bien en un lugar de trabajo. ¡Ahí estaba y ahí quería quedarse! Era como si pudiera realizar con facilidad todo lo que antes no se atrevía a hacer, y también le pareció notar que a los niños les favoreció su buen humor. Fueron muchas las cosas que ocurrieron durante esa época y ella se despertaba cada mañana con unas ganas enormes de vivirlas.

Pero, en medio de esa época acelerada, el teléfono de Eivor sonó de repente un sábado por la tarde, y durante la conversación que siguió volvió a recordar que ninguna situación se domina del todo. La vida es una ciénaga en la que no hay nada seguro, nada es inmutable. Ella había pensado a veces que era imposible permanecer inmóvil en un mundo cambiante. Pero ¿no era ése el error que cometía mucha gente? ¿Aferrarse a la primera pareja que encontraba o al primer trabajo que le parecía seguro momentáneamente, y olvidarse luego de que el fondo de barro está siempre en movimiento? ¿No pensaba ella misma así, mientras estuvo casada con Jacob y por la noche dormía convencida de que siempre sería feliz? Cuando contestó al teléfono ese sábado por la tarde (estaba convencida de que era Peo, porque esperaba que la llamara), se sorprendió al oír la voz de Elna, su madre, desde Lomma. Habían transcurrido varios meses desde la última vez que habían hablado. Normalmente, Eivor se habría preocupado y la habría llamado, pero durante esos meses tan intensos que había pasado no había tenido tiempo para hacerlo.

Ahora escuchaba la voz algo áspera de Elna. Pero no era sólo la voz. Eivor se dio cuenta de inmediato de que algo había sucedido. Contuvo la respiración mientras Elna, lentamente, iba acercándose y preguntaba cómo estaban, si había mucha nieve...

Eivor la interrumpió y le preguntó directamente si había ocurrido algo. Al principio, Elna no contestó, luego le dijo que la fábrica Eternit iba a cerrar. Tanto ella como Erik habían sido despedidos, todo iba a desaparecer. Habían dejado en la calle a trescientos cincuenta empleados. Cuando Eivor reflexionó, le preguntó que por qué, y Elna le contestó la verdad, que nadie lo sabía. La dirección sólo había comunicado que los beneficios eran tan bajos que la empresa no podía soportar la nueva reducción de los niveles de amianto que había previsto la Dirección Nacional de Seguridad e Higiene en el Trabajo. (Eivor sabía que se sospechaba que el amianto era peligroso, pero desconocía por completo las reducciones de las que Elna hablaba.) Lo único que se le ocurrió preguntar fue cuándo iba a ocurrir. Elna dijo que no lo sabía, ¡no lo sabía nadie! Ni tampoco qué harían si cerraba Eternit. En Lomma no había trabajo para trescientos cincuenta trabajadores. Y qué iban a hacer ellos con la casa...

Hablaron durante casi una hora (¡mientras Peo esperaba congelándose en una cabina telefónica!, según comentó después), y, en un momento dado, Elna se puso a llorar. Sin saber por qué, Eivor estaba segura de que su madre se sentía sola en casa, y se la imaginaba sentada en el taburete junto al estante del teléfono. No supo qué decirle, pensaba que lo mejor que podía hacer en ese momento era escuchar.

El lamento de abandono que le llegó no parecía tener ningún lado bueno. Cuando le preguntó cómo se lo había tomado Erik, qué pensaba él, Elna dijo algo que ella no logró entender, pero no se molestó en volver a preguntárselo. Lo único que dijo –y ella percibió lo poco convincente que sonaba– fue que estar cerca de Malmö implicaba, después de todo, tener algunas oportunidades. Pero ella lo sabía, había entendido muchas cosas durante los intensos meses que llevaba en la fábrica: que el conjunto de la industria sueca se tambaleaba. Ni siquiera los viejos buques insignia se libraban y, aparentemente, sólo los políticos podían hacer vagas promesas al respecto cada cierto tiempo. Cuando acabó la llamada y Eivor colgó, no tenía nada claro. Sólo vio un gran vacío ante sí en el cual su madre estaba sentada en una silla y mirando directamente a la atmósfera. No logró llegar más allá porque Peo consiguió comunicarse por fin y decidieron que él iría a su casa unas horas después.

Iniciaron su relación por Año Nuevo. La primera vez que se acostaron juntos fue la noche de Fin de Año, después de haber estado en una fiesta con unos amigos de Peo. Ella estaba algo borracha cuando fue al apartamento de él en la calle Amsbergsvägen, pero no hasta el punto de no saber lo que hacía. Elin estaba en casa de la señora Solstad, Linda iba a dormir en casa de una amiga y Staffan se había ido con sus amigos a una casa de campo en Idrefjällen y no volvería hasta el 3 de enero. Cuando se acostó en la cama de él, realmente sólo quería estar a su lado y sentir su calor corporal. Sabía que acostarse con él cuando ella había bebido tanto vino sería un fracaso, y tenía miedo de que eso le afectara más adelante. Pero cuando él se acercó, no dijo nada, y aunque no hubo un gran intercambio, tampoco le resultó desagradable. Ella durmió con él encima de ella y dentro de ella, pensando que era muy raro que no se preocupara por Staffan y Linda...

Al día siguiente él le dijo que la amaba (mirando al suelo en silencio) y le preguntó si podían casarse. Para Eivor fue tan rápido que se rió de él como si estuviera bromeando. Pero al ver su reacción se dio cuenta de que hablaba en serio, y entonces comenzó inmediatamente a defenderse. Claro que le gustaba, ¿no se había dado cuenta?, ¿no habían dormido en la misma cama la noche anterior? Pero vivir juntos y, más aún, casarse... No, eso era... Era demasiado grande y demasiado pronto. Especialmente por la mañana tan temprano. Ella regresó a casa tan rápido como pudo, fue a por Elin a casa de la señora Solstad, quien le informó de que la policía había estado poniendo orden en la casa de Arvid Anderson durante la noche, y que se había desencadenado una pelea. Eivor podía ver en las escaleras las astillas de madera de la puerta del vecino esparcidas por el suelo de piedra...

¿Casarse? ¿Irse a vivir juntos? Cielo santo, si casi no se conocían... Pero él lo decía en serio... Ella decidió con severidad que los hombres eran seres misteriosos. *Nunca* los entendería. Ella le había contado a él cómo se sentía en el trabajo. Que el trabajo era lo más importante para ella ahora que sus hijos empezaban a arreglárselas solos. Él tenía que entender que un nuevo matrimonio era algo inimaginable para Eivor. A ella le gustaría estar con él, más de lo que habían estado hasta ahora si fuera posible. Pero ¿casarse? ¿Vivir juntos? No, nunca...

Y en ese momento desechó la idea. La próxima vez que lo viera se lo diría también a él, y si no estuviera de acuerdo, ella no se rendiría. Prefería sentir la pérdida (¡estaba segura de que lo echaría de menos!) y sabía lo que era la soledad que vivió en el pasado. Pero ahora nada iba a detenerla de nuevo. ¡Nada! Si no se hubiera sentido tan cansada y tan mal por la resaca el día de Año Nuevo, probablemente se hubiera dado cuenta entonces de que nada era tan sencillo como ella se empeñaba en creer. La idea de que pudiera alejarse de ella si no quería irse a vivir con él le haría reflexionar, le preocuparía sin duda. Pasaron unos días, y el miércoles siguiente fueron al cine y luego a cenar a un restaurante chino. Cuando él repitió lo que le había dicho, ella se dio cuenta de que estaba asustada. De repente comprendió que él, de modo casi imperceptible, se había convertido en un elemento importante para que ella pudiera trabajar. Para hacer frente a la vida. Para tener a alguien con quien hablar cuando era necesario, que era casi siempre. Mientras estaba sentada en el restaurante y se daba cuenta de que él tal vez siguiera su camino, sintió miedo y, a partir de ahí, empezó a dudar si realmente no podía imaginarse ir a vivir con él. ¿Por qué le asustaba tanto? ¿Quién había dicho que no podía ser una buena idea? ¿Y por qué no iba a poder seguir trabajando ella...?

Cuando él le preguntó en qué pensaba (¡estás tan meditabunda!), ella simplemente sonrió y contestó evasiva. Pero cuando, esa misma noche, estaba en su cama a punto de dormirse, pensó que tal vez... En algún momento...

Ese invierno nevó copiosamente, y cuando Eivor cumplió treinta y seis años en marzo de 1978, la ciudad estaba cubierta de una gran capa de nieve...

Casi cuatro años después, en diciembre de 1981, Eivor viaja en tren a Lomma para ver a su padrastro Erik por última vez. Él ha inhalado polvo de fibra de amianto serrando y cortando planchas mientras trabajaba en la fábrica Eternit. Ahora está ingresado en el Área de Neumología del Hospital de Lund y va a morir. El trabajador de Eternit que antes se dedicaba a arreglar vagones en el apartadero de Hallsberg sabe lo que le espera: las fibras de amianto han echado raíces en sus pulmones y poco a poco irá asfixiándose hasta que se muera. Dos semanas antes de que Eivor tomara el tren hacia Borlänge, su madre la llamó y le dijo que esa mañana una ambulancia se había llevado a Erik al hospital, y Eivor entendió que el final se acercaba. Una de las operarias de grúa, que suele incorporarse cuando alguien está enfermo, ha prometido reemplazarla los días que Eivor esté de viaje.

Llegó a Lomma a última hora de la tarde y al día siguiente por la mañana fue con su madre en autobús al Hospital de Lund. Ahí yacía él, en su cama, tan flaco que se le veían los huesos y con la piel tirante como una tienda de campaña muy tensada. Padecía fuertes dolores y le ponían oxígeno para que no se ahogara. Sus ojos *gritaban* el miedo que tenía a morir. Estaba tan aturdido por el terror que ni siquiera, con aquella voz silbante, pudo contarle a Eivor su amargura. Elna lo hizo por él.

Eivor no lo vio morir. Después de tres días tuvo que volver a Borlänge, y cuando llegó a casa, Peo estaba en la puerta y le dijo que Elna había llamado y que Erik había muerto unas horas antes, mientras ella iba sentada en el tren... Cuando Eivor fue a Lomma, lo hizo con la sensación de haber perdido. Se sentó en el tren y pensó que su vida tomaba de nuevo caminos que ella no deseaba, pero a los que no podía enfrentarse. La sensación de que había perdido era más una idea de resignación que un hecho, pero cuando iba sentada en el tren se desesperaba pensando que desearía tener otra oportunidad en su vida para empezar de nuevo. Ni siquiera estaba segura de que fuera eso lo que quería. Estaba tan cansada y tan rendida que ya no le importaba casi nada, ¡con una excepción!

Unas noches antes, Linda había entrado de repente en su habitación para decirle que estaba embarazada. Linda, que había cumplido dieciocho años y vivía todavía en casa porque estaba en paro, se sentó en el borde de su cama y, después de decírselo, se quedó en completo silencio. Cuando Eivor se dio cuenta de que *eso* también había ocurrido, siguió a su lado igualmente en silencio, pero sin rezar ninguna oración. Sin embargo, por su mente rondaban silenciosas e impotentes maldiciones. Se quedaron sentadas en el borde de la cama como si hubieran estado en un ataúd, y Eivor no sabía qué decir. Cuando por fin se rompió el silencio, fue Linda la que habló, diciendo escuetamente que quería tener el niño. Eivor le preguntó entonces quién era el padre, y cuando Linda mencionó el nombre, fue sólo una confirmación de algo que ya sabía, ¡se lo temía! Durante el último año, Linda, que se sentía cada vez más atrapada y amargada por no poder conseguir trabajo, había estado saliendo con un chico de su edad que se encontraba en su misma situación. Se llamaba Tomas (su padre, naturalmente, trabajaba en Domnarvet) y parecía, si cabe, aún más perdido que Linda. Cuando a veces se quedaba a cenar y Eivor hablaba con él, ella descubría con horror que ni siquiera esperaba nada. El único futuro que podía imaginarse era poder tener alguna vez entre las manos el Gran Premio de los Cupones. Caballos, fútbol y lotería eran sus dioses, y gastaba toda su energía tratando de averiguar cómo podría controlarlos. Así que Linda espera un hijo de él..., y la impotencia la deja sin palabras. ¿Cómo va a ser capaz de persuadir a Linda para que se dé cuenta de que va a cometer un error si da a luz a un niño en la situación en que ella –o ambos– está? ¿Cómo va a ser capaz de hacerle entender que un niño no es *una salida,* un modo de encontrarle sentido a la vida a cualquier precio? Es demasiado pronto, ella es demasiado joven, ¡Eivor lo sabe bien!

Eso es lo que piensa cuando va sentada en el tren hacia Lomma. La nieve en polvo da vueltas al otro lado de la ventanilla, Säter, Hedemora... Linda sólo lleva un mes de camino. Ella decide que no es demasiado tarde para nada, y en cuanto regrese de Lomma, dedicará todo su tiempo a tratar de hacerle entender que la única posibilidad es un aborto. Simplemente no puede imaginarse a Linda con un niño sin hacer nada, en un apartamento abandonado, sin haber cumplido aún veinte años, y que de repente se mire un día en el espejo y se pregunte qué ha ocurrido con su vida. Cada uno tiene derecho a gobernar su vida, pero ella no puede quedarse mirando cómo se hunde la de su hija...

Eivor mira el grisáceo paisaje invernal que va dejando atrás. Un mundo congelado, igual que ella, y en la estación final espera la muerte. Un carrito de café pasa tintineando, pero ella dice que no con la cabeza y se acurruca en su asiento. Por la ventanilla entra aire, no puede evitarse el frío en ninguna parte... Ella piensa en Staffan, que con veinte años lleva más de un año viviendo solo. Él se las arregla bien, ha encontrado recursos en ese nuevo aparato de vídeo que todos compran o piensan comprar. Algunos de sus amigos han abierto una tienda donde alquilan películas y Staffan les ayuda. Cuando Eivor le pregunta a veces qué hace realmente, las respuestas son vagas: va a por películas a Estocolmo, vende en la tienda, reclama las películas que no han devuelto. Eivor le ha mirado, le ha oído decir que está bien, sin embargo, la alegría de él le parece demasiado forzada, demasiado artificial... Y sabe que, más o menos abiertamente, ellos venden o alquilan películas con unos contenidos que harían que las fotos que adornaban las paredes de la sala de comer de Domnarvet parecieran tan inocentes como los dibujos de unos niños en una revista cristiana. Una vez se lo ha comentado, y él sólo la ha mirado con indiferencia, diciéndole que *naturalmente* tienen que vender lo que la gente quiera. ¿Cómo les iría si no lo hicieran?

El carrito del café vuelve a pasar, Eivor va sentada en el último vagón, cambia de opinión y pide una taza de café, que le sirven en un vaso de papel de color rojo...

«Pero él se las arregla bien», piensa, y, realmente, ¿qué puede exigirle hoy en día, tal como están las cosas? El paisaje de invierno tiene su belleza congelada, pero detrás de esa imagen la sociedad se está desintegrando, una sociedad que no ve opciones reales. Cuando habría que esforzarse todo lo posible y enfrentarse unidos a las fuerzas que últimamente se burlan del país, la desunión es mayor que nunca. Ella lo ha notado en su propio turno, ahora que la amenaza de 1977 ya no es sólo una sombra, sino que han comenzado los recortes. Todo el mundo se arrastra hasta su rincón tratando de hacerse invisible para el enemigo: mientras yo pueda salir adelante... A veces ella ha pensado que debe de ser como estar sentada en un corredor de la muerte lleno de gente, donde la puerta se abre de vez en cuando y unos soldados echan mano al azar de los que están más cerca para llevárselos y ejecutarlos. Sentarse ahí e intentar hacerse invisible y, cuando te quedas sola, cerrar los ojos y creer que te vuelves invulnerable...

El tren atraviesa rápidamente un país que está asfixiándose por su propia ansiedad y por sus sueños frustrados, creyendo que al final nunca irá tan mal. Sin embargo, Eivor sabe que es de sentido común temer al futuro, y también está segura de que las mujeres lo ven todo más claro. Puede hablar con las otras operarias de la grúa. Para ellas es imposible no mirar directamente a la cara de la realidad. Ahí es donde está la voluntad de resistir...

Ella va a cumplir cuarenta años dentro de unos meses. Hace veinte que salió a la vida, la primera etapa fue de Hallsberg a Borås... Bebe café y deja correr los pensamientos en libertad... Para el verano hará cuatro años que Peo y ella se fueron a vivir juntos. Al principio había sentido rechazo, por temor a que una nueva relación implicara que no pudiera seguir trabajando en la fábrica, pero él había logrado convencerla de que, evidentemente, no quería que dejara el trabajo. ¿Por qué iba a hacerlo? Si iban a vivir juntos, tendría que ser en las mismas condiciones. Cada uno tenía las suyas y acordaron compartirlas. Él derrumbó los argumentos cada vez más frágiles de ella, diciéndole que veía fantasmas en cada esquina, y, al final, Eivor se dio cuenta de que él tenía razón. Su miedo no tenía sentido, se basaba en condiciones que estaban muertas y enterradas desde hacía tiempo. Peo no era como Jacob, el tiempo establecía nuevas condiciones, y con el vigilante nocturno ella no tendría que estar en constante situación de desventaja. Así que él se mudó a la calle Hejargatan un día a finales de mayo de 1978, había logrado un buen entendimiento con los niños, y al principio Eivor había sentido que todo resultaba más fácil con él en la casa. Él cargaba con las bolsas de la compra, cocinaba cada tarde, una de cada dos coronas era suya... Lo que resultaba difícil, lógicamente, era que él trabajaba de noche, y tuvo un par de enfrentamientos con Staffan, ya que éste ponía su música tan fuerte que Peo no podía dormir. Pero habían sobrevivido con tapones para los oídos y llegando a acuerdos... Fue una época muy agradable en la que las noches no estaban llenas de temor por el futuro. ¡Una vida que merecía la pena vivirla!

¿Cuándo había empezado a notar el cambio? Ella mira el paisaje de invierno, intentando en vano, como siempre, recordar el momento exacto en el cual el eje había empezado a inclinarse hacia un lado. Pero ese punto no existe, por supuesto, todo está en constante movimiento, los cambios raras veces tienen un origen que pueda señalarse, aparte de una excepción importante, la muerte. Cuando acaba la vida, de forma inesperada o después de un largo periodo de incubación, es posible determinar el momento exacto. Pero por lo demás... Ella considera que Peo empezó a poner condiciones hacia el final del segundo año de vivir juntos (ella en realidad no sabe por qué. Cuando hablan de ello, cada vez más a menudo acaban peleándose irremediablemente, él niega que haya puesto ninguna condición). «Se puede cambiar de opinión», contesta él cuando Eivor le recuerda lo que acordaron antes de irse a vivir juntos. Siempre esa insistencia en que *se puede cambiar de opinión*. Y, puesto que Eivor sólo puede darle la razón en eso, suele quedarse de pie mirándole fijamente a la cara. «¿Por qué estás de tan mal humor? ¿No estarás convirtiéndote en una vieja gruñona?»

Después de esas peleas, por lo general sigue una buena relación entre ellos durante unos días, pero ella se ha dado cuenta de que vuelve a ser ella la que lleva las bolsas de comida, la que limpia, la que hace *todo*. Ha sido recientemente, después de que el verano pasado él dijera que, obviamente, se haría cargo de los tres hijos de ella, pero que en realidad no podía ser lo mismo que tener uno propio, cuando se ha producido un silencio evasivo entre ambos. Y ella no sabe cómo debe comportarse...

El tren arranca después de una parada en una estación... ¿Dónde están? ¡En Sala! ¿Ya están ahí...? Ella recuerda aquella tarde, hace un mes, cuando dejó la bicicleta junto a la puerta oeste de la fábrica. Entonces decidió poner fin a su vacilación, tomar la decisión necesaria y luego asumir las consecuencias, aunque se vinieran abajo todos sus puentes. En ese momento no sabía aún que Linda estaba embarazada (¿o sí? ¿No ha estado siempre esperándolo, ya que lo ha temido siempre?), se trataba de su creciente indecisión acerca de tener o no otro hijo, y con ello darse a sí misma una coartada para dejar la grúa voluntariamente, evitando los consiguientes comentarios de que estaba allí quitándole la comida a algún hombre que tenía que trabajar para mantener a su familia y lo necesitaba más. ¿No sabía que iba a estallar una tormenta? ¿Que cada vez más personas se quedaban sin empleo? ¿Iba a librarse ella dentro de su cabina? ¿Es que no tenía un vigilante nocturno que podía mantenerla...? ¿Cuánto ganan ellos? Más que nosotros... «Arraigarme», pensaba ella siempre. «¡Tengo que hacerlo! Es mi trabajo, tan bueno como cualquier otro. No es mi culpa que los demás estén en paro. Nada mejorará si lo abandono.» Y en su casa, Peo daba vueltas de aquí para allá con mirada acusadora: el hijo, el hijo propio...

Cuando llegó a Lomma después del largo viaje ya era tarde, y había decidido no regresar a Borlänge hasta que supiera qué iba a hacer. Era una amenaza dirigida a sí misma y a las emociones encontradas que, si pudiera, arrancaría de su cuerpo. Era un ultimátum dirigido a ella misma por puro cansancio, y lo iba a mantener aunque le costara la vida...

Los días en Lomma transcurrieron con los vientos helados del Estrecho, los viajes en autobús a Lund, las tardes en la casa silenciosa, y Jonas, que a veces se presentaba después de terminar en el teatro de Landskrona, donde trabajaba como carpintero... Eivor miró las placas de nieve esparcidas por el paisaje y pensó que la visión de un paisaje completamente cubierto de nieve daba una sensación de calidez, mientras que los campos con la nieve dispersa parecían más un mendigo helado de frío con la ropa hecha jirones. Ir a ver a su madre, Elna, era como mirarse a sí misma de mayor. Elna no tenía más de cincuenta y siete años, pero a los ojos de Eivor podría estar perfectamente cerca de los setenta. El pelo se le había vuelto gris, y la ropa que llevaba, de colores apagados, parecía que colgaba de un modo raro sobre su cuerpo. Pero lo que la asustó fue su modo de sentarse y retorcerse las manos. Le recordaba a las viejas viudas de la residencia de ancianos, los dedos delgados que nunca podían acostumbrarse a la inactividad. Y ahora su madre se sentaba del mismo modo, con la mirada asustada, gris y perdida...

Se enteró de lo sucedido. De golpe, como si le produjera un gran dolor (cosa que era cierta, además), Elna le dio a su hija todos los detalles que sabía de la fábrica Eternit y del destino cruel de los trabajadores. Eivor podía ver en todo lo que dijo el oscuro trasfondo de la ira contra el mayor de los engaños: un engaño que le ha costado la vida. Porque, ¿qué era sino eso lo que había sucedido? ¿Durante cuántos años supieron tanto los directivos como los médicos que las fibras de amianto, que resplandecían cuando lucía el sol en la fábrica, esos granos de polvo brillantes, eran portadores de una muerte prolongada y dolorosa? Esas fibras microscópicas que acompañan al aire que respiras y luego se enganchan con avidez en el tejido pulmonar, se entierran y forman colonias de leales secuaces de la muerte... Mientras la fábrica fue un buen negocio se negaron todos los peligros. Se convocaban reuniones informativas para tranquilizar a los que estaban preocupados, enviaban comunicados a todos los empleados llamándoles a la calma: «Por lo tanto, podemos decir que en nuestro entorno actual no hay ningún motivo de preocupación respecto a la relación del amianto con el cáncer... Lomma 10 de septiembre de 1975». (Elna ha ido a buscar el papel y Eivor lee el texto pensando en Erik, que está asfixiándose en el Hospital de Lund.) Luego, cuando vino el cierre y Euroc, actual propietario de la fábrica, no ganaba nada guardando silencio, ya era demasiado tarde. Los que se habían esforzado trabajando en medio del polvo en la salida de los colectores y en las sierras mecánicas, siempre tendrían el amianto en sus cuerpos. Las fibras quitarían vidas muchos años después, tal vez hasta el próximo siglo, después del 2000...

Eivor recordó aquella vez en que su madre le comunicó que ella y Erik se iban a vivir a Lomma. Fue a principios de los años sesenta y estaban tan llenos de expectativas que a Eivor le dieron envidia. Erik estaba ahora en el hospital, condenado a no poder respirar por el resto de su vida, y Elna se encontraba enfrente de ella con una indignación tan grande que jamás lograría aplacarla. Eivor se dio cuenta, por supuesto, de que no había nada que pudiera hacer. Cuando se pierde la vida, todo está perdido. Erik iba a morir, nada podría salvarlo y el largo duelo tenía que sobrellevarlo Elna, como todos los demás en los momentos decisivos. Ella podía consolarla, apoyarla, pero el dolor no puede compartirse. Mucho más tarde tal vez podría ayudarla, pero intentar hablar con ella sobre el futuro en ese momento, mientras Erik estaba vivo, era casi una blasfemia.

Una noche, cuando Jonas (¡su increíble hermano!) y Eivor estuvieron hablando un rato en la sala de estar, él le dijo también que nadie podía hacer nada hasta que Erik muriera. Eivor lo vio como un joven sabio. Su enfado por lo que había sucedido y todavía estaba sucediendo era de tal índole que podía dominarlo. Para él, lo importante era hablar acerca de por qué ocurrió todo aquello y evitar así que se repitiera. «No te confíes. Contrólalo tú mismo», eran sus palabras; y le contó que en el teatro donde trabajaba tenían previsto hacer un espectáculo sobre el destino de los trabajadores de Eternit. Ella lo mira, ese rostro sereno, voluntarioso, y en un momento de desaliento se acuerda de Staffan, que vende películas violentas y pornográficas bajo el mostrador... ¡Pero era un punto de vista injusto! ¡Si iba a atacar a alguien, tendría que ser a sí misma! Y si no era demasiado tarde para ella, menos lo era aún para Staffan...

Al segundo día, cuando habían vuelto de visitar a Erik (ese día Elna había llorado y Eivor se sintió mal y tuvo que abandonar la habitación del enfermo, apartar la vista de esa muerte desesperante...), Vivi fue a visitarlas. Su madre no le había dicho nada, pero ella comprendió que estaba previsto. Vivi, que se había casado con el jefe de prensa de la fábrica Eternit, se había divorciado en un arrebato de cólera al darse cuenta de lo que estaba sucediendo en la fábrica. Había descubierto que compartía cama con el hombre que redactaba las notificaciones que pretendían transmitir la falsa seguridad de que no había nada peligroso, y lo había dejado en ese mismo momento. Se lo dijo a Eivor sin tratar de controlar su ira. Al mencionar el nombre de él, dio un bufido como un gato cuando saca las uñas. Ahora, a la edad de cincuenta y siete años, ha reanudado sus estudios en la universidad. Por fin ha logrado estudiar arqueología, su sueño de juventud, pero la mayor parte de su tiempo la dedica a trabajar activamente para diversos fines políticos. A diferencia de Elna, ella parece haber mantenido su vigor; aunque no tiene a su marido yaciendo moribundo en un hospital. Afirma que la vida, al menos, ha sido considerada con ella. Eivor se preguntó qué era peor: convertirse en una débil sombra gris, o ver tus sueños dando vueltas como tigres enjaulados...

–¿Quién diría que hace ya cuarenta años? –dice Vivi lentamente mientras toma café por la tarde.

Jonas ha ido a su teatro en Landskrona. Sólo están las tres mujeres sentadas en el cuarto de estar. En un estante, Eivor ve fotos de ella cuando era joven: el rostro vuelto hacia el fotógrafo, la sonrisa de curiosidad. Y al lado, Erik, Elna y Jonas recién nacido. Una familia feliz que acaba de mudarse a Lomma.

–¿Quién diría que íbamos a estar aquí sentadas? –continúa Vivi–. En Lomma. Y tú con una hija ya adulta. Nosotras que éramos... ¿Cómo nos hacíamos llamar? ¡Vaya, lo he olvidado!

–Daisy Sisters –contesta Elna. Las palabras salen despacio, como si en realidad no se atreviera a pronunciarlas. Vivi lo nota y se acerca a ella a la vez que empieza a tararear una canción.

–¿La recuerdas? –pregunta–. La cantábamos a grito pelado y, cuando pasábamos, los pájaros salían despavoridos de los árboles. Yo, unos metros delante, tú un poco más atrás. Dios mío...

–Cuando fuimos a verte en Malmö aquella vez, yo intenté hablar de ello –contesta Elna con un poco de amargura en la voz–. Pero entonces tú dijiste que no había que arrastrar consigo los recuerdos continuamente.

–¡Sabes que hablo demasiado! Tiene sus ventajas, pero no siempre. Y he cambiado un poco...

–¿Por qué os hacíais llamar Daisy Sisters? –pregunta Eivor–. Nunca he logrado saberlo.

Vivi mira a Elna con gesto interrogante. ¿Se acordará ella? No, ninguna de ellas lo sabe. Se les ocurrió Daisy, un nombre americano de chica, y les pareció que sonaba bien...

–Recuerdo que a mí me parecía que Serrano Sisters sonaba mejor –dice Elna esbozando una sonrisa.

–Sí, ya lo recuerdo –dice Vivi después–. Rosita Serrano era por entonces una cantante famosa –le explica a Eivor.

–Pero ¿por qué debíais tener un nombre?

–Entonces había que tenerlo, supongo que ahora también, sólo eso.

Eivor se queda escuchando la conversación entre Vivi y Elna. Dos mujeres que una vez hicieron un viaje juntas en bicicleta, en busca de la invisible y excitante frontera antes de la guerra. Las oye que se ríen de sus recuerdos (parece que incluso Elna logra liberarse por un momento del recuerdo del moribundo Erik). Lo quieran o no han llegado a una edad en la que es necesario resumir. Sin olvidarse de mirar hacia delante, sólo resumir, ver el conjunto. Mientras las escucha, ella piensa en sus problemas. En Linda, que quiere tener su hijo, y en sí misma, que no sabe lo que quiere pero que, sin embargo, ¡se enfada cuando ve que no está embarazada!

Y en el trabajo.

¿Está preparada para ser una vez más la que cede, sacrificando su identidad laboral y su alegría para irse a casa porque es mujer, porque tiene que hacerlo, porque acechan los lobos por todas partes? ¿Qué valor tiene su voluntad? ¿Acaso es algo que en una situación determinada pierde su valor?

Tarde de invierno en Escania. Vivi se despide después de prometer que va a visitar a Erik los próximos días. Elna y Eivor están de pie en la entrada y la miran mientras se pone su abrigo negro. Ha dejado el coche en la calle, un Volkswagen con el que irá a Lund a su pequeño apartamento (su divorcio ha sido como un hachazo, no sólo había dejado a su marido, sino también la casa donde vivían y todo lo que tenían en común. Únicamente se había llevado sus cosas personales y se había marchado). No tiene hijos, piensa Eivor. Puede irse sin más. Tiene esa libertad. Pero ¿quisiera ella no haber tenido a sus hijos para tener libertad? No, está segura de ello, aunque sea la única cosa en el mundo de la que no duda. Sin sus hijos habría desperdiciado su vida por completo. Y en un mundo que al parecer está cada vez más marcado por... ¿Por qué? Se interrumpe a sí misma, el pensamiento no la lleva a ningún sitio. Sus hijos son la huella que ella deja en la vida, y está agradecida por ello. ¿Por qué preocuparse entonces con pensamientos que no conducen a nada...?

Vivi se ha marchado y ellas están sentadas en casa.

–¿Te van bien las cosas? –pregunta Elna.

Eivor asiente.

–Sí, sí..., claro. Todo bien.

–Y... ¿Per-Olof?

–¿Peo? Sí, está bien.

–¿Sigue trabajando por las noches?

–Claro, es vigilante nocturno.

«Que no tenga que hablar más», piensa Eivor. «Dios santo o quien sea, ¡díselo! ¡Yo no me atrevo! ¡No puedo! Nunca hemos podido...»

Sin embargo, en esa ocasión Eivor le cuenta todo. Le habla de Linda y de Peo, de tener o no tener un hijo con él, de su constante esfuerzo en la fábrica.

–No sé qué decirte –dice su madre cuando Eivor se calla.

–No tienes que decir nada. Es suficiente con que hayas escuchado...

–Me gustaría ayudarte.

–Ya lo sé.

Esa noche Eivor no puede dormir y oye a su madre que está levantada dando vueltas. De repente, sin saber exactamente qué ha ocurrido, tiene claro qué va a hacer. Es como si la imagen de Erik, desde donde está con sus tubos de oxígeno, luchando en vano para no asfixiarse, lo hubiera simplificado todo. Él está al final de una vida en la que ha sido engañado. ¿Qué diferencia hay en realidad? Toda esa presión a la que ella se expone para terminar su trabajo –¡como si fuera su maldita obligación!–, ¿quién dice que tenga que hacerlo? ¿A quién mencionan los hombres que están ahí abajo? ¿Creen que sus opiniones son las que valen? ¿Va a ser ella capaz de vivir esta vida, de convencer a Linda de que no debe tener niños en este momento, de tener otro hijo si se queda embarazada y si puede conservar su trabajo? Para poder hacerlo tiene que aprender a escucharse a sí misma; a su madre, porque incluso el silencio habla, su silencio es otro modo de expresar el mismo engaño al que se ha expuesto Erik; a Vivi, a las otras operarias de la grúa. A los que dicen de modo sencillo las cosas importantes de la vida. ¡Si ahora, a sus cuarenta años, se ha dado cuenta por fin de que la vida no es más que un esfuerzo prolongado que nunca se acaba, no va a complicarlo aún más innecesariamente!

Se levanta de la cama y va hacia la ventana. El resplandor de las luces de Malmö se ve a lo lejos. Piensa en su sueño: las mujeres en el exclusivo taller de costura de Jenny Andersson. ¿Lo entiende ahora?

¿Lo entiende, más allá de la lógica habitual? Como una sucesión de sueños y experiencias...

Algo se mueve en la noche. Se vislumbra un gato pasando junto a una mancha blanca de nieve. Tal vez la vida sea justamente así. Se ven las cosas en la oscuridad y luego desaparecen... Mirar las estrellas y su pequeñez –o grandeza–... Pero comprender justo ese momento en el que somos visibles y mantenerlo mientras podamos. Morir después de un esfuerzo que haya tenido sentido. No como Erik, con las garras de la fábrica Eternit alrededor de su cuello.

No morir con garras alrededor del cuello.

Se trata precisamente de eso, piensa ella. De luchar con toda la fuerza que podamos contra esas garras que quieren hundirnos, ahogarnos. El niño de Linda también es como una garra, una garra de acero. La fábrica, las miradas incriminatorias...

Vuelve a la cama y se acuesta. Hay un cuadro en la pared que ella recuerda de su infancia en Hallsberg. Allí estaba encima del sofá del cuarto de estar, la imagen de unos barcos de pesca sobre una playa...

Pero ¿podré hacerlo? Piensa ella. Cuando es tan fácil someterse, cuando los ejércitos grises de lo cotidiano marchan alrededor y ella está ahí, acorralada, desamparada ante miles de ojos.

¿Qué elección tiene en realidad?

Ninguna.

Ninguna en absoluto.

Ella se cuestiona cosas. Se preocupa. Sin embargo..., Erik en su cama...

Decir lo que opina, defender lo que exige. Nada más, pero siempre eso...

Ahora lo sabe. Pero ¿qué sabrá mañana?

Su madre sigue en el cuarto de estar sin poder dormir, inmóvil como una estatua olvidada y abandonada.

Eivor se queda profundamente dormida y en los sueños se ve a sí misma con su bicicleta en la puerta de la fábrica. Ausente, aunque no lo está...

Una imagen, un sueño que no recuerda al despertar.

Últimos títulos

747/1. 1Q84
Libros 1 y 2
Haruki Murakami

747/2. 1Q84
Libro 3
Haruki Murakami

748. Un momento de descanso
Antonio Orejudo

749. El parpadeo eterno
Ken Kalfus

750. La sirvienta y el luchador
Horacio Castellanos Moya

751. Todo está perdonado
VI Premio TQE de Novela
Rafael Reig

752. Vicio propio
Thomas Pynchon

753. La muerte de Montaigne
Jorge Edwards

754. Los cuentos
Ramiro Pinilla

755. Mae West y yo
Eduardo Mendicutti

756. Voces que susurran
John Connolly

757. Las viudas de Eastwick
John Updike

758. Vive como puedas
Joaquín Berges

759. El vigilante del fiordo
Fernando Aramburu

760. La casa de cristal
Simon Mawer

761. La casa de Matriona seguido de
Incidente en la estación de Kochetovka
Alexandr Solzhenitsyn

762. Recuerdos de un callejón sin salida
Banana Yoshimoto

763. Muerte del inquisidor
Leonardo Sciascia

764. Daisy Sisters
Henning Mankell

765. La prueba del ácido
Élmer Mendoza

766. Conversación
Gonzalo Hidalgo Bayal

767. Ventajas de viajar en tren
Antonio Orejudo

768. El cartógrafo de Lisboa
Erik Orsenna

769. Más allá del espejo
John Connolly

770. Sueño con mujeres que ni fu ni fa
Samuel Beckett